Ken Follett

Die Kinder von Eden

ROMAN

*Aus dem Englischen
von*
Till R. Lohmeyer
und
Wolfgang Neuhaus

BASTEI LÜBBE TASCHENBUCH
Band 14535

Erste Auflage: Mai 2001

Vollständige Taschenbuchausgabe
der im Gustav Lübbe Verlag erschienenen Hardcoverausgabe

Bastei Lübbe Taschenbücher ist ein Imprint
der Verlagsgruppe Lübbe

Titel der englischen Originalausgabe: The Hammer of Eden,
Macmillan London, Ltd./Crown Publishers, Inc. New York
© Copyright 1998 by Ken Follett
© für die deutschsprachige Ausgabe:
1999 by Verlagsgruppe Lübbe GmbH & Co. KG,
Bergisch Gladbach
Umschlaggestaltung: Guido Klütsch, Köln
Satz: Dörlemann Satz, Lemförde
Druck und Verarbeitung: Elsnerdruck, Berlin
Printed in Germany
ISBN 3-404-14535-6

Sie finden us im Internet unter
http://www.luebbe.de

Der Preis dieses Bandes versteht sich einschließlich
der gesetzlichen Mehrwertsteuer.

INHALT

Wenn er sich schlafen legt, sieht er stets diese Landschaft vor sich: Ein Kiefernwald bedeckt die Hügel, dicht und dick wie der Pelz auf dem Rücken eines Bären. In der klaren Bergluft ist der Himmel so blau, daß jeder Blick hinauf in den Augen weh tut. Weitab von der Straße liegt ein verstecktes Tal. Seine Flanken sind steil, und auf seinem Grund fließt ein kühler Bach. Hier, an einer sonnigen, nach Süden geneigten Stelle, uneinsehbar für Fremde, ist der Hang gerodet und mit Reben bepflanzt. Sie stehen ordentlich in Reih und Glied.

Wenn er nur daran denkt, wie schön das alles ist, bricht es ihm schier das Herz.

Männer, Frauen und Kinder gehen langsam durch den Weinberg und pflegen die Reben – seine Freunde, die Frauen, die er liebt, seine Familie. Eine der Frauen lacht. Sie ist groß und hat langes, dunkles Haar. Ihr fühlt er sich besonders verbunden. Sie wirft den Kopf zurück, öffnet weit den Mund, und ihre klare, helle Stimme schwebt übers Tal wie Vogelgesang. Mehrere Männer murmeln leise ein Mantra bei der Arbeit. Sie bitten die Götter des Tals und der Reben um eine gute Ernte. Ein paar gewaltige Baumstümpfe erinnern noch an die Knochenarbeit, mit der sie vor fünfundzwanzig Jahren diesen Ort geschaffen haben. Der Boden ist steinig, aber das ist gut so, denn die Steine speichern die Sonnenglut und schützen die Wurzeln der Reben vor dem tödlichen Frost.

Jenseits des Weinbergs steht eine Ansammlung von Holzhäusern, schmucklos, aber solide gebaut und wetterfest. Aus dem Kamin des Küchengebäudes steigt Rauch auf. Auf einer Lichtung zeigt eine Frau einem Jungen, wie man Fässer baut.

Dieser Ort ist heilig.

Geschützt durch Gebete und seine versteckte Lage, ist er rein geblieben, und die Menschen, die hier leben, sind frei, während die Welt außerhalb des Tals in Korruption und Heuchelei, in Habgier und Schmutz versinkt.

Doch mit einem Mal wandelt sich das Bild.

Irgend etwas ist mit dem kalten, schnellfließenden Bach geschehen. Mäanderte er eben noch durchs Tal, so ist sein Plätschern plötzlich verstummt, seine Strömung jäh gebremst. Wo einst weiße Wasser schäumten, steht jetzt ein dunkler Teich. Das Ufer wirkt unbewegt, doch wenn er den Blick abwendet und es erneut betrachtet, erkennt er, daß der Teich rasch größer wird. Schon bald sieht er sich gezwungen zurückzuweichen, den Hang hinauf.

Er begreift nicht, warum die anderen die steigende Flut mißachten. Der schwarze Teich erreicht die erste Rebenreihe, doch sie arbeiten unverdrossen weiter, obwohl ihre Füße bereits im Wasser stehen. Die Häuser werden vom Wasser erst eingeschlossen, dann überflutet. Das Feuer im Küchengebäude erlischt. Leere Fässer dümpeln auf dem entstehenden See und schwimmen langsam davon. Warum laufen meine Freunde nicht weg, fragt er sich. Panik schnürt seine Kehle ein und droht ihn zu ersticken.

Nun ist der Himmel düster von eisengrauen Wolken, und ein kalter Wind zerrt an den Kleidern der Menschen. Doch noch immer gehen sie ihrer Arbeit im Weinberg nach, bücken sich, richten sich wieder auf, lächeln einander zu und unterhalten sich mit leiser Stimme, als wäre nichts geschehen. Er ist der einzige, der sieht, in welcher Gefahr sie schweben, und er erkennt, daß er etwas tun muß, wenn er ein, zwei oder sogar drei Kinder vor dem Ertrinken retten will. Er will zu seiner Tochter laufen, merkt aber, daß seine Füße im Schlamm stecken und ihn festhalten. Er kann sich nicht mehr bewegen. Die Angst droht ihn zu überwältigen.

Unaufhaltsam steigt das Wasser im Weinberg. Schon reicht es den arbeitenden Männern und Frauen bis zu den Knien, schon schwappt es ihnen um die Taillen, schon stehen sie bis zum Hals in der Flut. Er versucht, ihnen zuzurufen. Er liebt diese Menschen. Los, tut was, möchte er brüllen, bringt euch in Sicherheit, sonst müßt ihr in ein paar Sekun-

8

den sterben ... Doch obwohl er den Mund aufreißt und seine Kehle schmerzt vor Anstrengung, bringt er keinen Ton heraus. Seine Angst verwandelt sich in reines Entsetzen.

Wasser dringt in seinen offenen Mund und wird ihn allmählich ersticken.

In diesem Augenblick wacht er auf.

Erster Teil

VIER WOCHEN

in Mann namens Priest zog sich seinen Cowboyhut in die Stirn und spähte über die flache, staubtrockene Halbwüste im Süden von Texas.

In alle Himmelsrichtungen erstreckte sich Gestrüpp: stumpfgrüne, niedrige, dornenreiche Mesquitesträucher und Salbeigewächse. Unmittelbar vor Priest hatten Bulldozer eine etwa drei Meter breite, schnurgerade Schneise durchs Gebüsch gefräst. *Senderos* nannten die spanischstämmigen Fahrer diese Pfade, an deren Rändern – in Abständen von jeweils exakt fünfzig Yards – bonbonrosafarbene Markierungsfähnchen an kurzen Drahtständern flatterten. Ein Lastwagen rollte im Schrittempo über den *sendero*.

Diesen Lastwagen mußte Priest stehlen.

Sein erstes Auto hatte er im Alter von elf Jahren geklaut, einen brandneuen, schneeweißen 1961er Lincoln Continental. Der Wagen stand vor dem Roxy Theater am South Broadway in Los Angeles, und die Schlüssel lagen im Handschuhfach. Priest, der damals noch Ricky hieß, konnte kaum übers Lenkrad gucken und hätte sich vor Angst fast in die Hosen gemacht – aber er hatte es geschafft, den Wagen zu Jimmy »Pigface« Riley zu kutschieren, der zehn Querstraßen weiter auf ihn wartete, und ihm stolz die Schlüssel präsentiert. Jimmy hatte ihm fünf Dollar gegeben, war sofort mit seiner Freundin zu einer Spritztour aufgebrochen – und fuhr den Wagen auf dem Pacific Coast Highway zu Schrott. Ricky aber wurde nach seiner Tat in die Pigface Gang aufgenommen.

Bei dem Laster auf dem *sendero* ging es jedoch nicht um einen beliebigen fahrbaren Untersatz.

Priest sah, wie das schwere Aggregat auf der Ladefläche hinter der Fahrerkabine langsam eine etwa vier Quadratmeter große, massive Stahlplatte auf den Boden herabsenkte. Nach einer kurzen

Pause vernahm er ein tiefes Dröhnen. Die Platte begann, rhythmisch auf die Erde zu hämmern, und um den Laster herum wirbelten Staubwolken auf. Priest spürte, wie der Boden unter seinen Füßen zitterte.

Das Gerät war ein seismischer Vibrator, der dazu diente, Schockwellen durch die Erdkruste zu jagen. Priest, der – außer als Autodieb – nie eine richtige Ausbildung genossen hatte, war trotz dieses Mankos ein kluger Kopf, der es bisher noch mit jedem aufgenommen hatte. Er hatte sofort begriffen, wie der Vibrator funktionierte. Das Prinzip entsprach der Radartechnik. Die Schockwellen wurden an markanten Gesteinsgrenzen im Erdinnern reflektiert und wieder an die Oberfläche zurückgeworfen, wo man sie mit Sensoren – sogenannten Geophonen – aufzeichnete.

Priest gehörte zur Geophon-Crew. Die Männer hatten auf einer Fläche von einer Quadratmeile schon über tausend Geophone in genau berechneten Abständen installiert. Jedesmal wenn der Vibrator die Erde erschütterte, wurden die reflektierten Schwingungen von den Sensoren aufgefangen und von einem Meßtechniker aufgezeichnet. Der Mann arbeitete in einem Anhänger, den alle nur »die Hundehütte« nannten. Sämtliche Daten würden später an einen Großrechner in Houston überspielt und dort zu einem dreidimensionalen Datenkomplex zusammengefügt, der die Gesteinsstruktur unter der Erdoberfläche darstellte. So aufbereitet, würde das Datenmaterial schließlich an eine Ölgesellschaft verkauft werden.

Der Ton der Schwingungen nahm zu an Höhe und Stärke und erinnerte nun an die mächtigen Maschinen eines Ozeandampfers, der langsam Fahrt aufnimmt. Dann brach das Geräusch abrupt ab. Die Augen zusammengekniffen vor dem wabernden Staub, rannte Priest über den *sendero* auf den Laster zu, öffnete die Tür und kletterte in die Kabine. Hinter dem Steuer saß ein etwa dreißigjähriger, untersetzter Mann mit schwarzen Haaren. »Hallo, Mario«, sagte Priest und rutschte auf den Beifahrersitz.

»Hallo, Ricky.«

Richard Granger lautete der Name auf Priests Führerschein der Klasse B. Der Schein war gefälscht, der Name jedoch echt.

Priest hielt eine Stange Marlboro in der Hand, Marios Marke, und warf sie aufs Armaturenbrett. »Hier, ich hab' dir was mitgebracht.«

»Hey, Mann, du brauchst mir doch keine Zigaretten zu kaufen!«

»Ich schnorr' doch dauernd welche bei dir.« Er griff nach dem offenen Päckchen, das ebenfalls auf dem Armaturenbrett lag, schüttelte eine Zigarette heraus und steckte sie sich in den Mund.

Mario lächelte. »Und warum kaufst du dir nicht deine eigenen?«

»Wer? Ich? Mensch, ich kann mir das Rauchen doch gar nicht leisten!«

»Du bist vielleicht ein Spinner, Mann.« Mario lachte.

Priest zündete sich seine Zigarette an. Kontakte zu knüpfen und sich bei anderen beliebt zu machen war ihm immer leichtgefallen. Auf den Straßen, in denen er aufgewachsen war, schlugen einen die Kerle zusammen, wenn sie einen nicht mochten, und er war als Junge ziemlich klein gewesen. Kein Wunder, daß er schon recht früh ein intuitives Gespür dafür entwickelt hatte, was andere von ihm erwarteten – Respekt, Zuneigung, Humor oder irgend etwas anderes in dieser Preislage –, verbunden mit der Angewohnheit, ihnen möglichst schnell alles recht zu machen. In der Ölbranche war es der Humor, der die Männer zusammenhielt – normalerweise spöttischer, manchmal hintersinniger und oftmals zotiger Humor.

Obwohl Priest erst seit zwei Wochen dabei war, hatte er sich schon das Vertrauen seiner Kollegen erworben. Dagegen wußte er immer noch nicht, wie er den seismischen Vibrator stehlen sollte. Nur eines war klar: Es mußte in den nächsten Stunden geschehen, denn morgen würde das Fahrzeug an einen anderen Standort überführt werden – und der lag ein paar hundert Meilen weit weg bei Clovis in New Mexico.

Priest hatte nur einen vagen Plan: Er wollte sich von Mario mitnehmen lassen. Die Fahrt würde zwei oder drei Tage dauern – der

Achtzehntonner brachte es auf dem Highway auf eine Durchschnittsgeschwindigkeit von kaum mehr als 45 Meilen in der Stunde. Irgendwo auf der Strecke wollte er Mario betrunken machen und dann mit dem Laster abhauen. Er hatte gehofft, ihm würde noch etwas Besseres einfallen, doch bislang hatte ihn seine Phantasie im Stich gelassen.

»Mein Wagen ist am Verrecken«, sagte er. »Kannst du mich morgen bis San Antonio mitnehmen?«

Mario war überrascht. »Du kommst nicht mit nach Clovis?«

»Nö.« Mit einer Handbewegung verwies Priest auf die öde Landschaft um sie herum. »Schau dir das doch mal an«, sagte er. »Texas ist so herrlich, Mann, da will ich gar nicht weg.«

Mario zuckte mit den Schultern. Leute, die ständig auf Achse waren, gab es in diesem Gewerbe genug. »Klar nehm' ich dich mit«, sagte er. Das verstieß zwar gegen die Vorschriften, hinderte jedoch keinen Fahrer daran, es immer wieder zu tun. »Warte an der Deponie auf mich.«

Priest nickte. Die Mülldeponie war ein trostloses Loch, angefüllt mit rostzerfressenen Pickups, zertrümmerten Fernsehapparaten und wurmzerfressenen Matratzen, und befand sich am Rande von Shiloh, der nächstgelegenen Stadt. Kein Mensch würde sehen, wie Mario ihn dort zusteigen ließ – höchstens ein paar Kids, die mit ihren Zweiundzwanziger-Flinten auf Schlangenjagd waren. »Um wieviel Uhr?«

»So um sechs rum.«

»Ich bring' uns Kaffee mit.«

Priest brauchte diesen Laster. Er hatte das Gefühl, sein ganzes Leben hinge davon ab. Es juckte ihn in den Fingern, Mario auf der Stelle zu packen, aus der Kabine zu schmeißen und mit der Karre abzuhauen. Aber das war natürlich Unfug. Zum einen war Mario fast zwanzig Jahre jünger als er selber und würde sich vielleicht nicht so ohne weiteres an die Luft setzen lassen. Und zum anderen kam es darauf an, daß der Diebstahl mehrere Tage lang unbemerkt blieb. Priest mußte das Fahrzeug nach Kalifornien bringen und dort verstecken, bevor die Polizei im ganzen Land nach einem gestohlenen seismischen Vibrator Ausschau hielt.

Das Funkgerät piepte. Das hieß, daß der Meßtechniker in der Hundehütte die Daten der letzten Vibration überprüft und für einwandfrei befunden hatte. Mario zog die Bodenplatte hoch, legte den ersten Gang ein, fuhr an und hielt fünfzig Yards weiter direkt neben dem nächsten rosafarbenen Markierungsfähnchen wieder an. Dort senkte er die Platte auf den Erdboden und gab per Funksignal durch, daß er wieder bereit war. Priest sah ihm aufmerksam zu und prägte sich die Reihenfolge ein, in der Mario Hebel und Schalter bediente. Das tat er nicht zum erstenmal. Wenn er später etwas vergaß, würde niemand da sein, den er um Anweisungen bitten konnte.

Sie warteten auf das Signal aus der Hundehütte, das die nächste Vibration in Gang setzen würde. Zwar waren auch die Fahrer in der Lage, die Erschütterungen auszulösen, doch behielten sich die meisten Meßtechniker das Kommando selber vor und starteten den Vorgang per Fernsteuerung. Priest zog ein letztes Mal an seiner Zigarette und warf die Kippe aus dem Fenster. Mario hatte Priests Wagen entdeckt, der ein paar hundert Meter weiter auf der zweispurigen Asphaltpiste parkte, und deutete mit einem Kopfnicken darauf. »Deine Frau?«

Priest sah auf. Star war aus dem verdreckten hellblauen Honda Civic ausgestiegen, lehnte an der Motorhaube und fächelte sich mit ihrem Strohhut Luft zu. »*Yeah*«, sagte er.

»Ich zeig' dir mal was.« Mario zog ein altes Lederportemonnaie aus der Tasche seiner Jeans, nahm ein Foto heraus und reichte es Priest. »Das ist Isabella«, sagte er stolz.

Priests Blick fiel auf eine hübsche junge Mexikanerin in den Zwanzigern. Sie trug ein gelbes Kleid und ein gelbes Haarband. Auf der Hüfte trug sie ein Baby; neben ihr stand schüchtern ein dunkelhaariger Junge. »Deine Kinder?«

Mario nickte. »Ross und Betty.«

Priest verkniff sich ein Lächeln über die englischen Vornamen.

»Sehen gut aus, deine Kids.« Er dachte an seine eigenen Kinder, und um ein Haar hätte er Mario von ihnen erzählt. Gerade noch rechtzeitig widerstand er dem Impuls und fragte: »Wo wohnen sie?«

»In El Paso.«

In Priests Gehirn keimte eine Idee. »Siehst du deine Familie oft?«

Mario schüttelte den Kopf. »Ich schufte und schufte, Mann. Spar' jeden Cent, damit ich 'n Haus für sie kaufen kann. Ein schönes Haus mit 'ner großen Küche und 'nem Swimmingpool im Garten. Sie haben's verdient.«

Die Idee blühte auf. Priest unterdrückte seine Erregung und fuhr im lockeren Gesprächston fort: »Ja, ja. 'n schönes Haus für 'ne schöne Familie, stimmt's?«

»Genau. Das hab' ich vor.«

Wieder piepte das Funkgerät, und der Laster fing an zu zittern. Der Lärm war wie Donnergrollen, wenn auch nicht so unregelmäßig. Er begann mit einem tiefen Baßton, der allmählich höher wurde. Nach genau vierzehn Sekunden war alles vorüber.

In der folgenden Stille schnippte Priest mit den Fingern: »Hör mal, ich hab' da 'ne Idee ... Aber nee, vielleicht doch nicht.«

»Was'n?«

»Nee, ich glaub', das klappt nicht.«

»Ja, was'n nu, Mann? Was?«

»Na ja, ich dachte eben ... Du hast 'ne bildhübsche Frau und süße Kids – irgendwie ist das nicht richtig, daß du sie nicht öfter siehst.«

»Und *das* soll deine Idee sein?«

»Nein. Ich dachte mir folgendes: Den Laster könnte doch eigentlich ich nach New Mexico fahren, und du fliegst unterdessen heim zu deiner Familie.« Laß dir bloß nicht anmerken, wie wichtig dir das ist, hielt Priest sich insgeheim vor und fügte laut hinzu: »Aber es wird sowieso nicht klappen.« In seiner Stimme schwang ein »Na und wenn schon« mit.

»Stimmt, Mann. Das geht nicht.«

»Wahrscheinlich nicht. Aber wart mal. Wenn wir morgen ganz früh losziehen und zusammen nach San Antonio fahren, könnte ich dich dort am Flughafen absetzen. Gegen Mittag wärst du dann in El Paso, schätze ich. Da kannst du mit deinen Kindern spielen, deine Frau zum Essen ausführen, zu Hause übernachten und am nächsten Tag wieder zurückfliegen. Ich könnte dich am Flughafen in Lubbock wieder abholen … Wie weit ist es von Clovis nach Lubbock?«

»So um die achtzig, neunzig Meilen.«

»Wir könnten noch am selben Abend oder spätestens am nächsten Morgen in Clovis sein. Kein Aas würde mitkriegen, daß du gar nicht die ganze Strecke gefahren bist.«

»Aber du willst doch nach San Antonio.«

Verdammt! Daran hatte er gar nicht mehr gedacht. Priest ließ sich rasch eine Begründung einfallen. »Aber ich war noch nie in Lubbock«, sagte er leichthin. »Und da wurde immerhin Buddy Holly geboren.«

»Was is'n das für ein Kerl?«

»*I love you, Peggy Sue* …«, sang Priest. »Als du auf die Welt kamst, war Buddy Holly schon tot, Mario. Ich mochte ihn mehr als Elvis. Aber frag mich jetzt bloß nicht, wer Elvis war.«

»Und du würdest die ganze Strecke fahren? Bloß meinetwegen?«

War das Mißtrauen? Oder war Mario nur dankbar? Priest hätte es nur allzu gern gewußt. »Na klar«, sagte er. »Solange ich deine Marlboros rauchen kann.«

Mario schüttelte verblüfft den Kopf. »Du bist 'n Pfundskerl, Ricky. Aber ich weiß nicht so recht …«

Also kein Mißtrauen. Aber Mario war vorsichtig und würde sich wahrscheinlich kaum zu einer Entscheidung drängen lassen. Priest verbarg seine Frustration hinter oberflächlicher Lässigkeit. »Denk halt drüber nach«, sagte er.

»Wenn was schiefgeht, bin ich meinen Job los. Das will ich nicht.«

»Da hast du recht.« Priest hielt seine Ungeduld in Schach. »Wir können ja später noch mal drüber reden, okay? Kommst du heute abend in die Bar?«

»Ja, sicher.«

»Da kannst du mir dann ja Bescheid sagen, oder?«

»Okay, das läßt sich machen.«

Aus dem Funkgerät ertönte das Alles-Klar-Signal. Mario legte den Hebel um, der die Stahlplatte vom Boden hievte.

»Ich muß jetzt wieder zur Geophon-Crew«, sagte Priest. »Wir müssen noch ein paar Meilen Kabel einsammeln, bevor's dunkel wird.« Er gab Mario das Familienfoto zurück und öffnete die Tür. »Ich sag' dir eins, Mann: Wenn ich so ein verdammt hübsches Mädchen hätte, würde ich nie mehr auch nur aus dem Haus gehen.« Er grinste, sprang hinaus und warf die Tür hinter sich zu.

Der Lastwagen fuhr an und rollte zum nächsten Fähnchen.

Priest machte sich auf den Weg. Bei jedem Schritt auf dem *sendero* wirbelten seine Cowboystiefel Staubwölkchen auf. Weiter vorn, dort, wo sein Wagen stand, sah er Star rastlos und sichtlich beunruhigt auf und ab gehen.

Vor vielen Jahren war sie einmal eine Berühmtheit gewesen, wenn auch nur kurzfristig. Zur Blütezeit der Hippie-Kultur hatte sie in Haight-Ashbury gelebt, einem Stadtteil von San Francisco. Persönlich kannte Priest sie damals noch nicht – Ende der sechziger Jahre war er gerade damit beschäftigt gewesen, seine erste Million zu verdienen. Aber er kannte die Geschichten, die sich um sie rankten. Star war damals eine strahlende Schönheit gewesen, groß und schwarzhaarig, die Figur kurvenreich und wohlproportioniert wie eine Sanduhr. Sie hatte eine Schallplatte herausgebracht, auf der sie zu der psychedelischen Musik einer Band namens Raining Fresh Daisies Gedichte rezitierte. Das Album war ein kleiner Hit gewesen – und Star war eine Zeitlang in aller Munde.

Was sie jedoch zur Legende gemacht hatte, war etwas anderes: ihr unersättlicher sexueller Appetit. Sie trieb es mit jedem, der gerade ihre Phantasie erregte – mit neugierigen Zwölfjährigen und verblüfften Männern in den Sechzigern, mit jungen Männern, die sich für schwul hielten, und Mädchen, die gar nicht wußten, daß sie lesbisch waren, mit Freunden, die sie seit Jahren kannte, und Fremden, die sie sich von der Straße holte.

Doch das war inzwischen schon lange her. In ein paar Wochen würde sie ihren fünfzigsten Geburtstag feiern. Ihr Haar war von grauen Strähnen durchzogen und ihre Figur noch immer üppig, wenn sie auch dem Vergleich mit dem Stundenglas nicht mehr standhielt: Mittlerweile wog Star achtzig Kilo, verfügte aber immer noch über außergewöhnliche sexuelle Anziehungskraft. Wenn sie eine Bar betrat, drehten sich alle Männer nach ihr um.

Selbst jetzt, besorgt und verschwitzt, wie sie war, wirkte ihr rastloses Hin und Her neben dem billigen alten Wagen sexy und das Gewoge ihres Körpers unter dem dünnen Baumwollkleid wie eine einzige Einladung. Priest hätte sie am liebsten auf der Stelle vernascht.

»Na, wie sieht's aus?« fragte sie, kaum daß er in Hörweite kam.

Priest war ein Optimist. »Ganz gut«, sagte er.

»Das klingt schlecht«, erwiderte Star skeptisch. Sie kannte ihn zu gut, um alles, was er sagte, für bare Münze zu nehmen.

Priest berichtete ihr von dem Angebot, das er Mario gemacht hatte. »Das Beste daran ist, daß am Ende er die Suppe auslöffeln muß«, schloß er.

»Wieso?«

»Denk doch mal drüber nach: Er kommt nach Lubbock und sucht mich. Ich bin aber nicht da, genausowenig wie der Laster. Da geht ihm langsam auf, daß man ihn übers Ohr gehauen hat. Was macht er nun? Glaubst du vielleicht, er schlägt sich nach Clovis durch und erzählt in der Firma, daß ihm der Truck geklaut wurde? Kann ich mir nicht vorstellen. Denn im günstigsten Fall wird er bloß rausgeschmissen, im schlimmsten handelt er sich eine Anzeige wegen Lastwagendiebstahls ein und landet im Knast. Jede Wette also, daß er sich gar nicht erst in Clovis blicken läßt. Er wird sich ins nächstbeste Flugzeug setzen, das ihn wieder nach El Paso bringt. Dort packt er seine Frau und seine Kinder ins Auto und verschwindet auf Nimmerwiedersehn. Und dann sind die Bullen natürlich *überzeugt*, daß er den Brummi gestohlen hat. Ricky Granger dagegen gerät nicht einmal unter Verdacht.«

Star runzelte die Brauen. »Der Plan ist super, aber wird Mario den Köder annehmen?«

»Ich glaub' schon.«

Ihre Besorgnis wuchs. Sie schlug mit der flachen Hand auf das staubige Autodach und sagte: »Verdammt! Wir brauchen diesen Laster unbedingt!«

Priest war ebenso besorgt wie sie, überspielte das aber mit übertriebener Selbstsicherheit. »Wir kriegen ihn. Wenn nicht auf diese Weise, dann eben auf eine andere.«

Star setzte ihren Strohhut auf, lehnte sich wieder an den Wagen und schloß die Augen. »Hoffentlich hast du recht.«

Er streichelte ihre Wange. »Kann ich Sie irgendwohin mitnehmen, Gnädigste?«

»Ja, bitte. Bringen Sie mich in mein klimatisiertes Hotelzimmer.«

»Das kostet aber was.«

Star riß in gespielter Unschuld die Augen auf. »Muß ich dafür was Schlimmes tun, der Herr?«

Seine Hand glitt in ihren Ausschnitt. »Jawohl.«

»O jemine!« sagte sie und hob den Rock ihres Kleids bis über die Taille.

Sie trug keine Unterwäsche.

Priest grinste und knöpfte sich seine Levi's auf.

»Was wird Mario denken, wenn er uns so sieht?« fragte sie.

»Neidisch wird er sein«, sagte Priest, während er in sie eindrang. Sie waren fast gleichgroß und fanden mit einer Leichtigkeit zusammen, die lange Übung verriet.

Star küßte ihn auf den Mund.

Wenig später hörte er, wie sich ein Auto auf der Straße näherte. Sie blickten beide auf, ließen sich aber ansonsten nicht stören. Ein Pickup mit drei Landarbeitern auf dem Vordersitz fuhr vorbei. Die

Männer sahen, was los war, und grölten und johlten durchs offene Fenster.

Star winkte ihnen zu und rief: »Hallo, Jungs!«

Priest mußte so heftig lachen, daß er kam.

Vor genau drei Wochen hatte die Krise ihre letzte, entscheidende Phase erreicht.

Sie hatten gerade an dem langen Tisch im Küchengebäude gesessen und ihr Mittagessen verzehrt, einen würzigen Linseneintopf mit Gemüseeinlage und frischem, ofenwarmem Brot. Da betrat Paul Beale den Raum, in der Hand einen Briefumschlag.

Paul füllte den Wein, den Priests Kommune produzierte, in Flaschen ab – doch das war nicht seine einzige Zuständigkeit. Paul hielt Verbindung nach draußen und sorgte dafür, daß die Kommunarden zwar Kontakt mit dem Rest der Welt halten, sich aber gleichzeitig von ihm abschotten konnten. Der kahlköpfige, bärtige Mann war seit den frühen Sechzigern mit Priest befreundet. Zu jener Zeit waren sie halbwüchsige Gangster gewesen, die in den Slums von L. A. besoffene Penner ausgeraubt hatten.

Priest nahm an, daß Paul den Brief am Morgen in Napa erhalten hatte und sofort zu ihnen gefahren war. Was in dem Brief stand, konnte er sich ebenfalls denken, doch ließ er erst einmal Paul zu Worte kommen.

»Vom Liegenschaftsamt der Regierung«, sagte Paul. »Adressiert an Stella Higgins.« Er reichte das Schreiben Star, die Priest gegenüber an der Schmalseite des Tisches saß. Stella Higgins war ihr richtiger Name – jener, unter dem sie im Herbst 1969 diese Parzelle Staatsland vom Innenministerium gepachtet hatte.

Die Gespräche am Tisch erstarben. Selbst die Kinder hielten plötzlich den Mund; sie spürten die Atmosphäre aus Furcht und Bestürzung.

Star riß den Umschlag auf und entnahm ihm den einzelnen Briefbogen. Mit einem Blick überflog sie den Inhalt des Schreibens. »Am siebten Juni«, sagte sie.

»Fünf Wochen und zwei Tage, von heute an«, sagte Priest. Solche Rechenergebnisse flogen ihm automatisch zu.

Mehrere Leute am Tisch stöhnten verzweifelt auf. Eine Frau namens Song begann leise zu weinen. Eines von Priests Kindern, der zehnjährige Ringo, fragte: »Warum, Star? Warum nur?«

Priests Blick glitt zu Melanie, dem neuesten Mitglied der Gruppe. Sie war eine hochgewachsene, schmale Frau von achtundzwanzig Jahren, bildhübsch, mit blasser Haut, langem, paprikarotem Haar und der Figur eines Models. Dusty, ihr fünfjähriger Sohn, saß neben ihr. »Was?« fragte sie, und Entsetzen lag in ihrer Stimme. »Was hat das zu bedeuten?«

Alle hatten sie gewußt, was auf sie zukam, aber da sie es einfach zu deprimierend fanden, darüber zu reden, hatte sich niemand von ihnen bemüßigt gefühlt, Melanie aufzuklären.

»Wir werden das Tal hier verlassen müssen, Melanie«, sagte Priest. »Es tut mir leid.«

Star las vor: »»Die oben erwähnte Parzelle ist nach dem 7. Juni dieses Jahres nicht mehr zur Besiedlung geeignet, da Gefahr für Leib und Leben entstehen wird. Wir sehen uns daher gezwungen, die Pacht gemäß § 9 Absatz B Ziffer 2 Ihres Vertrags zu kündigen.‹«

Melanie sprang auf. Ihre weiße Haut war gerötet, ihr hübsches Gesicht wutverzerrt. »Nein!« schrie sie. »Nein! Das können die mir nicht antun – ich habe euch doch gerade erst gefunden! Ich glaube das nicht. Das ist eine Lüge!« In ihrer Wut wandte sie sich gegen Paul. »Du Lügner!« brüllte sie. »Du gottverdammter Lügner!«

Ihr Kind fing an zu weinen.

»Komm, reg dich ab!« erwiderte Paul empört. »Ich bin hier doch bloß der beknackte Briefträger!«

Plötzlich schrie alles wild durcheinander.

Mit drei, vier langen Schritten war Priest bei Melanie. Er nahm sie in den Arm und flüsterte ihr ins Ohr: »Du machst Dusty angst! Setz dich wieder. Ich verstehe ja, daß du wütend bist. Das sind wir alle. Wir schäumen vor Wut.«

»Sag mir, daß das nicht wahr ist«, bat Melanie.

Mit sanftem Nachdruck schob Priest sie auf ihren Stuhl. »Doch, Melanie, es ist wahr«, sagte er. »Es ist wirklich wahr.«

Er wartete ab, bis sich alle einigermaßen beruhigt hatten; erst dann ergriff er wieder das Wort: »Los, Leute«, sagte er. »Machen wir uns an den Abwasch und dann wieder an die Arbeit.«

»Warum sollten wir?« wollte Dale wissen. Er war der Winzer. Er gehörte nicht zu den Gründern der Kommune, sondern war erst in den achtziger Jahren, desillusioniert von der alles beherrschenden Kommerzialisierung, zu ihnen gestoßen und nach Priest und Star zur wichtigsten Person der Gruppe geworden. »Zur Weinlese sind wir doch schon gar nicht mehr hier«, fuhr er fort. »In fünf Wochen müssen wir weg. Was sollen wir da noch arbeiten?«

Priest fixierte ihn mit seinem hypnotisch-starren *Blick*, dem nur äußerst willensstarke Menschen standzuhalten vermochten. Er wartete geduldig, bis absolute Stille herrschte. Dann sagte er: »Weil manchmal ein Wunder geschieht.«

Eine Verordnung des Stadtrats untersagte in der texanischen Gemeinde Shiloh den Verkauf alkoholischer Getränke, doch gleich hinter der Stadtgrenze gab es eine Bar namens Doodlebug, die billiges Bier vom Faß, Kellnerinnen in engen Blue Jeans und Cowboystiefeln sowie eine Country-und-Western-Band zu bieten hatte.

Priest kam allein. Er wollte nicht, daß Star hier auftauchte und man sich später womöglich an ihr Gesicht erinnerte. Am liebsten wäre ihm gewesen, sie hätte ihn gar nicht erst nach Texas begleitet – aber er brauchte jemanden, der ihm half, den seismischen Vibrator heimzubringen. Sie würden Tag und Nacht durchfahren, sich gegenseitig am Steuer ablösen und notfalls mit Aufputschmitteln wachhalten. Sie wollten unbedingt zu Hause sein, bevor der Lastwagen vermißt wurde.

Er bereute seinen Leichtsinn vom Nachmittag. Mario hatte Star zwar nur aus einer Viertelmeile Entfernung gesehen und die Landarbeiter im Pickup bloß im Vorbeifahren, doch Star war eine auffällige Erscheinung. Vermutlich würde jeder dieser Zeugen eine grob umrissene Personenbeschreibung von ihr geben können: eine große Weiße, stämmig, mit langen, dunklen Haaren ...

Priest hatte, bevor er nach Shiloh kam, sein Äußeres verändert. Er hatte sich einen buschigen Vollbart und einen Schnäuzer wachsen lassen und sein langes Haar zu einem strammen Zopf gebunden, den er unter den Hut steckte.

Sollte jedoch alles nach Plan laufen, würde kein Mensch je danach fragen, wie er und Star aussahen.

Als er das Doodlebug betrat, war Mario schon da. Er saß an einem Tisch mit fünf oder sechs Männern aus der Geophon-Crew sowie mit Larry Petersen, dem Projektleiter.

Priest wollte sich unter keinen Umständen anmerken lassen, daß er wie auf heißen Kohlen saß. Er bestellte sich daher zunächst ein Lone-Star-Bier, unterhielt sich, wobei er gelegentlich einen Schluck aus der Flasche nahm, mit dem Mädchen am Tresen und gesellte sich erst eine Weile später zu den anderen am Tisch.

Lenny, ein Mann mit schütterem Haar und roter Nase, hatte Priest am Wochenende vor vierzehn Tagen den Job gegeben. Priest hatte einen Abend mit den anderen von der Crew in der Bar verbracht, nur wenig getrunken und sich als recht umgänglich erwiesen. Er hatte ein paar Brocken Fachjargon aufgeschnappt und laut über Lennys Witze gelacht. Am nächsten Morgen war er zu Lenny in den Bürocontainer gegangen und hatte ihn um einen Job gebeten. »Ich stell' dich auf Probe ein«, hatte Lenny gesagt.

Das war alles, was Priest brauchte.

Er arbeitete hart, begriff schnell und kam mit den Kollegen gut zurecht. Nach ein paar Tagen gehörte er dazu.

Als er sich zu den anderen an den Tisch setzte, bemerkte Lenny in seinem schleppenden texanischen Tonfall: »Dann kommst du also nicht mit uns nach Clovis, Ricky, he?«

»Nein, Lenny«, antwortete Priest. »Mir gefällt das Wetter hier viel zu gut. Ich will nicht weg.«

»Na ja. Ich will dir eigentlich auch nur ganz ehrlich sagen, daß es mir ein Privileg und ein besonderes Vergnügen gewesen ist, deine Bekanntschaft gemacht zu haben – auch wenn sie nur von kurzer Dauer war.«

Die anderen grinsten. Dieses Wortgeklingel war typisch. Erwartungsvoll blickten sie Priest an und harrten seiner Replik.

Er setzte ein feierliches Gesicht auf und sagte: »Lenny, du bist immer so lieb und nett zu mir gewesen, daß ich dir noch einmal, ein einziges Mal noch, die Frage stellen möchte: Willst du mich heiraten?«

Alles lachte. Mario klopfte Priest auf den Rücken.

Lenny setzte eine betrübte Miene auf und erwiderte: »Du weißt doch, daß ich dich nicht heiraten kann, Ricky. Ich habe dir doch schon gesagt, warum.« Er legte eine effektvolle Pause ein, und die anderen beugten sich vor, als könnte ihnen sonst die Pointe entgehen. »Ich bin lesbisch.«

Nun brüllten die Männer vor Lachen. Priest gab sich mit einem reumütigen Lächeln geschlagen und bestellte einen Krug Bier für den Tisch.

Das Gespräch wandte sich dem Baseballspiel zu. Die meisten Männer mochten die Houston Astros; nur Lenny, der aus Arlington stammte, war Anhänger der Texas Rangers. Priest interessierte sich nicht für Sport. Ungeduldig wartend saß er da und ließ nur ab und zu eine neutrale Bemerkung fallen. Die Männer waren in bester Stimmung. Der Job war rechtzeitig abgeschlossen, sie hatten alle gut verdient, und außerdem war Freitagabend. Priest nippte an seinem Bier. Er trank niemals viel, weil er es haßte, seine Selbstbeherrschung zu verlieren. Er beobachtete, wie sich Mario allmählich vollaufen ließ. Als Tammy, die Kellnerin, den nächsten Krug brachte, starrte Mario sehnsüchtig auf ihre Brüste unter dem karierten Hemd. *Träum nur schön weiter, Mario. Morgen abend kannst du schon bei deiner Frau im Bett liegen.*

Nach ungefähr einer Stunde verschwand Mario Richtung Herrentoilette.

Priest folgte ihm. *Verdammte Warterei. Ich muß jetzt Nägel mit Köpfen machen.*

Er stellte sich ans Pissoir neben Mario und sagte: »Schätze, Tammy trägt heute abend schwarze Unterwäsche.«

»Woher willst du denn das wissen?«

»Als sie sich über den Tisch beugte, bekam ich 'n kleinen Einblick. Ich mag Spitzen-BHs.«

Mario seufzte.

»Gefallen dir Frauen in schwarzer Unterwäsche?« fuhr Priest fort.

»Ich steh' auf Rot«, erwiderte Mario im Brustton der Überzeugung.

»Ja, rot ist auch schön. Wenn eine Frau rote Unterwäsche anzieht, ist sie richtig scharf auf dich. Heißt es jedenfalls.«

»Wirklich?« Marios nach Bier riechender Atem ging ein wenig schneller.

»Ja, das hab' ich irgendwo mal gehört.« Priest knöpfte sich die Hose zu. »Hör mal, ich muß jetzt gehen. Die Meine erwartet mich im Motel.«

Mario grinste und wischte sich den Schweiß aus der Stirn. »Ich hab' euch zwei heute nachmittag gesehen, Mann, o Mann …«

Priest schüttelte in gespieltem Bedauern den Kopf. »Das ist meine Schwäche. Ich kann bei einem hübschen Gesicht einfach nicht nein sagen.«

»Mensch, ihr habt es doch wirklich *getan* – mitten auf der Straße!«

»Na ja, wenn du deine Frau eine Zeitlang nicht gesehen hast, dann wird sie zappelig, dann braucht sie's, verstehst du?« *Komm schon, Mario, das ist ein Wink mit dem Zaunpfahl …*

»Yeah, ich weiß. Übrigens, was morgen betrifft …«

Priest hielt den Atem an.

»Also, wenn du noch zu deinem Vorschlag stehst …«

Ja! Ja!

»Dann ist alles geritzt.«

Priest widerstand der Versuchung, ihm um den Hals zu fallen.

»Du willst doch noch, oder?« fragte Mario besorgt.

»Klar doch.« Priest legte den Arm um Marios Schultern. Gemeinsam verließen sie den Toilettenraum. »Wozu hat man denn Kumpels, he?«

»Danke dir, Mann.« Mario standen die Tränen in den Augen. »Bist ein toller Hecht, Ricky.«

Sie wuschen ihre Keramikschüsseln und Holzlöffel in einer großen Wanne mit warmem Wasser und trockneten das Geschirr mit einem Handtuch ab, das einst ein altes Arbeitshemd gewesen war. Melanie sagte zu Priest: »Dann fangen wir eben noch einmal irgendwo anders an! Besorgen uns ein Stück Land, errichten ein paar Blockhütten, pflanzen Rebstöcke und machen Wein. Warum nicht? So habt ihr doch vor all diesen Jahren auch angefangen.«

»Stimmt«, sagte Priest, stellte seine Schüssel in ein Regal und warf seinen Löffel in den Kasten. Einen Moment lang fühlte er sich wieder jung, stark wie ein Pferd, berstend vor Energie und felsenfest davon überzeugt, jede Aufgabe lösen zu können, die ihm das Leben stellte, komme, was da wolle. Er erinnerte sich an die einzigartigen Gerüche jener Zeit: frischgesägtes Holz; Stars junger Körper, schweißüberströmt beim Umgraben; der charakteristische Duft von Marihuana, das sie auf einer Waldlichtung anbauten; das betörend süße Aroma der gepreßten Trauben … Dann holte ihn die Gegenwart wieder ein, und er setzte sich an den Tisch.

»Ja, vor all diesen Jahren«, wiederholte er. »Für 'n Appel und 'n Ei haben wir damals dieses Stück Land von der Regierung gepachtet. Und danach hat man uns einfach vergessen.«

»Neunundzwanzig Jahre lang keine einzige Pachterhöhung«, ergänzte Star.

Priest fuhr fort: »Den Wald haben wir mit Hilfe von dreißig oder vierzig Jugendlichen gerodet, die damals bereit waren, zwölf bis vierzehn Stunden täglich ohne Bezahlung zu arbeiten. Richtige Idealisten waren das.«

Paul Beale grinste. »Mir tut der Rücken heute noch weh, wenn ich nur daran denke.«

»Unsere Reben bekamen wir ebenfalls umsonst – von einem freundlichen Winzer aus dem Napa Valley, der junge Leute zu konstruktiver Arbeit anspornen wollte. Sie sollten nicht den ganzen Tag nur herumsitzen und sich bekiffen.«

»Der alte Raymond Delavalle«, sagte Paul. »Ist inzwischen längst tot, Gott hab' ihn selig.«

»Vor allem aber waren wir damals bereit, hart an der Armutsgrenze zu leben, und wir konnten es auch. Wir waren halb verhungert, pennten auf dem nackten Boden, die Schuhe waren voller Löcher … Fünf lange Jahre hat's gedauert, bis wir den ersten verkaufbaren Wein hatten.«

Star nahm ein herumkrabbelndes Baby vom Boden auf, wischte ihm die Nase ab und sagte: »Außerdem hatten wir noch keine Kinder, um die wir uns hätten Sorgen machen müssen.«

»Genau«, stimmte Priest zu. »Wenn sich all diese Voraussetzungen noch einmal wiederholen ließen, könnten wir noch mal von vorn anfangen.«

Melanie gab sich noch nicht zufrieden. »Es muß doch irgendeinen Ausweg geben!«

»Den gibt's auch«, sagte Priest. »Paul ist darauf gekommen.«

Paul nickte. »Ihr könntet eine Firma gründen. Geht zur Bank, borgt euch eine Viertelmillion Dollar, stellt Arbeitskräfte ein und verwandelt euch in typische kapitalistische Geizhälse, die nur noch ihre Profite im Kopf haben.«

»Das wäre die Kapitulation«, sagte Priest.

Es war noch dunkel, als Priest und Star am frühen Samstagmorgen in Shiloh aufstanden. Priest holte Kaffee in dem kleinen Restaurant neben ihrem Motel. Als er zurückkam, studierte Star im Licht der Leselampe einen Autoatlas. »Du müßtest Mario so zwischen halb zehn und zehn am internationalen Flughafen von San Antonio absetzen können und danach über die Interstate 10 aus der Stadt raus«, sagte sie.

Priest würdigte den Atlas keines Blickes. Karten verwirrten ihn nur. Er konnte sich an die Hinweisschilder zum Highway I-10 halten. »Wo treffen wir uns dann?« fragte er.

Star rechnete nach. »Ich müßte ungefähr eine Stunde Vorsprung vor dir haben.« Sie legte ihren Finger auf einen bestimmten Punkt auf der Karte. »Etwa fünfzehn Meilen vom Flughafen entfernt liegt ein Nest namens Leon Springs. Ich parke so, daß du mich nicht übersehen kannst.«

»Klingt gut.«

Sie waren beide nervös und aufgeregt. Der Diebstahl des Lasters war nur der erste Schritt in ihrem Plan, wenngleich ein ganz entscheidender. Alles weitere hing davon ab.

Star störte sich noch an ein paar praktischen Einzelheiten. »Was machen wir mit dem Honda?«

Priest hatte den Wagen drei Wochen zuvor für tausend Dollar bar auf die Hand erworben. »Leicht verkäuflich ist der nicht mehr«, sagte er. »Bei einem Gebrauchtwagenhändler kriegen wir vielleicht noch fünfhundert dafür. Wenn nicht, lassen wir ihn einfach irgendwo abseits vom Highway im Wald stehen.«

»Können wir uns das leisten?«

»Geld macht dich arm.« Priest zitierte eines der Fünf Paradoxe des Gurus Baghram, nach dessen Regeln sie lebten.

Priest wußte bis auf den letzten Cent genau, wieviel Geld ihnen zur Verfügung stand, doch behielt er sein Wissen für sich. Die meisten Kommunarden wußten nicht einmal, daß es ein Bankkonto gab. Und kein Mensch in der ganzen Welt ahnte etwas von Priests Notgroschen – zehntausend Dollar in Zwanzigern, mit Klebeband im Resonanzkörper einer ramponierten Akustikgitarre befestigt, die in Priests Hütte an einem Nagel hing.

Star zuckte mit den Schultern. »Darüber hab' ich mir fünfundzwanzig Jahre lang keine Gedanken gemacht – da werd' ich nicht ausgerechnet jetzt damit anfangen.« Sie nahm ihre Lesebrille ab.

Priest lächelte sie an. »Siehst richtig süß aus mit deiner Brille.«

Star sah ihn von der Seite an und stellte eine Frage, die ihn überraschte: »Freust du dich schon auf Melanie?«

Priest und Melanie waren Geliebte.

Er ergriff Stars Hand. »Ja, natürlich«, sagte er.

»Ich sehe dich gerne mit ihr zusammen. Sie macht dich glücklich.«

Eine plötzliche Erinnerung an Melanie schoß Priest durch den Kopf: Sie lag auf dem Bauch in seinem Bett und schlief. Die Strahlen der tiefstehenden Morgensonne fielen durchs Hüttenfenster. Er selbst saß am Tisch, nippte an einer Tasse Kaffee und beobachtete die junge Frau. Er freute sich am Anblick ihrer feinen weißen Haut, der perfekten Kurve ihres Pos, ihres langen, roten Haars, zerzaust und breit gefächert. Jeden Augenblick würde ihr der Kaffeeduft in die Nase steigen; sie würde sich umdrehen und die Augen öffnen, und dann würde er, Priest, wieder zu ihr ins Bett steigen und sie lieben. Doch fürs erste schwelgte er noch in Vorfreude und malte sich aus, wie er sie berühren und erregen wollte. Er genoß den kostbaren Augenblick wie ein Glas guten Weins.

Die Vision verblaßte. Er war wieder in einem billigen Motel in Texas und sah Star vor sich, ihr neunundvierzigjähriges Gesicht. »Du bläst doch nicht Trübsal wegen Melanie, oder?« fragte er sie.

»Die Ehe ist die größte Treulosigkeit«, sagte sie und zitierte damit ein weiteres der Fünf Paradoxe.

Priest nickte. Treue hatten sie nie voneinander verlangt. In der Anfangszeit war es Star gewesen, die für den Gedanken, sich auf einen einzigen Liebhaber zu beschränken, nur Verachtung übrig hatte. Später, nach ihrem dreißigsten Geburtstag, wurde sie allmählich ruhiger. Priest hatte ihre Toleranz auf die Probe gestellt, indem er reihenweise anderen Mädchen vor ihren Augen den Hof gemacht hatte. Beide glaubten sie nach wie vor an die freie Liebe – Tatsache war aber, daß seit einigen Jahren weder er noch sie sich entsprechend verhalten hatten.

Melanie war für Star demnach eine Art Schock gewesen, aber das war ganz gut so. Ihre Beziehung zu Priest war ohnehin zu gefestigt. Priest mochte es nicht, wenn jemand vorhersagen konnte, was er vorhatte. Ja, er liebte Star, doch die schlecht verhohlene

Sorge in ihren Augen erzeugte in ihm das angenehme Gefühl, das Heft in der Hand zu haben.

Star spielte mit ihrem Kaffeebecher aus Styropor. »Ich frage mich nur, was Flower davon hält«, sagte sie. Flower war ihre gemeinsame Tochter und mit dreizehn das älteste Kind in der Kommune.

»Sie ist nicht in einer Kernfamilie aufgewachsen«, erwiderte Priest. »Wir haben sie nicht zur Sklavin bürgerlicher Konventionen erzogen. Das ist doch Sinn und Zweck einer Kommune.«

»Ja, schon«, stimmte Star ihm zu, aber es reichte ihr nicht. »Ich möchte nur nicht, daß sie dich verliert, das ist alles.«

Er streichelte ihre Hand. »Keine Angst, das wird nicht passieren.«

Sie drückte seine Finger. »Danke.«

»Wir müssen gehen«, sagte er und stand auf.

Ihre Habseligkeiten steckten in drei Einkaufsbeuteln aus Plastik. Priest trug sie hinaus zu ihrem Honda. Star folgte ihm.

Die Rechnung hatten sie bereits am Vorabend beglichen. Jetzt war das Büro geschlossen, und niemand beobachtete sie, als Star sich ans Steuer setzte und sie im fahlen Morgenlicht davonfuhren.

Shiloh bestand aus einer Straße und einer Querstraße. Dort, wo sich die beiden kreuzten, standen die einzigen Verkehrsampeln. An einem Samstagmorgen um diese Zeit waren noch kaum andere Fahrzeuge unterwegs. Star fuhr unbekümmert bei Rot über die Ampel, und wenig später hatten sie die Stadt auch schon hinter sich gelassen. Kurz vor sechs erreichten sie die Müllkippe.

Sie wurde von keinem Hinweisschild angekündigt, von keinem Zaun oder Tor begrenzt. Es gab lediglich einen Zufahrtsweg, erkennbar an den von Lastwagenreifen niedergewalzten Sträuchern. Star folgte dem Pfad über einen flachen Hügel. Die Kippe lag in einer Senke, die von der Straße aus nicht einsehbar war. Neben einem schwelenden Müllhaufen brachte Star den Wagen zum Stehen. Von Mario und dem seismischen Vibrator war weit und breit nichts zu sehen.

Priest spürte, daß Star noch immer beunruhigt war. Ich muß sie aufbauen, dachte er besorgt. Sie darf nicht abgelenkt sein – ausgerechnet heute! Wenn etwas schiefgeht, muß sie voll bei der Sache sein, voll konzentriert ...

»Flower wird mich nicht verlieren«, sagte er.

»Das ist gut«, erwiderte sie zaghaft.

»Wir bleiben zusammen, wir drei. Weißt du, warum?«

»Sag's mir.«

»Weil wir uns lieben.«

Er sah, wie Erleichterung die nervöse Spannung aus ihrem Gesicht vertrieb. Sie kämpfte mit den Tränen. »Danke«, sagte sie.

Seine Sicherheit kehrte zurück. Er hatte Star gegeben, was sie brauchte. Von jetzt an war sie wieder okay.

Er küßte sie. »Mario wird jeden Augenblick hier sein. Fahr jetzt los. Sieh zu, daß du vorankommst.«

»Soll ich nicht warten, bis er da ist?«

»Er soll dich nicht zu deutlich sehen. Wir wissen nicht, was noch auf uns zukommt. Ich möchte nicht, daß er dich identifizieren kann.«

»Okay.«

Priest stieg aus.

»He!« rief Star ihm nach. »Vergiß Marios Frühstück nicht!« Sie reichte ihm eine Papiertüte.

»Dank dir!« Er nahm die Tüte und warf die Wagentür zu.

Star wendete in einem weiten Kreis und fuhr so schnell davon, daß die Reifen eine Wolke texanischen Wüstenstaubs aufwirbelten.

Priest sah sich um. Es verblüffte ihn, daß ein Nest wie Shiloh so viel Müll produzieren konnte. Sein Blick schweifte über verbogene Fahrräder, fast neuwertige Kinderwagen, fleckige Sofas, altmodische Kühlschränke und mindestens zehn Einkaufswagen aus Supermärkten. Und überall Verpackungsmüll: Kartons von Stereoanlagen, federleichte Polysterolverpackungen, die wie abstrakte Skulpturen aussahen, Papiersäcke und Plastikbehälter aller Art, die vormals Substanzen enthalten hatten, welche Priest niemals benutzte: Klarspüler, Feuchtigkeitscreme, Haarpflegemittel, Weichspüler, Toner für Fax- und Kopiergeräte. Ein Märchenschloß aus rosa Plastik fiel ihm auf, wahrscheinlich ein Kinderspielzeug, und er staunte über die verschwenderische Opulenz der ausgefeilten Konstruktion.

Im Silver River Valley gab es nie viel Abfall. Sie benutzten weder Kinderwagen noch Kühlschränke und kauften nur sehr selten verpackte Waren. Die Kinder schufen sich mit Hilfe der Phantasie ihre Märchenschlösser selbst – in Bäumen, Fässern oder Holzstapeln.

Noch dunstverschleiert schob sich die rote Sonnenscheibe über den Hügelkamm und warf Priests langen Schatten über ein rostiges Bettgestell. Er mußte an die Sonnenaufgänge über den Schneegipfeln der Sierra Nevada denken, und unvermittelt überkam ihn schmerzvolle Sehnsucht nach der kühlen, reinen Luft der Berge.

Bald, bald …

Zu seinen Füßen schimmerte etwas auf: Ein funkelnder Metallgegenstand steckte, zur Hälfte vergraben, im Boden. Aus reiner Langeweile scharrte Priest mit der Stiefelspitze die trockene Erde beiseite, bückte sich und hob den Gegenstand auf. Es war eine schwere Stillson-Rohrzange. Sie sah funkelnagelneu aus. Ihre Größe schien zur Ausrüstung des seismischen Vibrators zu passen. Vielleicht kann Mario das Ding brauchen, dachte Priest, ehe ihm einfiel, daß der Laster mit Sicherheit über einen Werkzeugkasten verfügte, in dem für jede einzelne Schraube und Mutter der richtige Schlüssel lag. Was sollte Mario da noch mit einer Rohrzange von der Müllkippe anfangen? Wegwerfgesellschaft!

Priest ließ das Werkzeug wieder fallen.

Er hörte Fahrgeräusche, aber sie klangen nicht nach einem großen Lkw. Er blickte auf. Sekunden später kam ein brauner Pickup über die Kuppe und holperte über den unebenen Pfad. Es war ein Dodge Ram mit einer gesprungenen Windschutzscheibe – Marios Privatwagen. Was hatte das zu bedeuten? Priest schwante Übles. Mario hätte am Steuer des Lastwagens erscheinen, sein eigener

Wagen von einem Kollegen nach Norden gefahren werden sollen. Oder hatte Mario beschlossen, den Wagen an Ort und Stelle zu verhökern und sich in Clovis einen neuen zu kaufen? Irgend etwas war schiefgelaufen. »Scheiße!« sagte Priest. »Scheiße!«

Als Mario anhielt und ausstieg, unterdrückte er seine Wut und Frustration jedoch, reichte ihm die Tüte und sagte: »Ich hab' dir Frühstück mitgebracht. Was ist denn los?«

Mario ließ die Tüte ungeöffnet und schüttelte traurig den Kopf. »Ich kann's nicht, Mann. Ich kann's einfach nicht.«

Scheiße.

»Ich finde dein Angebot echt toll, Ricky«, fuhr Mario fort. »Aber ich kann es trotzdem nicht annehmen.«

Was ist denn bloß in den gefahren?

Priest biß die Zähne zusammen und erwiderte in einem Ton, als ginge ihn die Sache gar nichts an: »Warum hast du es dir anders überlegt, Kumpel? Was ist passiert?«

»Als du gestern abend weg bist, aus der Bar, mein' ich, Mann, da hat Lenny mir eine lange Rede gehalten – wie teuer der Laster ist und daß ich ja keinen mitnehmen soll, auch keinen Anhalter, und daß er mir total vertraut und so.«

Das kann ich mir vorstellen! Lenny, sturzbesoffen und rührselig … Hat dich wahrscheinlich fast zum Flennen gebracht, Mario, du hirnverbrannter Trottel.

»Du weißt doch, wie's ist, Ricky. Kein schlechter Job – harte Maloche und lange Arbeitszeit, aber die Kohle stimmt. Ich will den Job nicht verlieren.«

»Schon gut, Kumpel«, sagte Priest mit gezwungener Lässigkeit, »solange du mich wenigstens bis San Antonio mitnimmst.« *Und ich denk' mir unterwegs was aus.*

Mario schüttelte den Kopf. »Nee, lieber nicht, nach allem, was Lenny gesagt hat. Nee, ich nehm' niemanden mit, nicht in dem Laster. Deshalb bin ich ja mit meinem eigenen Wagen gekommen, damit ich dich in die Stadt zurückbringen kann.«

Und was soll ich jetzt tun, um Himmels willen?

»Was ... äh, was meinst du, Ricky, he? Kommste mit?«

Und wie geht's dann weiter?

Priest hatte sich in Gedanken ein Luftschloß gebaut, das sich nun in der sanften Brise von Marios schlechtem Gewissen auflöste wie eine Rauchwolke. Geschlagene zwei Wochen hatte er in dieser heißen, staubigen Steppe ausgeharrt und seine Zeit mit einem ebenso dämlichen wie unnützen Job vertan. Hunderte von Dollars hatte er für Flugtickets, Motelrechnungen und ekelhaftes Fast food ausgegeben – alles umsonst.

Zeit, noch einmal von vorn anzufangen, hatte er nicht.

Ihm blieben nur noch zwei Wochen und ein Tag.

Mario runzelte die Stirn. »Komm jetzt, Mann, gehen wir.«

»Ich weigere mich, hier alles aufzugeben«, hatte Star an jenem Tag, da der Brief eintraf, zu Priest gesagt. Sie saß neben ihm auf einem Teppich aus Kiefernnadeln am Rande des Weinbergs; es war die Zeit der Nachmittagsruhe. Sie tranken kühles Wasser und aßen Rosinen, die aus Trauben der letzten Lese hergestellt waren. »Das hier ist nicht irgendein Weingut, nicht irgendein Tal, nicht irgendeine Kommune. Das hier ist mein ganzes Leben. Wir sind vor all diesen Jahren hierher gezogen, weil wir der Meinung waren, daß die Gesellschaft, die unsere Eltern geschaffen hatten, total verkorkst, vergiftet und korrupt war. Und wir hatten recht, verdammt noch mal!« Sie ließ ihrem Zorn freien Lauf, ihr Gesicht rötete sich, und Priest gestand sich ein, daß sie – immer noch – sehr schön war. »Sieh dir doch bloß an, was in der Welt da draußen los ist!« fuhr sie mit erhobener Stimme fort. »Gewalt, Gemeinheit und Umweltverschmutzung; Präsidenten, die lügen und Gesetze brechen; Unruhen, Verbrechen und Armut. Wir haben hier die ganze Zeit über in Frieden und Harmonie gelebt, Jahr um Jahr, ohne Geld, ohne sexuelle Eifersucht, ohne konformistische Regeln. *All You Need is Love* war unsere Devise, und man hat uns naiv genannt – aber wir hatten doch *recht* und alle anderen nicht! Wir *wissen*, wie man leben muß, wir haben es doch *bewiesen*.« Sie sprach jetzt sehr präzise, und ihre Worte verrieten ihre Herkunft aus altem Geldadel. Ihr Vater entstammte einer wohlhabenden Familie, hatte jedoch sein ganzes Berufsleben als Arzt in einem Slum verbracht. Star hatte seinen Idealismus geerbt. »Ich werde alles tun, was zur Rettung unserer Heimat und unseres Lebensstils erforderlich ist«, sagte sie. »Ich will, daß unsere Kinder hier weiterleben können, und dafür bin ich sogar bereit, zu sterben.« Ihre Stimme wurde leiser, doch ihre Worte waren klar, und ihre Entschlossenheit gnadenlos. »Und ich gehe dafür über Leichen. Hast du mich verstanden, Priest? *Ich bin zu allem bereit.*«

»Hörst du mir überhaupt zu, Mann?« fragte Mario. »Soll ich dich in die Stadt bringen, oder willst du hierbleiben?«

»Doch, doch ...«, erwiderte Priest. *Und ob ich mitkomme, du feiges Miststück, du Hosenscheißer, du abscheulicher ...*

Mario drehte sich um.

Priests Blick fiel auf die große Rohrzange, die er ein paar Minuten zuvor hatte fallen lassen.

Und auf einmal hatte er einen Plan.

Mario ging auf seinen Wagen zu; es waren kaum mehr als drei Schritte. Priest bückte sich und hob die Rohrzange auf.

Sie war aus Stahl, ungefähr fünfundvierzig Zentimeter lang und wog vielleicht vier Pfund. Am schwersten war der Kopf mit den justierbaren Zangen für große Sechskantmuttern.

Priest blickte an Mario vorbei auf den Weg, der zur Hauptstraße führte. Weit und breit war kein Mensch zu sehen.

Keine Zeugen.

Als Mario die Tür seines Pickups erreichte, trat Priest einen Schritt vor.

Eine verwirrende Vision überkam ihn: Er sah ein Foto von einer jungen, hübschen Mexikanerin im gelben Kleid. Sie trug ein Kind im Arm, ein zweites stand neben ihr. Für Sekundenbruchteile spürte Priest das niederschmetternde Leid, das er über diese junge Familie bringen würde, und schwankte in seiner Entschlossenheit.

Doch dann verblaßte die Vision und wich einer schlimmeren: Da war ein Teich, dessen schwarzer Wasserspiegel unaufhaltsam stieg. Schon umschloß er den Weinberg mit den liebevoll gehegten Reben, und alle Männer, Frauen und Kinder, die dort arbeiteten, kamen in seinen Fluten um.

Priest hob die Rohrzange über seinen Kopf und stürzte sich auf Mario.

Der Lkw-Fahrer war gerade dabei, die Wagentür zu öffnen. Irgend etwas mußte er aus dem Augenwinkel bemerkt haben, denn er stieß, als Priest fast über ihm war, unvermittelt einen Angstschrei aus, riß die Tür weit auf und wehrte dadurch die Attacke ab.

Priest krachte gegen die Wagentür, die sofort zurückschnellte und Mario zur Seite warf. Beide Männer stolperten. Mario verlor das Gleichgewicht und fiel neben dem Pickup auf die Knie, das Gesicht zum Wagen. Seine Baseballkappe mit dem Logo der Houston Astros landete auf dem Boden. Priest prallte mit dem Hinterteil auf die harte Erde. Die Rohrzange entglitt ihm, knallte auf eine große Coke-Flasche aus Plastik und blieb einen Meter weiter auf dem Boden liegen.

Mario rang nach Luft: »Du wahnsinniger …« Er rappelte sich halbwegs auf, suchte Halt, um seinen schweren Körper hochzuhieven, fand mit der linken Hand den Türrahmen und wollte sich daran hochziehen. Priest, noch immer auf dem Boden sitzend, holte aus und trat, so fest er konnte, mit der Hacke gegen die Tür. Sie quetschte Mario die Finger ein, bevor sie zurückschnellte. Mario schrie auf vor Schmerzen, sackte wieder zusammen, fing sich mit dem Knie ab und krachte gegen die Flanke des Wagens.

Priest sprang auf.

Die Rohrzange schimmerte silbrig in der Morgensonne. Er riß sie an sich. Dann sah er Mario an, und Wut und Haß wallten in ihm auf: Dieser Kerl hatte seine sorgfältig ausgetüftelten Pläne durchkreuzt und bedrohte nun das Leben, für das er, Priest, sich entschieden hatte. Er trat auf ihn zu und hob die Waffe.

Mario wandte sich ihm halb zu. Grenzenlose Verwirrung prägte sein junges Gesicht, als verstünde er absolut nicht, was vor sich ging. Er öffnete den Mund und stammelte: »Ricky …?« Im gleichen Augenblick sauste die Rohrzange auf ihn herab.

Es gab ein gräßliches Geräusch, als das schwere Ende die Schädeldecke traf. Marios volles, dunkles Haar bot keinen Schutz. Seine Kopfhaut platzte auf, seine Schädeldecke zerbarst, und die Mordwaffe drang in die weiche Hirnmasse ein.

Aber er war noch nicht tot.

Priest bekam es mit der Angst zu tun.

Mario starrte ihn mit weit aufgerissenen Augen an. Seine Miene spiegelte unverändert wider, wie grenzenlos verwirrt und verraten er sich fühlte. Offenbar versuchte er den Satz, den er begonnen hatte, zu Ende zu bringen. Er hob die Hand, als wolle er sich zu Wort melden.

Entsetzt trat Priest einen Schritt zurück. »Nein!« sagte er.

»Mann!« brachte Mario heraus.

Priest spürte, wie ihn Panik ergriff. Wieder hob er die Rohrzange. »Verreck endlich, du Arschloch!« brüllte er und schlug zu.

Diesmal sank der Stahl noch tiefer in Marios Hirn. Als Priest ihn wieder herauszog, kam es ihm vor, als zerre er ihn aus weichem Schlamm. Beim Anblick der lebendigen, grauen Masse, die an den verstellbaren Zangen klebte, wurde ihm speiübel. Sein Magen revoltierte. Er schluckte hart, und ihn schwindelte.

Mario kippte langsam hintüber und blieb reglos neben dem Hinterrad liegen. Seine Arme wurden schlaff, sein Unterkiefer sackte herab, aber noch immer war Leben in ihm. Unverwandt starrten sich die beiden Männer in die Augen. Blut quoll aus Marios Schädel und rann über sein Gesicht in den offenen Kragen seines karierten Hemds. Sein stierer Blick war Priest unerträglich. »Stirb!« flehte er. »Um Gottes willen, so stirb doch endlich, Mario, bitte!«

Nichts geschah.

Priest wich zurück. Marios Augen schienen eine Bitte auszusprechen: Komm, gib mir den Rest … Doch Priest vermochte nicht noch einmal zuzuschlagen. Es widersprach aller Logik – aber er konnte die Rohrzange einfach nicht mehr heben.

Da rührte Mario sich. Sein Mund klappte auf, sein Körper wurde starr, und seiner Kehle entrang sich erstickt ein Schrei der Agonie.

Priests Blockade löste sich. Auch er schrie. Dann stürzte er sich auf Mario und schlug wie wild auf ihn ein, immer auf dieselbe Stelle. Angst und Entsetzen vernebelten ihm den Blick, so daß er sein Opfer kaum noch wahrnahm.

Das Schreien hörte auf, der Anfall war vorüber.

Priest richtete sich auf, trat einen Schritt zurück und ließ die Rohrzange fallen.

Marios Leiche sackte langsam zur Seite, bis der blutige Trümmerhaufen, der einst sein Kopf gewesen war, auf dem Boden aufschlug. Graue Hirnmasse sickerte in die trockene Erde.

Priest fiel auf die Knie und schloß die Augen. »Lieber Gott, Allmächtiger, vergib mir«, sagte er.

Zitternd kniete er da. Er wagte es nicht, seine Augen wieder zu öffnen, weil er fürchtete, er könne Marios Seele gen Himmel fahren sehen.

Um seinen Geist zu beruhigen, rezitierte er sein Mantra: *Ley, tor, pur-doy-kor* … Es hatte keinen tieferen Sinn – und genau deshalb wirkte es beruhigend, wenn man sich fest darauf konzentrierte. Der Rhythmus war der gleiche wie der eines Kinderverses aus Priests Jugend:

> *Eins, zwei, drei-vier-fünf,*
> *ein Storch geht in die Sümpf'.*
> *Sechs, sieben, acht-neun-zehn,*
> *siehst ihn morgen noch dort stehn.*

Wenn er sein Mantra vor sich hin murmelte, glitt er oftmals in den Kindervers über. Der funktionierte ebenso gut.

Während die vertrauten Silben ihn allmählich zur Ruhe kommen ließen, stellte er sich vor, wie der Atem in seine Nasenlöcher schlüpfte, durch die Luftwege in die Mundhöhle gelangte, die Kehle hinabsank und den Brustkorb dehnte, bis er schließlich die feinsten Verästelungen seiner Lunge durchdrang und die Rückreise antrat: Lunge, Hals, Mund, Nase, Nasenlöcher und zurück in die Luft. Wenn Priest sich voll auf seinen Atemweg konzentrierte, drang nichts Störendes in seine Gedanken: keine Visionen, keine Alpträume, keine Erinnerungen.

Wenige Minuten später stand er auf, kühl bis ans Herz, mit entschlossener Miene. Er hatte sich von jeglicher Emotion befreit, verspürte weder Reue noch Mitleid. Der Mord gehörte der Vergangenheit an, und Mario war nur noch ein Stück totes Fleisch, das er loswerden mußte.

Er hob seinen Cowboyhut auf, streifte den Schmutz ab und setzte ihn sich auf den Kopf.

Der Werkzeugkasten des Pickups steckte hinter dem Fahrersitz. Priest holte einen Schraubenzieher heraus, entfernte damit die beiden Kennzeichen und begrub sie weit draußen auf der Müllkippe unter einem schwelenden Haufen Unrat. Dann legte er den Schraubenzieher wieder in den Werkzeugkasten.

Er beugte sich über die Leiche und griff mit der rechten Hand nach dem Gürtel von Marios Jeans. Mit der Linken packte er eine Faustvoll von dem karierten Hemd. Dann hob er den Körper hoch und stöhnte auf, als er das Gewicht im Rücken spürte: Mario war schwer.

Die Tür des Pickups stand offen. Priest schwenkte die Leiche ein paarmal vor und zurück, um Schwung zu gewinnen, und warf sie dann mit großer Kraftanstrengung in die Fahrerkabine. Sie kam quer über der Sitzbank zu liegen; die Stiefel ragten zur Tür heraus, der bluttriefende Kopf hing in den Fußraum des Beifahrersitzes.

Die Rohrzange warf Priest der Leiche hinterher.

Nun wollte er Benzin aus dem Wagentank zapfen. Dazu brauchte er ein langes, schmales Stück Schlauch.

Er öffnete die Motorhaube, suchte die Scheibenwaschanlage und riß den biegsamen Plastikschlauch ab, der den Wassertank mit den Düsen vor der Windschutzscheibe verband. Dann holte er sich die große Coke-Flasche, die ihm zuvor aufgefallen war, ging um den Wagen herum, schraubte den Tankdeckel ab, führte den Schlauch ein, saugte, bis ihm Benzin in den Mund lief, und steckte schließlich schnell das Schlauchende in die Flasche, die sich langsam mit Benzin füllte.

Als Priest schließlich mit der vollen Flasche zur Wagentür ging und den Inhalt über Marios Leiche goß, rann weiterhin Benzin durch den Schlauch auf den Boden.

In diesem Augenblick hörte er ein Auto näherkommen.

Priests Blick fiel auf die benzingetränkte Leiche. Wenn jetzt wer kam, hatte er keine Chance mehr: Seine Schuld ließ sich weder mit Worten noch mit Taten aus der Welt räumen.

Um seine starre Ruhe war es geschehen. Er fing an zu zittern. Die Plastikflasche entglitt seinen Fingern, und er kauerte sich auf den Boden wie ein furchtsames Kind. Bebend vor Angst starrte er auf den Pfad, der zur Straße führte. War irgendein Frühaufsteher auf dem Weg zur Müllkippe, um eine kaputte Geschirrspülmaschine loszuwerden? Ging es um ein Puppenhaus aus Plastik, für das die Kids inzwischen zu alt geworden waren? Oder sollten die altmodischen Anzüge eines verstorbenen Großvaters entsorgt werden? Das Motorengeräusch kam unaufhaltsam näher. Priest schloß die Augen.

Ley, tor, pur-doy-kor …

Das Geräusch entfernte sich. Das Fahrzeug war an der Abzweigung zur Müllkippe vorbeigefahren. Ganz normaler Straßenverkehr, sonst nichts.

Priest kam sich vor wie ein Idiot. Als er aufstand, gewann er seine Fassung wieder. *Ley, tor, pur-doy-kor …*

Doch der Schreck steckte ihm noch in den Gliedern, und er beeilte sich nun.

Ein zweites Mal ließ er die Coke-Flasche vollaufen und verteilte das Benzin im gesamten Innenraum des Wagens, auch auf der Sitzbank mit ihrem Plastikbezug. Mit dem Rest des Benzins goß er eine

Spur über den Boden zum rückwärtigen Ende des Pickups; die letzten Tropfen verspritzte er neben dem Tankdeckel. Er warf die Flasche in die Fahrerkabine und trat ein paar Schritte zurück.

Da entdeckte er Marios Houston-Astros-Mütze, die auf dem Boden lag. Er hob sie auf und warf sie zu der Leiche in den Wagen.

Jetzt zog er eine Streichholzschachtel aus der Hosentasche, steckte eines der Hölzchen an und setzte damit die ganze Schachtel in Brand. Er warf sie in die Kabine des Pickups und brachte sich in Sicherheit.

Eine Stichflamme zischte auf, begleitet von einer schwarzen Rauchwolke. In Sekundenschnelle brannte es im Inneren des Pickups wie in einem Schmelzofen, und unmittelbar darauf fraßen sich Flammen über den Boden bis zum Tank, aus dem noch immer Benzin durch den Plastikschlauch sickerte. Die folgende Explosion zerriß den Tank und erschütterte das ganze Fahrzeug. Die Hinterreifen fingen Feuer, und auch am ölverschmierten Fahrgestell flakkerten schon Flammen auf.

Die Luft war erfüllt vom Geruch nach verbranntem Fleisch. Der Gestank war so abstoßend, daß Priest mehrmals trocken schlucken mußte und noch weiter zurücktrat.

Nach einigen Sekunden verlor das Inferno an Intensität. Reifen, Sitze und Marios Leiche brannten langsam weiter.

Minutenlang behielt Priest die Flammen im Auge, bevor er sich wieder näher an den Wagen heranwagte. Dabei versuchte er, so flach wie möglich zu atmen, damit er den Gestank nicht in die Nase bekam. Die Leiche und die Fahrzeugsitze waren zu einer ekelhaften schwarzen Masse aus Asche und geschmolzenem Plastik verbacken. Sobald sie abgekühlt war, würde der Wagen wie ein x-beliebiges Autowrack aussehen, das übermütige Jugendliche in Brand gesteckt hatten.

Priest war klar, daß er nicht alle Spuren von Mario beseitigen konnte. Ein flüchtiger Blick in den Wagen verriet nichts, doch sollten jemals die Bullen den Pickup untersuchen, würden sie sicher Marios Gürtelschnalle, seine Zahnfüllungen und möglicherweise auch ein paar verkohlte Knochen entdecken. Er hatte alles getan, was er konnte, um die Spuren seines Verbrechens zu beseitigen, doch war ihm durchaus bewußt, daß ihn Mario eines Tages heimsuchen und ihm noch schlaflose Nächte bereiten konnte.

Jetzt aber mußte er den seismischen Vibrator stehlen.

Er kehrte der brennenden Leiche den Rücken und machte sich auf den Weg.

Zur Kommune im Silver River Valley gehörte eine siebenköpfige Gruppe, die sich »die Reisesser« nannte. Sie bildeten den harten Kern, der damals den furchtbaren Winter 1972/73 überstanden hatte. Ein Schneesturm hatte sie damals von der Außenwelt abgeschnitten, so daß sie sich geschlagene drei Wochen lang ausschließlich von geschältem, in Schneewasser gekochtem Reis ernähren mußten. Am Abend des Tages, an dem der Brief kam, gingen die Reisesser erst sehr spät zu Bett. Sie hatten noch lange im Küchenhaus gesessen, Wein getrunken und Marihuana geraucht.

Song, 1972 eine fünfzehnjährige Ausreißerin, spielte auf der Akustikgitarre einen Bluesriff. Jeden Winter bauten einige Mitglieder der Kommune Gitarren. Diejenigen, die ihnen am besten gefielen, behielten sie; den Rest brachte Paul Beale zu einem Laden in San Francisco, wo sie für teures Geld verkauft wurden. Star sang in ihrem vertrauten, rauchigen Kontraalt mit und erfand einen Text dazu. *Ain't gonna ride that no-good train* ... Keine Stimme war so sexy wie ihre – das war immer schon so gewesen.

Auch Melanie saß bei ihnen, obwohl sie nicht zu den Reisessern gehörte. Priest wollte sie nicht hinauswerfen, und die anderen stellten Priests Entscheidungen nicht in Frage. Melanie weinte leise vor sich hin. Große Tränen kullerten ihre Wangen herab, wobei sie immer wieder aufs neue sagte: »Ich habe euch doch gerade erst gefunden ...«

»Wir haben noch nicht aufgegeben«, erklärte Priest. »Es muß doch 'ne Möglichkeit geben, den verdammten Gouverneur von Kalifornien dazu zu bringen, daß er seine Meinung ändert.«

Oaktree, der Zimmermann, ein muskulöser Schwarzer, der ebenso alt war wie Priest, meinte nachdenklich: »Wißt ihr, es ist gar nicht so schwer, eine Atombombe zu basteln.« Er war Soldat im Marine Corps gewesen und desertiert, nachdem er bei einer Übung einen Offizier getötet hatte. Seither lebte er in der Kommune. »Mit ein bißchen Plutonium würde ich nur einen Tag dazu brauchen. Wir könnten den Gouverneur erpressen: Wenn die Regierung nicht tut, was wir verlangen, jagen wir Sacramento in die Luft.«

»Nein!« widersprach Aneth, die ein Kind stillte. Der Junge war schon drei Jahre alt, und Priest fand, er müsse jetzt langsam entwöhnt werden. Aneth dagegen war der Meinung, der Kleine solle so lange nuckeln dürfen, wie er wolle. »Mit Bomben kannst du die Welt nicht retten«, sagte sie.

Star hörte auf zu singen. »Wir versuchen nicht, die Welt zu retten. Das hab' ich mir schon 1969 abgeschminkt, als die internationale Presse die Hippie-Bewegung zur Lachnummer gemacht hat. Alles, was ich retten will, ist *dies*: unsere kleine Welt hier und unser Leben, damit unsere Kinder in Liebe und Frieden aufwachsen können.«

Priest, der den Vorschlag, eine Atombombe herzustellen, bereits erwogen und verworfen hatte, sagte: »Das Plutonium ist der Haken an der Sache. Wie sollen wir da rankommen?«

Aneth nahm das Kind von der Brust und klopfte ihm sachte den Rücken. »Schlagt euch das aus dem Kopf!« sagte sie. »Mit diesem Zeug will ich nichts zu tun haben. Es ist absolut tödlich.«

Star fing wieder an zu singen. *Train, train, no-good train ...*

Oaktree ließ nicht locker. »Ich könnte mich in einem Atomkraftwerk anheuern lassen und herausfinden, wie die Sicherheitsvorkehrungen zu knacken sind.«

»Die verlangen einen Lebenslauf von dir«, sagte Priest. »Was willst du denen denn erzählen, wenn sie wissen wollen, was du in den vergangenen fünfundzwanzig Jahren getrieben hast? Kernforschung in Berkeley?«

»Mann, ich würde ihnen natürlich erzählen, daß ich bei einer Bande Freaks lebe, die sofort und unbedingt Sacramento in die Luft jagen muß, und daß ich gekommen bin, um so'n bißchen Radioaktivität mitgehen zu lassen, Mann.«

Die anderen lachten. Oaktree lehnte sich auf seinem Stuhl zurück und begann, mit Star mitzusingen: *No, no, ain't gonna ride that no-good train ...*

Priest runzelte die Stirn; der flapsige Ton mißfiel ihm. Er konnte nicht darüber lachen. Wut brodelte in ihm. Da er jedoch wußte, daß die besten Ideen nicht selten in lockerer Atmosphäre geboren werden, ließ er dem Gespräch freien Lauf.

Aneth küßte ihr Kind auf den Scheitel und sagte: »Wir könnten jemanden entführen.«

»Wen?« fragte Priest. »Der Gouverneur hat wahrscheinlich ein halbes Dutzend Leibwächter.«

»Wie wär's mit diesem Typen, der als seine rechte Hand gilt, diesem Albert Honeymoon?« Zustimmendes Gemurmel erhob sich. Sie alle haßten Honeymoon. »Oder den Chef von Coastal Electric, dem Stromkonzern?«

Priest nickte. Ja, das war eine Möglichkeit.

Er kannte sich aus. Er war zwar schon lange raus aus der Branche, aber die Spielregeln waren ihm immer noch vertraut: Plane sorgfältig; bleib kühl bis ans Herz; mach deinem Opfer die Hölle heiß, so daß es keinen klaren Gedanken mehr fassen kann; schlag unversehens zu; und verschwinde wie der Blitz. Dennoch störte ihn etwas an diesem Vorschlag: »Es ist zu ... na ja, zu banal«, sagte er. »Angenommen, wir entführen ein großes Tier. Gut. Und dann? Wenn du willst, daß die Leute echt die Hose voll haben, können wir ihnen nicht mit Kinkerlitzchen kommen. Denen muß schon der Arsch auf Grundeis gehen.«

Er verkniff sich weitere Details. *Erst wenn du 'nen Kerl soweit hast, daß er nur noch ein Häufchen Elend ist, sich vor Angst in die Hosen macht und dich auf Knien anfleht, ihm nicht mehr weh zu tun – erst dann sagst du ihm, was du von ihm willst. Und was glaubst du, wie dankbar er dir sein wird! Lieben wird er dich, nur weil du ihm gesagt hast, was er tun muß, damit die Schmerzen aufhören ...* Aber bei Menschen wie Aneth waren solche Erläuterungen fehl am Platz.

Plötzlich meldete sich Melanie wieder zu Wort.

Sie saß auf dem Boden, den Rücken an Priests Stuhl gelehnt. Aneth reichte ihr den dicken Joint, der die Runde machte. Melanie wischte sich die Tränen ab, nahm einen langen Zug und gab den Joint weiter an Priest. Dann stieß sie eine Rauchwolke aus und sagte: »Ihr wißt doch, daß es in Kalifornien so ungefähr zehn bis fünfzehn Stellen gibt, wo die geologischen Formationen unterhalb der Erdkruste unter so enormem Druck stehen, daß schon ein winziger Anstoß reicht, und die tektonischen Platten geraten ins Rutschen. Und dann macht's WUMM! Als ob ein Riese auf einem Kieselstein ausrutscht. Das Steinchen ist winzig, aber der Riese so schwer, daß die Erde bebt, wenn er stürzt.«

Oaktree unterbrach seinen Gesang und fragte: »Was für'n Scheiß quatschst du da zusammen, Melanie-Baby?«

»Ich spreche von einem Erdbeben«, sagte sie.

Oaktree lachte. *Ride, ride that no-good train.*

Priest lachte nicht. Irgend etwas sagte ihm, daß es jetzt interessant wurde. »Was willst du damit sagen, Melanie?« fragte er mit stillem Nachdruck.

»Schlagt euch eure Entführungen und Atombomben aus dem Kopf«, antwortete sie. »Warum drohen wir dem Gouverneur nicht mit einem Erdbeben?«

»Niemand kann ein Erdbeben erzeugen«, sagte Priest. »Dazu bräuchtest du wahnsinnige Mengen an Energie.«

»Irrtum deinerseits. Vorausgesetzt, du setzt sie an der richtigen Stelle ein, brauchst du bloß eine geringe Menge.«

»Woher willst du das denn alles wissen?« fragte Oaktree.

»Ich hab' das studiert. Ich habe ein Diplom in Seismologie. Eigentlich sollte ich jetzt irgendwo an einer Uni unterrichten – aber ich habe meinen Professor geheiratet, und damit war's aus mit der Karriere. Man hat mich nicht zur Promotion zugelassen.«

Ihr Ton klang bitter. Priest hatte bereits mit ihr darüber gesprochen und wußte, daß sie einen tiefen Groll hegte. Ihr Ehemann war Mitglied der Kommission gewesen, die ihre Bewerbung abgelehnt hatte. Als ihr Fall diskutiert wurde, hatte er pflichtgemäß die Runde verlassen, was Priest eigentlich für ganz richtig hielt. Melanie dagegen war der Meinung, ihr Mann hätte auf die eine oder andere Weise für ihre Zulassung sorgen müssen. Priest neigte zu der Vermutung, daß ihre Leistungen für eine Promotion nicht ausreichend gewesen waren, aber das hätte ihm Melanie nie und nimmer abgenommen. Also hatte er ihr erzählt, ihre geballte Mischung aus Schönheit und Intelligenz müsse die männlichen Kommissionsmitglieder derart eingeschüchtert haben, daß sie sich gegen sie verschworen hatten, um sie fertigzumachen. Sie liebte Priest, weil er sie in diesem Glauben bestätigte.

»Mein Mann – hoffentlich bald mein Exmann –«, fuhr Melanie fort, »hat die sogenannte Belastungstheorie in der Erdbebenforschung entwickelt. An gewissen Stellen entlang der Verwerfungslinien baut sich im Laufe der Jahrzehnte Scherspannung auf, die sehr stark sein kann. In diesen Fällen bedarf es nur einer relativ schwachen Erschütterung der Erdkruste, um die tektonischen Platten zu verschieben, die aufgestaute Energie schlagartig zu entladen und ein Erdbeben auszulösen.«

Priest hörte ihr fasziniert zu und wechselte mit Star einen Blick. Star nickte ernst. Sie glaubte an alles Unorthodoxe. Ihr Credo lautete: Die bizarrste Theorie erweist sich am Ende als die reine Wahrheit, das unkonventionelle Leben ist das glücklichste, und die irrsinnigste Schnapsidee bringt Erfolg, wenn alle vernünftigen Vorschläge gescheitert sind.

Priest musterte Melanies Gesicht. Sie wirkte wie aus einer anderen Welt. Ihre blasse Haut, die leuchtend grünen Augen und das rote Haar ließen sie wie ein wunderschönes Wesen von einem anderen Stern erscheinen. »Kommst du vom Mars?« waren die ersten Worte gewesen, die er an sie gerichtet hatte.

Wußte sie überhaupt, wovon sie sprach? Sicher, sie war high, aber es kam ja immer wieder vor, daß Leute im Marihuana-Rausch die kreativsten Einfälle hatten. »Wenn das so leicht ist – warum hat's dann noch keiner probiert?« fragte er.

»Oh, ich habe nicht gesagt, daß es leicht ist! Um genau zu wissen, an welcher Stelle die Verwerfung unter kritischem Druck steht, mußt du Seismologe sein.«

Priests Gedanken überschlugen sich. Wenn du am tiefsten in der Tinte sitzt, gibt es manchmal nur einen Ausweg: Du mußt was vollkommen Verrücktes tun, etwas so gänzlich Unerwartetes, daß die Überraschung deinen Gegner praktisch lähmt. »Und wie kann man eine Erschütterung der Erdkruste auslösen?« fragte er Melanie.

»Genau das ist der schwierige Teil an der Geschichte«, sagte sie.
Ride, ride, ride,
I'm gonna ride that no-good train.

Auf seinem Fußmarsch zurück nach Shiloh verfolgte Priest die Erinnerung an den Mord mit obsessiver Hartnäckigkeit. Er spürte noch, wie die Rohrzange in Marios weiche Gehirnmasse eingedrungen war, sah die Miene des Sterbenden vor sich und das Blut, das in den Fußraum vor dem Beifahrersitz des Pickups tropfte.

Das war ungut. Er mußte wachsam bleiben und Ruhe bewahren. Noch hatte er den seismischen Vibrator nicht, der die Kommune retten sollte. Mario umzubringen war noch der leichteste Teil der Aufgabe gewesen. Als nächstes mußte er Lenny was vorspielen. Die Frage war eben nur: Was?

Ein Motorengeräusch schreckte ihn auf und holte ihn in die unmittelbare Gegenwart zurück.

Hinter ihm näherte sich ein Wagen auf dem Weg nach Shiloh.

Kein Mensch ging in diesen Landstrichen zu Fuß. Die meisten, die ihn hier draußen sahen, würden vermuten, sein Wagen hätte gestreikt. Der eine oder andere würde sogar anhalten und fragen, ob er nicht mitfahren wolle.

Priest grübelte über eine Begründung nach: Warum bin ich an

einem Samstagmorgen um halb sieben zu Fuß nach Shiloh unterwegs?

Ihm fiel keine Begründung ein.

Er versuchte, alle denkbaren Götter anzurufen, die ihn dazu inspiriert haben mochten, Mario umzubringen, aber die schwiegen sich alle aus.

Hinter ihm gab es auf einer Strecke von fünfzig Meilen nur eine einzige Stelle, von der er hätte herkommen können: die Müllhalde, wo ein ausgebrannter Pickup mit Marios Asche auf dem Sitz stand. Diesen Ort jedoch durfte er nicht einmal erwähnen.

Der Wagen kam näher und fuhr langsamer.

Priest kämpfte mit der Versuchung, sich einfach den Hut über die Augen zu ziehen.

Was kann ich bloß getan haben?

– Ich bin raus ins Gelände, um die Natur zu beobachten.

Na klar, Beifußgebüsch und Klapperschlangen …

– Mein Wagen hatte 'ne Panne.

Wo denn? Ich hab' keinen Wagen gesehen …

– Ich war nur kurz mal schiffen.

So weit draußen?

Trotz der kühlen Morgenluft geriet er ins Schwitzen.

Langsam fuhr der Wagen an ihm vorbei. Es war ein neuer Dodge Neon mit metallic-grüner Lackierung und texanischen Kennzeichen, in dem nur der Fahrer saß. Priest konnte sehen, wie er ihn im Rückspiegel beobachtete und einzuschätzen versuchte. Womöglich ein Bulle außer Dienst?

Wieder überkam ihn Panik, und er mußte den Impuls, einfach kehrtzumachen und davonzurennen, gewaltsam unterdrücken.

Der Wagen hielt an und kam dann im Rückwärtsgang auf ihn zu. Der Fahrer ließ das Fenster auf Priests Seite herunter. Er war ein junger Mann asiatischer Herkunft und trug einen Geschäftsanzug.

»He, Sie, Kamerad! Wollen Sie mitfahren?« sagte er.

Was soll ich sagen? ›Nein danke, ich gehe gerne zu Fuß.‹

»Ich bin ein bißchen dreckig«, sagte Priest und sah an seinen Jeans hinunter. *Bin auf dem Arsch gelandet, als ich gerade wen umbringen wollte ...*

»Wer ist das nicht, hier in dieser Gegend!«

Priest stieg ein. Seine Hände zitterten. Nur um sie irgendwie zu beschäftigen und seine Nervosität zu verbergen, legte er den Sicherheitsgurt an.

Der Fahrer fuhr an und fragte: »Sagen Sie mal, wie kommen Sie bloß darauf, hier rumzulatschen?«

Erst jetzt, im letzten Augenblick, fiel Priest doch noch eine Geschichte ein. »Ich hatte Krach mit meiner Alten«, sagte er. »Ich hab' angehalten und bin raus. Daß sie einfach weiterfährt, konnte ich nicht riechen.« Im stillen dankte er allen Göttern, die ihm wieder einmal gerade noch rechtzeitig eine Eingebung geschickt hatten. Seine Hände hörten auf zu zittern.

»Meinen Sie vielleicht so eine gutaussehende Dunkelhaarige in einem blauen Honda? An der bin ich vor fünfzehn, zwanzig Meilen vorbeigekommen.«

Herrgott noch mal, was bist denn du für einer? 'n Gedächtniskünstler oder was?

Der Typ lächelte und sagte: »Auf der Fahrt durch diese Wüste ist jeder Wagen interessant.«

»Nein, das war sie nicht«, sagte Priest. »Meine Frau ist mit meinem Pickup unterwegs.«

»Einen Pickup hab' ich nicht gesehen.«

»Ein Glück. Vielleicht ist sie noch in der Nähe.«

»Wahrscheinlich parkt sie irgendwo auf einem Feldweg, heult sich die Augen aus und wünscht sich, sie hätte Sie nicht stehen lassen.«

Priest grinste vor Erleichterung. Der gute Mann kaufte ihm seine Geschichte ab.

Der Wagen erreichte die Stadtgrenze. »Und Sie? Wieso sind Sie am Samstagmorgen schon so früh aus den Federn?«

»Ich hatte keinen Krach mit meiner Frau, sondern bin auf dem

Weg zu ihr. Ich wohne in Laredo. Bin Vertreter für Keramik-Artikel – Zierkacheln, Figurinen, Schildchen mit der Aufschrift ›Kinderzimmer‹ und so weiter, ganz nettes Zeug.«

»Tatsächlich?« *So kann man sein Leben auch vertun ...*

»Unsere Hauptabnehmer sind Drugstores.«

»Der in Shiloh hat wahrscheinlich noch nicht offen.«

»Heute arbeite ich sowieso nicht. Aber 'n Frühstück wäre nicht schlecht. Können Sie mir was empfehlen?«

Priest hätte es lieber gesehen, der Vertreter wäre nonstop durch den Ort durchgefahren – ohne Gelegenheit, irgendwem von dem bärtigen Typen zu erzählen, den er da oben an der Müllgrube aufgegabelt hatte. Aber Lazy Susan's in der Main Street war unübersehbar; es war sinnlos zu lügen. »Es gibt da ein kleines Restaurant.«

»Wie ist das Essen?«

»Der Maisbrei ist okay. Der Laden ist gleich hinter der Ampel. Sie können mich da rauslassen.«

Eine Minute später hielt der Wagen schräg zur Fahrtrichtung auf einer markierten Stellfläche vor Susan's. Priest dankte dem Keramikvertreter und stieg aus. »Lassen Sie sich das Frühstück schmecken!« rief er im Weggehen. *Und quatsch um Gottes willen nicht mit irgendwelchen Einheimischen ...*

Einen Straßenzug weiter befand sich das Regionalbüro von Ritkin Seismex, der kleinen Firma für geologische Untersuchungen, bei der er bis gestern gearbeitet hatte. Das Büro war in einem großen Wohnanhänger untergebracht, den man auf einem unbebauten Grundstück abgestellt hatte. Marios seismischer Vibrator war neben Lennys preiselbeerrotem Pontiac Grand Am geparkt.

Priest blieb kurz stehen und nahm den Laster genauer unter die Lupe. Er hatte zehn Räder mit großen Geländereifen, die wie die Panzerung eines Dinosauriers aussahen. Unter der Kruste texanischen Drecks war er hellblau. Priest juckte es, einfach hineinzuspringen und loszufahren. Er musterte die riesige Anlage auf der Ladefläche, den starken Motor und die schwere Platte aus massivem Stahl, die Tanks, Schläuche, Ventile und Meßgeräte. *In einer Minute hätte ich das Ding am Laufen, auch ohne Schlüssel … *Aber wenn er das Gerät jetzt schon stahl, würde binnen weniger Minuten jeder Streifenpolizist in Texas nach ihm Ausschau halten. Er mußte Geduld haben. *Ich werde die Erde zum Beben bringen, und niemand wird mich daran hindern.*

Er betrat den Trailer.

Im Büro herrschte hektisches Getriebe. Zwei Mitglieder der Geophon-Crew beugten sich über einen Computer; aus dem Drucker lief langsam eine farbige Landkarte der Umgebung. Heute war der Tag, an dem draußen im Gelände die Geräte eingesammelt werden sollten und der Umzug nach Clovis begann. Ein Geologe führte am Telefon ein Streitgespräch auf spanisch, und Diana, Lennys Sekretärin, überprüfte eine Liste.

Durch eine offenstehende Tür betrat Priest das Chefbüro. Lenny, den Telefonhörer am Ohr, trank Kaffee. Nach dem Saufgelage vom Abend zuvor waren seine Augen blutunterlaufen, sein Gesicht fleckig. Mit einem kaum wahrnehmbaren Nicken gab er Priest zu verstehen, daß er ihn gesehen hatte.

Priest blieb an der Tür stehen und wartete auf das Ende des Telefongesprächs. Das Herz schlug ihm bis zum Hals. Er wußte ungefähr, was er sagen wollte. Die Frage war nur, ob Lenny anbeißen würde. Alles Weitere hing davon ab.

Nach einer Minute legte Lenny den Hörer auf und sagte: »He, Ricky, hast du Mario heut morgen schon gesehen?« Seine Stimme klang verärgert. »Er hätte schon vor einer halben Stunde hier abfahren sollen.«

»Ja, ich hab' ihn gesehen«, sagte Priest. »Tut mir leid, daß ich dir so früh am Morgen schlechte Nachrichten bringe. Aber er hat dich sitzenlassen.«

»Was willst du damit sagen?«

Priest erzählte ihm die Geschichte, die ihm eingefallen war, kurz bevor er die Rohrzange ergriffen und sich auf Mario gestürzt hatte. »Er hat so schreckliche Sehnsucht nach seiner Frau und seinen

Kindern gehabt, daß er einfach in seinen alten Pickup gestiegen und abgedampft ist.«

»Verdammt! Das hat mir gerade noch gefehlt! Und woher weißt du das?«

»Er hat mich heute früh auf der Straße angehalten. War schon unterwegs nach El Paso.«

»Und wieso hat er mich nicht angerufen?«

»Er geniert sich, weil er dich hängenläßt.«

»Von mir aus kann er über die Grenze rauschen und gleich weiter in den gottverdammten Ozean rein ...« Lenny rieb sich mit den Fingerknöcheln die Augen.

Priest begann zu improvisieren: »Hör mal, Lenny, der Mann hat 'ne junge Familie. Sei nicht zu hart zu ihm.«

»Hart? Ist das dein Ernst? Der Kerl ist längst Geschichte!«

»Er braucht den Job, glaub mir.«

»Alles, was ich brauche, ist ein Kerl, der unser Gerät nach New Mexico rüberkutschiert.«

»Er spart auf ein Haus, mit Swimmingpool.«

»Mach mal halblang, Ricky ...« Lenny wurde sarkastisch. »Mir kommen ja gleich die Tränen.«

»Ich mach' dir 'n Vorschlag.« Priest schluckte und bemühte sich um einen möglichst zwanglosen Tonfall. »Wenn du mir versprichst, daß Mario seinen Job behält, fahr' ich dir eben den Laster nach Clovis.« Er hielt den Atem an.

Lenny starrte Priest wortlos an.

»Mario ist kein schlechter Kerl«, fuhr Priest fort, »das weißt du.« *Hör auf zu kollern wie ein Truthahn. Du klingst nervös. Du mußt ganz unverkrampft wirken ...*

»Hast du einen Lastwagenführerschein?«

»Seit meinem einundzwanzigsten Geburtstag.« Priest zog den Führerschein aus seiner Brieftasche und warf ihn auf den Tisch. Es war eine Fälschung. Star besaß genau den gleichen, ebenfalls gefälscht. Paul Beale wußte, wo man so etwas bekam.

Lenny prüfte das Papier, blickte auf und fragte argwöhnisch:

»Sag mal, was hast du eigentlich vor? Ich dachte, du willst nicht nach New Mexico.«

Red nicht so lange um den heißen Brei herum, Lenny. Raus mit der Sprache: ja oder nein? »Plötzliche Eingebung: Ich hätte noch Verwendung für fünfhundert Dollar extra.«

»Ich weiß nicht …«

Du Hurensohn! Ich hab' wen umlegen müssen dafür, also mach schon!

»Wie wär's mit zweihundert?«

Und ob! Danke! Danke dir, Lenny! Er tat, als zögere er. »Zweihundert sind nicht viel für drei Tage Arbeit.«

»Das sind nur zwei Tage, höchstens zweieinhalb. Ich geb' dir zweihundertfünfzig.«

Ist mir egal. Hauptsache, du rückst die Schlüssel raus! »Hör zu, ich mach's sowieso, ganz egal, was du mir zahlst. Mario ist ein netter Kerl, und ich will ihm helfen. Gib mir einfach, was du für angemessen hältst.«

»Okay, du Schlitzohr, dreihundert.«

»Einverstanden.« *Jetzt gehört der Vibrator mir!*

»Und vielen Dank für deine Hilfe«, fügte Lenny hinzu. »Weiß ich echt zu schätzen.«

Priest mußte ein triumphierendes Grinsen unterdrücken. »Ich auch«, sagte er.

Lenny zog eine Schublade auf, entnahm ihr ein Formular und schnippte es über den Schreibtisch. »Hier, füll das aus. Wegen der Versicherung.«

Priest erstarrte.

Er konnte weder schreiben noch lesen.

Furchtsam starrte er auf das Formular.

»Nun mach schon, um Himmels willen!« sagte Lenny ungeduldig. »Das ist doch keine Klapperschlange.«

Ich verstehe kein Wort, tut mir leid. Diese Striche und Schnörkel auf dem Papier hüpfen und tanzen mir vor den Augen herum, und ich kann sie einfach nicht dazu bringen, stillzuhalten!

Lenny glotzte die Wand an und wandte sich an ein unsichtbares Publikum: »Vor einer Minute hätte ich noch geschworen, daß der Mann hellwach ist.«

Ley, tor, pur-doy-kor.

Priest streckte langsam die Hand aus und nahm das Formular an sich.

»Na, was ist denn so schwierig daran?«

»Ach, ich mußte nur gerade an Mario denken«, sagte Priest. »Ich hoffe, es geht ihm gut.«

»Vergiß ihn. Füll den Wisch aus, und mach dich auf die Socken. Die Kiste soll so schnell wie möglich nach Clovis.«

»Gut.« Priest erhob sich. »Ich füll' ihn draußen aus.«

»Okay. Jetzt kann ich mich endlich um meine anderen siebenundfünfzig Probleme kümmern.«

Priest verließ Lennys Raum und ging ins Hauptbüro zurück. *Das hast du doch schon hundertmal erlebt. Reg dich ab. Du weißt doch, wie du mit solchen Situationen umzugehen hast.*

Vor Lennys Tür blieb er stehen. Niemand nahm Notiz von ihm. Alle waren beschäftigt.

Er betrachtete das Formular. *Die Großbuchstaben ragen heraus wie Bäume aus einem Gebüsch. Wenn sie nach unten ragen, hältst du den Zettel verkehrt herum.*

Er hielt ihn verkehrt herum. Er drehte ihn um.

Manchmal gab es auf solchen Papieren ein großes, fettgedrucktes X. Es konnte auch handschriftlich hinzugefügt sein – manchmal mit Bleistift, manchmal mit roter Tinte – und zeigte an, wo man unterschreiben mußte. Dieses Formular hatte keine solchen leicht erkennbaren Markierungen. Seinen Namen konnte Priest schreiben, wenigstens halbwegs. Er brauchte allerdings eine Weile dazu und wußte, daß nicht viel mehr als Gekritzel dabei herauskam, aber er schaffte es.

Das war allerdings auch schon alles.

Als Kind war er so helle gewesen, daß er auch ohne Lesen und Schreiben auskam. Im Kopfrechnen war er schneller als alle ande-

ren – obwohl er nicht einmal die Zahlen lesen konnte. Sein Gedächtnis war unfehlbar. Wenn er andere Menschen nach seiner
Pfeife tanzen lassen wollte, brauchte er nichts niederzuschreiben;
das klappte immer auch so. In der Schule fand er Mittel und Wege,
das Vorlesen zu umgehen. Schriftliche Aufgaben ließ er von Mit-
schülern erledigen, und wenn das aus irgendwelchen Gründen
nicht ging, gab es tausend Ausreden. Am Ende zuckten die Lehrer
nur noch resigniert mit den Schultern und sagten, wenn ein Kind
partout nicht lernen wolle, könnten sie es nicht dazu zwingen. Bald
galt er als stinkfaul, und wenn's kritisch wurde, schwänzte er einfach den Unterricht.

In späteren Jahren hatte er einen blühenden Spirituosengroß-
handel betrieben, ohne jemals auch nur einen einzigen Brief zu
schreiben. Er wickelte alles übers Telefon oder persönlich ab. Bevor er sich eine Sekretärin leisten konnte, die Gespräche für ihn
vermittelte, kannte er Dutzende von Telefonnummern auswendig.
Stets wußte er bis auf den letzten Cent genau zu sagen, wieviel
Geld in der Kasse und wieviel auf dem Bankkonto war. Legte ihm
ein Vertreter einen Bestellschein vor, meinte er schlicht: »Ich sage
Ihnen, was ich brauche, und Sie füllen Ihr Formular aus.« Mit
einundzwanzig hatte er bereits die erste Million verdient. Als er
schließlich Star kennenlernte und sich der Kommune anschloß,
war alles schon wieder futsch gewesen – was freilich nicht daran
lag, daß er Analphabet war, sondern weil er seine Kunden betrogen, keine Steuern gezahlt und sich von Gangstersyndikaten Geld
geborgt hatte.

So schwer konnte es also nicht sein, sich dieses Versicherungs-
formular von irgendwem ausfüllen zu lassen.

Er setzte sich auf einen Stuhl vor Dianas Schreibtisch und
lächelte Lennys Sekretärin an. »Siehst ein bißchen müde aus heute
morgen, meine Liebe«, sagte er.

Diana seufzte. Sie war eine rundliche Blondine in den Dreißi-
gern, mit einem Hilfsarbeiter verheiratet, und hatte drei Kinder im
Teenageralter. Plumpe Anmache von Männern, die in den Trailer

kamen, wußte sie scharfzüngig zu kontern, doch Priest hatte beobachtet, daß sie höflichem Charme gegenüber nicht unempfänglich war. »Ich hab' heute morgen so viel zu tun, Ricky! Ich weiß gar nicht, wo mir der Kopf steht.«

Priest spielte den Enttäuschten. »Das ist aber schade. Ich hatte so gehofft, du könntest mir helfen.«

Sie zögerte, dann lächelte sie schuldbewußt. »Bei was denn?«

»Ich hab' 'ne richtige Sauklaue und wollte dich bitten, dieses Formular für mich auszufüllen. Tut mir echt leid, dich damit zu nerven, wo du doch gerade so viel um die Ohren hast.«

»Na schön, eine Hand wäscht die andere …« Diana deutete auf einen Stapel mit sorgfältig beschrifteten Kartons, der an der Wand aufgeschichtet war. »Ich helfe dir bei deinem Papier, und du trägst mir dafür diese Unterlagen in den grünen Chevy, der draußen vor der Tür steht.«

»Mit Vergnügen«, sagte Priest dankbar und gab ihr das Formular.

Diana warf einen Blick darauf. »*Du* fährst den seismischen Vibrator?«

»Ja. Mario hatte Heimweh und ist nach El Paso abgedüst.«

Sie runzelte die Stirn. »Das paßt aber gar nicht zu ihm.«

»Stimmt. Ich hoffe bloß, ihm fehlt sonst nichts.«

Sie zuckte mit den Schultern und nahm ihren Kugelschreiber zur Hand. »So, zuerst mal brauchen wir deinen vollen Namen, das Geburtsdatum und den Geburtsort.«

Priest gab ihr die gewünschten Informationen, und Diana füllte die dafür vorgesehenen Zeilen aus. Alles war ganz einfach. Warum bin ich bloß beinahe schon wieder in Panik geraten? fragte er sich. *Ich hatte ganz einfach mit dem Formular nicht gerechnet. Lenny hat mich überrascht, und im ersten Moment habe ich der Furcht nachgegeben.*

Er war erfahren im Umgang mit seiner Schwäche und wußte sie gut zu verbergen. Er benutzte sogar Bibliotheken. Auf diese Weise war er auch zu seinen Informationen über seismische Vibratoren gekommen: In der Zentralbibliothek im Herzen von Sacramento, einer großen, geschäftigen Institution, wo sich vermutlich nie jemand an sein Gesicht erinnern würde, war er zum Auskunftsschalter gegangen und hatte erfahren, daß sich die naturwissenschaftliche Abteilung oben im zweiten Stock befand. Dort hatte ihn beim Anblick der langen Regalreihen und der vielen Menschen, die vor Computerbildschirmen saßen, zunächst wieder die Angst gepackt. Dann entdeckte er eine freundliche Bibliothekarin, die ungefähr in seinem Alter war, und sprach sie an: »Ich suche nach Informationen über seismische Untersuchungen. Können Sie mir da vielleicht weiterhelfen?« Er schenkte ihr ein herzliches Lächeln.

Die Frau hatte ihn zu dem entsprechenden Regal geführt, ein Buch herausgegriffen und nach einigem guten Zureden auch das entscheidende Kapitel gefunden. »Ich interessiere mich dafür, wie diese Schockwellen erzeugt werden«, hatte er erklärt. »Ob darüber etwas in diesem Buch drinsteht?«

Gemeinsam mit ihm blätterte die Bibliothekarin das Buch durch. »Da gibt es offenbar drei Möglichkeiten«, sagte sie. »Unterirdische Sprengungen, das, was sie hier Fallgewichtsseismik nennen, oder seismische Vibratoren.«

»Seismische Vibratoren?« wiederholte er mit der Andeutung eines Augenzwinkerns. »Was soll das denn sein?«

Die Frau deutete auf ein Foto, das Priest fasziniert betrachtete. »Sieht eigentlich nicht viel anders aus als ein Lastwagen«, bemerkte die Bibliothekarin.

Priest kam es eher wie eine Wundermaschine vor.

»Kann ich mir ein paar Seiten aus dem Buch fotokopieren?« hatte er gefragt.

»Selbstverständlich.«

War man clever genug, so fand sich immer jemand, der einem das Lesen und Schreiben abnahm.

Diana hatte das Formular ausgefüllt, markierte eine punktierte Linie mit einem großen X und sagte: »Hier mußt du unterschreiben.«

Er nahm ihren Kugelschreiber und machte sich an die Arbeit:

Das »R« für »Richard« erinnerte an ein vollbusiges Tingeltangelmädchen, das ein Bein vorstreckte. Das »G« für »Granger« sah aus wie eine gekrümmte Gartenhippe mit großer runder Klinge und kurzem Griff. Nach dem »RG« ließ er eine geschlängelte Linie folgen. Schön war seine Unterschrift nicht, aber sie wurde akzeptiert. Er wußte längst, daß viele Menschen ihren Namenszug nur kritzelten – Gott sei Dank wurde von Unterschriften meist keine Lesbarkeit verlangt.

Aus diesem Grund war auch der gefälschte Führerschein auf seinen richtigen Namen ausgestellt: Er konnte keinen anderen schreiben.

Priest blickte auf. Diana beobachtete ihn neugierig, sichtlich überrascht von seiner Langsamkeit. Als sich ihre Blicke begegneten, wurde sie rot und sah weg.

Er gab ihr das Formular zurück. »Danke für deine Hilfe, Diana. Das war echt nett.«

»Keine Ursache. Sobald Lenny nicht mehr am Telefon hängt, hol' ich dir die Schlüssel für den Laster.« Alle Schlüssel wurden im Chefbüro aufbewahrt.

Priest fiel wieder ein, daß er Diana versprochen hatte, die Kartons in den Chevy zu bringen. Er schnappte sich den ersten besten und trug ihn hinaus. Der grüne Lieferwagen stand im Hof, die Hecktür war bereits geöffnet. Er stellte den Karton auf die Ladefläche und ging zurück, um den nächsten zu holen.

Jedesmal wenn er das Büro betrat, warf er einen Blick auf den Schreibtisch. Das Formular lag noch dort, die Schlüssel waren nirgends zu sehen.

Nachdem er alle Kartons eingeladen hatte, nahm er wieder auf dem Stuhl gegenüber Diana Platz. Sie telefonierte; es ging um Motelreservierungen in Clovis.

Priest biß die Zähne zusammen. Da war er nun fast am Ziel, brauchte nur noch die Schlüssel – und mußte sich statt dessen dieses dumme Gewäsch über Motelzimmer anhören! Es kostete ihn Überwindung, still auf seinem Stuhl sitzen zu bleiben.

Endlich legte Diana den Hörer auf. »Ich frag' Lenny jetzt nach den Schlüsseln«, sagte sie und nahm das Formular mit ins Chefbüro.

Ein dicker Bulldozerfahrer namens Chew stapfte herein. Bei jedem Schritt, den er in seinen Arbeitsstiefeln tat, bebte der ganze Trailer. »Hi, Ricky«, sagte Chew. »Ich wußte ja gar nicht, daß du verheiratet bist!« Er lachte. Alle anderen Männer im Büro blickten neugierig auf.

Was ist denn jetzt schon wieder los? »Wo hast du das denn her?« fragte Priest.

»Hab' dich vorhin gesehen. Du bist vor Susan's aus einem Wagen ausgestiegen. Und beim Frühstück hatte ich einen Schwatz mit dem Vertreter, der dich mitgenommen hat.«

Verdammt! Was hat der Kerl dir erzählt?

Diana kam aus Lennys Büro, in der Hand ein Schlüsselbund. Priest hätte es ihr am liebsten aus den Fingern gerissen, tat aber, als interessiere er sich mehr für das, was Chew zu sagen hatte.

»Also, eins muß man Susan lassen«, fuhr Chew fort. »Ihr Western-Omelette ist einsame Spitze.« Er hob ein Bein und furzte. Als er aufsah, bemerkte er, daß die Sekretärin in der Tür stand. »'tschuldigung, Diana. Na, jedenfalls hat mir dieser junge Mann erzählt, daß er dich oben bei der Müllkippe aufgegabelt hat.«

Verfluchter Mist!

»Da bist du also frühmorgens um halb sieben mutterseelenallein durch die Wüste gelatscht, weil du Zoff mit deiner Alten hattest!« Chew blickte in die Runde und vergewisserte sich, daß ihm alle aufmerksam zuhörten. »Du hältst an, steigst aus – und sie rutscht rüber ans Steuer, gibt Gas und läßt dich mitten in der Pampa stehen!« Er grinste übers ganze Gesicht; die anderen lachten.

Priest stand auf. Niemand sollte im Gedächtnis behalten, daß er ausgerechnet am Tag von Marios Verschwinden in der Nähe der Müllkippe gesehen wurde. Er mußte diesem Gerede sofort ein Ende setzen. Er zog ein beleidigtes Gesicht und sagte: »Also, eines verspreche ich dir, Chew: Sollte ich jemals was über deine Privatangelegenheiten hören, vor allem über irgendwelche Peinlichkeiten, dann posaune ich das nicht hier im Büro aus. Was meinst du dazu?«

»Brauchst ja nicht gleich so empfindlich zu sein«, sagte Chew.

Die anderen Männer wirkten betreten. Das Thema war für sie erledigt.

Priest wollte keine schlechte Stimmung hinterlassen. Deshalb sagte er in das peinliche Schweigen hinein: »Schon gut, Chew, ich nehm's dir nicht weiter übel.«

Chew zuckte mit den Schultern. »Wollte dich nicht beleidigen, Ricky.«

Die gespannte Atmosphäre löste sich.

Diana händigte Priest die Schlüssel für den seismischen Vibrator aus.

Seine Faust schloß sich um das Bund. »Danke«, sagte er, bemüht, sich seine Hochstimmung nicht anmerken zu lassen. Er konnte es kaum erwarten, endlich hier herauszukommen und sich ans Steuer zu setzen. »Macht's gut, Leute!« sagte er. »Bis bald in New Mexico!«

»Fahr vorsichtig, ja?« rief Diana ihm nach, als er schon an der Tür war.

»Aber sicher doch!« erwiderte Priest. »Verlaß dich drauf!«

Er trat hinaus ins Freie. Inzwischen war die Sonne aufgegangen, und es war schon merklich wärmer. Priest hätte am liebsten einen Siegestanz um den Laster herum vollführt – aber er widerstand der Versuchung, kletterte in die Fahrerkabine, startete den Motor und warf einen Blick auf Benzin- und Ölstandsanzeiger. Mario hatte am Vorabend offenbar aufgetankt. Der Laster war fahrbereit.

Als er das Grundstück verließ, konnte er ein Grinsen nicht mehr unterdrücken.

Er schaltete hoch, und bald lag die Stadt hinter ihm. Er hielt sich Richtung Norden, auf der gleichen Strecke, die Star mit dem Honda genommen hatte. Ein mulmiges Gefühl beschlich ihn, als sich der Laster der Abzweigung zur Müllkippe näherte. Er stellte sich plötzlich vor, Mario stünde am Straßenrand und graue Gehirnmasse sickere aus dem Loch in seinem Kopf. Er wußte, daß es albern und abergläubisch war, konnte die Gedanken aber trotzdem nicht abschütteln. Ein Schwächeanfall überkam ihn, nur kurz, aber doch so heftig, daß er kaum noch fahren konnte. Dann riß er sich wieder zusammen.

Mario war nicht der erste Mensch, den er getötet hatte.

Jack Kassner, ein Bulle, hatte Priests Mutter beraubt.

Priests Mutter war eine Nutte gewesen und hatte ihn bekommen, als sie dreizehn Jahre alt war. Zu der Zeit, da Ricky selbst gerade fünfzehn war, arbeitete seine Mutter mit drei anderen Frauen von einer Wohnung aus, die in der Seventh Street über einem schmuddeligen Buchladen in einem heruntergekommenen Vergnügungsviertel unweit der Innenstadt von Los Angeles lag. Jack Kassner war Inspektor bei der Sittenpolizei. Einmal monatlich tauchte er auf, um sein Schmiergeld zu kassieren. Bei dieser Gelegenheit ließ er sich gewöhnlich auch einen blasen – kostenfrei, versteht sich. Einmal hatte er Priests Mutter dabei beobachtet, wie sie das Schmiergeld aus einer Schatulle im Hinterzimmer holte. Noch in der gleichen Nacht wurde die Wohnung von der Sitte gefilzt, und Kassner stahl 1500 Dollar, was in den sechziger Jahren eine ganze Menge Geld war. Ein paar Tage im Knast machten Priests Mutter nichts aus, doch über den Verlust ihrer hart verdienten Ersparnisse war sie untröstlich. Für den Fall, daß die Frauen sich beschweren sollten, drohte Kassner ihnen mit einer Anzeige wegen Drogenhandels – und das bedeutete ein paar Jahre Bau.

Kassner hatte geglaubt, von drei halbseidenen Mädchen und einem halbwüchsigen Jungen drohe ihm keine Gefahr. Doch schon am folgenden Abend – er stand in der Toilette der Blue-Light-Bar am Broadway und erleichterte seine biergefüllte Blase – rammte ihm der kleine Ricky Granger eine rasiermesserscharfe, fast zwanzig Zentimeter lange Messerklinge in den Rücken. Mühelos durchdrang sie sein Jackett aus schwarzem Mohair und das weiße Nylonhemd und bohrte sich in die Niere. Die Schmerzen waren so grauenhaft, daß Kassner nicht einmal mehr nach seiner Pistole greifen konnte. Er stürzte auf den feuchten Betonboden der Toilette und kotzte Blut. Ricky stach in rascher Folge noch mehrere Male auf ihn ein, spülte das Messer im Waschbecken ab und machte sich aus dem Staub.

Wenn er an die Szene zurückdachte, staunte Priest noch heute über die kühle Selbstsicherheit des Fünfzehnjährigen. Das Ganze hatte allenfalls fünfzehn oder zwanzig Sekunden gedauert – und immerhin hätte jederzeit jemand hereinkommen können.

Damals hatte Ricky weder Furcht noch Scham, noch Schuldbewußtsein empfunden. Allerdings hatte er seither Angst vor der Dunkelheit.

Aber in jener Zeit war es nur selten dunkel um ihn herum. In der Wohnung seiner Mutter brannte das Licht meist die ganze Nacht hindurch. Nur ab und zu kam es vor, daß er, zum Beispiel in einer Nacht zum Montag, wenn nicht viel los war und tatsächlich alle mal schliefen, kurz vor dem Morgengrauen erwachte. Waren dann sämtliche Lichter gelöscht, überkam ihn ein blindes, irrationales Entsetzen. Er torkelte durchs Zimmer, stolperte über irgendwelche bepelzten Wesen und stieß gegen unheimliche feuchtkalte Flächen, bis es ihm endlich gelang, den Lichtschalter zu finden. Danach saß er keuchend und schwitzend auf der Bettkante und brauchte eine ganze Weile, bis er seine Fassung wiedergewann: Die feuchtkalte Fläche war der Spiegel gewesen, das bepelzte Ungeheuer seine Jacke mit den Fellsäumen.

Erst als er Star gefunden hatte, verflog die Angst vor der Dunkelheit.

Ein Lied kam ihm in den Sinn, das in jenem Jahr, in dem er Star kennenlernte, ein großer Hit gewesen war, und er stimmte es an:

»*Smoke on the water …*«

Die Band hieß Deep Purple, fiel ihm ein, und das Album wurde in jenem Sommer ständig gespielt.

Ein tolles, apokalyptisches Lied, genau das richtige für den Fahrer eines seismischen Vibrators.

»*Smoke on the water,*
A fire in the sky ...«

Der Lastwagen rauschte an der Abzweigung zur Müllkippe vorbei. Priest fuhr unverdrossen weiter gen Norden.

»Heute abend ist es soweit«, hatte Priest gesagt. »Wir teilen dem Gouverneur mit, daß er heute in vier Wochen mit einem Erdbeben rechnen muß.«

Star hegte so ihre Zweifel. »Wir wissen doch noch gar nicht, ob es überhaupt realisierbar ist. Vielleicht sollten wir zunächst alle Vorbereitungen treffen – und das Ultimatum erst stellen, wenn alles fix und fertig ist.«

»Nein, zum Teufel!« widersprach Priest. Stars Vorschlag ärgerte ihn. Er wußte, daß die Gruppe ebenso auf seine Führung angewiesen war wie er auf ihre bedingungslose Einsatzbereitschaft. Schließlich standen sie alle im Begriff, sich auf ein äußerst riskantes Hasardspiel einzulassen. Jeder mußte wissen, daß es kein Zurück mehr gab – andernfalls würden ihnen morgen schon wieder Bedenken kommen und mengenweise Ausreden für einen Rückzieher einfallen.

Im Augenblick waren sie alle Feuer und Flamme. Der Brief war heute erst eingetroffen, und alle hatte der Mut der Verzweiflung gepackt. Star legte finstere Entschlossenheit an den Tag; Melanie schäumte vor Wut; Oaktree hätte am liebsten der ganzen Welt den Krieg erklärt; bei Paul Beale kam schon wieder der alte Gangster durch, der er einst gewesen war. Song hatte zwar kaum ein Wort gesagt, doch da sie in der Gruppe die Rolle des hilflosen Kindes innehatte, würde sie wie immer mit den anderen mitziehen. Nur Aneth war gegen den Plan, doch da sie zur Nachgiebigkeit neigte, war ihre Opposition kaum ernst zu nehmen. Ihr fielen zwar immer rasch ein paar Einwände ein, doch wenn's darauf ankam, gab sie noch rascher klein bei.

Was Priest selbst betraf, so hatte er sich kalten Bluts klargemacht, daß er den Untergang der Siedlung nicht überleben würde.

»Aber bei einem Erdbeben kann es doch Tote geben«, wandte Aneth ein.

»Ich will euch sagen, wie die Sache laufen wird«, sagte Priest. »Zunächst mal, denke ich, müssen wir bloß irgendwo draußen in der Wüste ein kleines, harmloses Beben produzieren, sozusagen als Beweis dafür, daß wir überhaupt dazu imstande sind. Sobald wir dann mit einem weiteren Erdbeben drohen, wird sich der Gouverneur auf Verhandlungen mit uns einlassen.«

Aneth wandte ihre Aufmerksamkeit wieder dem Kind zu.

»Ich bin ganz deiner Meinung, Priest«, sagte Oaktree. »Raus mit der Warnung, gleich heute abend noch!«

Star gab nach. »Und wie stellen wir das an?«

»Ein anonymer Anruf oder ein anonymer Brief genügt, schätze ich«, sagte Priest. »Hauptsache, er läßt sich nicht zurückverfolgen.«

»Wir könnten die Ankündigung auch über ein Internet Bulletin Board unter die Leute bringen. Wenn ich das mit meinem Laptop und dem Handy mache, bleibt es absolut anonym.«

Priest hatte vor Melanies Ankunft noch nie einen Computer gesehen. Jetzt warf er Paul Beale, der sich mit solchen Sachen auskannte, einen fragenden Blick zu. Paul nickte und sagte: »Gute Idee.«

»Okay«, sagte Priest und wandte sich an Melanie: »Dann hol mal deine Ausrüstung.«

Melanie ging.

»Wie unterschreiben wir die Botschaft?« wollte Star wissen. »Wir brauchen einen Namen.«

»Irgendwas Symbolisches für eine friedliebende Gruppe von Menschen, die nur ungern zur Gewalt greift«, meinte Song.

»Ich hab's«, sagte Priest. »Wir nennen uns *Die Kinder von Eden.*«

Es war der 1. Mai, kurz vor Mitternacht.

Priest wurde nervös, als er die Außenbezirke von San Antonio erreichte. Der ursprüngliche Plan hatte vorgesehen, daß Mario den Laster zum Flughafen fuhr, doch nun war Priest in dem Gewirr von Straßen und Kreuzungen, das die Stadt umgab, auf sich allein gestellt. Er geriet ins Schwitzen.

Jede Straßenkarte, jeder Stadtplan war ihm ein Buch mit sieben Siegeln.

Wenn er ihm unbekannte Strecken fahren mußte, nahm er immer Star mit, die ihm dann sagte, wo's langging. Sie und die anderen Reisesser wußten, daß er nicht lesen konnte. Seine letzte Fahrt über Straßen, die er nicht kannte, hatte er im Spätherbst 1972 unternommen; damals war er aus Los Angeles geflohen und nur durch Zufall bei der Kommune im Silver River Valley gelandet. Es war ihm völlig egal gewesen, wohin es ihn verschlug; im Grunde seines Herzens wäre er sogar am liebsten gestorben. Heute war es anders: Er wollte leben.

Selbst Verkehrsschilder waren problematisch. Wenn er anhielt und sich eine Zeitlang konzentrierte, konnte er allenfalls Angaben wie *East* und *West*, *North* und *South* unterscheiden. Zahlen vermochte er, trotz seiner außergewöhnlichen Fähigkeiten im Kopfrechnen, nur zu entziffern, wenn er sie sich längere Zeit genau betrachtete und scharf nachdachte. Mit etwas Mühe erkannte er die Ausschilderung für die Schnellstraße Nr. 10: ein Stab und ein Kreis. Aber auf Straßenschildern stand noch allerhand anderes Zeug, das ihm gar nichts sagte und ihn nur verwirrte.

Er versuchte, Ruhe zu bewahren, aber es fiel ihm schwer. Zufrieden war er nur, wenn er alles unter Kontrolle hatte. Die Verwirrung und die Hilflosigkeit, die ihn immer überkamen, wenn er sich verfahren hatte, trieben ihn schier zum Wahnsinn. Vom Sonnenstand her wußte er, wo Norden war. Hatte er das Gefühl, falsch gefahren zu sein, hielt er beim nächsten Einkaufszentrum oder der nächsten Tankstelle an und fragte nach dem Weg. Das tat er allerdings äußerst ungern, denn natürlich fiel der seismische Vibrator auf – er war ein riesiges Gefährt, und die Apparaturen auf der Ladefläche erweckten die Neugier der Leute. Das erhöhte die Gefahr, daß sich später jemand an ihn erinnerte. Manchmal blieb Priest jedoch gar nichts anderes übrig, als das Risiko auf sich zu nehmen.

Die Auskünfte, die er erhielt, waren nicht immer hilfreich. Tankwarte äußerten sich zum Beispiel folgendermaßen: »Kein Problem, nehmen Sie einfach den Highway nach Corpus Christi, bis Sie ein Schild zum Luftwaffenstützpunkt Brooks sehen.«

Priest zwang sich zur Ruhe, fragte nach und fragte noch einmal, ließ sich weder seine Nervosität noch seine Angst anmerken. Er schlüpfte in die Rolle eines netten, aber begriffsstutzigen Lastwagenfahrers, eines Typen, den man schon am nächsten Tag vergessen hat. Und schließlich gelang es ihm tatsächlich, die richtige Ausfallstraße zu finden und San Antonio hinter sich zu lassen. Seine Dankgebete galten allen Göttern, die ihm nur zuhören mochten.

Schon Minuten später entdeckte er zu seiner großen Erleichterung in einer kleineren Ortschaft den blauen Honda. Er parkte vor dem McDonald's-Restaurant.

Dankbar schloß Priest Star in die Arme. »Was, zum Teufel, war denn bloß los?« fragte sie. »Ich warte hier schon seit Stunden auf dich!«

Er beschloß, ihr von dem Mord an Mario nichts zu erzählen. »Ich hab' mich in San Antonio verfahren«, erklärte er statt dessen.

»Das hab' ich befürchtet. Selbst für mich war das Straßengewirr unheimlich kompliziert.«

»Ich glaube, es ist nicht halb so schlimm wie in San Francisco. Aber da kenne ich mich aus.«

»Na schön, jetzt bist du jedenfalls da. Komm, wir bestellen uns einen Kaffee, du brauchst eine Pause.«

Priest besorgte sich einen Gemüseburger und bekam einen kleinen Plastikclown dazu, den er als Mitbringsel für seinen sechsjährigen Sohn Smiler sorgsam in die Tasche steckte.

Als sie sich wieder auf den Weg machten, übernahm Star das Steuer. Sie hatten vor, ohne nennenswerte Pausen direkt nach Kalifornien zu fahren; das hieß, sie würden mindestens zwei Tage und zwei Nächte unterwegs sein. Wenn er fuhr, würde sie schlafen, und umgekehrt. Gegen die Müdigkeit hatten sie sich mit Amphetaminen versorgt.

Den Honda ließen sie auf dem McDonald's-Parkplatz stehen. Als Star anfuhr, reichte sie Priest eine Papiertüte und sagte: »Ich hab' dir was mitgebracht.«

Die Tüte enthielt eine Schere und einen batteriebetriebenen Rasierapparat.

»Jetzt kannst du dich endlich von diesem verdammten Bart befreien«, sagte sie.

Priest grinste, drehte sich den Rückspiegel zurecht und fing an, sich Backenbart und Schnäuzer zu scheren; beide waren, da er einen starken Bartwuchs hatte, in den vergangenen Wochen üppig gesprossen und hatten sein Gesicht rundlicher wirken lassen, als es war. Nun gewann er allmählich sein gewohntes Aussehen zurück. Mit der Schere trimmte er die Haare zu groben Stoppeln, danach benutzte er den Rasierapparat für die Feinarbeit. Zum Schluß nahm er seinen Cowboyhut ab und löste den Zopf.

Er warf den Hut aus dem Fenster und betrachtete sein Spiegelbild. Sein Haar war aus der hohen Stirn zurückgestrichen und fiel in Wellen um das hagere Gesicht. Sein Nasenrücken war wie eine Messerklinge. Er hatte eingefallene Wangen, aber einen sinnlichen Mund – das hatten schon viele Frauen von ihm behauptet. Am häufigsten erwähnten sie jedoch seine Augen; die waren dunkelbraun, fast schwarz, und es hieß, sie besäßen eine starke, bisweilen hypnotische Wirkung. Priest wußte, daß es nicht allein an den Augen lag, sondern an der Intensität seines Blicks, wenn eine Frau fasziniert war: Er gab ihr dadurch das Gefühl, daß er sich nur auf sie und nichts anderes konzentrierte. Auch bei Männern funktionierte *der Blick*. Priest probierte ihn im Rückspiegel aus.

»Hübscher Teufel«, sagte Star und lachte über ihn, aber auf eine nette, liebevolle Art.

»Und clever dazu«, sagte Priest.

»Einverstanden. Auf jeden Fall hast du uns diese Maschine hier organisiert.«

Priest nickte. »Und das war erst der Anfang.«

KAPITEL 2

F ederal Building, 450 Golden Gate Avenue, San Francisco, am frühen Montagmorgen: FBI-Agentin Judy Maddox saß in einem Gerichtssaal im 14. Stockwerk und wartete.

Der Raum war mit Möbeln aus hellem Holz ausgestattet, wie bei neuen Gerichtssälen üblich. Da sie meist fensterlos waren, versuchten die Innenarchitekten, sie mit hellen Farben freundlicher zu gestalten – dies war jedenfalls Judys Theorie. Sie verbrachte viel Zeit mit Warten in Gerichtssälen; ein Schicksal, das sie mit zahlreichen anderen Mitarbeitern der Polizei- und Justizbehörden teilte.

Judy war besorgt. Das war kein neues Gefühl, denn vor Gericht beschlich es sie des öfteren. Da arbeitete man monate-, mitunter sogar jahrelang an einem Fall und konnte doch nie im voraus sagen, welchen Verlauf der Prozeß nehmen würde. War die Verteidigung genial oder inkompetent? War der Richter ein scharfsichtiger, kluger Mann oder ein seniler Trottel? Saßen auf der Geschworenenbank intelligente, verantwortungsbewußte Staatsbürger oder irgendwelche schrägen Vögel aus dem Milieu, die eigentlich selber hinter Schloß und Riegel gehörten?

Heute standen vier Männer vor Gericht: John Parton, Ernest »Taxman« Dias, Fung Lee und Fung Ho. Die Fung-Brüder waren Topgangster, die anderen beiden ihre Vollstrecker. Gemeinsam mit einer Hongkonger Triade hatten sie ein Geldwäsche-System für den nordkalifornischen Drogenhandel aufgebaut. Judy hatte ein Jahr gebraucht, um herauszufinden, wie ihr System funktionierte, und ein zweites Jahr, um es ihnen nachzuweisen.

Bei Ermittlungen gegen fernöstliche Kriminelle kam ihr zugute, daß sie selbst asiatisch aussah. Ihr Vater war zwar ein grünäugiger Ire, sie aber kam mehr auf ihre verstorbene Mutter, eine Vietnamesin. Judy war schlank und dunkelhaarig, mit ein wenig schräg geschnittenen Augen.

Die chinesischen Gangster mittleren Alters, gegen die sie ermittelt hatte, waren nie auch nur auf die Idee gekommen, die hübsche kleine Halbasiatin könne eine hochkarätige FBI-Agentin sein.

Judy arbeitete mit einem Staatsanwalt zusammen, den sie ungewöhnlich gut kannte. Er hieß Don Riley und war bis vor einem Jahr ihr Lebensgefährte gewesen. Er war ebenso alt wie sie – sechsunddreißig – und ein erfahrener, energischer und blitzgescheiter Mann.

Judy hatte geglaubt, ihr Fall wäre absolut wasserdicht. Aber die Angeklagten hatten die angesehenste Anwaltskanzlei der Stadt mit ihrer Verteidigung beauftragt, und deren Strategie erwies sich als sehr clever und effektiv. Die Anwälte hatten die Glaubwürdigkeit der Zeugen erschüttert, die zwangsläufig selbst aus dem kriminellen Milieu stammten, und sie hatten die von Judy zusammengetragenen Beweisakten so ausgelegt, daß die Geschworenen jeden Durchblick verloren.

Inzwischen konnten weder Judy noch Don sagen, wie das Verfahren ausgehen würde.

Judy hatte einen besonderen Grund dafür, sich dieses Falles wegen Sorgen zu machen. Ihr direkter Vorgesetzter, der Leiter des Dezernats für Asiatische Bandenkriminalität, stand kurz vor der Pensionierung, und sie hatte sich um seine Stelle beworben. Der Chef des FBI-Büros von San Francisco, dessen genauer Titel »Special Agent in Charge« – Leitender Spezialagent – oder SAC lautete, würde, wie Judy wußte, ihre Bewerbung unterstützen. Aber sie hatte einen Rivalen: Marvin Hayes, ebenfalls Agent, ebenfalls aus ihrer Altersgruppe und mit ebenso hochfliegenden Zielen. Auch Marvin hatte einen einflußreichen Gönner: Sein bester Freund war der »Assistant Special Agent in Charge« oder ASAC, der für sämtliche Abteilungen verantwortlich war, die sich mit der Bekämpfung des organisierten Verbrechens und der Wirtschaftskriminalität beschäftigten.

Beförderungen wurden zwar von einer entsprechenden Kommission ausgesprochen, doch die Beurteilungen seitens des SAC und des ASAC fielen stark ins Gewicht. Wie es derzeit aussah, lagen die Konkurrenten Judy Maddox und Marvin Hayes ungefähr gleichauf.

Judy lechzte geradezu nach diesem Job. Sie wünschte sich einen raschen Aufstieg in der FBI-Hierarchie und strebte hoch hinaus. Sie war eine gute Agentin, würde eine hervorragende Dezernatsleiterin sein und eines Tages zur besten SAC avancieren, die das FBI jemals gehabt hatte. Sie war stolz auf »ihre« Behörde, wußte aber auch genau, was sie daran verbessern wollte: So ging es unter anderem um die raschere Einführung neuer Methoden wie die Erstellung von psychologisch fundierten Täterprofilen sowie um einen rationelleren Führungsstil. Vor allem aber mußte das FBI Agenten vom Schlage eines Marvin Hayes loswerden.

Hayes entsprach dem klassischen Negativbild des »Bullen«: Er war faul, brutal und skrupellos. Er hatte nicht so viele Gangster hinter Schloß und Riegel gebracht wie Judy, konnte aber spektakulärere Verhaftungen vorweisen. Er wußte sich bei öffentlichkeitswirksamen Ermittlungen glänzend in Szene zu setzen, zog sich aber schleunigst zurück, sobald er merkte, daß ein Fall den Bach runterging.

Außer Judy wohnten auch die meisten ihrer Mitarbeiter im Fall Fung der Gerichtsverhandlung bei: ihr Dezernatsleiter, die anderen Agentinnen und Agenten, ein Sprachwissenschaftler, die Sekretärin der Abteilung und zwei Beamte der Stadtpolizei von San Francisco. Zu ihrer Überraschung fehlten heute sowohl der SAC als auch der ASAC. Und da es sich um ein bedeutendes Verfahren handelte, dessen Ausgang für beide von großer Wichtigkeit war, beschlich Judy ein ungutes Gefühl. Lief da intern etwas ab, wovon sie nicht unterrichtet war? Sie beschloß, hinauszugehen und sich telefonisch zu erkundigen, doch sie kam nicht dazu; denn gerade als sie aufstehen wollte, betrat der Gerichtsdiener den Saal und kündigte die Rückkehr der Geschworenen an.

Einen Augenblick später erschien Don im Saal. Er roch nach Zigaretten. Nach ihrer Trennung hatte er wieder mit dem Rauchen angefangen. Aufmunternd drückte er Judys Schulter, und sie lächelte ihm zu. Er sah gut aus: Das kurze Haar war perfekt frisiert. Zum dunkelblauen Anzug trug er ein weißes Hemd und eine dunkelrote Armani-Krawatte. Aber es funkte nicht mehr zwischen ihnen. Der Reiz, sein Haar zu verstrubbeln, ihm die Krawatte abzunehmen und ihre Hand unter sein Hemd zu schieben, war gänzlich verflogen.

Die Verteidiger kehrten zurück, die Angeklagten wurden zur Anklagebank geführt, die Geschworenen betraten den Saal, und endlich tauchte auch der Richter aus seinem Zimmer auf und nahm seinen Platz wieder ein.

Judy drückte sich unter dem Tisch beide Daumen.

Der Gerichtsdiener erhob sich. »Meine Damen und Herren Geschworenen, sind Sie zu einem Urteil gelangt?«

Absolute Stille senkte sich über den Gerichtssaal. Judy merkte, daß sie vor lauter Aufregung unruhig mit dem Fuß auf den Boden tappte, und zwang sich, stillzusitzen.

Der Sprecher der Geschworenen, ein Ladenbesitzer chinesischer Abstammung, stand auf. Judy hatte stundenlang darüber nachgegrübelt, ob er wohl mit den beiden angeklagten Chinesen sympathisieren würde, weil sie gleicher Herkunft waren wie er, oder ob er sie eher haßte, weil sie Schande über sein Volk gebracht hatten. Mit ruhiger Stimme sagte er: »Das sind wir.«

»Und wie lautet Ihr Urteil? Schuldig oder unschuldig?«

»Schuldig im Sinne der Anklage.«

Sekundenlang herrschte Schweigen, bis die Bedeutung des Satzes allen Anwesenden ins Bewußtsein gedrungen war. Judy hörte ein Stöhnen, das von der Anklagebank hinter ihr kam. Sie selbst mußte sich am Riemen reißen, um nicht lauthals zu jubeln. Don, dessen Blick sie suchte, lächelte ihr strahlend zu. Die teuren Anwälte blätterten beflissen in ihren Akten und vermieden es, einander in die Augen zu schauen. Zwei Reporter sprangen auf, verließen hastig den Saal und stürzten zu den Telefonen.

Der Richter, ein dünner, mürrisch dreinblickender Mann von

etwa fünfzig Jahren, dankte den Geschworenen und schloß die Sitzung mit der Bemerkung, das Strafmaß werde in einer Woche verkündet.

Ich hab's geschafft, dachte Judy. Ich habe gewonnen. Ich hab' die schweren Jungs hinter Gitter gebracht. Damit habe ich meine Beförderung in der Tasche. Dezernatsleiterin Judy Maddox, gerade mal sechsunddreißig Jahre alt, der aufgehende Stern ...

»Die Anwesenden mögen sich erheben«, sagte der Gerichtsdiener.

Der Richter verließ den Saal.

Don schloß Judy in die Arme.

»Du hast großartige Arbeit geleistet«, sagte sie zu ihm. »Ich danke dir.«

»Und du hast mir einen großartigen Fall geliefert«, erwiderte er.

Sie spürte, daß er sie küssen wollte, daher trat sie einen Schritt zurück. »Wir waren beide gut«, sagte sie.

Sie wandte sich ihren Kolleginnen und Kollegen zu, umarmte sie, schüttelte Hände, bedankte sich bei allen für ihre Mitarbeit. Dann kamen die beiden Verteidiger auf sie zu. Der ältere war David Fielding, Partner in der Kanzlei Brooks Fielding, ein distinguierter Herr um die Sechzig. »Meinen Glückwunsch zu Ihrem wohlverdienten Erfolg, Ms. Maddox«, sagte er.

»Danke«, sagte Judy. »Es war knapper, als ich erwartet hatte. Bevor Sie anfingen, dachte ich, der Fall wäre längst gelaufen.«

Fielding nahm das Kompliment mit einer angedeuteten Verneigung seines makellos frisierten und gepflegten Kopfes entgegen. »Sie haben mustergültige Vorarbeit geleistet. Wo haben Sie studiert?«

»An der Stanford Law School.«

»Dacht' ich mir doch, daß Sie Jura studiert haben. Wie dem auch sei: Sollte Ihnen eines Tages die Arbeit beim FBI keinen Spaß mehr machen, schauen Sie doch bitte bei mir herein. In meiner Kanzlei könnten Sie in nicht einmal einem Jahr dreimal soviel verdienen wie jetzt.«

Judy fühlte sich geschmeichelt, aber sie ärgerte sich auch über

Fieldings gönnerhafte Art. Entsprechend scharf fiel ihre Antwort aus. »Ein nettes Angebot. Aber mir ist es lieber, ich schicke die schweren Jungs hinter Gitter, statt dafür zu sorgen, daß sie weiter frei herumlaufen können.«

»Ich bewundere Ihren Idealismus«, erwiderte Fielding aalglatt und wandte sich Don zu.

Judy wurde klar, daß sie wieder einmal biestig reagiert hatte. Das war einer ihrer Fehler, sie wußte es. Aber zum Teufel damit, dachte sie. Ich will doch gar keinen Job bei Brooks Fielding.

Sie griff nach ihrer Aktentasche. Sie brannte darauf, ihren Erfolg mit dem SAC zu teilen. Das FBI-Büro für San Francisco befand sich zwei Etagen tiefer im gleichen Gebäude. Als sie sich zum Gehen wandte, hielt Don sie am Arm fest. »Wollen wir zusammen zu Abend essen?« fragte er sie. »Wir haben allen Grund zum Feiern.«

Judy hatte keine andere Verabredung. »Einverstanden.«

»Ich reserviere uns einen Tisch und ruf' dich an.«

Beim Verlassen des Gerichtssaals fiel ihr wieder ein, daß sie das Gefühl gehabt hatte, er wolle sie küssen. Jetzt wünschte sie, sie hätte sich eine Ausrede einfallen lassen.

Als Judy die Lobby der FBI-Dienststelle betrat, fragte sie sich erneut, warum weder der SAC noch der ASAC zur Urteilsverkündung erschienen waren, zumal sie keinerlei Anzeichen für ungewöhnliche Aktivitäten bemerkte. Die mit Teppichboden ausgelegten Korridore waren still, der Postroboter, ein motorisiertes Wägelchen, summte auf vorbestimmter Route von Tür zu Tür. Gemessen daran, daß es sich um eine Strafverfolgungsbehörde handelte, waren die Räumlichkeiten ausgesprochen schick – ein himmelweiter Unterschied zu einem gewöhnlichen Polizeirevier, etwa so groß wie der zwischen der Chefetage eines Konzerns und einer Fabrikhalle.

Judy steuerte ohne Umwege auf das Büro des SAC zu. Milton Lestrange hatte schon immer eine Schwäche für sie gehabt. Er hatte einst zu den ersten gehört, die für die Einstellung weiblicher Agenten eintraten, und mittlerweile betrug der Frauenanteil an der

Gesamttruppe immerhin schon zehn Prozent. Manche SACs brüllten ihre Befehle heraus wie Armeegenerale, Milt dagegen blieb stets ruhig und höflich.

Judy hatte kaum das Vorzimmer betreten, als ihr schlagartig klar wurde, daß irgend etwas nicht stimmte. Milts Sekretärin sah so aus, als ob sie geweint hätte. »Linda, geht es Ihnen nicht gut?« fragte Judy. Die Sekretärin, eine Frau mittleren Alters, die sich normalerweise durch kühle Effizienz auszeichnete, brach sofort wieder in Tränen aus. Judy ging zu ihr, um sie zu trösten, doch Linda hob abwehrend die Hände und deutete auf das Chefbüro.

Judy öffnete die Tür.

Der Raum war groß und mit einem entsprechend großen Schreibtisch sowie einem polierten Konferenztisch teuer möbliert. An Lestranges Schreibtisch saß, mit offenem Jackett und gelöster Krawatte, ASAC Brian Kincaid, ein hochgewachsener, wuchtiger Mann mit breiter Brust und vollem, weißem Haar. »Kommen Sie rein, Judy!« sagte er.

»Was ist hier eigentlich los?« fragte sie. »Wo ist Milt?«

»Schlechte Nachrichten«, sagte Kincaid, wiewohl er nicht sonderlich betrübt wirkte. »Milt liegt im Krankenhaus. Krebs. Bauchspeicheldrüse.«

»O mein Gott!« Judy setzte sich.

Lestrange war am Tag zuvor ins Krankenhaus gegangen – zu einer Routineuntersuchung, hatte er behauptet. Aber er mußte wohl gewußt haben, daß etwas nicht stimmte.

Kincaid fuhr fort: »Sie werden ihn operieren, so 'ne Art Darm-Bypass oder was weiß ich. Im günstigsten Fall wird er eine Zeitlang krankgeschrieben.«

»Der arme Milt!« Judy war erschüttert. Lestrange sah aus wie ein Mann in der Blüte seiner Jahre, wirkte topfit, war tatkräftig und ein guter Vorgesetzter. Und jetzt stellte sich heraus, daß er an einer tödlichen Krankheit litt! Judy überlegte, wie sie ihn trösten könnte, aber ihr fiel nichts ein. Sie fühlte sich vollkommen hilflos. »Ich nehme an, Jessica ist bei ihm«, sagte sie. Jessica war Milts zweite Frau.

»Ja, und sein Bruder kommt heute noch mit dem Flugzeug aus Los Angeles. Hier im Büro ...«

»Was ist mit Milts erster Frau?«

Kincaid wirkte irritiert. »Von der weiß ich nichts. Ich habe nur mit Jessica gesprochen.«

»Irgend jemand sollte sie informieren. Ich werde mal sehen, ob ich ihre Telefonnummer finde.«

»Wie Sie wollen«, sagte Kincaid ungeduldig. Es reichte ihm nun mit dem persönlichen Kram; er wollte Dienstliches besprechen. »Hier im Büro gibt es einige Veränderungen, das läßt sich nicht vermeiden. Für die Zeit von Milts Arbeitsunfähigkeit hat man mich zum Amtierenden SAC ernannt.«

Judy erschrak. »Meinen Glückwunsch«, sagte sie, um einen neutralen Ton bemüht.

»Ich versetze Sie ins Dezernat für Inlandsterrorismus.«

Im ersten Augenblick reagierte Judy nur verwundert. »Und warum das?«

»Weil ich glaube, daß Sie da gute Arbeit leisten können.« Er griff zum Telefon und sprach mit Linda: »Rufen Sie Matt Peters an, und bitten Sie ihn, sofort zu mir zu kommen.« Peters leitete das entsprechende Dezernat.

»Aber ich habe gerade meinen Fall erfolgreich abgeschlossen«, sagte Judy empört. »Die Fung-Brüder sind heute verurteilt worden.«

»Gut gemacht. Aber das ändert nichts an meiner Entscheidung.«

»Augenblick mal. Sie wissen, daß ich mich um das Amt des Dezernatleiters für Asiatische Bandenkriminalität beworben habe. Wenn man mich jetzt in ein anderes Dezernat versetzt, sieht es aus, als käme ich mit meinem gegenwärtigen Job nicht zurecht.«

»Ich bin der Meinung, Sie sollten Ihren Erfahrungshorizont erweitern.«

»Und *ich* bin der Meinung, daß Sie Marvin den Asien-Job zuschanzen wollen.«

»Da haben Sie recht. Meiner Überzeugung nach ist Marvin der beste Kandidat für den Job.«

Scheißkerl, dachte Judy wütend. Kaum ist er Chef, mißbraucht er seine neue Machtposition dazu, einen Kumpel zu befördern. »So einfach ist das nicht«, sagte sie. »Sie müssen sich an die Gleichstellungsregeln halten.«

»Dann beschweren Sie sich«, sagte Kincaid. »Marvin ist höher qualifiziert als Sie.«

»Ich hab' 'ne Menge mehr Ganoven ins Gefängnis gebracht als er.«

Kincaid grinste selbstgefällig und zog seine Trumpfkarte. »Aber Marvin hat zwei Jahre in der Zentrale gearbeitet.«

Da hat er leider recht, dachte Judy. Es war zum Verzweifeln. Sie selbst hatte noch nie im Washingtoner Hauptquartier des FBI gearbeitet. Erfahrung in der Zentrale war zwar kein absolutes Muß für einen Dezernatsleiter, aber doch erwünscht. Von daher war eine Beschwerde bei der Gleichstellungsbehörde aussichtslos. Jeder wußte, daß sie die bessere Agentin war, auf dem Papier jedoch hatte Marvin die Nase vorn.

Judy kämpfte mit den Tränen. Zwei Jahre lang hatte sie sich die Hacken abgelaufen und einen wichtigen Sieg im Kampf gegen das organisierte Verbrechen erzielt – und nun betrog sie dieses Ekel um ihren verdienten Lohn.

Matt Peters kam herein, ein untersetzter, kahlköpfiger Mann Mitte Vierzig in kurzärmeligem Hemd mit Krawatte. Er gehörte zu Kincaids Lieblingen, genau wie Marvin Hayes. Judy kam sich allmählich umzingelt vor.

»Ich gratuliere Ihnen zu Ihrem Sieg«, sagte Peters zu Judy. »Es freut mich, daß Sie künftig für mein Dezernat arbeiten werden.«

»Danke.« Judy wußte nicht, was sie sonst hätte sagen sollen.

»Matt hat eine neue Aufgabe für Sie«, sagte Kincaid.

Peters trug eine Akte unter dem Arm, die er jetzt Judy übergab. »Der Gouverneur hat eine Drohung von Terroristen erhalten. Die Gruppe nennt sich ›Die Kinder von Eden‹.«

Judy schlug die Akte auf, war aber kaum imstande, den Text zu lesen. Sie zitterte vor Wut und einem geradezu überwältigenden Gefühl völliger Sinnlosigkeit. Um sich ihre Stimmungslage nicht anmerken zu lassen, täuschte sie Interesse an dem neuen Fall vor. »Welche Forderungen stellen diese Leute?«

»Sie verlangen einen Baustopp für Kraftwerke in Kalifornien.«

»Kernkraftwerke?«

»Kraftwerke aller Art. Sie haben uns insgesamt vier Wochen Zeit gegeben und bezeichnen sich als radikale Absplitterung der ›Bewegung Grünes Kalifornien‹.«

Judy versuchte sich zu konzentrieren. Die ›Bewegung Grünes Kalifornien‹ war eine legale Umwelt-Organisation mit Sitz in San Francisco. Kaum anzunehmen, daß sie mit dieser Geschichte etwas zu tun hatte. Aber alle Gruppen und Bürgerinitiativen dieser Art übten eine gewisse Anziehungskraft auf Spinner und Wichtigtuer aus. »Und womit drohen sie?«

»Mit einem Erdbeben.«

Judy blickte auf. »Sie machen Witze.«

Matt schüttelte sein kahles Haupt.

Wütend und erregt, wie sie war, nahm Judy kein Blatt vor den Mund. »Das ist doch Schwachsinn«, sagte sie. »Kein Mensch kann ein Erdbeben *erzeugen*. Da können sie uns ebensogut mit einem Meter Neuschnee drohen.«

Matt zuckte mit den Schultern. »Überprüfen Sie's.«

Judy wußte, daß prominente Politiker täglich Drohungen irgendwelcher Art erhielten. Stammten sie von offenkundigen Spinnern, so kümmerte sich das FBI nur darum, wenn ein besonderer Anlaß vorlag. »In welcher Form wurde die Drohung übermittelt?«

»Sie tauchte am ersten Mai in einem Internet Bulletin Board auf. Steht alles in der Akte.«

Judy sah Matt direkt in die Augen. Sie war nicht in der Stimmung, sich zum Narren halten zu lassen. »Sie enthalten mir etwas vor«, sagte sie. »Diese Drohung besitzt nicht die geringste Glaubwürdigkeit.« Sie sah auf die Uhr. »Heute ist der Fünfundzwanzigste. Wir haben diese Drohung dreieinhalb Wochen lang ignoriert –

und jetzt, vier Tage vor Ablauf des Ultimatums, bekommen wir es auf einmal mit der Angst zu tun?«

»John Truth ist beim Surfen im Internet darauf gestoßen, soweit ich weiß. Hat vielleicht verzweifelt nach einem neuen heißen Thema gesucht. Wie dem auch sei, er hat in seiner Sendung am Freitagabend darüber berichtet und bekam einen Haufen Anrufe.«

»Ich verstehe.« John Truth war ein umstrittener Rundfunk-Talkmaster. Seine Sendung kam aus San Francisco, wurde aber von Sendern in ganz Kalifornien live übertragen. Judys Zorn wuchs. »John Truth hat den Gouverneur also wegen der Terrordrohung zum Handeln gedrängt, worauf der Gouverneur das FBI einschaltete. Wir haben es folglich mit einer Untersuchung zu tun, deren Sinn von allen bezweifelt wird.«

»Ja, das kommt so ungefähr hin.«

Judy holte tief Luft und wandte sich dann an Kincaid. Sie wußte genau, daß nicht Peters, sondern er dahintersteckte. »Unsere Abteilung hat zwanzig Jahre lang versucht, die Fung-Brüder dingfest zu machen, und heute ist es mir gelungen, sie einzubuchten.« Sie hob die Stimme. »Und jetzt drücken Sie mir einen dermaßen idiotischen Fall aufs Auge! Was soll das?«

Kincaid wirkte überaus selbstzufrieden. »Wer hier arbeitet, muß lernen, mit dem Auf und Ab in unserer Branche fertigzuwerden.«

»Das habe ich bereits gelernt, Brian!«

»Schreien Sie hier nicht rum!«

»Ich habe es gelernt«, wiederholte Judy mit gesenkter Stimme. »Vor zehn Jahren hat man mich auf solche Fälle angesetzt. Damals war ich neu und unerfahren, und mein Vorgesetzter hatte keine Ahnung, wie weit er sich auf mich verlassen konnte. Damals hab' ich solche Fälle *gerne* übernommen, sie gewissenhaft erledigt und bewiesen, daß man mir, verdammt noch mal, auch vernünftige Arbeit zutrauen kann.«

»Zehn Jahre sind gar nichts«, sagte Kincaid. »Ich bin schon seit fünfundzwanzig Jahren dabei.«

Judy versuchte, vernünftig mit ihm zu reden. »Hören Sie, Brian,

Sie haben diesen Posten eben erst übernommen. Und Ihre erste Amtshandlung besteht darin, eine Ihrer besten Agentinnen mit einem Anfängerjob abzuspeisen. Das fällt doch auf. Jeder wird denken, Sie hätten noch eine alte Rechnung zu begleichen.«

»Sie haben recht, ich hab' den Posten gerade erst übernommen. Und schon wollen Sie mir erzählen, was ich zu tun habe. Los jetzt, Maddox, machen Sie sich an Ihre Arbeit!«

Sie starrte ihn an. Er würde sie doch nicht einfach hinauswerfen ...

»Die Sitzung ist beendet«, sagte Kincaid.

Das war zuviel für Judy. Jetzt kochte sie vor Wut.

»Nicht nur die Sitzung«, sagte sie und erhob sich. »Leck mich doch am Arsch, Kincaid!«

Wortlose Empörung zeichnete sich auf seiner Miene ab.

»Ich kündige«, sagte Judy und verließ das Büro.

»Das hast du wirklich gesagt?« fragte Judys Vater ungläubig.

»Ja. Mir war klar, daß du das nicht billigen würdest.«

»In diesem Punkt zumindest hattest du recht.«

Sie saßen in der Küche und tranken grünen Tee. Judys Vater war Inspektor bei der Stadtpolizei von San Francisco und wurde häufig als verdeckter Ermittler eingesetzt. Er war ein kräftig gebauter Mann mit leuchtend grünen Augen und für sein Alter sehr fit. Sein graues Haar trug er zu einem Pferdeschwanz gebunden.

Er stand kurz vor dem Ruhestand und hatte einen Horror davor. Die Polizeiarbeit war sein ein und alles. Am liebsten hätte er bis zu seinem Siebzigsten weitergemacht. Daß seine Tochter den Job ohne Not hinschmiß, entsetzte ihn.

Judys Eltern hatten sich in Saigon kennengelernt. Ihr Vater war zu Zeiten, da die amerikanischen Truppen dort noch als ›Berater‹ bezeichnet wurden, bei der Armee gewesen. Ihre Mutter stammte aus einer gutbürgerlichen vietnamesischen Familie: Judys Großvater war Rechnungsprüfer im Finanzministerium gewesen. Ihr Vater hatte seine junge Frau mit nach Amerika genommen, und

Judy wurde in San Francisco geboren. Als Kleinkind nannte sie ihre Eltern Bo und Me, die vietnamesischen Bezeichnungen für Papa und Mama. Vaters Kollegen bei der Polizei gefiel das, und so hieß er bald überall nur noch Bo Maddox.

Judy liebte ihn sehr. Sie war dreizehn gewesen, als ihre Mutter bei einem Verkehrsunfall ums Leben kam. Seither standen sich Vater und Tochter sehr nahe, und nach der Trennung von Don Riley vor nunmehr einem Jahr war Judy wieder zu Bo ins Haus gezogen.

Sie seufzte. »Es passiert nicht oft, daß ich die Beherrschung verliere«, sagte sie. »Das mußt du zugeben.«

»Nur, wenn's wirklich drauf ankommt.«

»Tja, aber nachdem ich Kincaid nun gekündigt habe, werd' ich's wohl durchziehen müssen.«

»Nachdem du ihn derart beschimpft hast, wird dir wohl kaum was anderes übrigbleiben.«

Judy stand auf und goß frischen Tee für sie beide nach. Innerlich schäumte sie noch immer vor Wut. »Kincaid ist wirklich ein hirnverbrannter Idiot ...«

»Sieht ganz so aus, schließlich hat er gerade eine gute Agentin sausen lassen.« Bo nippte an seinem Tee. »Aber du bist noch dümmer als er, denn du hast einen tollen Job sausen lassen.«

»Ich habe heute schon ein viel besseres Angebot bekommen.«

»Von wem?«

»Brooks Fielding, die Anwaltskanzlei. Da kann ich das Dreifache von dem verdienen, was das FBI mir zahlt.«

»Indem du Gangsterbosse vor dem Knast rettest!« erwiderte Bo mißbilligend.

»Jeder Mensch hat das Recht auf eine angemessene Verteidigung.«

»Warum heiratest du nicht einfach Don Riley und sorgst für Nachwuchs? Ein paar Enkel wären nicht schlecht. Da hätte ich was zu tun, wenn ich im Ruhestand bin.«

Judy zuckte zusammen. Sie hatte Bo nie genau gesagt, weshalb sie sich wirklich von Don getrennt hatte. Die simple Wahrheit war: Don hatte sie betrogen. Dann hatte ihn das schlechte Gewissen geplagt, und er hatte ihr alles gebeichtet. Es war nichts Ernstes gewesen, nur eine kurze Affäre mit seiner Sekretärin, und Judy hatte wirklich versucht, ihm zu verzeihen. Aber sie konnte nicht mehr das gleiche für ihn empfinden wie zuvor. Ihr Verlangen nach körperlicher Nähe und Liebe war verschwunden. Das betraf nicht nur Don, sondern auch alle anderen Männer. Sie hatte das Gefühl, als wäre ihr Geschlechtstrieb wie durch einen Knopfdruck abgeschaltet worden.

Von alldem hatte Bo keine Ahnung. In seinen Augen war Don Riley geradezu der ideale Ehemann: gutaussehend, intelligent, erfolgreich und obendrein auch noch in der Strafverfolgung tätig.

»Don meinte, wir müßten heute abend unseren Erfolg feiern. Er hat mich zum Essen eingeladen, aber ich glaube, ich sage lieber ab.«

Bo grinste reumütig. »Wie komme ich eigentlich dazu, dir vorzuschreiben, wen du heiraten sollst?« Er stand auf. »Jetzt muß ich aber los. Wir haben heute abend noch eine Razzia auf dem Programm.«

Judy sah es nicht gern, wenn er abends noch Dienst hatte. »Hast du denn schon was gegessen?« fragte sie besorgt. »Soll ich dir nicht schnell noch ein paar Eier braten, bevor du gehst?«

»Nein, danke, mein Schatz. Ich kauf' mir nachher ein Sandwich.« Er zog seine Lederjacke an und gab Judy einen Kuß auf die Wange. »Ich hab' dich lieb.«

»Mach's gut.«

Kaum war die Tür ins Schloß gefallen, klingelte das Telefon, und Don war am Apparat. »Ich hab' einen Tisch im Masa reserviert«, sagte er.

Judy seufzte. Das Masa war ein richtiges Angeberlokal. »Don, es tut mir furchtbar leid, aber ich bleibe heute abend lieber zu Hause.«

»Ist das dein Ernst? Ich mußte dem Maître quasi meine Schwester verkuppeln, damit er mir so kurzfristig noch einen Tisch zugestand.«

»Mir ist nicht nach Feiern zumute. Ich hatte heute im Büro noch ziemlichen Ärger.« Sie berichtete von Lestranges Krebserkrankung und Kincaids Versuch, sie mit einem Idiotenjob abzufertigen. »Und deshalb habe ich beim FBI gekündigt.«

Don war entgeistert. »Das kann ich nicht glauben! Du *liebst* doch das FBI.«

»Schnee von gestern.«

»Aber das ist ja furchtbar!«

»Nein, ganz so furchtbar ist es nicht. Wird ohnehin Zeit, daß ich mal ein bißchen was auf die Seite lege. Immerhin habe ich ein brillantes Jura-Examen abgelegt – und es gibt Leute, die nicht halb so gut waren wie ich und inzwischen wahre Vermögen verdienen.«

»Ja, klar. Hilfst einem Mörder, ungestraft davonzukommen, schreibst ein Buch darüber und streichst dafür eine Million Dollar ein ... Bist das wirklich *du*? Spreche ich mit Judy Maddox? Hallo?«

»Ich weiß nicht, Don. Aber momentan geht mir soviel im Kopf herum, daß ich einfach nicht in der richtigen Stimmung zum Ausgehen bin.«

Don antwortete nicht sofort, und Judy wußte, daß er sich ins Unvermeidliche fügte. Schließlich sagte er: »Okay, aber dann bist du mir Wiedergutmachung schuldig. Wie wär's mit morgen?«

Judy fehlte einfach die Kraft zu weiteren Wortgefechten. »Okay«, sagte sie.

»Danke.«

Sie legte auf, stellte den Fernseher an und warf einen Blick in den Kühlschrank. Aber eigentlich hatte sie gar keinen Hunger. Also nahm sie sich nur eine Dose Bier heraus und riß sie auf. Dann starrte sie minutenlang auf den Bildschirm, bevor ihr klar wurde, daß sie eine Sendung in spanischer Sprache erwischt hatte. Nein, eigentlich wollte sie auch kein Bier. Sie stellte den Fernseher wieder ab und schüttete das Bier in den Ausguß.

Sie erwog, ins Everton's zu gehen, die Lieblingskneipe der FBI-Agenten. Gewöhnlich hing sie gern dort herum, trank ein Bierchen, mampfte Hamburger und mischte eifrig mit beim Agentenklatsch. Ob sie aber den anderen ausgerechnet heute willkommen war, zumal wenn auch Kincaid anwesend sein sollte? Sie merkte, daß sie schon anfing, sich als jemand zu betrachten, der nicht mehr dazugehörte.

Statt dessen nahm sie sich vor, ihren Lebenslauf zu schreiben, und zwar an ihrem Computer im Büro. Das war allemal besser, als zu Hause herumzusitzen und zu warten, bis ihr die Decke auf den Kopf fiel.

Kurzentschlossen griff sie nach ihrer Dienstpistole, zögerte dann aber. Von FBI-Agenten wurde erwartet, daß sie rund um die Uhr im Dienst waren und stets ihre Waffe trugen – es sei denn, sie hielten sich im Gericht, im Gefängnis oder im Büro auf. *Wenn ich keine Agentin mehr bin, brauche ich auch nicht mehr bewaffnet herumzulaufen.* Doch ein neuer Gedanke ließ sie ihre Meinung ändern. *Angenommen, ich werde zufällig Zeugin eines Raubüberfalls und kann nicht einmal aus dem Auto aussteigen, weil ich die Waffe daheim gelassen habe – ich käme mir vor wie eine Idiotin!*

Die Pistole vom Typ SIG-Sauer P228 gehörte zur FBI-Standardausrüstung und war im Normalfall mit dreizehn Schuß 9-mm-Munition ausgestattet, aber Judy zog immer den Schlitten zurück, ließ die erste Kugel in den Lauf gleiten, nahm das Magazin wieder heraus und legte eine weitere Patrone ein, was unter dem Strich vierzehn Schuß bedeutete. Sie besaß außerdem eine Schrotflinte vom Typ Remington 870 mit fünf Kammern. Wie alle Agenten absolvierte sie einmal im Monat ihr Waffentraining, normalerweise auf dem Schießstand der Polizei in Santa Rita. Ihre Treffsicherheit wurde viermal jährlich überprüft, was ihr jedoch nie irgendwelche Schwierigkeiten bereitete, denn sie hatte ein gutes Auge, eine ruhige Hand und ein schnelles Reaktionsvermögen.

Bislang hatte sie allerdings, wie die meisten FBI-Kollegen, ihre Pistole ausschließlich im Training abgefeuert.

FBI-Agenten waren Ermittlungsbeamte, hochqualifiziert und gut bezahlt. Sie trugen keine Kampfanzüge. FBI-Agenten, die im Laufe einer fünfundzwanzigjährigen Karriere nicht in eine einzige Schießerei, ja nicht einmal in eine Schlägerei gerieten, besaßen durchaus keinen Seltenheitswert. Trotzdem mußten sie alle jederzeit auf einen Einsatz mit der Waffe gefaßt sein.

Judy verstaute ihre Waffe in einer Tasche, die sie sich über die

Schulter hängte. Sie trug den *ao dai*, ein traditionelles vietname-sisches Kleidungsstück mit kurzem Stehkragen und Seitenschlit-zen. Es sah aus wie eine lange Bluse und gehörte zu weiten Flatter-hosen. In ihrer Freizeit trug Judy gern solche Sachen, nicht nur, weil sie bequem waren, sondern auch, weil sie ihr besonders gut standen: Der weiße Stoff betonte ihr schulterlanges schwarzes Haar und ihre honigfarbene Haut, und die enganliegende Bluse schmeichelte ihrer zierlichen Figur. Im Büro trug sie so etwas prak-tisch nie – doch inzwischen war es später Abend geworden, und sie hatte ohnehin gekündigt.

Sie ging aus dem Haus. An der Bordsteinkante parkte ihr Chevrolet Monte Carlo, ein Dienstwagen, dem sie keine Träne nachweinen würde. Hatte sie sich erst einmal als Strafverteidigerin etabliert, konnte sie sich bestimmt etwas Aufregenderes leisten – vielleicht einen spritzigen europäischen Sportwagen wie einen Por-sche oder einen MG.

Das Haus ihres Vaters lag im Stadtteil Richmond. Das war keine sonderlich feudale Gegend – ehrliche Bullen wurden nicht reich. Judy nahm den Geary Expressway zur Innenstadt. Die Stoßzeit war vorbei und der Verkehr nur spärlich, so daß sie das Federal Building schon nach wenigen Minuten erreichte. In der Tiefgarage stellte sie den Wagen ab und fuhr mit dem Fahrstuhl in den elften Stock.

Es war merkwürdig: Nun, da sie gekündigt hatte, strahlte die Behörde plötzlich eine gemütliche Vertrautheit aus, die sie gera-dezu nostalgisch stimmte. Der graue Teppichboden, die ordentlich durchnummerierten Zimmer, die Schreibtische, Aktenordner und Computer verrieten eine mächtige, gut ausgestattete Organisation voller Selbstvertrauen und Einsatzbereitschaft. Einige Angestellte machten noch Überstunden. Judy betrat das Dezernat für Asiati-sche Bandenkriminalität. Das Büro war leer. Sie knipste das Licht an, setzte sich an ihren Schreibtisch und startete ihren Computer.

Als Judy mit der Niederschrift ihres Lebenslaufs beginnen wollte, fiel ihr plötzlich nichts mehr ein.

Über ihr Leben vor dem FBI gab es kaum etwas zu sagen. Erwähnenswert waren nur die Schul- und Collegezeit und zwei langweilige Praktikumsjahre in der Rechtsabteilung des Versicherungskonzerns Mutual American. Was Judy niederschreiben wollte, war eine übersichtliche Darstellung ihrer zehn Jahre beim FBI, die deutlich machte, welche Erfolge und Fortschritte sie erzielt hatte. Doch statt eines gut gegliederten Textes brachte ihr Gedächtnis nur eine unzusammenhängende Folge von Erinnerungsfetzen hervor: Da war der Serienvergewaltiger, der ihr von der Anklagebank aus dafür dankte, daß sie ihn hinter Gitter gebracht hatte, weil er dort kein Unheil mehr würde anrichten können; da war eine Firma namens Holy Bible Investments, die Dutzende von betagten Witwen um ihre Ersparnisse gebracht hatte; und da war der Tag, an dem sie sich plötzlich mit dem bewaffneten Entführer von zwei kleinen Kindern allein in einem Raum befunden und den Mann dazu überredet hatte, ihr seine Pistole zu geben …

Von solchen Erlebnissen konnte sie der Kanzlei Brooks Fielding auch kaum berichten. Solche Leute wollten einen Perry Mason, keinen Wyatt Earp.

Judy beschloß, zuerst ihr Kündigungsschreiben zu verfassen.

Sie tippte das Datum und den Empfänger ein: »An den Leitenden Spezialagenten …«

Und dann schrieb sie: »Lieber Brian, hiermit bestätige ich meine Kündigung.«

Es tat weh.

Zehn Jahre ihres Lebens hatte sie dem FBI geopfert. Andere Frauen hatten geheiratet und Kinder bekommen, sich beruflich selbständig gemacht, Romane geschrieben oder die Welt umsegelt. Sie, Judy Maddox, hatte es von Anfang an darauf angelegt, zur Spitzenagentin aufzusteigen. Und nun brach sie alle Brücken hinter sich ab. Der Gedanke daran trieb ihr die Tränen in die Augen. *Was bin ich nur für eine Idiotin! Hocke da mutterseelenallein in meinem Büro und heule meinem Computer was vor …*

In diesem Augenblick betrat Simon Sparrow das Zimmer.

Er war ein muskelbepackter Mann mit kurzgeschnittenem, gepflegtem Haar und einem Schnurrbart, ein oder zwei Jahre älter als Judy. Wie sie trug er Freizeitkleidung – braune Chinos und ein kurzärmeliges Sporthemd. Er war promovierter Linguist und hatte fünf Jahre in der Abteilung für Verhaltenspsychologie an der FBI-Akademie in Quantico, Virginia, gearbeitet. Er hatte sich auf die Analyse anonymer Drohungen spezialisiert.

Er mochte Judy, und Judy mochte ihn. Mit den Männern im Büro sprach er über Männerthemen – über Football, Waffen und Autos –, doch sah er Judy unter vier Augen, so nahm er Notiz von ihrer Kleidung und ihrem Schmuck und kommentierte beides wie eine gute Freundin.

Er hielt eine Akte in der Hand. »Ihre Erdbebendrohung ist *faszinierend*«, sagte er, und seine Augen leuchteten vor Begeisterung.

Judy putzte sich die Nase. Simon hatte bestimmt gemerkt, daß sie außer sich war, aber taktvoll darüber hinweggesehen.

»Ich wollte Ihnen das eigentlich nur auf den Schreibtisch legen«, fuhr er fort, »aber jetzt bin ich froh, daß ich Sie persönlich erwischt habe.«

Er hatte offensichtlich Überstunden gemacht, um seinen Bericht fertigzustellen. Judy spürte seinen Enthusiasmus und wollte ihn nicht dämpfen, indem sie ihre Kündigung erwähnte. Sie riß sich zusammen und sagte: »So nehmen Sie doch Platz.«

»Herzlichen Glückwunsch zu dem Urteil heute!«

»Danke.«

»Das muß Sie doch sehr freuen.«

»Müßte es, ja. Aber ich hatte gleich danach eine üble Auseinandersetzung mit Brian Kincaid.«

»Ach, mit dem?« Simon machte eine abfällige Handbewegung. »Wenn Sie sich nett entschuldigen, wird er Ihnen vergeben müssen. Er kann es sich gar nicht leisten, Sie zu verlieren, dazu sind Sie viel zu gut.«

Mit solch einem Kommentar hatte Judy nicht gerechnet. Normalerweise legte Simon mehr Mitgefühl an den Tag. Das klang ja fast, als wüßte er längst Bescheid! Doch wenn er von dem Krach mit Kincaid wußte, so wußte er auch, daß sie gekündigt hatte. Welchen Grund hatte er dann, ihr seinen Bericht zu bringen?

Nun war sie doch neugierig geworden. »Erzählen Sie mal, was bei Ihrer Analyse herausgekommen ist«, forderte sie ihn auf.

»Erst mal konnte ich eine ganze Weile überhaupt nichts mit dem Text anfangen.« Er reichte ihr einen Ausdruck der Botschaft, so wie sie ursprünglich im Internet Bulletin Board erschienen war. »Auch bei Quantico stand man vor einem Rätsel.« Judy wußte, daß er sich in solchen Fällen routinemäßig mit der Einheit für Verhaltenspsychologie in Verbindung setzte.

Die Nachricht der Erpresser hatte sie schon gesehen, denn sie lag der Akte bei, die Matt Peters ihr am Vormittag übergeben hatte. Judy las sie noch einmal durch.

1. Mai
An den gouverneur des staates

Hallo!

Sie sagen, daß ihnen die umwelt am herzen liegt und daß sie etwas gegen die umweltverschmutzung tun wollen. Aber sie tun nie was dagegen, nichts; deshalb müssen wir sie dazu zwingen.

Die konsumgesellschaft vergiftet den planeten, weil sie zu geizig sind. Damit muß jetzt schluß sein!

Wir sind die kinder von eden, eine radikale splittergruppe der bewegung grünes kalifornien.

Wir fordern sie auf, einen sofortigen baustopp für alle neuen kraftwerke zu verkünden. Keine neuen kraftwerke, basta! Sonst …

Sonst was?

Sonst werden wir auf den tag genau in vier wochen ein erdbeben auslösen.

Sie sind gewarnt! Wir meinen es ernst!

Die kinder von eden

Judy sagte diese Mitteilung wenig, aber sie wußte, daß Simon jedes Wort, jeden Buchstaben und jedes Komma auf eventuelle Rückschlüsse hin analysieren würde.

»Was halten Sie davon?« fragte er.

Judy dachte einen Augenblick nach, dann sagte sie: »Ich sehe einen verklemmten Studenten mit fettigem Haar, einem verwaschenen Guns-n'-Roses-T-Shirt vor mir. Er hockt vor seinem Computer und bildet sich ein, die Welt würde von nun an nach seiner Pfeife tanzen, anstatt ihn, wie bisher, einfach zu übersehen.«

»Also, falscher geht's kaum«, sagte Simon und lächelte. »Der Autor dieses Textes ist ein Mann in den Vierzigern, ohne höhere Schulbildung und ohne höheres Einkommen.«

Judy schüttelte verdutzt den Kopf. Die Schlüsse, die Simon aus Indizien zog, welche sie nicht einmal als solche erkannte, verblüfften sie immer wieder. »Woran erkennen Sie das?«

»Am Vokabular und am Satzbau. Da ist zunächst mal die Anrede. Wohlhabende Leute fangen einen Brief nicht mit ›Hallo!‹ an. Sie schreiben: ›Sehr geehrter Herr Gouverneur‹ oder so. Außerdem vermeiden College-Absolventen im allgemeinen doppelte Verneinungen wie ›nie ... nichts‹.«

Judy nickte. »Demnach suchen Sie nach Hans Hilfsarbeiter, fünfundvierzig Jahre alt. Klingt eigentlich ganz einfach. Worin besteht das Rätsel für Sie?«

»Widersprüchliche Indizien. Andere Textelemente deuten eher auf eine junge Frau aus bürgerlichen Kreisen hin. Die Rechtschreibung ist einwandfrei. Das Semikolon im zweiten Satz verrät ein gewisses Bildungsniveau. Außerdem sprechen die vielen Ausrufezeichen eher für eine Frau – tut mir leid, Judy, aber so ist es nun einmal.«

»Und woher wissen Sie, daß sie jung ist?«

»Ältere Leute würden zumindest Begriffe wie ›Gouverneur des Staates‹, ›Kalifornien‹ oder ›Kinder von Eden‹ groß schreiben. Auch die Benutzung von Computer und Internet spricht für eine jüngere Täterin mit besserer Ausbildung.«

Judy musterte Simon aufmerksam. Versuchte er ganz bewußt, ihr Interesse an dem Fall zu wecken, damit sie ihre Kündigung zurücknahm? Wenn dem so war, hatte er sich verrechnet. Sie haßte es, einmal getroffene Entscheidungen wieder rückgängig zu machen. Dennoch war sie von dem rätselhaften Fall, den Simon ihr dargelegt hatte, unwillkürlich fasziniert. »Wollen Sie damit behaupten, diese Nachricht wäre von einem Menschen mit gespaltener Persönlichkeit geschrieben worden?« fragte sie.

»Nein. Alles halb so wild. Der Text wurde von zwei Personen geschrieben: Der Mann hat diktiert, die Frau getippt.«

»Raffiniert!« Allmählich formte sich vor Judys geistigem Auge ein Bild von den beiden Menschen, die hinter dem Drohbrief steckten. Mit einem Mal war sie gespannt und hellwach wie ein Jagdhund, der Beute wittert. Schon pulsierte die Vorfreude auf die Jagd durch ihre Adern. *Ich kann diese Leute riechen. Ich will wissen, wer sie sind. Ich weiß genau, daß ich sie schnappen kann …*

Aber ich habe ja gekündigt.

»Ich frage mich, warum er diktiert«, sagte Simon. »Bei einem Industriemanager, der daran gewöhnt ist, eine Sekretärin zu haben, wäre das absolut normal, aber der Bursche ist nichts Besonderes.«

Simon sprach, als messe er seinen Worten keine große Bedeutung zu und wolle bloß spekulieren, doch Judy wußte, daß seine Eingebungen oft fast genial waren. »Haben Sie eine Theorie dafür?«

»Vielleicht ist er ja Analphabet.«

»Er könnte auch bloß faul sein.«

»Stimmt auch wieder.« Simon zuckte mit den Schultern. »Ist nur so ein Gefühl.«

»Okay«, sagte Judy. »Da haben wir also das liebe College-Mädchen, das irgendwie in den Bann eines Ganoven geraten ist. Klein-Rotkäppchen und der große, böse Wolf. Wahrscheinlich ist sie in Gefahr – aber wer noch? Die Drohung mit einem Erdbeben kommt mir einfach an den Haaren herbeigezogen vor.«

Simon schüttelte den Kopf. »Ich glaube, wir müssen sie ernst nehmen.«

Judy konnte ihre Neugier nicht mehr im Zaum halten. »Warum?«

»Wie Sie wissen, analysieren wir Drohungen dieser Art nach den Kriterien *Motivation*, *Intention* und *Zielauswahl*.«

Judy nickte. Das gehörte zum Grundwissen.

»Die *Motivation* ist entweder emotional oder funktional. Mit anderen Worten: Handelt der Täter so, weil es ihm einfach Spaß macht oder weil er etwas erreichen will?«

Für Judy lag die Antwort auf der Hand: »So, wie's aussieht, haben diese Leute ein ganz bestimmtes Ziel. Sie wollen, daß der Staat keine Kraftwerke mehr baut.«

»Genau. Und das heißt, daß sie im Grunde niemandem weh tun wollen. Sie hoffen, ihre Ziele schon mit Hilfe der Drohung durchsetzen zu können.«

»Wohingegen der emotionale Typ eher bereit wäre, Menschenleben aufs Spiel zu setzen.«

»So ist es. Zum nächsten Punkt. Die *Intention* ist entweder politischen oder kriminellen Ursprungs – oder es steckt ein geistiger Defekt dahinter.«

»In diesem Fall ist sie politisch, jedenfalls auf den ersten Blick.«

»Richtig. Politische Ideen können als Vorwand für eine Tat dienen, die im Grunde genommen purer Wahnsinn ist. Aber meinem Gefühl nach ist das in diesem Fall nicht so. Was meinen Sie?«

Judy begriff, worauf er hinauswollte. »Sie wollen mich glauben machen, daß diese Leute rational handeln. Aber die Drohung, ein Erdbeben auszulösen, ist doch reiner Wahnsinn!«

»Darauf komme ich noch zurück, okay? Punkt drei: *Zielauswahl*. Diese ist entweder beliebig, oder sie richtet sich gegen etwas Spezielles. Der Versuch, den Präsidenten zu ermorden, ist etwas Spezielles; ein Amoklauf mit einer Maschinenpistole in Disneyland ist beliebig. Gehen wir doch einfach mal diskussionshalber davon aus, daß die Drohung mit dem Erdbeben ernst zu nehmen ist. Bei einem Erdbeben kämen zweifellos viele Menschen um, die zufällig zu den Opfern gehören. Also ist die Zielauswahl beliebig.«

Judy beugte sich vor. »Gut, wir haben also eine funktionale

Motivation, eine politische Intention und eine beliebige Zielauswahl. Welche Schlüsse ziehen Sie daraus?«

»Im Lehrbuch heißt es, daß diese Leute entweder verhandeln wollen oder die Aufmerksamkeit der Öffentlichkeit suchen. Meiner Meinung nach wollen sie verhandeln. Ginge es ihnen um Publicity, hätten sie ihre Botschaft nicht in einem obskuren Bulletin Board im Internet veröffentlicht, sondern sie an einen Fernsehsender oder die Presse gegeben. Da sie das jedoch nicht getan haben, glaube ich, daß sie einfach nur mit dem Gouverneur ins Gespräch kommen wollen.«

»Dann sind sie aber reichlich naiv, wenn sie sich einbilden, daß der Gouverneur solche Botschaften liest.«

»Dem kann ich nur zustimmen. Diese Leute verraten eine seltsame Mischung aus differenziertem Denken und Ahnungslosigkeit.«

»Aber sie meinen es ernst.«

»Ja – und dafür gibt es noch einen weiteren Grund, nämlich ihre Forderung. Einen Baustopp für neue Kraftwerke nimmt man nicht bloß als Vorwand her – der ist viel zu vernünftig. Zur Vorspiegelung falscher Tatsachen wählt man irgendwas Irres, Überkandideltes, etwa ein Verbot von Klimaanlagen in Beverly Hills oder dergleichen.«

»Was sind das also für Leute, verdammt noch mal?«

»Das wissen wir noch nicht. Der typische Terrorist folgt unwillkürlich einem Eskalationsschema: Zunächst begnügt er sich mit Drohanrufen und anonymen Briefen. Dann schreibt er an Zeitungsredaktionen und Fernsehsender. Als nächstes streicht er um irgendwelche Amtsgebäude herum und läßt seiner Phantasie freien Lauf. Ist er endlich soweit, daß er sich mit einer kleinen, billigen Handfeuerwaffe im Plastikbeutel bei einer Touristenführung ins Weiße Haus einschleicht, haben wir schon haufenweise Daten über ihn im FBI-Computer. Auf den vorliegenden Fall trifft dieses Schema nicht zu. Ich habe den linguistischen Fingerabdruck mit sämtlichen terroristischen Drohungen verglichen, die jemals eingegangen und bei Quantico gespeichert worden sind. Keine paßt. Diese Leute sind neu.«

»Demnach wissen wir gar nichts über sie?«

»Doch, eine ganze Menge sogar. Erstens leben sie ganz offensichtlich in Kalifornien.«

»Woher wollen Sie das wissen?«

»Ihre Botschaft ist ›an den Gouverneur des Staates‹ gerichtet. Lebten sie in einem anderen Staat, würden sie sich an den Gouverneur des Staates Kalifornien wenden.«

»Was wissen wir sonst noch?«

»Es handelt sich um Amerikaner. Es gibt keine Hinweise auf eine bestimmte ethnische Gruppe: Ihre Sprache zeigt keine Spuren einer Ausdrucksweise, wie sie für Schwarze, Asiaten oder Lateinamerikaner typisch wäre. Auch der Begriff ›Kinder von Eden‹ – da klingt noch etwas vom Idealismus der sechziger Jahre mit.«

»Eines haben Sie aber vergessen«, wandte Judy ein.

»Was?«

»Daß diese Leute verrückt sind.«

Er schüttelte den Kopf.

»Kommen Sie, Simon!« sagte Judy. »Die bilden sich ein, sie könnten ein Erdbeben erzeugen! Sie *müssen* verrückt sein.«

Simon beharrte auf seinem Standpunkt. »Ich habe keine Ahnung von Seismologie, aber in der Psychologie kenne ich mich aus. Und als Psychologe kann ich mich mit der Theorie, daß diese Leute geisteskrank sind, nicht anfreunden. Nach meiner Überzeugung sind sie völlig klar im Kopf, meinen es ernst und wissen genau, was sie wollen. Und dies wiederum bedeutet, daß sie gefährlich sind.«

»Das nehme ich Ihnen nicht ab.«

Er stand auf. »Wie dem auch sei, ich bin müde. Kommen Sie mit auf ein Bier?«

»Nein, Simon, nicht heute abend. Trotzdem danke. Und vielen Dank auch für den Bericht. Sie sind einsame Spitze.«

»Na, und ob! Ciao.«

Judy legte die Füße auf die Schreibtischplatte und musterte ihre Schuhe. Inzwischen war sie davon überzeugt, daß Simon versucht hatte, sie zum Bleiben zu bewegen. Kincaid mochte den Fall für Blödsinn halten, doch nach Simons Ansicht handelte es sich bei diesen Kindern von Eden um eine echte Gefahr. Die Gruppe mußte aufgespürt und ausgeschaltet werden.

Wenn mir das gelingt, ist meine FBI-Karriere womöglich doch noch nicht im Eimer. Aus einem Fall, den man mir aus reiner Bosheit und in bewußt beleidigender Absicht aufs Auge gedrückt hat, könnte ich einen triumphalen Erfolg machen. Dann wäre ich die geniale Ermittlerin, und Kincaid stünde da wie ein Idiot ... Diese Vorstellung hatte durchaus etwas Verführerisches.

Judy nahm die Füße vom Schreibtisch und wandte ihren Blick der Mattscheibe zu. Da sie seit einiger Zeit nichts mehr geschrieben hatte, sah sie den Bildschirmschoner vor sich – eine Fotografie, die sie selber im Alter von sieben Jahren zeigte, mit Zahnlücken und einer Plastikspange, die verhindern sollte, daß ihr die Haare in die Stirn fielen. Sie saß auf den Knien ihres Vaters. Er war damals noch Streifenpolizist und trug die entsprechende Uniform der Stadtpolizei von San Francisco. Die kleine Judy hatte ihm seine Mütze abgenommen und versucht, sie sich selbst aufzusetzen. Das Bild hatte ihre Mutter aufgenommen.

Judy versetzte sich in die Rolle einer Strafverteidigerin bei der Kanzlei Brooks Fielding. Sie fuhr einen Porsche und war unterwegs zum Gericht, um Leute wie die Fung-Brüder zu verteidigen.

Sie berührte die Leertaste, der Bildschirmschoner verschwand, und an seiner Stelle erschienen die Worte, die sie vor Simons Besuch bereits geschrieben hatte: »Lieber Brian, hiermit bestätige ich meine Kündigung.« Ihre Finger schwebten über der Tastatur. Nach langem Zögern sagte sie laut: »Ach, verdammt!«, löschte den Satz und schrieb: »Lieber Brian, ich möchte mich für meine Unbeherrschtheit entschuldigen ...«

KAPITEL 3

D ienstagmorgen. Über der Interstate 80 ging die Sonne auf. Priests 1971er Plymouth Barracuda rollte auf San Francisco zu; er fuhr nur fünfundfünfzig Meilen in der Stunde, doch das eingebaute Angeberdröhnen sorgte dafür, daß es wie neunzig klang.

Er hatte den Wagen einst auf dem Höhepunkt seiner geschäftlichen Karriere neu gekauft. Dann, als er mit seinem Getränkegroßhandel am Ende war und seine Verhaftung wegen Steuerhinterziehung unmittelbar bevorzustehen schien, hatte er das Weite gesucht. Er nahm nichts mit als die Kleider, die er am Leibe trug – einen marineblauen Geschäftsanzug mit breiten Aufschlägen und ausgestellten Hosenbeinen –, sowie seinen Wagen. Beides befand sich noch immer in seinem Besitz.

Während der Hippie-Zeit galt nur ein Wagen als cool: der VW-Käfer. Priest, so hatte Star immer wieder behauptet, sehe am Steuer seines knallgelben Barracuda aus wie ein Zuhälter. Also verpaßten sie dem Wagen einen szenegerechten neuen Anstrich: Aufs Dach kamen Planeten, auf den Kofferraum Blumen und auf die Motorhaube eine indische Göttin, deren acht Arme bis über die Kotflügel hinausreichten, und all dies in den Farben Lila, Rosa und Türkis. Die waren in den fünfundzwanzig vergangenen Jahren zu einem fleckigen Braun verblaßt, doch wenn man genau hinsah, konnte man die Figuren noch erkennen. Und heutzutage galt der Wagen als Sammlerstück.

Sie waren gegen drei Uhr morgens losgefahren, und Melanie hatte die ganze Zeit über geschlafen. Ihr Kopf ruhte in Priests Schoß, die sagenhaft langen Beine lagen zusammengefaltet auf dem abgewetzten schwarzen Polster. Priest spielte beim Fahren mit seinen Fingern in ihrem Haar. Melanie mochte zu der Zeit, als die

Beatles schon wieder auseinandergingen, gerade erst zur Welt gekommen sein, doch sie trug ihr Haar, wie es in den sechziger Jahren Mode war: lang, glatt und in der Mitte gescheitelt.

Auch das Kind schlief. Es lag lang ausgestreckt und mit offenem Mund auf dem Rücksitz, und neben ihm lag Spirit, Priests Schäferhund. Er verhielt sich still, doch jedesmal wenn Priest einen Blick nach hinten warf, war ein Auge offen.

Priest machte sich Sorgen.

Dir geht es doch prächtig, sagte er sich, *du hast doch keinerlei Grund zur Sorge* ... Es war wie in den alten Zeiten. In seiner Jugend hatte er immer irgend etwas am Laufen gehabt, irgendein Ding, das er drehen wollte. Mal einen Plan zum Geldverdienen, mal einen zum Geldklauen. Mal ging's zu einer Party, mal zu einer Straßenschlacht. Später hatte er sozusagen den Frieden entdeckt, doch ab und zu beschlich ihn das Gefühl, sein Leben verliefe *allzu* friedlich. Der Diebstahl des seismischen Vibrators hatte sein altes Ich zu neuem Leben erweckt: Ein hübsches Mädchen neben sich und vor sich die Aussicht auf ein brisantes Katz-und-Maus-Spiel, das seine gesamte Intelligenz erforderte – er fühlte sich so lebendig wie schon seit Jahren nicht mehr.

Dennoch machte er sich Sorgen.

Er hatte den Mund ganz schön voll genommen, sich damit gebrüstet, den Gouverneur von Kalifornien kleinzukriegen, und er hatte angekündigt, er werde ein Erdbeben auslösen. Ging das schief, war er erledigt. Alles, was ihm lieb und teuer war, stand auf dem Spiel, und wenn man ihn erwischte, saß er voraussichtlich bis ins hohe Alter im Gefängnis.

Aber er war nun mal ein ungewöhnlicher Mensch. Daß er anders war als andere, wußte er schon, seit er denken konnte. Die üblichen Regeln galten für ihn nicht. Er tat Dinge, von denen andere nicht einmal zu träumen wagten.

Und er hatte sein Ziel schon halbwegs erreicht: Er hatte den seismischen Vibrator gestohlen. Dafür hatte er zwar einen Menschen umbringen müssen, aber niemand war ihm auf die Schliche gekommen. Abgesehen von gelegentlichen Alpträumen, in denen Mario mit brennenden Kleidern und eingeschlagenem, blutüberströmtem Schädel aus dem lodernden Pickup kletterte und auf ihn zuwankte, war der Mord ohne Nachspiel geblieben.

Der Laster mit dem Vibrator stand inzwischen versteckt in einem abgelegenen Seitental am Fuße der Sierra Nevada. Heute wollte Priest auf den Punkt genau herausfinden, wo er das Gerät plazieren mußte, um ein Erdbeben hervorzurufen.

Die dazu erforderlichen Informationen sollte ihm Melanies Ehemann liefern.

Michael Quercus galt – dies behauptete jedenfalls Melanie – weltweit als der beste Kenner der St.-Andreas-Spalte, und die wissenschaftlichen Daten, auf denen seine Kompetenz beruhte, waren in seinem Computer gespeichert. Priest hatte vor, die Sicherungsdiskette zu stehlen, und er wollte dafür sorgen, daß Michael nie etwas davon erfuhr.

Ohne Melanies Hilfe war das nicht zu bewerkstelligen, und genau hierin lag der Grund für seine Sorge. Er kannte Melanie erst seit wenigen Wochen und wußte, daß er in dieser kurzen Zeit bereits zur alles beherrschenden Figur in ihrem Leben geworden war. Allerdings hatte er sie noch nie auf die Probe gestellt, schon gar nicht in einer kritischen Situation wie dieser. Zu bedenken war auch, daß sie sechs Jahre lang mit Michael verheiratet gewesen war: Nicht auszuschließen, daß sie plötzlich bereute, ihn verlassen zu haben, oder daß ihr unvermittelt einfiel, wie sehr ihr ein Fernsehapparat und eine Geschirrspülmaschine fehlten. Möglich war auch, daß ihr plötzlich aufging, in welche Gefahr sie und Priest sich begaben, und daß sie dann vor der kriminellen Tat zurückscheute. Wer konnte schon vorhersagen, wie eine so verbitterte, verwirrte und chaotische Person wie Melanie reagieren mochte?

Auf dem Rücksitz erwachte allmählich ihr fünfjähriger Sohn.

Zuerst rührte sich Spirit. Priest hörte das Scharren der Hundepfoten auf dem Sitz, dann vernahm er ein kindliches Gähnen.

Dustin, den alle nur Dusty nannten, war ein unglückseliges

Kind, das an einer Vielzahl von Allergien litt. Bislang hatte Priest noch keinen seiner Anfälle miterlebt, doch Melanie hatte sie ihm beschrieben: Wenn es losging, mußte Dusty unkontrollierbar niesen, seine Augen traten aus den Höhlen, und seine Haut wurde von einem stark juckenden Ausschlag überzogen. Melanie führte stets starke Antiallergika mit sich, die aber die Symptome nur teilweise lindern konnten.

Dusty begann zu quengeln.

»Mammi, ich habe Durst.«

Melanie erwachte, setzte sich auf und streckte sich. Priest schielte nach ihren Brüsten, die sich unter ihrem knappsitzenden T-Shirt abzeichneten. Melanie drehte sich um und sagte: »Trink Wasser, Dusty, du hast doch eine Flasche.«

»Ich will aber kein Wasser«, jammerte er. »Ich will Orangensaft.«

»Wir haben aber keinen O-Saft dabei, Herrgott noch mal!« schimpfte Melanie.

Dusty fing an zu weinen.

Melanie war eine hochgradig nervöse Mutter, ständig getrieben von der Angst, sie könne etwas falsch machen. Die ewige Sorge um Dustys Gesundheit hatte sie übervorsichtig werden lassen; gleichzeitig führte ihre nie nachlassende Anspannung dazu, daß sie im Umgang mit ihm oft gereizt reagierte. Fest davon überzeugt, daß ihr Mann irgendwann versuchen würde, ihr den Jungen wegzunehmen, lebte sie in der unablässigen Furcht, sie könne etwas tun, was Michael zum Vorwand dienen mochte, sie als schlechte Mutter darzustellen.

Priest griff ein. »He, verflixt, was ist denn das für ein Ding, das da hinter uns herkommt?« Er tat, als wäre er furchtbar erschrocken.

Melanie drehte sich um. »Ist doch bloß ein Laster«, sagte sie.

»Das glaubst auch nur du! Das Ding ist bloß als Lastwagen getarnt! In Wirklichkeit ist es ein Kampfraumschiff von Alpha Centauri und mit Photonentorpedos ausgerüstet. Dusty, ich brauche deine Hilfe: Du mußt dreimal an die Heckscheibe klopfen, damit sich unser unsichtbarer magnetischer Abwehrschirm öffnet! Beeil dich!«

Dusty klopfte an die Scheibe.

»Wenn er seine Torpedos abfeuert, blitzt auf der Backbordseite ein orangefarbenes Licht auf, Dusty. Du solltest darauf achten.«

Der Lastwagen kam rasch näher. Etwa eine Minute später blinkte er nach links und scherte zum Überholen aus.

»Feuer!« rief Dusty. »Er schießt!«

»Okay«, sagte Priest. »Ich versuche, den magnetischen Abwehrschirm zu stabilisieren, und du feuerst zurück! Deine Wasserflasche ist eigentlich eine Laserkanone!«

Dusty zielte mit der Flasche auf den Lastwagen und gab Schußgeräusche von sich. Nun fiel auch Spirit ein und bellte den vorbeiziehenden Laster wütend an. Melanie mußte lachen.

Als das schwere Fahrzeug vor ihnen wieder einscherte, sagte Priest: »Uff! Ein Glück, daß wir das heil überstanden haben! Schätze, fürs erste haben sie genug.«

»Kommen da noch mehr Centaurier?« fragte Dusty gespannt.

»Ihr zwei, du und Spirit, müßt aufpassen, was hinter uns los ist, ja? Und laßt es mich sofort wissen, wenn euch was auffällt!«

»Okay.«

Melanie lächelte und sagte leise: »Danke. Du kannst so gut mit ihm umgehen.«

Ich kann mit allen gut umgehen: mit Männern, Frauen, Kindern, sogar mit Haustieren. Ich habe Charisma. In die Wiege gelegt worden ist mir das nicht – ich habe es gelernt. Man muß bloß andere Menschen dazu bringen, daß sie tun, was man von ihnen erwartet. Egal, worum's geht, ob nun um eine treue Gemahlin, die man zum Ehebruch überredet, oder um die Beruhigung eines kratzbürstigen Kindes. Alles, was man braucht, ist Charme …

»Sag mir, an welcher Ausfahrt wir rausmüssen«, sagte Priest.

»Immer den Schildern Richtung Berkeley nach.«

Melanie hatte keine Ahnung, daß er nicht lesen konnte. »Vermutlich kommen mehrere in Frage. Sag mir einfach kurz vorher Bescheid.«

Ein paar Minuten später fuhren sie von der Schnellstraße ab und gelangten in die üppig begrünte Universitätsstadt. Priest spürte, wie Melanies Anspannung wuchs. Ihm war klar, daß ihr ganzer Haß auf die Gesellschaft und ihre tiefe Enttäuschung über den bisherigen Verlauf ihres Lebens in irgendeiner Weise mit dem Mann zusammenhing, den sie sechs Monate zuvor verlassen hatte. Jetzt dirigierte sie Priest über verschiedene Kreuzungen bis zur Euclid Avenue, einer Straße mit eher bescheidenen Einfamilienhäusern und Wohnblocks, in denen vermutlich Doktoranden und jüngere Lehrkräfte zur Miete wohnten.

»Ich halte es immer noch für besser, wenn ich allein reingehe«, sagte sie.

Das kam gar nicht in Frage. Dazu war Melanie nicht gefestigt genug. Solange ihr noch nicht einmal in seiner Begleitung zu trauen war, würde er den Teufel tun und sie sich selbst überlassen. »Nein«, beschied er sie.

»Vielleicht kann ich …«

Er ließ sie einen Anflug von Unmut spüren: »Nein!«

»Schon gut«, sagte Melanie hastig und biß sich auf die Lippen.

»He, das ist doch das Haus, wo Daddy wohnt!« rief Dusty aufgeregt.

»Ja, das stimmt, mein Schatz«, sagte Melanie und deutete auf ein nicht allzu hohes Gebäude mit Stuckverzierungen. Priest parkte am Straßenrand.

Melanie drehte sich zu ihrem Sohn um, doch Priest kam ihr zuvor: »Der Junge bleibt im Wagen.«

»Ich weiß nicht, wie sicher es …«

»Der Hund bleibt auch hier.«

»Und wenn er es mit der Angst zu tun bekommt?«

Priest wandte sich direkt an Dusty: »He, Leutnant, ich brauche Sie und Fähnrich Spirit zur Bewachung unseres Raumschiffs, während ich mit unserer Ersten Offizierin die Raumstation aufsuche.«

»Darf ich dann auch noch zu Daddy?«

»Selbstverständlich. Aber ich möchte erst ein paar Minuten mit ihm allein sprechen. Kann ich Ihnen den Bewachungsauftrag anvertrauen?«

»Klar doch!«

»Die korrekte Antwort in der Weltraum-Marine lautet nicht ›Klar doch!‹, sondern ›Aye, Sir!‹.«

»*Aye, Sir!*«

»Ausgezeichnet! Weiter so!«

Priest stieg aus, und auch Melanie verließ den Wagen. Sie wirkte nach wie vor ziemlich bedrückt. »Michael darf um keinen Preis erfahren, daß wir den Jungen hier draußen im Wagen gelassen haben«, sagte sie.

Priest verzichtete auf eine Antwort. *Du magst dich ja davor hüten, diesen kostbaren Michael zu kränken, Baby, aber erwarte von mir bloß nicht die gleichen bescheuerten Hemmungen …*

Melanie nahm ihr Täschchen vom Sitz und hängte es sich über die Schulter. Ein schmaler Weg führte zur Eingangstür des Hauses. Melanie drückte auf die Klingel – und ließ den Finger darauf.

Sie hatte Priest bereits vorgewarnt: Ihr Ehemann sei eine Nachteule; er arbeite bis spät in die Nacht und schlafe am nächsten Tag gerne aus. Deswegen hatten sie beschlossen, um sieben Uhr morgens bei ihm aufzukreuzen. Priest spekulierte darauf, daß Michael zu verschlafen sein würde, um auf die Idee zu kommen, ihr Besuch könne noch einen anderen als den vorgeschobenen Grund haben. Wenn Michael nur den geringsten Verdacht schöpfte, kamen sie womöglich gar nicht an die Diskette heran.

Melanie hatte ihn als Workaholic bezeichnet, fiel Priest wieder ein. Tagsüber war er meist auf Achse und überprüfte die in ganz Kalifornien verstreuten Meßgeräte, die im Bereich der St.-Andreas-Spalte und anderen Verwerfungslinien jede auch noch so geringe Erdbewegung aufzeichneten. In der Nacht gab er dann die Daten in seinen Computer ein.

Ausschlaggebend dafür, daß Melanie ihn verlassen hatte, war

allerdings ein Vorfall mit Dusty gewesen. Zwei Jahre lang hatte sie sich und das Kind rein vegetarisch ernährt; die Lebensmittel, die sie kaufte, stammten ausnahmslos aus kontrolliert biologischem Anbau oder aus Naturkostläden. Melanie war felsenfest davon überzeugt, daß die strikte Diät Dustys allergische Anfälle linderte; Michael blieb dagegen skeptisch. Eines Tages fand sie zufällig heraus, daß ihr Mann Dusty einen Hamburger gekauft hatte. Das kam in ihren Augen einer mutwilligen Vergiftung des Kindes gleich. Noch in derselben Nacht hatte sie Michael verlassen und Dusty mitgenommen, und noch heute bebte sie vor Wut, wenn sie die Geschichte erzählte.

Priest nahm an, daß Melanie mit ihrer Meinung über Dustys allergische Reaktionen gar nicht so falsch lag. Die Kommune ernährte sich schon seit Anfang der siebziger Jahre rein vegetarisch – eine Lebensweise, die in jener Zeit noch als exzentrisch galt. Damals hatte Priest starke Zweifel am Sinn einer solchen Ernährung gehegt, sich aber trotzdem dafür entschieden, da sie ein Gutteil zur Abgrenzung der Kommune von der Außenwelt beitrug. Ihren Weinbau betrieben sie ohne Einsatz von Chemikalien – ganz einfach, weil sie sich in der Anfangszeit Spritzmittel welcher Art auch immer gar nicht leisten konnten. Schließlich hatten sie aus der Not eine Tugend gemacht und ihren Wein »biologisch« genannt, was sich bald als hervorragendes Verkaufsargument erwies. Auch war Priest nicht entgangen, daß seine Kommunarden nach einem Vierteljahrhundert Vegetarierleben ein auffallend gesundes Völkchen waren. Medizinische Notfälle kamen nur äußerst selten vor, und um die weniger ernsthaften Wehwehchen kümmerten sie sich selbst. Vom Wert einer gesunden Ernährung war er also schon längst überzeugt, jedoch bei weitem nicht so darauf fixiert wie Melanie. Er aß nach wie vor gerne Fisch, und es kam immer wieder einmal vor, daß er unbesehen ein Sandwich oder eine Suppe mit Fleischbeilage zu sich nahm, ohne daß es ihn sonderlich gestört hätte. Melanie war da viel empfindlicher. Stellte sich zum Beispiel heraus, daß ihr Pilzomelett in tierischem Fett gebacken war, spuckte sie es unweigerlich wieder aus.

Eine mürrische Stimme tönte durch die Sprechanlage. »Wer ist da?«

»Melanie.«

Ein Summton erklang, und die Haustür ließ sich aufdrücken. Priest folgte Melanie in den Flur und die Treppen hinauf. Im ersten Stock stand eine Wohnungstür offen und Michael Quercus auf der Schwelle.

Sein Aussehen verblüffte Priest. Er hatte mit einem mickrigen Professorentyp in trübbraunen Klamotten gerechnet, kahlköpfig oder mit schütterem Haar. Quercus war dagegen ein hochgewachsener, sportlicher Mann Mitte Dreißig mit einem Schopf aus kurzen schwarzen Locken und dunkel beschatteten Wangen, die auf starken Bartwuchs schließen ließen. Bis auf ein Handtuch, das er sich um die Taille geschlungen hatte, war er nackt. Priest sah breite, muskulöse Schultern und einen flachen Bauch. *Müssen ein hübsches Paar gewesen sein, die zwei.*

Als Melanie die letzte Stufe betrat, sagte Michael: »Ich habe mir große Sorgen gemacht. Wo, zum Teufel, hast du die ganze Zeit über gesteckt?«

»Würdest du dir bitte was anziehen?« sagte Melanie.

»Du hast mir nicht gesagt, daß du jemanden mitbringst«, erwiderte er kühl, ohne seinen Platz auf der Schwelle zu verlassen. »Beantworte mir bitte meine Frage.«

Priest entging nicht, daß Michael die Wut, die sich in ihm aufgestaut hatte, nur mühsam zügeln konnte.

»Deshalb bin ich schließlich hier«, sagte Melanie, sichtlich erfreut über Michaels Zorn. *Was für eine durch und durch verkorkste Ehe.* »Das ist mein Freund Priest. Dürfen wir hereinkommen?«

Michael starrte sie wütend an. »Auf deine Erklärung bin ich gespannt, Melanie. Sie muß verdammt gut sein.« Er drehte sich um und verschwand in der Wohnung.

Melanie und Priest folgten ihm in einen kleinen Flur. Michael öffnete die Badezimmertür, nahm einen dunkelblauen Morgenmantel vom Haken und zog ihn über. Er beeilte sich dabei keineswegs. Zum Schluß legte er das Handtuch ab und band den Gürtel fest. Dann führte er die beiden ins Wohnzimmer.

Es war auch sein Büro. Außer Fernsehapparat, Couch und Sitzecke enthielt es einen Tisch mit Bildschirm und Tastatur sowie eine breite Arbeitsfläche mit zahlreichen elektronischen Geräten, an denen diverse Lichter flackerten. Irgendwo in diesen unauffälligen grauen Kästen waren die Informationen gespeichert, die Priest brauchte. *Ohne Hilfe komme ich da nicht ran. Jetzt hängt alles von Melanie ab. Es ist zum Verrücktwerden.*

Eine Wand verschwand fast zur Gänze unter einer riesigen Landkarte. »Menschenskind, was ist denn das?« fragte er.

Michael streifte ihn mit einem Blick, der soviel besagte wie *Was hast du hier eigentlich zu suchen?*, und schwieg. Die Antwort kam von Melanie: »Das ist die St.-Andreas-Spalte«, sagte sie und deutete auf eine bestimmte Stelle. »Sie fängt am Leuchtturm von Point Arena an, ungefähr hundert Meilen nördlich von hier im Bezirk Mendocino, verläuft dann in südöstlicher Richtung an Los Angeles vorbei und reicht im Binnenland bis in die Gegend von San Bernardino. Ein siebenhundert Meilen langer Riß in der Erdkruste.«

Melanie hatte Priest bereits ausführlich erklärt, womit sich Michael beschäftigte. Er war spezialisiert auf die Berechnung von Drücken an verschiedenen Stellen geologischer Verwerfungslinien. Dabei ging es einerseits um die präzise Messung kleiner Bewegungen in der Erdkruste, andererseits aber auch um die Schätzung der Energien im Erdinnern, die sich seit dem letzten Erdbeben akkumuliert hatten. Seine Arbeiten hatten Michael hohe akademische Würdigungen eingetragen. Dennoch hatte er vor einem Jahr die Universität verlassen, um sich als Berater selbständig zu machen. Zu seinen Kunden gehörten Baufirmen und Versicherungsgesellschaften, die über Erdbebenrisiken Bescheid wissen mußten.

Im Umgang mit Computern war Melanie ein Genie. Sie hatte Michael beim Aufbau seiner Anlagen geholfen und seinen Rechner so programmiert, daß er jeden Tag zwischen vier und sechs

Uhr morgens, wenn Michael im Bett lag und schlief, die Daten automatisch sicherte. Das hieß, daß alle vorhandenen Dateien auf eine Optical Disc kopiert wurden. Wenn Michael morgens seinen Monitor anstellte, nahm er die Diskette aus dem Laufwerk, verstaute sie in einer feuerfesten Kassette und sorgte somit dafür, daß seine wertvollen Daten selbst dann erhalten blieben, wenn sein Rechner abstürzte oder das Haus abbrannte.

Für Priest war es ein Wunder, daß all die Informationen über die St.-Andreas-Spalte auf eine kleine Diskette paßten. Doch was sollte es – Bücher waren ihm ja auch ein Rätsel. Es blieb ihm gar nichts anderes übrig, als zu akzeptieren, was man ihm sagte. Entscheidend war, daß ihm Melanie mit Hilfe von Michaels Diskette jene Stellen würde nennen können, an denen der seismische Vibrator positioniert werden mußte.

Jetzt kam es nur noch darauf an, Michael für eine Weile aus dem Zimmer zu locken, so daß Melanie die Diskette aus dem Laufwerk klauen konnte.

»Sagen Sie mal, Michael«, begann Priest. »Mit all diesem Zeug hier ...« Mit einer ausholenden Handbewegung deutete er auf Karte und Geräte. Dann fixierte er Michael mit *dem Blick*. »Wie fühlen Sie sich eigentlich dabei?«

Die meisten Menschen wurden nervös, wenn Priest sie mit *dem Blick* ins Visier nahm und ihnen eine persönliche Frage stellte. Manchmal verwirrte er sie dermaßen, daß sie mit ihrer Antwort etwas preisgaben, was sie sonst niemals erwähnt hätten. Michael dagegen reagierte, als wäre er gegen *den Blick* immun. Ungerührt sah er Priest in die Augen und sagte: »Ich *fühle* gar nichts. Ich *benutze* es.« Dann wandte er sich an Melanie und fuhr fort: »Würdest du mir jetzt vielleicht mitteilen, weshalb du so mir nichts, dir nichts verschwunden bist?«

Arroganter Pinsel.

»Das ist ganz einfach«, sagte sie. »Eine Freundin bot mir und Dusty an, eine Zeitlang in ihrer Berghütte zu wohnen.« Priest hatte ihr eingeschärft, den Namen der Berge nicht zu erwähnen. »Sie war bereits vermietet, doch die Buchung wurde in letzter Minute storniert.« Melanies Ton verriet, daß sie überhaupt nicht einsah, warum sie solche Banalitäten auch noch erklären sollte. »Und da wir uns sonst keine Ferien leisten können, habe ich sofort zugegriffen.«

Auf diese Weise hatte Priest sie kennengelernt. Melanie und Dusty hatten sich im Wald verlaufen. Melanie, ein Großstadtkind durch und durch, war nicht einmal in der Lage, sich am Sonnenstand zu orientieren. Es war ein wunderschöner, sonniger und milder Frühlingsnachmittag gewesen. Priest hatte sich ohne Begleitung aufgemacht, um Lachse zu angeln. Er saß an einem Bachufer und rauchte gerade einen Joint, als er plötzlich ein Kind weinen hörte.

Sofort war ihm klar, daß es sich nicht um ein Kind aus der Kommune handeln konnte; das hätte er an der Stimme erkannt. Er ging dem Geräusch nach und stieß wenig später auf Dusty und Melanie. Die junge Frau war den Tränen nahe. Als sie Priest erblickte, sagte sie: »Gott sei Dank, ich dachte schon, wir müßten hier draußen elendig zugrundegehen!«

Ungläubig hatte er sie angestarrt. Auf den ersten Blick wirkte sie mit ihren langen roten Haaren und den grünen Augen etwas unheimlich; andererseits trug sie abgeschnittene Jeans mit einem rückenfreien Top und sah darin zum Vernaschen aus. Priest kam es wie Zauberei vor, daß ihm da mitten in der Wildnis eine bildhübsche Maid begegnete, die sichtlich seiner Hilfe bedurfte. Ohne den Jungen an ihrer Seite hätte er gleich an Ort und Stelle versucht, sie zu verführen, gleich neben dem schäumenden Bach auf einem federnden Polster aus abgefallenen Kiefernnadeln.

Das war der Moment gewesen, in dem er sie gefragt hatte, ob sie vom Mars komme.

»Nein«, hatte sie geantwortet, »aus Oakland.«

Priest wußte, wo die Ferienhütten standen. Er nahm seine Angelrute und führte die beiden über ihm wohlvertraute Pfade und Hügel zurück. Es war ein langer Marsch, auf dem er sich eingehend mit ihr unterhielt. Er stellte Fragen, aus denen sein Mitgefühl sprach, schenkte ihr ab und zu sein gewinnendes Lächeln – und fand alles über sie heraus, was er wissen wollte.

Melanie war eine Frau, die bis zum Hals in Schwierigkeiten steckte.

Sie hatte ihren Ehemann verlassen und war zunächst zu dem Baßgitarristen einer heißen Rockband gezogen, doch der hatte sie nach ein paar Wochen wieder hinausgeworfen. Danach gab es keinen Menschen mehr, an den sie sich hätte wenden können: Ihr Vater war tot, und ihre Mutter lebte in New York mit einem Typen zusammen, der in der einzigen Nacht, die Melanie in der dortigen Wohnung verbrachte, gleich versucht hatte, zu ihr ins Bett zu steigen. Die Gastfreundschaft ihrer Freundinnen und Freunde hatte sie ebenso überstrapaziert wie deren Fähigkeit und Bereitschaft, ihr Geld zu leihen. Ihre berufliche Karriere war längst im Eimer. Sie gab Dusty tagsüber in die Obhut einer Nachbarin, nahm einen Job in einem Supermarkt an und füllte leere Regale auf. Sie wohnten in einem Slum, der so schmutzig war, daß der Junge unentwegt an schweren Allergieschüben litt. Sie brauchten unbedingt einen Ort, wo es reine Atemluft gab, doch außerhalb der Stadt fand sie keine Arbeit. Melanie steckte in der Sackgasse und sah keinen Ausweg mehr. Als sich schließlich die Freundin gemeldet und ihr die Ferienhütte angeboten hatte, rechnete sie gerade aus, wie viele Schlaftabletten sie benötigte, um sich selbst und ihr Kind umzubringen.

Priest liebte Menschen in Not, und er konnte mit ihnen umgehen. Man mußte ihnen nur bieten, was ihnen fehlte, und schon fraßen sie einem aus der Hand. Mit selbstbewußten Typen, die alles hatten, was sie brauchten, kam er dagegen nur selten zurecht; sie waren nicht so leicht zu kontrollieren.

Sie erreichten die Blockhütte zur Abendbrotzeit. Melanie kochte ein Nudelgericht und machte einen Salat. Nach dem Essen brachte sie Dusty ins Bett. Als der Junge eingeschlafen war, verführte Priest sie auf dem Teppich. Melanie war geradezu toll vor Liebesgier. Alle Emotionen, die sich in ihr aufgestaut hatten, entluden sich im Sex. Sie vögelte, als wäre es das letzte Mal in ihrem Leben, zerkratzte ihm den Rücken, biß ihn in die Schultern und zog ihn so tief in sich hinein, als wolle sie ihn mit Haut und Haar verschlingen. Priest konnte sich nicht erinnern, jemals eine aufregendere Liebesnacht erlebt zu haben. Und nun stand der ihr angetraute eingebildete Professorenschönling vor ihr und mäkelte an ihr herum. »Das ist jetzt *fünf Wochen* her! Du kannst doch nicht einfach meinen Sohn nehmen und wochenlang verschwinden, ohne mich auch nur einmal anzurufen!«

»Du hättest ja *mich* anrufen können.«

»Ich hatte doch keine Ahnung, wo du dich rumtreibst!«

»Ich habe ein Handy.«

»Da hab' ich's versucht. Es hat nicht funktioniert.«

»Kein Wunder. Es war ja auch abgeschaltet, weil du die Rechnung nicht bezahlt hast. Wir hatten uns eigentlich darauf geeinigt, daß du die Kosten übernimmst.«

»Die habe ich bloß ein paar Tage zu spät bezahlt, das ist alles! Inzwischen muß es längst wieder angeschlossen sein.«

»Na ja, dann hast du eben wahrscheinlich gerade dann angerufen, als es abgeschaltet war.«

Dieser Ehekrach bringt uns der Diskette auch nicht näher ... Ich muß uns diesen Michael für ein paar Minuten vom Hals schaffen, egal wie ... Priest unterbrach den Wortwechsel: »Vielleicht sollten wir uns zu einem Täßchen Kaffee zusammensetzen?« *Ob Michael sich in die Küche schicken läßt – zum Kaffeemachen?*

Michael deutete bloß mit dem Daumen über die Schulter und erklärte brüsk: »Bedient euch!«

Fehlanzeige.

Michael wandte sich wieder an Melanie. »*Warum* ich dich nicht erreichen konnte, spielt doch überhaupt keine Rolle. Es ging eben nicht. Deshalb wäre es deine Pflicht gewesen, mir Bescheid zu sagen, wenn du mit Dusty in Ferien fährst.«

»Hör zu, Michael«, sagte Melanie, »da wäre noch etwas, was ich dir erzählen muß.«

Michael sah sie verärgert an; dann seufzte er und sagte: »Na schön, dann setzt euch!« Er selbst ließ sich auf dem Stuhl hinter seinem Schreibtisch nieder.

Melanie ließ sich in eine Ecke der Couch sinken und zog die Beine unter sich. Das wirkte so natürlich, daß Priest es für Melanies gewohnte Sitzweise hielt. Er selbst hockte sich auf die Sofalehne, weil er nicht tiefer sitzen wollte als Michael. *Keine Ahnung, welcher Apparat dieses komische Laufwerk sein soll. Komm schon, Melanie, sieh zu, daß du deinen verdammten Gatten loswirst!*

Michaels Ton verriet, daß ihm solche Szenen mit Melanie durchaus nichts Neues waren. »Okay, raus mit der Sprache«, sagte er müde. »Worum geht's diesmal?«

»Ich geh' hier weg, und zwar für immer. Ich zieh' mit Priest und ein paar anderen Leuten zusammen.«

»Wohin?«

Priest antwortete an Melanies Statt. Er wollte nicht, daß Michael erfuhr, wo sie wohnten. »In den Bergen, oben in der Del Norte County«, sagte er. Das lag im Gebiet der Redwood-Wälder im äußersten Norden Kaliforniens. In Wirklichkeit lebte die Kommune in der Sierra County in den Vorbergen der Sierra Nevada, unweit der Ostgrenze des Staates. Beide Regionen lagen von Berkeley aus ziemlich weit entfernt.

Michael geriet außer sich. »Du kannst doch Dusty nicht irgendwohin verschleppen, wo er Hunderte von Meilen von seinem Vater getrennt ist!«

Melanie ließ sich davon nicht beeindrucken. »Es gibt einen Grund dafür«, sagte sie. »In den vergangenen vier Wochen hatte Dusty nicht eine einzige allergische Reaktion. In den Bergen ist er kerngesund, Michael.«

»Liegt wahrscheinlich an der reinen Luft und dem sauberen Wasser«, ergänzte Priest. »Keine Umweltverschmutzung da oben.«

Michael blieb skeptisch. »Normalerweise kommen Allergiker mit dem Klima in der Wüste besser zurecht als mit dem im Gebirge.«

»Red du mir nicht von *normalen* Zuständen!« fuhr Melanie auf. »In die Wüste kann ich nicht ziehen – dazu fehlt mir das Geld. Das Leben in den Bergen kann ich mir leisten – und dort ist Dusty gesund. Es gibt keinen anderen Ort, auf den beides zutrifft.«

»Zahlt Priest deine Miete?«

Na los, du Arschloch, mach du nur so weiter mit deinen Beleidigungen! Tu so, als wäre ich gar nicht hier … Damit änderst du auch nichts daran, daß ich dein geiles Weib vögele …

»Wir leben in einer Kommune«, sagte Melanie.

»Herr im Himmel, Melanie, an was für Typen bist du denn nun schon wieder geraten? Erst dieser Gitarren-Junkie …«

»Moment mal! Blade war kein Junkie …«

»Und nun eine gottverdammte Hippie-Kommune!«

Melanie hatte sich in den Streit mit ihrem Mann so hineingesteigert, daß sie darüber den eigentlichen Anlaß ihres Kommens ganz vergaß. *Die Diskette, Melanie, die verdammte Diskette!* Wieder mischte sich Priest in die Auseinandersetzung ein. »Warum fragen Sie nicht Dusty selbst, was er von der ganzen Sache hält, Michael?«

»Das werde ich schon noch tun.«

Melanie warf Priest einen verzweifelten Blick zu.

Er ignorierte sie. »Dusty sitzt draußen vor der Tür in meinem Wagen.«

Michael wurde rot vor Zorn. »Sie lassen meinen Sohn da draußen im Auto sitzen?«

»Dem fehlt nichts. Mein Hund ist bei ihm.«

Michael starrte Melanie an. Er war fuchsteufelswild. »Sag mal, was ist bloß los mit dir?« brüllte er.

»Warum gehen Sie nicht einfach hinaus und holen den Kleinen?« fragte Priest.

»Von Ihnen brauche ich keine Erlaubnis, um mir meinen Sohn zu holen. Geben Sie mir die Wagenschlüssel!«

»Das Auto ist nicht abgeschlossen«, erwiderte Priest sanft.

Michael stürmte hinaus.

»Ich habe dich doch ausdrücklich gebeten, ihm nicht zu sagen, daß Dusty draußen wartet!« jammerte Melanie. »Warum hast du das getan?«

»Damit er endlich dieses Zimmer hier verläßt«, sagte Priest. »Und jetzt schnapp dir diese Diskette!«

»Aber du hast ihn so wütend gemacht!«

»Der war doch längst stinksauer!« *Das läuft ja ganz verkehrt. Wenn es so weitergeht, traut sie sich vor lauter Angst womöglich gar nicht mehr, dieses Ding zu klauen ...* Priest erhob sich, ergriff ihre Hände, zog sie hoch und sah ihr mit *dem Blick* in die Augen. »Du brauchst keine Angst vor ihm zu haben. Du gehörst jetzt zu mir. Ich passe auf dich auf. Nur ruhig Blut. Sag dein Mantra auf.«

»Aber ...«

»Sag es.«

»*Lat hoo, dat soo.*«

»Weiter.«

»*Lat hoo, dat soo. Lat hoo, dat soo.*« Sie beruhigte sich allmählich.

»Und jetzt greif dir die Diskette.«

Melanie nickte. Ihr Mantra vor sich hin murmelnd, beugte sie sich über die Geräte in dem Regal. Dann drückte sie auf einen Knopf, und ein flaches Plastikviereck sprang ihr aus einem Schlitz entgegen.

Sie öffnete ihr Täschchen, holte eine andere, ähnlich aussehende Diskette hervor, zögerte und sagte: »So ein Mist!«

»Was ist los?« fragte Priest besorgt. »Stimmt was nicht?«

»Er hat die Marke gewechselt.«

Priest verglich die beiden Disketten. Für ihn sahen beide gleich aus. »Wie unterscheiden sie sich?«

»Schau her, meine ist eine Philips, Michaels eine Sony.«

»Fällt ihm das auf?«

»Möglicherweise.«

»Verdammt!« Michael durfte auf gar keinen Fall erfahren, daß man ihm seine Daten gestohlen hatte.

»Sobald wir weg sind, geht er wahrscheinlich gleich wieder an die Arbeit. Er wird die Diskette rausnehmen und sie durch eine andere aus der feuersicheren Kassette ersetzen. Und dabei wird ihm der Unterschied auffallen.«

»Und er wird sich natürlich denken, daß wir dahinterstecken.« Priest spürte Panik in sich aufsteigen. Der ganze schöne Plan war gescheitert, alles ging den Bach runter!

»Ich könnte mir eine Sony-Diskette besorgen und es später noch einmal versuchen«, sagte Melanie.

Priest schüttelte den Kopf. »Nein, das kommt nicht in Frage. Auch beim zweitenmal kann es schiefgehen. Außerdem wird's knapp mit der Zeit. In drei Tagen läuft unser Ultimatum ab. Hat er irgendwo noch leere Disketten?«

»Sollte er eigentlich. Manche Disketten sind schadhaft, da braucht man Ersatz.« Sie sah sich um. »Ich frag' mich nur, wo er sie aufbewahrt.« Hilflos stand sie mitten im Zimmer.

Priest hätte schreien können. Hatte er nicht so etwas befürchtet? Melanie war wie am Boden zerstört, und ihnen blieben höchstens noch ein, zwei Minuten. Er mußte sie beruhigen. »Melanie«, sagte er und bemühte sich, leise und zuversichtlich zu sprechen. »Du hältst zwei Disketten in der Hand. Steck sie beide in deine Handtasche.«

Sie gehorchte automatisch.

»Und jetzt mach die Tasche zu.«

Sie tat es.

Er hörte, wie unten die Eingangstür ins Schloß fiel. Michael kam zurück. Priest spürte, wie ihm der Schweiß im Rücken ausbrach. »Denk nach: Als du hier gewohnt hast – gab es da einen Schrank, in dem Michael Büromaterialien aufbewahrt hat?«

»Ja. Jedenfalls eine Schublade.«

»Und?« *Wach auf, Mädchen!* »Wo ist die?«

Melanie deutete auf eine billige weiße Kommode an der Wand.

Priest riß die oberste Schublade auf. Sie enthielt ein Päckchen mit gelben Notizblöcken, eine Schachtel mit billigen Kugelschreibern, ein paar Stapel weißes Schreibpapier, einige Briefumschläge – und eine angebrochene Schachtel mit Disketten.

Er hörte Dustys Stimme. Sie kam offenbar aus dem Flur, gleich hinter der Wohnungstür.

Mit zitternden Fingern fummelte er eine Diskette aus der Schachtel und gab sie Melanie. »Geht die?«

»Ja, die ist von Philips.«

Priest drückte die Schublade wieder zu.

Im selben Augenblick trat Michael mit Dusty auf dem Arm ins Zimmer.

Hergott noch mal, Melanie, rühr dich endlich!

Dusty sagte: »Weißt du was, Daddy? In den Bergen hab' ich nicht *einmal* geniest.«

Michaels Aufmerksamkeit galt allein seinem Sohn. »Ja, wie gibt's denn das?« fragte er.

Melanie hatte sich wieder im Griff. Als Michael sich bückte und Dusty auf die Couch setzte, beugte sie sich über das Laufwerk und ließ die Diskette in den Schlitz gleiten. Das Gerät gab einen leisen Summton von sich und verschlang die Diskette wie eine Schlange, die eine Ratte hinunterwürgt.

»Du hast wirklich nicht geniest?« sagte Michael zu Dusty. »Kein einziges Mal?«

»Nee.«

Melanie richtete sich wieder auf. Michael hatte sie keines Blickes gewürdigt.

Priest schloß vor lauter Erleichterung die Augen. Sie hatten es geschafft. Sie hatten Michaels Daten – und er würde nie etwas davon erfahren.

»Und was ist mit dem Hund?« wollte Michael wissen. »Mußt du auch nicht niesen, wenn er in der Nähe ist?«

»Nein. Spirit ist ein sauberer Hund. Priest läßt ihn sich immer im Bach waschen, und dann kommt er wieder raus und schüttelt sich, und dann regnet's. Aber wie!« Dusty lachte vergnügt.

»Stimmt das?« fragte sein Vater.

»Ich hab's dir doch gesagt, Michael«, antwortete Melanie.

Ihre Stimme bebte ein wenig, doch ihrem Mann schien das

nicht aufzufallen. »Okay, okay«, sagte er in versöhnlichem Ton. »Wenn das Leben da oben Dusty wirklich so gut bekommt, dann werden wir uns schon auf eine Lösung einigen.«

Melanie wirkte erleichtert. »Danke«, sagte sie.

Priest gestattete sich den Anflug eines Lächelns. Sie hatten einen weiteren, entscheidenden Schritt vorwärts getan.

Nun durfte der Computer nur nicht abstürzen. Denn dann würde Michael die Daten von der Optical Disc auf die Festplatte überspielen wollen und dabei feststellen, daß die Diskette leer war. Solche Abstürze kamen aber, wie Priest von Melanie gehört hatte, nur sehr selten vor. Sie konnten also mit einiger Zuversicht davon ausgehen, daß heute nichts mehr passierte. Am Abend würde der Computer dann die leere Diskette mit Michaels Daten überschreiben. Morgen früh um die gleiche Zeit wäre der Diskettentausch nicht mehr nachweisbar.

»Wenigstens bist du hergekommen, um mir Bescheid zu sagen«, sagte Michael. »Das freut mich.«

Priest wußte, daß Melanie lieber telefonisch mit ihrem Mann verhandelt hätte. Doch ihre Übersiedlung in die Kommune war ein idealer Vorwand dafür gewesen, Michael in seiner Wohnung aufzusuchen. Ein ganz normaler Besuch ohne besonderen Anlaß hätte ihn zwangsläufig mißtrauisch gemacht. So, wie die Dinge gelaufen waren, konnte Michael kaum auf dumme Gedanken kommen.

Michael Quercus war ohnehin nicht von der mißtrauischen Sorte, darauf hätte Priest schwören können. Hochintelligent, aber arglos, wie er war, fehlte ihm die Fähigkeit, hinter die Fassade zu schauen und zu erkennen, was in den Herzen anderer Menschen vorging.

Er selbst, Priest, besaß diese Fähigkeit im Übermaß.

Melanie sagte: »Ich bringe Dusty her, sooft du ihn sehen willst.«

Priest konnte in ihrem Herzen lesen. Nun, da sie von Michael bekommen hatte, was sie wollte, war sie nett zu ihm. Den Kopf ein wenig geneigt, lächelte sie ihm freundlich zu. Aber sie liebte ihn nicht – nicht mehr.

Bei Michael sah das ganz anders aus. Er trug ihr immer noch nach, daß sie ihn verlassen hatte, das war klar. Aber er mochte sie nach wie vor. Er hatte die Trennung noch nicht überwunden, noch nicht ganz jedenfalls. Ein Teil von ihm wollte Melanie zurück. Er hätte sie gerne darum gebeten, aber das ließ sein Stolz nicht zu.

Eifersucht stieg in Priest auf.

Ich hasse dich, Michael Quercus.

KAPITEL 4

J udy wachte am frühen Dienstagmorgen auf und fragte sich, ob sie noch einen Job hatte.

»Ich kündige«, hatte sie gestern gesagt. Aber da war sie wütend gewesen und frustriert. Heute war sie ganz anderer Meinung: Nein, sie wollte ihre Stelle beim FBI nicht aufgeben. Die Aussicht, Verbrecher in Zukunft nicht mehr fangen, sondern verteidigen zu müssen, deprimierte sie. Aber vielleicht hätte sie sich das früher überlegen müssen, und es gab kein Zurück mehr. Am Abend hatte sie Brian Kincaid noch eine persönliche Mitteilung auf den Schreibtisch gelegt.

Ob er meine Entschuldigung akzeptiert? Oder wird er mich beim Wort nehmen und auf der Kündigung bestehen?

Um 6 Uhr kam Bo nach Hause, und sie machte eine Schüssel *pho* warm, eine Nudelsuppe, die in Vietnam gerne zum Frühstück gegessen wird. Dann zog sie sich an. Sie wählte ihr raffiniertestes Outfit – ein dunkelblaues Armani-Kostüm mit kurzem Rock. An guten Tagen wirkte sie darin intelligent, souverän und obendrein auch noch sexy. *Wenn ich schon gefeuert werde, dann will ich ihnen wenigstens zeigen, was ihnen in Zukunft fehlen wird.*

Auf der Fahrt zur Arbeit war sie vor Anspannung ganz verkrampft. Sie parkte ihren Wagen in der Tiefgarage unter dem Federal Building, nahm den Fahrstuhl zur FBI-Etage und ging schnurstracks zum Büro des SAC.

Brian Kincaid saß hinter dem großen Schreibtisch; er trug ein weißes Hemd und rote Hosenträger. Als Judy eintrat, blickte er auf und sagte kalt: »Guten Morgen.«

»Mor ...« Ihr Mund war trocken. Sie schluckte und fing noch einmal von vorn an. »Guten Morgen, Brian. Haben Sie meine Mitteilung erhalten?«

»Ja, hab' ich.«

Es lag auf der Hand, daß er es ihr nicht leichtmachen würde. Judy wußte nicht, was sie noch hätte sagen sollen. Also sah sie ihn einfach an und wartete.

Endlich sagte Kincaid: »Ihre Entschuldigung ist angenommen.« Ihr wurde ganz schwach vor Erleichterung. »Ich danke Ihnen.«

»Sie können jetzt Ihre persönlichen Unterlagen in Ihr neues Büro bringen.«

»Okay.« Es gibt Schlimmeres, dachte sie. Einige Kollegen im Dezernat für Inlandsterrorismus mochte sie ganz gerne. Allmählich entspannte sie sich.

»Fangen Sie sofort mit den Kindern von Eden an. Wir können beim Gouverneur nicht mit leeren Händen dastehen.«

Judy war überrascht. »Sie sprechen mit dem Gouverneur?«

»Mit seinem Kabinettssekretär.« Kincaid konsultierte einen Zettel, der vor ihm lag. »Einem gewissen Mr. Albert Honeymoon.«

»Von dem habe ich schon gehört.« Honeymoon galt als die rechte Hand des Gouverneurs. Judy registrierte, daß man dem Fall inzwischen mehr Gewicht beimaß.

»Ich erwarte morgen abend Ihren Bericht.«

Das ließ ihr nicht viel Zeit für weitere Ermittlungen, zumal sie bislang kaum etwas in der Hand hatte. Morgen war Mittwoch. »Das Ultimatum läuft erst am Freitag aus.«

»Aber die Besprechung mit Honeymoon ist am Donnerstag.«

»Sie bekommen von mir konkrete Fakten, die Sie ihm geben können.«

»Das können Sie selber tun. Mr. Honeymoon besteht darauf, die Person kennenzulernen, die – wie er sich ausdrückt – unmittelbar an der Front steht. Man erwartet uns Punkt zwölf Uhr mittags im Amtssitz des Gouverneurs in Sacramento.«

»*Wow!* Geht in Ordnung.«

»Sonst noch Fragen?«

Judy schüttelte den Kopf. »Ich mache mich sofort an die Arbeit.«

Als sie das Büro verließ, war Judy hocherfreut, daß sie ihren

Job wiederhatte. Was ihr dagegen gar nicht paßte, war der Termin in Sacramento. Es war kaum damit zu rechnen, daß sie innerhalb der nächsten beiden Tage die Hintermänner der Erdbebendrohung dingfest machen konnte – also würde sie praktisch mit leeren Händen dastehen.

Sie räumte ihren Schreibtisch im Dezernat für Asiatische Bandenkriminalität und trug ihre Sachen durch den Flur zur Abteilung für Inlandsterrorismus. Ihr neuer Vorgesetzter, Matt Peters, wies ihr einen Schreibtisch zu. Die neuen Kollegen waren ihr alle persönlich bekannt. Man gratulierte ihr zu ihrem Erfolg im Verfahren gegen die Fung-Brüder – allerdings nur in gedämpftem Ton, denn natürlich wußte jeder, daß sie und Kincaid gestern aneinandergeraten waren.

Peters stellte einen jungen Agenten zu ihrer Unterstützung ab. Raja Khan, ein schnellsprechender Hindu, war sechsundzwanzig Jahre alt und hatte ein Diplom in Betriebswirtschaft. Judy war zufrieden. Khan fehlte es zwar noch an Erfahrung, aber er war intelligent und engagiert.

Sie gab ihm einen kurzen Überblick über den Stand der Dinge und schickte ihn dann los mit dem Auftrag, die Bewegung Grünes Kalifornien zu überprüfen. »Seien Sie freundlich zu den Leuten«, sagte sie. »Sagen Sie ihnen, daß wir nicht glauben, sie hätten etwas mit dem Fall zu tun, daß wir aber auf Nummer Sicher gehen müssen.«

»Wonach suchen wir?«

»Nach einem Pärchen. Er ist eher ein Arbeitertyp, Mitte Vierzig und möglicherweise Analphabet. Sie hat höhere Schulbildung, ist so um die Dreißig und wahrscheinlich von ihm abhängig. Aber ich glaube nicht, daß Sie die beiden dort finden, das wäre zu einfach.«

»Und sonst?«

»Am hilfreichsten wäre eine Liste mit den Namen aller haupt- und ehrenamtlichen Funktionäre der Organisation. Die lassen Sie dann durch den Computer laufen und stellen fest, ob der eine oder andere schon mal wegen krimineller oder subversiver Tätigkeit aktenkundig geworden ist.«

»Ist geritzt«, sagte Raja. »Und was tun Sie unterdessen?«
»Ich nehme Unterricht in Erdbebenforschung.«

Ein Erdbeben hatte Judy selbst miterlebt.

Das Santa-Rosa-Beben hatte Schäden in Höhe von sechs Millionen Dollar verursacht – nicht sehr viel, verglichen mit anderen – und war nur in einem verhältnismäßig kleinen Gebiet von etwas mehr als dreißigtausend Quadratkilometern wahrnehmbar gewesen. Damals hatte die Familie Maddox nördlich von San Francisco, im Bezirk Marin, gewohnt, und Judy war gerade in die Schule gekommen. Inzwischen wußte sie längst, daß es sich nur um ein kleineres Erdbeben gehandelt hatte. Der sechsjährigen Judy jedoch war es vorgekommen wie der Weltuntergang.

Sie hatte in ihrem Bett gelegen und geschlafen, als sie plötzlich von einem Geräusch erwachte, das an einen in unmittelbarer Nähe vorbeifahrenden Zug erinnerte. Im hellen Licht des heraufdämmernden Tages sah sie sich in ihrem Kinderzimmer um: Wo kam nur dieses Geräusch her? Sie war zu Tode erschrocken.

Und dann fing das Haus an zu wackeln. Die Deckenlampe mit ihrem rosa Fransenschirm schwang hin und her. Das Buch mit dem Titel *Die schönsten Märchen*, das auf dem Nachttisch lag, hopste, wie von Geisterhand bewegt, in die Luft, und als es wieder landete, war *Der Däumling* aufgeschlagen, die Geschichte, die Bo ihr am vergangenen Abend vorgelesen hatte. Ihre Haarbürste und ihre Spielzeug-Schminke tanzten auf der Resopalplatte der Spiegelkommode. Ihr Schaukelpferd schaukelte heftig, obwohl es keinen Reiter trug. Ihre Puppen fielen reihenweise vom Regalbrett, als wollten sie in den Teppich eintauchen, und Judy dachte, sie wären plötzlich alle lebendig geworden wie im Märchen. Endlich fand sie ihre Stimme wieder und brüllte, so laut sie konnte: »DADDY!«

Im Zimmer nebenan hörte sie ihren Vater fluchen. Dann rumpelte es, als seine Füße auf den Boden schlugen. Der Lärm und das Gewackel wurden immer schlimmer, und plötzlich schrie Judys Mutter auf. Bo drückte die Klinke der Kinderzimmertür herunter, doch die Tür ging nicht auf. Wieder rumpelte es: Vater versuchte, die Tür mit der Schulter aufzustoßen, aber es klappte nicht. Sie hatte sich verklemmt.

Das Kinderzimmerfenster ging zu Bruch; die Glasscherben fielen nach innen und landeten auf dem Stuhl, wo Judys Schulkleider, ordentlich zusammengefaltet, für den Morgen bereitlagen: grauer Rock, weiße Bluse, grüner Sweater mit V-Ausschnitt, marineblaue Unterwäsche und weiße Socken. Das Holzpferd schaukelte nun so wild, daß es umkippte, auf Judys Puppenhaus fiel und das kleine Dach zerschmetterte. In diesem Moment wurde Judy klar, daß das Dach ihres Wohnhauses ebenso leicht zu Bruch gehen konnte. Das gerahmte Bild eines rotwangigen Mexikanerjungen rutschte von seinem Wandhaken, flog durch die Luft und traf Judy am Kopf, so daß sie vor Schmerzen aufschrie.

Und dann machte sich auf einmal ihre Kommode selbständig.

Die alte Kommode aus Kiefernholz mit vorgewölbter Front, die ihre Mutter in einem Ramschladen gekauft und weiß angestrichen hatte, besaß drei Schubladen und stand auf kurzen Beinen mit Füßen wie Löwenpranken. Zunächst schien sie rastlos, auf allen vier Beinen, auf der Stelle zu tanzen. Dann ruckelte sie von einer Seite zur anderen, wie jemand, der auf der Türschwelle steht und nervös von einem Fuß auf den anderen tritt. Und dann kam das Möbel auf Judy zugetanzt.

Sie schrie.

Die Schlafzimmertür erzitterte: Bo versuchte, sie einzuschlagen.

Die Kommode kam näher und näher, in zentimeterkurzen Schritten. Judy hoffte, der Teppich würde sie aufhalten, doch die Löwenpranken schoben ihn einfach vor sich her.

Das Bett wackelte inzwischen so heftig, daß Judy hinausfiel.

Nur Zentimeter vor ihr kam die Kommode zum Stehen. Die mittlere Schublade ging auf wie ein großes Maul, das Judy verschlingen wollte. Judy schrie aus Leibeskräften.

Krachend flog die Tür auf, und Bo stürmte herein.

Und dann war das Erdbeben vorüber.

Heute, dreißig Jahre später, konnte sie noch immer das Entsetzen spüren, das wie ein Anfall über sie gekommen war, als um sie herum die Welt in Stücke fiel. Noch jahrelang hatte sie Angst gehabt, ihre Schlafzimmertür zu schließen, und ihre Furcht vor Erdbeben war bis auf den heutigen Tag nicht gewichen. Obwohl kleinere Beben, die den Boden unter den Füßen nur ein wenig zum Zittern brachten, in Kalifornien an der Tagesordnung waren, hatte sich Judy nie richtig daran gewöhnen können. Und wenn sie spürte, wie die Erde bebte, oder im Fernsehen Bilder von eingestürzten Gebäuden sah, dann fuhr ihr die Angst wie eine Droge durch die Adern. Nicht etwa, daß sie befürchtet hätte, sie könne zermalmt werden oder verbrennen – nein, sie wurde beherrscht von der blinden Panik des kleinen Mädchens, dessen Welt urplötzlich auseinanderbricht.

Am Abend, als Judy das exklusive Ambiente des Masa betrat, war sie noch immer ziemlich nervös. Sie trug ein enganliegendes schwarzes Seidenkleid und die Perlenkette, die Don Riley ihr in dem Jahr, in dem sie zusammenlebten, zu Weihnachten geschenkt hatte.

Don bestellte Corton Charlemagne, einen Weißburgunder, den er jedoch weitgehend alleine trank. Judy mochte zwar den nussigen Geschmack des Weines, aber wenn sie eine halbautomatische, mit 9-mm-Munition geladene Pistole in ihrer Abendhandtasche aus schwarzem Lackleder mit sich herumtrug, hielt sie sich beim Alkohol sehr zurück.

Sie erzählte Don, daß Brian Kincaid ihre Entschuldigung und die Rücknahme der Kündigung akzeptiert hatte.

»Es blieb ihm gar nichts anderes übrig«, sagte Don. »Hätte er abgelehnt, so wäre das einer Kündigung seinerseits gleichgekommen. Und wer gleich am ersten Tag als Leitender SAC eine seiner besten Mitarbeiterinnen in die Wüste schickt, macht einen verdammt schlechten Eindruck.«

»Mag sein, daß du recht hast«, sagte Judy, doch insgeheim dachte sie: *Der hat gut reden. Hinterher ist man immer klüger.*

»Natürlich habe ich recht.«

»Du darfst eines nicht vergessen: Brian ist ein IKMM.« Die Abkürzung stand für *Ihr könnt mich mal* und für Beamte, die sich so üppige Pensionsansprüche gesichert hatten, daß sie sich in den Ruhestand verabschieden konnten, wann immer es ihnen in den Kram paßte.

»Schon, aber er hat auch seinen Stolz. Stell dir bloß mal vor, wie er Washington erklärt, warum er dich hat ziehen lassen: ›Sie hat *Leck mich am Arsch* zu mir gesagt!‹ Darauf die Zentrale: ›Noch nie einen Agenten fluchen hören, Kincaid? Sind Sie plötzlich Pfarrer geworden, oder waren Sie schon immer so zart besaitet?‹« Don schüttelte den Kopf. »Menschenskind, der gälte doch bloß noch als Weichei!«

»Schon möglich.«

»Ist ja auch egal. Ich bin jedenfalls froh, daß wir vielleicht schon bald wieder zusammenarbeiten.« Er hob sein Glas. »Auf weitere brillante Strafverfolgungen durch das starke Team Riley und Maddox!«

Sie stießen an und nippten an ihren Weingläsern.

Während des Essens unterhielten sie sich über den Fall Fung und ließen dabei nichts aus. Sie sprachen über ihre eigenen Fehler, die überraschenden Schachzüge der Verteidigung, die Augenblicke höchster Spannung und des Triumphes.

Beim Kaffee fragte Don: »Vermißt du mich?«

Judy runzelte die Stirn. Nein zu sagen wäre grausam und nicht einmal zutreffend. Aber sie wollte ihm auch keine falschen Hoffnungen machen. »Das eine oder andere fehlt mir, ja«, sagte sie. »Ich mag dich, wenn du lustig und geistreich bist.« Auch vermißte sie einen warmen Körper an ihrer Seite, wenn sie nachts im Bett lag, doch das behielt sie lieber für sich.

»Mir fehlt, daß ich mit dir nicht mehr über meine Arbeit sprechen kann und daß ich nichts mehr von deiner erfahre.«

»Ich rede jetzt halt mit Bo darüber.«

»Der fehlt mir auch.«

»Er mag dich. Er hält dich für den idealen Ehemann ...«

»Bin ich ja auch!«

Judy grinste. »Dann solltet ihr beide vielleicht heiraten.«

»Ha, ha!« Don beglich die Rechnung. »Judy, da ist noch etwas, was ich dir sagen wollte.«

»Ich höre.«

»Ich glaube, ich bin jetzt soweit, daß ich Vater werden möchte.«

Aus irgendeinem Grund ärgerte sie das. »Und was hat das mit mir zu tun? Soll ich vielleicht hurra schreien und die Beine breitmachen?«

Don erschrak. »Ich meine ... also, ich dachte, du wolltest, daß ich mich festlege.«

»Festlege? Don, alles, worum ich dich bat, war, daß du aufhörst, deine Sekretärin zu bumsen. Aber das hast du irgendwie nicht auf die Reihe gekriegt!«

Don wirkte sichtlich gekränkt. »Schon gut, schon gut, reg dich nicht so auf. Ich versuche ja gerade, dir zu erklären, daß ich mich geändert habe.«

»Und da erwartest du von mir, daß ich sofort zu dir zurückkomme, als wäre nichts geschehen?«

»Ich glaube, ich verstehe dich immer noch nicht.«

»Das wirst du wahrscheinlich auch nie.« Seine offenkundige Betroffenheit stimmte sie milder. »Komm, ich fahr' dich heim.« In der Zeit ihres Zusammenlebens war immer Judy gefahren, wenn sie abends auswärts gegessen hatten.

Peinliches Schweigen herrschte zwischen ihnen, als sie das Restaurant verließen. Im Wagen sagte Don: »Ich dachte, wir könnten wenigstens mal darüber reden.« Typisch Anwalt, immer bereit zu Verhandlungen.

»Das können wir auch.« *Aber wie bringe ich ihm bei, daß er mein Herz kalt läßt?*

»Das mit Paula ... das war der schlimmste Fehler meines Lebens.«

Sie glaubte ihm. Er war nicht betrunken, nur ein wenig redselig, und was er sagte, entsprach seinen Gefühlen. Judy seufzte. Sie wünschte ihm wirklich Glück und Zufriedenheit, denn sie mochte ihn, und es tat ihr weh, ihn leiden zu sehen. Ein Teil von ihr wollte ihm geben, was er sich wünschte.

»Wir hatten doch auch sehr schöne Zeiten zusammen«, sagte er und streichelte ihren Oberschenkel durch den Seidenstoff ihres Kleides.

»Wenn du während der Fahrt an mir rumfummelst, werf' ich dich raus.«

Don wußte, daß das keine leere Drohung war. Er zog seine Hand zurück und sagte: »Wie du willst.«

Judy bereute ihre harte Reaktion schon wieder. Es gab, weiß Gott, Schlimmeres als eine Männerhand auf dem Oberschenkel. Don war nicht gerade der tollste Liebhaber der Welt – mit Begeisterung bei der Sache, ja, aber ein wenig phantasielos –, doch er war allemal besser als gar nichts, und gar nichts war das, was sie seit der Trennung auf diesem Gebiet erlebt hatte.

Warum habe ich keinen Mann? Ich will nicht alleine alt werden. Ticke ich vielleicht nicht richtig?

Ach was. Blödsinn!

Eine Minute später hielt sie vor dem Haus, in dem Don wohnte. »Danke, Don«, sagte sie. »Danke für ein großartiges Strafverfahren und ein tolles Abendessen.«

Er beugte sich zu ihr, um sie zu küssen. Sie bot ihm die Wange, aber er küßte sie auf die Lippen, und weil sie keine große Affäre daraus machen wollte, ließ sie ihn gewähren. Sein Kuß zog sich in die Länge, bis sie sich von ihm löste.

»Komm doch noch ein paar Minuten rein. Ich mache dir einen Capuccino.«

Um ein Haar hätte sie seinem sehnsuchtsvollen Blick nachgegeben. Was wäre denn schon so schlimm daran? fragte sie sich. *Ich lege meine Pistole in seinen Safe, trinke einen großen, herzerwärmenden Brandy und verbringe die Nacht in den Armen eines grundanständigen Mannes, der mich liebt ...* »Nein«, sagte sie mit fester Stimme. »Gute Nacht.«

Er starrte sie an, lange und tief betrübt. Sie erwiderte seinen Blick, nicht ohne Verlegenheit und Mitleid, aber resolut.

»Gute Nacht«, sagte er schließlich, stieg aus und schloß die Wagentür.

Judy fuhr los. Im Rückspiegel sah sie ihn am Bordstein stehen, die Hand halb erhoben, als wolle er ihr nachwinken. Judy überfuhr eine rote Ampel und bog um die Ecke. Jetzt, endlich, war sie wieder allein.

Als sie nach Hause kam, saß Bo vor dem Fernseher und sah sich die Late-Night-Show mit Conan O'Brien an. Er kicherte. »Bei diesem Kerl könnte ich mich immer kringeln vor Lachen«, sagte er. Sie sahen gemeinsam zu, bis eine Werbeeinblendung den Monolog unterbrach. Da stellte Bo den Apparat ab und sagte: »Ich habe heute einen Mordfall gelöst. Wie findest du das?«

Judy wußte, daß einige ungeklärte Fälle auf seinem Schreibtisch lagen. »Welchen?« fragte sie.

»Den von Telegraph Hill, Vergewaltigung und Mord.«

»Wer war's?«

»Ein Bursche, der schon im Gefängnis sitzt. Er wurde vor einiger Zeit verhaftet, weil er kleine Mädchen in einem Park belästigt hat. Ich hatte so einen Verdacht und hab' seine Wohnung durchsucht. Er besaß ein Paar Polizei-Handschellen wie die, mit denen die Leiche gefesselt war, hat die Tat aber strikt geleugnet. Heute bekam ich das Ergebnis des DNA-Tests vom Labor zurück. Stimmt genau überein mit den Spermaproben von der Leiche des Opfers. Ich hab's ihm gesagt, und da hat er gestanden. Volltreffer.«

»Gut gemacht!« Judy drückte ihrem Vater einen Kuß auf den Scheitel.

»Und du? Wie war's bei dir?«

»Na ja. Also, meinen Job hab' ich noch. Ob ich allerdings noch groß Karriere mache, bleibt dahingestellt.«

»Komm, komm, natürlich machst du Karriere …«

»Ich weiß nicht. Wenn ich schon degradiert werde, weil ich die

Fung-Brüder ins Gefängnis gebracht habe, dann frag' ich mich, was sie erst bei einem Mißerfolg mit mir anstellen.«

»Das war ein Rückschlag, aber so etwas geht vorbei. Darüber kommst du hinweg, das verspreche ich dir.«

Judy lächelte. Unwillkürlich mußte sie an die Zeiten denken, da sie noch fest daran geglaubt hatte, ihr Vater könne einfach alles. »Du hast gut reden. Viel weiter gekommen bin ich bei meinem gegenwärtigen Fall noch nicht.«

»Gestern abend warst du aber noch der Meinung, es sei ein reiner Idiotenjob.«

»Ja, da bin ich mir heute nicht mehr ganz so sicher. Nach der Sprachanalyse zu urteilen, sind diese Leute gefährlich, wer immer sie auch sein mögen.«

»Aber ein Erdbeben auslösen können sie nicht.«

»Das weiß ich nicht.«

Bo zog die Brauen hoch. »Du hältst das für möglich?«

»Ich habe mich fast den ganzen Tag damit beschäftigt. Ich hab' drei Seismologen gefragt und drei verschiedene Antworten bekommen.«

»So ist das immer bei Wissenschaftlern.«

»Ich wollte vor allem eines von ihnen: eine definitive Aussage, daß es unmöglich ist. Aber der erste sagte, es sei ›unwahrscheinlich‹, der zweite sprach von einer ›verschwindend geringen Möglichkeit‹, und der dritte meinte, ja, mit einer Atombombe ließe es sich bewerkstelligen.«

»Könnten diese Leute – wie nennen sie sich doch gleich wieder –«

»Die Kinder von Eden.«

»– könnten die einen atomaren Sprengsatz besitzen?«

»Das wäre möglich. Sie sind intelligent, wissen, was sie wollen, und meinen es ernst. Aber was sollte dann das Gerede über ein Erdbeben? Wieso drohen sie dann nicht gleich mit ihrer Bombe?«

»Da hast du auch wieder recht«, sagte Bo nachdenklich. »Das

wäre genauso abschreckend und obendrein wesentlich glaubwürdiger.«

»Aber wer kann schon wissen, was in den Köpfen dieser Leute vorgeht?«

»Was hast du als nächstes vor?«

»Ich muß noch einen weiteren Seismologen sprechen, einen gewissen Michael Quercus. Die anderen halten ihn zwar für einen Außenseiter in der Branche, aber was die Ursachenforschung angeht, gilt er als der führende Experte.«

Sie hatte bereits versucht, Quercus zu befragen. Am Spätnachmittag hatte sie an seiner Tür geklingelt, doch er hatte ihr durch die Sprechanlage eine Absage erteilt; wenn sie mit ihm reden wolle, möge sie sich doch bitte vorher anmelden.

»Sie haben mich vielleicht nicht richtig verstanden«, hatte sie gesagt. »Ich komme vom FBI.«

»Heißt das etwa, daß Sie sich nie anmelden?«

Judy hatte nur mit Mühe einen Fluch unterdrückt. *Ich bin von der Bundespolizei, kein x-beliebiger Staubsaugervertreter ...*

»Ja, im allgemeinen schon«, hatte sie ins Mikrofon der Sprechanlage gesagt. »Die meisten Menschen halten unsere Arbeit für so wichtig, daß sie uns nicht warten lassen.«

»Da irren Sie sich«, hatte Quercus erwidert. »Die meisten Leute haben Angst vor Ihnen und lassen Sie deshalb ohne Voranmeldung rein. Rufen Sie mich an. Meine Nummer steht im Telefonbuch.«

»Mein Anliegen betrifft die öffentliche Sicherheit, Professor. Als Experte verfügen Sie, wie ich erfahren habe, über Informationen, die uns bei unseren Bemühungen, die Bevölkerung zu schützen, möglicherweise entscheidend weiterhelfen können. Es tut mir leid, daß ich nicht die Gelegenheit hatte, mich vorher telefonisch bei Ihnen anzumelden, doch da ich nun schon einmal hier bin, wäre ich Ihnen sehr dankbar, wenn Sie ein paar Minuten für mich erübrigen könnten.«

Darauf war die Antwort ausgeblieben – und Judy mußte einsehen, daß Quercus den Hörer aufgelegt hatte.

Wutentbrannt war sie ins Büro zurückgefahren. Sie meldete sich grundsätzlich nie an; FBI-Agenten taten das nur in den seltensten Fällen. Auch Judy zog es vor, ihre Kandidaten zu überraschen. Fast alle Befragten hatten irgend etwas zu verbergen, und je weniger Zeit sie zum Nachdenken hatten, desto eher unterliefen ihnen aufschlußreiche Fehler. Aber Quercus verhielt sich in enervierender Weise korrekt – sie hatte nicht das Recht, ihn so zu überfallen.

Judy hatte also in den sauren Apfel gebissen, ihn angerufen und einen Termin für den nächsten Vormittag mit ihm vereinbart.

Sie beschloß, Bo von dem Ärger mit Quercus nichts zu erzählen. »Ich brauche jemanden«, sagte sie, »der mir die wissenschaftlichen Zusammenhänge so verständlich macht, daß ich mir ein eigenes Urteil darüber bilden kann, ob ein Terrorist überhaupt imstande ist, ein Erdbeben zu erzeugen.«

»Und du mußt diese Kerle auffliegen lassen, von denen die Drohung stammt. Gibt's da schon Fortschritte?«

Judy schüttelte den Kopf. »Ich habe Raja die Aktivisten der Bewegung Grünes Kalifornien befragen lassen. Kein einziger von ihnen paßt zum bisherigen Täterprofil, keiner ist je als Krimineller oder Revoluzzer hervorgetreten. Es sind nicht die geringsten Verdachtsmomente aufgetaucht.«

Bo nickte. »Es war ohnehin nicht zu erwarten, daß die Täter ihre richtige Adresse angeben. Laß dich deshalb nicht entmutigen. Du arbeitest ja erst seit anderthalb Tagen an diesem Fall.«

»Stimmt – aber das Ultimatum läuft schon in drei Tagen ab. Und ich muß am Donnerstag nach Sacramento und einen Lagebericht im Büro des Gouverneurs abliefern.«

»Dann fängst du am besten gleich morgen früh an.« Bo erhob sich von der Couch.

Sie gingen die Treppe hinauf. Vor ihrer Schlafzimmertür blieb Judy stehen. »Erinnerst du dich an das Erdbeben damals, als ich sechs Jahre alt war?«

Bo nickte. »Keine große Sache, nach kalifornischen Maßstäben. Aber du warst zu Tode erschrocken.«

Judy lächelte. »Ich habe gedacht, die Welt geht unter.«

»Das Beben muß im Haus einiges verzogen haben, weil deine Schlafzimmertür klemmte. Als ich mich dagegenstemmte, um sie zu öffnen, hab' ich mir fast die Schulter gebrochen.«

»Ich dachte damals, *du* hättest dafür gesorgt, daß die Rüttelei aufhört. Jahrelang hab' ich das geglaubt.«

»Danach hast du Angst vor dieser Kommode gehabt, die deiner Mutter so gut gefiel. Du wolltest sie nicht mehr im Haus haben.«

»Ich dachte, sie wollte mich auffressen.«

»Ich hab' sie schließlich zu Kleinholz zerhackt und verfeuert.« Bo wirkte plötzlich traurig. »Ich wünschte, ich könnte diese Jahre zurückholen und noch einmal durchleben.«

Judy wußte, daß er an ihre Mutter dachte. »Ach ja«, sagte sie.

»Gute Nacht, mein Kind.«

»Gut' Nacht, Bo.«

Am Mittwochmorgen, als sie über die Bay Bridge hinaus nach Berkeley fuhr, fragte sich Judy, wie Michael Quercus wohl aussehen mochte. Die Art und Weise, auf die er sie abgefertigt hatte, deutete auf einen mürrischen Professor hin, gebeugt und ungepflegt, der sich über jede Kleinigkeit aufregte und die Welt durch Brillengläser betrachtete, die ihm immer wieder auf die Nase rutschten. Oder gehörte er eher zu jenen akademischen Wichtigtuern im Nadelstreifenanzug, die potentiellen Sponsoren ihrer Universität Honig ums Maul schmierten, allen anderen jedoch, die ihnen nicht von Nutzen waren, arrogant die kalte Schulter zeigten?

Judy parkte im Schatten einer Magnolie an der Euclid Avenue. Als sie klingelte, beschlich sie das entsetzliche Gefühl, Quercus könne sich wieder eine Ausrede einfallen lassen und sie noch einmal fortschicken. Doch nachdem sie ihren Namen genannt hatte, ertönte ein Summer, und die Tür ging auf. Judy stieg zwei Treppen hoch zu seiner Wohnung und trat ein, als sie sah, daß die Tür offen stand. Die Wohnung war klein und billig eingerichtet – viel Geld konnte der Mann mit seiner Arbeit nicht verdienen. Durch einen kleinen Vorraum gelangte sie ins Wohnzimmer, das gleichzeitig als Büro diente.

Michael Quercus saß in Khakihosen, braunen Wanderstiefeln und einem marineblauen Polohemd an seinem Schreibtisch und war, wie Judy auf den ersten Blick erkannte, weder ein mürrischer Professor noch ein akademischer Wichtigtuer, sondern einfach eine Wucht: hochgewachsen, fit, gutaussehend, mit dunkel gelocktem Haar. Nach ihrem ersten Eindruck war er einer dieser Typen, die sich – groß, schön und selbstbewußt, wie sie sind – einbilden, sie könnten alles tun, was ihnen beliebt.

Aber auch Quercus war überrascht. Er machte große Augen und sagte: »*Sie* sind die FBI-Agentin?«

Ihr Handschlag verriet Kraft. »Haben Sie noch eine andere erwartet?«

Er zuckte mit den Schultern. »Wie Efraim Zimbalist junior sehen Sie nicht gerade aus.«

Zimbalist war der Schauspieler, der in der langlebigen Fernsehserie *FBI* den Inspektor Lewis Erskine spielte. »Ich bin jetzt seit zehn Jahren Agentin«, gab Judy sanft zurück. »Können Sie sich vorstellen, wie viele Leute vor Ihnen diesen Witz schon gemacht haben?«

Zu ihrer Verblüffung reagierte Quercus mit einem breiten Grinsen. »Okay«, sagte er. »Eins zu null für Sie.«

Das klingt schon besser.

Ein gerahmtes Foto auf seinem Schreibtisch fiel ihr auf. Es zeigte eine bildhübsche Rothaarige mit einem Kind in den Armen. *Über ihre Kinder sprechen die Leute immer gern.* »Wer ist denn das?« fragte sie.

»Unwichtig. Kommen Sie bitte zur Sache!«

Auf die freundliche Tour ist bei dem nichts zu erreichen.

Sie nahm ihn beim Wort und stellte unverblümt die Frage, auf die es ihr ankam: »Ich möchte von Ihnen erfahren, ob eine Terrorgruppe unter Umständen ein Erdbeben auslösen kann.«

»Haben Sie eine Drohung erhalten?«

Eigentlich stelle ich hier die Fragen. »Haben Sie es noch nicht mitbekommen? War ein heißes Thema im Radio. Hören Sie die Sendung von John Truth nicht?«

Quercus schüttelte den Kopf. »Ist die Sache ernst zu nehmen?«

»Genau das will ich herausfinden.«

»Okay. Die Antwort lautet kurz und bündig: ja.«

Judy verspürte einen Anflug von Furcht. Quercus wirkte äußerst sicher. Sie hatte sich die gegenteilige Antwort erhofft. »Und wie läßt sich das bewerkstelligen?«

»Plazieren Sie eine Atombombe am Grunde eines tiefen Bergwerkschachts, und bringen Sie sie zur Detonation. Dann haben Sie Ihr Erdbeben. Aber vermutlich wollen Sie von mir ein etwas realistischeres Szenario hören.«

»Ja. Stellen Sie sich einfach vor, *Sie* wollten ein Erdbeben auslösen.«

»O ja, *ich* könnte das.«

Ist das nicht reine Angeberei? »Erklären Sie mir, wie.«

»Okay.« Michael Quercus beugte sich hinter seinem Schreibtisch auf den Fußboden. Als er sich wieder aufrichtete, hatte er ein kurzes Brett und einen einfachen Ziegelstein in der Hand, die er dort offenbar für Demonstrationszwecke bereithielt. Er legte das Brett auf den Schreibtisch und den Ziegelstein auf das Brett. Dann hob er das Brett an einem Ende langsam an, bis der Stein ins Rutschen geriet und auf die Schreibtischplatte glitt. »Der Stein fängt an zu rutschen, sobald die Schwerkraft, die ihn nach unten zieht, stärker ist als die Reibung, die ihn an Ort und Stelle hält. Ist das soweit klar?«

»Natürlich.«

»Nun gibt es Stellen wie hier bei uns in Kalifornien die St.-Andreas-Spalte, eine Verwerfung, wo zwei Platten der Erdkruste aneinandergrenzen und sich in entgegengesetzte Richtungen bewegen. Stellen Sie sich zum Beispiel zwei Eisberge vor, die aneinander vorbeischrammen: Hier und da verkeilen sie sich und bleiben stekken. Im Laufe von Jahrzehnten baut sich dann langsam, aber sicher enormer Druck auf.«

»Und wie führt das zu einem Erdbeben?«

»Irgendwann tritt ein Ereignis ein, durch das sich die aufgestaute Energie entlädt.« Quercus hob das Ende des Bretts erneut an, hielt diesmal aber, kurz bevor der Stein ins Rutschen geriet, inne. »An einigen Abschnitten der St.-Andreas-Spalte haben wir diesen Punkt erreicht. Sie können jederzeit in Bewegung geraten – noch in diesem Jahrzehnt, erst im nächsten, wer weiß. Hier, nehmen Sie das mal in die Hand.«

Er reichte Judy ein ungefähr dreißig Zentimeter langes, transparentes Plastiklineal.

»Und nun schlagen Sie einmal kräftig auf das Brett, und zwar unmittelbar vor dem Stein.«

Judy tat es, und der Stein begann zu rutschen.

Quercus hielt ihn fest. »Wird das Brett gekippt, genügt ein winziger Anstoß, und schon gerät der Stein in Bewegung. Dort, wo die St.-Andreas-Spalte unter gewaltigem Druck steht, genügt ebenfalls nur ein kleiner Stoß, und die verkeilten Platten lösen sich voneinander. Sie geraten ins Rutschen, und die dabei freigesetzte Energie läßt die Erde erzittern.«

Quercus mochte ja ein grober Kerl sein, doch wenn er über sein Fachgebiet sprach, war es ein reines Vergnügen, ihm zuzuhören. Er verstand es, seine Gedanken klar zu formulieren und sich so auszudrücken, daß es nicht herablassend klang. Trotz des eher bedrükkenden Szenarios, das er ausmalte, mußte Judy sich eingestehen, daß sie ihm gerne zuhörte, und dies nicht nur, weil er gut aussah. »Und so verhält es sich bei den meisten Erdbeben?« fragte sie.

»Ja, ich glaube schon, auch wenn der eine oder andere Seismologe in diesem Punkt nicht mit mir übereinstimmt. Es gibt natürliche Schwingungen, die von Zeit zu Zeit die Erdkruste durchziehen. Die meisten Erdbeben werden wahrscheinlich dadurch ausgelöst, daß diese Schwingungen irgendwo zur richtigen Zeit auf die richtige Stelle treffen.«

Wie soll ich das alles bloß diesem Mr. Honeymoon erklären? Der verlangt doch bestimmt ein simples Ja oder Nein. »Inwiefern kommen diese Voraussetzungen unseren Terroristen entgegen?« fragte sie.

»Sie brauchen ein Lineal und müssen wissen, an welcher Stelle sie zuzuschlagen haben.«

»Und was wäre das konkrete Gegenstück zum Lineal? Tatsächlich eine Atombombe?«

»Nein, so stark braucht der Auslöser gar nicht zu sein. Sie müssen eine Schockwelle durch die Erdkruste schicken, das ist alles. Wenn sie genau wissen, an welchen Stellen die Verwerfung verwundbar ist, kommen sie unter Umständen schon mit einer präzise plazierten Ladung Dynamit aus.«

»An Dynamit kommt jeder heran, der es ernsthaft darauf anlegt.«

»Die Sprengung müßte allerdings unterirdisch erfolgen. Für Terroristen läge die Hauptschwierigkeit vermutlich in der Bohrung eines geeigneten Schachts.«

Judy fragte sich, ob der Arbeiter, den Simon Sparrow hinter der Drohung vermutete, vielleicht Bohrungsspezialist war. Solche Leute brauchten bestimmt eine behördliche Lizenz. Man könnte beim zuständigen Amt anfragen und sich eine Liste der betreffenden Personen geben lassen. Allzu viele davon konnte es in Kalifornien wohl kaum geben.

»Sie würden entsprechende Fachkenntnisse und Bohrgeräte brauchen«, fuhr Quercus fort. »Und einen Vorwand, damit sie eine Bohrgenehmigung bekommen.«

Solche Probleme waren lösbar. »Ist das wirklich so einfach?« fragte Judy.

»Hören Sie: Ich sage nicht, daß es klappen *muß*. Ich sage nur, es *kann* klappen. Genaueres kann man erst sagen, wenn sie es probiert haben. Ich kann Ihnen lediglich erklären, wie solche Dinge ablaufen. Die Bewertung des Risikos ist Ihre Sache.«

Judy nickte. Mit ähnlichen Worten hatte sie gestern abend Bo ihr Vorhaben erklärt. Quercus mochte sich bisweilen wie ein

Arschloch benehmen – aber ohne solche Zeitgenossen kam man, wie Bo es formulieren würde, hin und wieder einfach nicht aus.

»Entscheidend ist also, daß man weiß, wo so eine Sprengung durchgeführt werden muß?« fragte sie.

»Ja.«

»Und wer verfügt über diese Informationen?«

»Universitäten, das Geologische Landesamt, ich selber … Wir tauschen unsere Informationen untereinander aus.«

»Und jeder kommt da ran?«

»Das sind keine Geheimsachen. Aber man braucht gewisse Fachkenntnisse, um die Daten richtig zu interpretieren.«

»Einer von den Terroristen müßte also Seismologe sein?«

»Ja. Vielleicht ein Student.«

Judy mußte an die etwa dreißigjährige Frau denken, die Simons Theorie zufolge den Drohbrief getippt hatte. Möglich, daß sie studierte Geologin war. Wie viele Geologiestudenten gab es in Kalifornien? Wie lange würde es dauern, bis man sie alle ausfindig gemacht und verhört hatte?

Quercus fuhr fort: »Es kommt noch ein anderer Faktor hinzu, die sogenannten Erdgezeiten. Die Anziehungskraft des Mondes sorgt für die Gezeiten der Meere und Ozeane. Auch die festen Bestandteile der Erde sind diesen Kräften unterworfen. Zweimal täglich, wenn die Störung in der Erdkruste unter der besonderen Belastung durch die Gezeiten steht, öffnet sich ein ›seismisches Fenster‹ – und das ist der Zeitraum, zu dem Erdbeben am ehesten entstehen oder eben auch ausgelöst werden können. Dies ist übrigens mein Spezialgebiet. Ich bin der einzige, der die seismischen Fenster der kalifornischen Verwerfungen in umfangreichen Meßreihen berechnet hat.«

»Kann jemand diese Daten von Ihnen bekommen haben?«

»Nun, ich verkaufe sie. Das ist mein Beruf.« Er lächelte schuldbewußt. »Aber Sie sehen ja selbst – reich werde ich bei diesem Geschäft nicht. Ich habe einen einzigen Vertrag mit einer großen Versicherungsgesellschaft, und davon kann ich gerade mal die Miete zahlen. Meine Theorien über seismische Fenster stempeln mich zu einer Art Außenseiter, und das Amerika der Konzerne kann Einzelgänger nicht ausstehen.«

Die ein wenig kauzig anmutende Selbstherabsetzung überraschte Judy; allmählich wurde ihr der Mann sympathischer. »Irgendwer könnte Ihnen doch die Informationen entwendet haben, ohne daß Sie es hätten merken müssen. Ist in letzter Zeit bei Ihnen eingebrochen worden?«

»Nein, noch nie.«

»Könnte ein Freund oder Verwandter die Daten kopiert haben?«

»Das glaube ich nicht. In diesem Zimmer hält sich ohne mich niemand auf.«

Judy ergriff das Bild, das auf dem Schreibtisch stand. »Ihre Frau oder Ihre Freundin?«

Sichtlich verärgert nahm er ihr das Foto aus der Hand. »Ich lebe von meiner Frau getrennt, und eine Freundin habe ich nicht.«

»Ach ja?« Judy hatte nun alles gehört, was sie von ihm wissen wollte. Sie erhob sich. »Ich danke Ihnen für die Zeit, die Sie sich genommen haben, Professor.«

»Bitte nennen Sie mich Michael. Es war mir ein Vergnügen, mit Ihnen zu sprechen.«

Judy konnte ihre Überraschung nicht verbergen.

»Sie begreifen schnell, worum es geht«, fügte Michael hinzu. »Das macht richtig Spaß.«

»Nun … also gut.«

Er begleitete sie zur Tür und schüttelte ihr die Hand. Seine Hände waren groß, der Druck jedoch erstaunlich sanft. »Wenn Sie weitere Informationen brauchen, stehe ich Ihnen gerne zur Verfügung.«

Judy riskierte eine ironische Replik. »Vorausgesetzt, ich rufe vorher an und vereinbare einen Termin mit Ihnen.«

»Genau«, erwiderte er und verzog keine Miene.

Judy nützte die Rückfahrt über die große Brücke zum Nachdenken. Eines war nunmehr klar: Die Drohung war nicht völlig aus der Luft gegriffen. Daß eine Terrorgruppe imstande war, ein Erdbeben auszulösen, lag zumindest im Bereich des Denkbaren. Diese Leute benötigten zwar genaue Daten über die kritischen Zonen entlang der Verwerfungslinie und mußten etwas von den ›seismischen Fenstern‹ verstehen, doch alle diese Daten waren verfügbar. Sie brauchten nur jemanden, der sie lesen und interpretieren konnte. Und sie mußten Mittel und Wege finden, Schockwellen in den Erdboden zu schicken. Das war das schwierigste Problem – aber man konnte nicht ausschließen, daß sie auch dies bewältigten.

Was Judy selbst betraf, so stand sie jetzt vor der alles andere als angenehmen Aufgabe, der rechten Hand des Gouverneurs zu erklären, daß die Drohung ernst zu nehmen war – sehr ernst sogar.

KAPITEL 5

A m Donnerstag erwachte Priest im ersten Morgengrauen. Er wachte immer früh auf, das ganze Jahr über. Er hatte nie viel Schlaf gebraucht – außer nach langen, heißen Partys, aber die gab es inzwischen nur noch höchst selten.

Ein Tag noch.

Absolutes Schweigen, das einen die Wände hochtreiben konnte, war bisher die einzige Reaktion von seiten des Gouverneurs und seiner Mitarbeiter gewesen. Die da oben taten, als habe es nie eine Drohung gegeben, und im Grunde galt für die Medien dasselbe. In den Nachrichtensendungen, die Priest im Autoradio hörte, wurden die Kinder von Eden kaum jemals erwähnt.

Nur einer nahm sie ernst, und das war John Truth. In seiner Sendung griff er Gouverneur Mike Robson jeden Tag an. Bis gestern war von den Behörden immer nur die stereotype Auskunft gekommen, das FBI habe »Ermittlungen aufgenommen«. Am Abend hatte Truth dann jedoch gemeldet, daß der Gouverneur am nächsten Tag eine Stellungnahme abgeben wolle.

Von dieser Erklärung hing nun alles ab. Ließ sie Kompromißbereitschaft erkennen und wenigstens anklingen, daß der Gouverneur die Forderung nach einem Baustopp für Kraftwerke auch nur in Erwägung zog, wäre alles in Butter. Fiel die Stellungnahme jedoch unnachgiebig aus, würde er, Priest, ein Erdbeben auslösen müssen.

Bin ich wirklich dazu imstande?

Wenn Melanie über die Verwerfungszone sprach und darüber, wie man die Platten zum Rutschen brachte, klang es sehr überzeugend. Aber ausprobiert hatte es letztlich bisher noch niemand. Auch sie gab zu, daß von hundertprozentiger Sicherheit nicht die Rede sein könne. Was würde geschehen, wenn es nicht klappte?

Was, wenn es klappte und sie erwischt wurden? Was, wenn es klappte und sie, die Verursacher, bei dem Erdbeben selber draufgingen? Wer würde sich dann um die anderen Kommunarden und um die Kinder kümmern?

Er drehte sich um. Melanie lag mit dem Kopf auf dem Kissen neben ihm. Er studierte ihr unbewegtes Gesicht. Ihre Haut war sehr weiß, die Wimpern fast durchsichtig. Eine Strähne ihres langen, roten Haars fiel ihr über die Wange. Priest zog die Decke ein wenig herunter, betrachtete ihre schweren, weichen Brüste und überlegte, ob er Melanie wecken sollte. Seine Hand verschwand unter der Decke und streichelte ihren Bauch und das Dreieck aus rötlichen Haaren. Melanie bewegte sich, schluckte. Dann drehte sie sich um und rückte von ihm ab.

Er setzte sich auf. Sie befanden sich in der Hütte, die aus einem einzigen Raum bestand und seit fünfundzwanzig Jahren sein Zuhause war. Zum Mobiliar zählten außer dem Bett ein altes Sofa vor dem offenen Kamin und in der Ecke ein Tisch, auf dem eine dicke Kerze in einem Halter stand. Elektrisches Licht gab es nicht.

In der Frühzeit der Kommune hatten die meisten Miglieder in solchen Blockhütten gelebt, während die Kinder in einer eigenen Hütte schliefen. Im Laufe der Jahre hatten sich dann einige Paare zusammengefunden, die in festen Beziehungen lebten. Sie hatten sich größere Blockhütten mit eigenen Kinderzimmern errichtet. Priest und Star dagegen waren in ihren Einzelhütten geblieben, doch der Trend lief eindeutig gegen sie, und gegen das Unvermeidliche setzte man sich am besten nicht zur Wehr – das hatte er von Star gelernt. Inzwischen gab es außer den fünfzehn ursprünglichen Hütten sechs weitere Häuser, in denen Familien lebten. Insgesamt umfaßte die Kommune zur Zeit fünfundzwanzig Erwachsene und zehn Kinder sowie Melanie mit Dusty. Eine Hütte stand leer.

Priest kannte seine Hütte und ihr Inventar natürlich in- und auswendig. Aber neuerdings schienen die altbekannten Gegenstände von einer neuen Aura umgeben. Jahrelang hatte er sie kaum wahrgenommen – das Bild von ihm, das Star ihm zum dreißigsten Geburtstag gemalt hatte; die filigran verzierte Wasserpfeife, die ihm einst eine junge Französin namens Marie-Louise dagelassen hatte; das wacklige Regal, von Flower im Werkunterricht geschreinert; die Obstkiste, in der er seine Kleider aufbewahrte. Das Wissen darum, daß dies alles möglicherweise schon bald der Vergangenheit angehörte, verlieh jedem Gegenstand einen besonderen Wert, eine eigene Schönheit, so daß er allein schon bei der Betrachtung einen Kloß im Hals spürte. Seine Hütte war wie ein Fotoalbum voller Bilder, von denen jedes einzelne eine ganze Kette von Erinnerungen auslöste: Ringos Geburt; der Tag, an dem Smiler um ein Haar im Bach ertrunken wäre; die Liebesnacht mit den Zwillingsschwestern Jane und Eliza; der warme, trockene Herbsttag, an dem sie ihre erste Weinernte eingebracht hatten; der Geschmack des Jahrgangs '89. Wenn er sich umsah und an die Kerle dachte, die ihm dies alles fortnehmen wollten, erfüllte ihn namenlose Wut. Sie brannte in ihm wie Vitriol.

Er nahm sich ein Handtuch, schlüpfte in seine Sandalen und ging nackt hinaus. Spirit, sein Hund, begrüßte ihn mit einem leisen Schnüffeln. Der Morgen war klar und kühl, der Himmel blau und von wenigen hoch oben schwebenden Wolken durchzogen. Die Sonne war noch nicht über die Gipfel gestiegen, und das Tal lag im Schatten. Außer Priest war noch niemand auf den Beinen. Mit Spirit im Gefolge ging er hangabwärts durch die kleine Siedlung. Obwohl das Zusammengehörigkeitsgefühl der Kommune noch immer stark war, hatten verschiedene Mitglieder ihren Häusern eine individuelle Note gegeben. So hatte eine Frau das Gelände um ihre Blockhütte mit Blumen und niedrigen Sträuchern bepflanzt; Priest nannte sie seither Garden. Dale und Poem, die ein Paar waren, hatten ihren Kindern erlaubt, die Außenwände der Hütte zu bemalen; das Ergebnis war ein buntes Durcheinander. Ein Mann namens Slow, der geistig ein wenig zurückgeblieben war, hatte sich eine windschiefe Veranda gebaut, auf der ein wackeliger, selbstgezimmerter Schaukelstuhl stand.

Priest wußte genau, daß die Siedlung für fremde Augen alles andere als attraktiv aussah. Die Wege waren matschig, die Gebäude eher Bruchbuden, die ganze Anlage ein zusammengewürfeltes Zufallsprodukt. Eine Trennung zwischen Werkstätten und Wohnräumen gab es nicht: Die Schlafhütte der Kinder lag gleich neben der zum Weingut gehörigen Scheune, die Zimmermannswerkstatt mit ihrem Hof zwischen den anderen Hütten. Die Toilettenhäuschen wurden jedes Jahr versetzt, obwohl der Erfolg gleich null war – an heißen Tagen hing immer ein leichter Gestank über der Siedlung. Aber das alles spielte keine Rolle: Priest wurde warm ums Herz, wenn er dies alles betrachtete. Und wenn er in die Ferne sah und die steil ansteigenden, bewaldeten Berghänge vor Augen hatte, die sich vom schimmernden Bach bis hinauf zu den blauen Gipfeln der Sierra Nevada erstreckten, dann bot sich ihm eine Aussicht von geradezu schmerzvoller Schönheit.

Jedesmal wenn er daran dachte, daß er diese grandiose Szenerie vielleicht schon bald zum letztenmal sehen würde, durchfuhr es ihn wie ein Messerstich.

Auf einem Felsen am Flußufer war ein Holzkasten befestigt, in dem sich Seife, billiges Rasierzeug und ein Handspiegel befanden. Priest schäumte sich das Gesicht ein und rasierte sich; dann ging er ins kalte Wasser, wusch sich von Kopf bis Fuß und trocknete sich rasch mit dem rauhen Handtuch ab.

Eine Wasserleitung gab es nicht. Im Winter, wenn es zu kalt war, um draußen im Fluß zu baden, gab es zweimal die Woche einen gemeinsamen Badeabend im Küchenhaus. Da machten sie in großen Bottichen heißes Wasser und wuschen sich gegenseitig – was durchaus nicht ohne erotischen Reiz war. Im Sommer gab es warmes Wasser nur für Babys.

Er stieg die Uferböschung hoch, schlüpfte in seine üblichen Klamotten – Blue Jeans und Arbeitshemd – und ging zum Küchenhaus. Die Tür war nicht verschlossen; es gab keine Türschlösser in der Siedlung. Er schichtete Holz zurecht, entzündete ein Feuer, setzte einen Topf Wasser für den Kaffee auf und ging wieder hinaus.

Priest streunte gerne durch die Siedlung, wenn alle anderen noch in ihren Betten lagen. Er flüsterte die Namen derer, an deren Hütten er vorbeikam: »Moon. Chocolate. Giggle.« Er stellte sich die Schlafenden auf ihren Lagern vor: Apple, ein pummeliges Mädchen, auf dem Rücken liegend und mit offenem Mund schnarchend; Juice und Alaska, zwei Frauen mittleren Alters, in enger Umarmung; die Kinder in der Schlafhütte – Flower, Ringo und Smiler, deren Vater er war; Melanies Dusty; die Zwillinge Bubble und Chip, alle rosawangig und wuschelköpfig …

Mein Volk.

Möge es ewig hier leben!

Er kam an der Werkstatt vorbei, wo sie die Spaten, Hacken und Rebscheren aufbewahrten; an dem betonierten Kreis, auf dem sie im Oktober die Trauben stampften; an dem Schuppen, wo in riesigen Holzfässern der Wein der Vorjahresernte lagerte, sich langsam setzte und klärte. Inzwischen war er fast soweit, daß man ihn verschneiden und in Flaschen abfüllen konnte.

Vor dem Tempel hielt Priest inne.

Von Anfang an hatten sie darüber gesprochen, eines Tages einen Tempel zu errichten, doch war dieser Traum jahrelang unerfüllbar geblieben. Es gab immer viel zu viel anderes zu tun – sie mußten Land roden, Reben pflanzen, Scheunen und Ställe bauen, den Gemüsegarten anlegen, den Laden aufbauen und die Kinder unterrichten. Erst vor fünf Jahren war es dann soweit gewesen: Die Kommune besaß endlich ein solides Fundament. Zum erstenmal brauchte sich Priest keine Sorgen darüber zu machen, ob sie im kommenden Winter genug zu essen haben würden. Auch bestand kein Grund mehr zu der Befürchtung, eine einzige schlechte Ernte könne ihnen den Rest geben. Alle vordringlichen Aufgaben, die Priest in seinem Kopf aufgelistet hatte, waren erledigt. Also hatte er verkündet, es sei an der Zeit, den Tempel zu errichten.

Und da stand er nun.

Der Tempel bedeutete Priest sehr viel. Er zeigte, daß seine kleine Gemeinschaft gereift war. Sie lebte nicht mehr nur von der

Hand in den Mund. Sie konnte sich selbst ernähren und hatte obendrein noch genug Zeit und Energie, sich eine Andachtsstätte zu bauen. Er und seine Gemeinde waren keine Hippie-Horde mehr, die idealistischen Hirngespinsten nachhing. Sie hatten sich ihren Traum erfüllt und damit bewiesen, daß er zu verwirklichen war. Der Tempel war das Symbol ihres Triumphs.

Priest trat ein. Das einzige Fenster in dem einfachen Holzhaus war eine Dachluke. Jegliches Mobiliar fehlte. Zur Andacht setzte man sich mit gekreuzten Beinen im Kreis auf den Dielenboden. Der Tempel diente auch als Schule und Versammlungsraum. Einziger Schmuck war ein von Star gefertigtes Spruchband. Priest konnte den Text zwar nicht lesen, kannte ihn aber auswendig:

Meditation ist Leben. Alles andere ist Ablenkung.
Geld macht dich arm.
Die Ehe ist die größte Treulosigkeit.
Wenn niemand etwas besitzt, besitzen wir alle alles.
Es gibt nur ein Gesetz: Tu, was dir gefällt.

Dies waren die Fünf Paradoxe des Baghram. Priest hatte stets behauptet, er habe sie von einem indischen Guru gelernt, der in Los Angeles sein Lehrer gewesen sei. In Wirklichkeit hatte er sie sich selbst ausgedacht. *Gar nicht so schlecht für einen Kerl, der nicht einmal lesen kann.*

Minutenlang blieb er still in der Mitte des Tempels stehen, hielt die Augen geschlossen, ließ die Arme locker hängen und konzentrierte seine Energien. Das war alles andere als fauler Zauber. Die Meditationstechniken, die Star ihm beigebracht hatte, funktionierten tatsächlich. Er spürte, wie sein Geist klarer wurde, ähnlich wie der Wein in seinen Fässern. Er betete darum, daß sich das Herz des Gouverneurs Mike Robson erweichen und der Mann einen Baustopp für sämtliche Kraftwerksprojekte in Kalifornien verkünden möge. Er stellte sich vor, wie der gutaussehende Gouverneur in dunklem Anzug und weißem Hemd auf einem Lederstuhl hinter einem polierten Schreibtisch saß und sagte: »Ich habe beschlossen, diesen Leuten ihren Wunsch zu erfüllen – nicht nur, weil ich ein Erdbeben vermeiden möchte, sondern weil ihre Forderung vernünftig ist.«

Nach wenigen Minuten hatten sich Priests geistige Kräfte erneuert. Er fühlte sich hellwach, zuversichtlich und konzentriert.

Als er den Tempel wieder verließ, beschloß er, nach den Reben zu sehen.

Ursprünglich war hier kein Wein gewachsen. Als Star in dieses Tal gezogen war, gab es nichts weiter als eine verfallene Jagdhütte. Von Streit zerrissen und nach jedem Gewittersturm fast davongeschwemmt, war die Kommune drei Jahre lang von einer Krise in die andere geschlittert und hatte sich nur durch Betteltouren in die Städte am Leben erhalten. Dann war Priest gekommen.

Es hatte kein Jahr gedauert, bis er zum anerkannten, gleichberechtigten Anführer neben Star aufgestiegen war. Zuerst organisierte er die Betteltouren und sorgte dafür, daß möglichst viel dabei heraussprang. Städte wie Sacramento oder Stockton wurden zum Beispiel an Samstagvormittagen aufgesucht, wenn es in den Straßen von Leuten wimmelte, die ihre Wochenendeinkäufe erledigten. Jeder Kommunarde bekam seinen eigenen Standort zugewiesen und jeder seinen individuellen Spruch: Aneth behauptete, sie wolle sich das Geld für eine Busfahrkarte nach New York zusammensparen, damit sie zu ihrer Familie zurückkehren könne; Song klimperte auf ihrer Gitarre herum und sang *There but for Fortune*; Slow gab vor, seit drei Tagen nichts gegessen zu haben; und Bones brachte die Leute zum Lachen mit einem Schild, auf dem stand: »Warum lügen? Ich brauche Geld für Bier.«

Aber das Betteln war nur eine Zwischenlösung. Unter Priests Führung terrassierten die Hippies den Hang, leiteten zur Bewässerung einen Bach um und pflanzten Reben. Die harte Teamarbeit schmiedete die Gruppe zusammen, und der Wein bot ihnen die Chance zu einem Leben ohne Bettelei. Mittlerweile galt ihr Chardonnay unter Kennern als Geheimtip.

Priest schritt die Reben entlang, die in Reih und Glied standen. Zwischen den Weinstöcken waren Kräuter und Blumen angepflanzt, teils, weil sie verwertbar waren und hübsch aussahen, vor allem aber, weil sie Marienkäfer und Wespen anlockten, die Blattläuse und andere Schädlinge vertilgten. Die Kommune verließ sich auf natürliche Methoden der Schädlingsbekämpfung und kam ohne Chemikalien aus. Auch Klee baute sie an, weil er den Stickstoffeintrag aus der Luft band und untergepflügt als natürlicher Dünger wirkte.

Die Reben hatten junge Triebe angesetzt, und jetzt, Ende Mai, war die Gefahr, daß sie durch späte Nachtfröste abstarben, praktisch vorüber. Die Hauptarbeit bestand gegenwärtig darin, die neuen Schößlinge hochzubinden, um ihre Wuchsrichtung zu kontrollieren und möglichen Windschäden vorzubeugen.

Priests Kenntnisse im Weinbau stammten aus seiner Zeit als Spirituosengroßhändler, und Star hatte sich mit Hilfe von Büchern in die Thematik eingearbeitet. Dennoch hätten sie es ohne den alten Raymond Dellavalle kaum geschafft. Der gutmütige Winzer hatte ihnen unter die Arme gegriffen, weil er, wie Priest vermutete, insgeheim wünschte, seine eigene Jugend wäre etwas abenteuerlicher verlaufen.

Priests Weinberg hatte die Kommune gerettet – und die Kommune Priest. Er war als Flüchtling hierher gekommen. Die Mafia, die Polizei von Los Angeles und das Finanzamt, alle drei waren hinter ihm her gewesen. Er soff und kokste regelmäßig, war einsam und mittellos und wurde von Selbstmordgedanken heimgesucht. Den vagen Angaben eines Anhalters folgend, war er den Weg hinaufgefahren, so weit es ging, und durch den Wald gewandert, bis er plötzlich auf eine Gruppe nackter Hippies stieß, die auf dem Boden saßen und sangen. Lange Zeit hatte er sie nur angeglotzt, wie gebannt von dem Mantra und dem Gefühl tiefer innerer Ruhe, das von ihnen aufstieg wie Rauch von einem Feuer. Ein oder zwei der Hippies lächelten ihm zu, ohne dabei ihr Ritual zu unterbrechen. Am Ende hatte er langsam, wie in Trance, seine Kleider abgelegt –

den Geschäftsanzug, das rosa Hemd, die Plateauschuhe und die rotweißen Jockey-Unterhosen – und sich nackt zu den anderen gesetzt.

Hier hatte er Frieden gefunden, eine neue Religion, Arbeit, Freunde und Geliebte. Zu einem Zeitpunkt, da er drauf und dran gewesen war, seinen gelben Plymouth Barracuda 440-6 in einen Abgrund zu steuern, hatte die Kommune seinem Leben neuen Sinn gegeben.

Eine andere Lebensform kam für ihn nie mehr in Frage. Dieser Ort hier war alles, was er besaß, und er würde ihn verteidigen bis zum letzten Blutstropfen.

Mag sein, daß mir gar nichts anderes übrigbleibt.

Heute abend wollte er sich die Radiosendung von John Truth anhören. Wenn der Gouverneur zur Diskussion oder zu irgendeiner anderen Konzession bereit war, würde Truth das sicher bekanntgeben.

Am anderen Ende des Weinbergs angekommen, beschloß er, nach dem seismischen Vibrator zu sehen.

Er stieg den Hang hinauf. Eine Straße gab es hier nicht, nur einen ausgetretenen Pfad durch den Wald. Mit Fahrzeugen war ihre Siedlung nicht erreichbar. Er gelangte zu einer sumpfigen Lichtung, die eine Viertelmeile von den Häusern entfernt lag. Am Rand standen unter Bäumen sein alter Barracuda, ein noch älterer, verrosteter Volkswagenbus, Melanies orangefarbener Subaru und der Pickup der Kommune, ein dunkelgrüner Ford Ranger. Von hier aus wand sich eine ungeteerte Piste durch den Wald, bergauf und bergab, oft verschlammt und rutschig oder direkt durch Wasserläufe führend. Nach zwei Meilen stieß sie auf die geteerte, zweispurige Bezirksstraße; von dort waren es zehn Meilen bis nach Silver City, der nächsten Stadt.

Einmal im Jahr verbrachte die Kommune einen ganzen Tag damit, Weinfässer den Hang hinauf und durch die Bäume zur Lichtung zu rollen. Dort wurden sie auf Paul Beagles Laster gewuchtet, der sie zur Abfüllanlage in Napa brachte. Das war ein wichtiger Tag im Kalender der Kommune. Am Abend feierten sie jedesmal ein Fest, und der nächste Tag war frei zur Feier des erfolgreichen Jahrs. Die Zeremonie fand acht Monate nach der Lese statt, demnach war es in ein paar Tagen wieder soweit. In diesem Jahr, beschloß Priest, feiern wir an dem Tag, nachdem der Gouverneur eingelenkt hat und das Tal gerettet ist.

Im Austausch gegen den Wein brachte Paul Beale Lebensmittel für die Kommuneküche und sorgte für Nachschub im Laden: Kleidung, Süßigkeiten, Zigaretten, Kaffee, Schreibwaren, Bücher, Tampons, Zahnpasta und was sonst noch benötigt wurde. Das System funktionierte ohne Geld. Allerdings führte Paul genau Buch und zahlte am Jahresende den Überschuß auf ein Bankkonto ein, über dessen Existenz außer ihm nur Priest und Star Bescheid wußten.

Von der Lichtung aus wanderte Priest ungefähr eine Meile lang den Pfad entlang, umrundete Regenwassertümpel und kletterte über gefallene Baumstämme. Dann wich er vom Weg ab und ging quer durch den Wald, einer unsichtbaren Spur folgend. Die Abdrücke der Lkw-Reifen waren nicht mehr zu sehen, denn er hatte sie sorgfältig mit den hier allgegenwärtigen Kiefernnadeln zugefegt. Schließlich blieb er vor einer Art Erdloch stehen. Alles, was er sehen konnte, war ein etwa vier Meter hoher Stapel aus abgebrochenen Ästen und Buschwerk, der sich auftürmte wie ein Scheiterhaufen. Um sich zu vergewissern, daß der Lastwagen noch unter seiner Tarnung stand, mußte Priest viele Zweige beiseite schieben.

Nicht, daß er gefürchtet hätte, irgend jemand könne auf die Idee kommen, ausgerechnet hier nach dem Fahrzeug zu suchen. Zwischen jenem Ricky Granger, der von der Firma Ritkin Seismex im südtexanischen Erdölgebiet als Hilfsarbeiter angeheuert worden war, und dem abgelegenen Weingut im Bezirk Sierra, Kalifornien, gab es keine nachvollziehbare Verbindung. Allerdings kam es gelegentlich vor, daß sich Rucksacktouristen im Wald verirrten – wie jüngst erst Melanie – und irgendwann auf dem Gelände der Kommune aufkreuzten. Die würden sich natürlich sehr wundern, was ein so großes und teures Gerät hier draußen in den Wäldern zu suchen hatte. Priest und die Reisesser hatten folglich zwei Stunden damit verbracht, den Truck sorgfältig zu verstecken. Bestimmt war er nicht einmal mehr aus der Luft zu erkennen.

Priest legte ein Rad frei und trat wie ein skeptischer Gebrauchtwagenkäufer gegen den Reifen. Für dieses Fahrzeug hatte er einen Menschen umgebracht. Unwillkürlich mußte er an Marios hübsche Frau und die Kinder denken und fragte sich, ob sie inzwischen schon wußten, daß Mario nie wieder zu ihnen zurückkehren würde. Doch dann schlug er sich diese Gedanken rasch wieder aus dem Kopf.

Er wollte Gewißheit haben, daß der Truck am folgenden Morgen abfahrbereit war. Schon der bloße Anblick machte Priest kribbelig. Der Drang, sich umgehend auf den Weg zu machen, war beinahe unwiderstehlich. Ihm nachzugeben hätte die innere Anspannung mit einem Schlag vertrieben. Aber Priest hatte ein Ultimatum gestellt, dessen Zeitplan genau eingehalten werden mußte.

Die Warterei war unerträglich. Priest erwog, einzusteigen und den Motor anzulassen, bloß um sicherzugehen, daß noch alles funktionierte. Aber das wäre idiotisch gewesen. Er litt an Nervenflattern, das war's. Selbstverständlich war alles okay mit dem Gefährt. Am besten hielt er sich davon fern und ließ es bis zum Morgen in Ruhe.

Priest schob die Tarnung an einer anderen Stelle auseinander und betrachtete die Stahlplatte, mit der die Schockwellen in den Boden gehämmert wurden. Wenn Melanie mit ihren Vorstellungen recht hatte, würden die Schwingungen ein Erdbeben auslösen. Ihrem Plan wohnte eine Art archaischer Gerechtigkeit inne. *Wir drohen mit den aufgestauten Energien der Erde und zwingen damit den Gouverneur, sich der Umwelt anzunehmen. Die Erde rettet die Erde. Das ist nicht nur eine gerechte, das ist schon fast eine heilige Tat.*

Spirit bellte verhalten, als hätte er etwas gehört. Wahrscheinlich nur ein Kaninchen, dachte Priest, doch er war so nervös, daß er die freigelegte Lücke eilig wieder mit Zweigen bedeckte. Dann machte er sich auf, fand durch den Wald zum Pfad zurück und schlug den Weg zur Siedlung ein.

Unvermittelt blieb er stehen und runzelte die Stirn. Irgend etwas stimmte nicht. Auf dem Hinweg war er über einen abgefallenen Ast gestolpert. Der Ast war noch da, lag aber jetzt am Wegrand. *Das war kein Kaninchen, was Spirit verbellt hat. Irgendwer anders treibt sich hier herum.* Priest hatte nichts gehört, doch er wußte, daß die dichte Vegetation jeden Laut dämpfte. Wer konnte das sein? War ihm jemand gefolgt? War er heimlich beobachtet worden, als er nach dem seismischen Vibrator gesehen hatte?

Er setzte seinen Weg fort. Es dauerte nicht lange, und Spirit wurde unruhig. Der Grund dafür wurde Priest klar, kaum daß die sumpfige Lichtung in sein Blickfeld kam.

Direkt neben seinem eigenen Barracuda stand ein Streifenwagen der Polizei.

Priest blieb vor Schreck schier das Herz stehen.

So schnell! Wie haben die mich bloß so schnell finden können?

Reglos starrte er das Fahrzeug an.

Es war ein weißer Ford Crown Victoria mit einem grünen Streifen an der Seite, einem silbernen sechszackigen Sheriffstern auf der Tür, vier Antennen und einem Dachträger mit blauen, roten und orangefarbenen Signallichtern.

Nur ruhig Blut! Alles geht vorüber.

Vielleicht waren die Bullen gar nicht wegen des Vibrators gekommen. Langeweile oder reine Neugier mochte sie veranlaßt haben, ausgerechnet hier herumzuspazieren. Bisher hatte sich zwar noch nie ein Polizist auf dem Pfad blicken lassen, aber möglich war es allemal. Es mochte noch zahlreiche andere Gründe dafür geben: Vielleicht waren sie auf der Suche nach einem abgängigen Touristen. Vielleicht hatte sich auch bloß irgendein Hilfssheriff ein verschwiegenes Plätzchen für ein Stelldichein mit der Frau seines Nachbarn gesucht.

Und vielleicht merken sie gar nicht, daß es gleich um die Ecke eine

*Kommune gibt. Heute nicht, morgen nicht, vielleicht nie … Wenn ich
mich sofort wieder im Wald verdrücke …*

Zu spät. Kaum war Priest der Gedanke an einen schnellen
Rückzug gekommen, als auch schon ein Polizist hinter einem Baum
hervortrat.

Spirit stimmte ein wütendes Gebell an.

»Still!« sagte Priest, und der Hund verstummte.

Der Polizist trug die graugrüne Uniform eines Hilfssheriffs mit
einem Stern auf der linken Brusttasche seiner kurzen Jacke, ferner
einen Cowboyhut und eine Pistole am Gürtel seiner Hose.

Jetzt sah er Priest und winkte ihm zu.

Priest zögerte, hob langsam die Hand und winkte zurück.

Dann ging er widerwillig auf den Wagen zu.

Er haßte Bullen. Die meisten waren Diebe, ungehobelte Flegel
und Psychopathen, die mit ihrer Uniform und ihrer Funktion
lediglich über die Tatsache hinwegtäuschten, daß sie schlimmere
Ganoven waren als die Kerle, die sie einbuchteten. Trotzdem
zwang er sich zur Höflichkeit und verhielt sich wie ein dämlicher
Vorstadtspießer, der sich einbildete, die Polizei sei dazu da, ihn zu
beschützen.

Er atmete gleichmäßig, entspannte seine Gesichtsmuskeln,
lächelte und sagte: »Wie geht's?«

Der Bulle war allein, ein junger Kerl von etwa Mitte bis Ende
Zwanzig mit kurzem, hellbraunem Haar. Der Körper in der Uniform war bereits ziemlich fleischig; in zehn Jahren würde der Mann
einen Bierbauch vor sich hertragen.

»Gibt's hier in der Nähe irgendwelche Häuser oder Siedlun-
gen?« fragte er.

Priest war versucht zu lügen, überlegte es sich aber rasch anders. Es war zu riskant. Wenn der Bulle auch nur eine Viertelmeile
in die richtige Richtung ging, traf er unweigerlich auf die Blockhütten der Kommune – und wäre entsprechend mißtrauisch, wenn
man ihn zuvor belogen hatte. Priest entschied sich deshalb für die
Wahrheit: »Das Weingut am Silver River liegt nicht weit von hier.«

»Nie gehört.«

Das war kein Zufall. Das Telefonbuch verzeichnete unter der Bezeichnung *Silver River Winery* nur Paul Beales Adresse und Telefonnummer in Napa. Kein Kommunarde ließ sich ins Wählerregister eintragen. Keiner bezahlte Steuern, denn keiner hatte ein Einkommen. Sie hatten stets auf Geheimhaltung geachtet. Stars Abscheu vor Publicity jeder Art stammte noch aus der Zeit, da die Hippie-Bewegung an der völlig überzogenen Berichterstattung in den Medien zugrunde gegangen war. Andere Kommunarden hatten jedoch ganz handfeste Gründe, sich zu verstecken. Manche hatten Schulden, manche wurden von der Polizei gesucht. Oaktree war Deserteur, Song war einem Onkel davongelaufen, der sie sexuell mißbraucht hatte, und Aneth ihrem Ehemann, der sie nicht nur grün und blau geschlagen, sondern obendrein geschworen hatte, er werde sie notfalls rund um die ganze Welt verfolgen.

Für alle diese Menschen war die Kommune ein sicherer Hafen. Auch unter den neueren Mitgliedern gab es einige, die auf der Flucht waren. Von der Existenz der Kommune konnte man allenfalls über Leute wie Paul Beale erfahren, die ihr eine Zeitlang angehört hatten, dann aber wieder in die Außenwelt zurückgekehrt waren. Diese Ehemaligen gingen aber äußerst vorsichtig mit dem Geheimnis um und gaben es nur selten an Vertraute weiter.

Ein Bulle war noch nie hier draußen aufgetaucht.

»Wieso kenne ich dieses Weingut nicht?« wollte der Polizist wissen. »Ich bin hier schon seit zehn Jahren Hilfssheriff.«

»Es ist ziemlich klein«, sagte Priest.

»Sind Sie der Besitzer?«

»Nein, ich arbeite nur dort.«

»Machen Sie Wein oder was?«

Junge, Junge, was für eine Intelligenzbestie … »Ja, darauf läuft es hinaus.« Dem Bullen entging die Ironie vollkommen. »Und was bringt Sie so früh am Morgen in unsere Gegend?« fuhr Priest fort. »Seit Charlie sich damals hat vollaufen lassen und Jimmy Carter gewählt hat, gab's hier keine Verbrechen mehr.« Er grinste. Es gab keinen Charlie; Priest probierte es lediglich mit einem Witz, der einem Bullen gefallen mochte.

Der Gesetzeshüter verzog jedoch keine Miene. »Ich suche die Eltern eines jungen Mädchens, das seinen Namen mit Flower angibt.«

Ein furchtbarer Schreck durchfuhr Priest, und ihm wurde kalt wie in einem Grab. »O Gott! Was ist passiert?«

»Sie wurde in Gewahrsam genommen.«

»Ist sie verletzt?«

»Nein, sie ist wohlauf.«

»Gott sei Dank. Ich dachte schon, sie hätte einen Unfall gehabt.« Priest erholte sich allmählich von seinem Schock. »Wie kommt sie in ... Gewahrsam? Ich dachte, sie liegt im Bett und schläft.«

»Offenbar nicht. Woher kennen Sie sie?«

»Ich bin ihr Vater.«

»Dann werden Sie mich nach Silver City begleiten müssen.«

»Silver City? Seit wann ist sie denn dort?«

»Seit gestern abend. Wir wollten sie gar nicht so lange dabehalten. Aber sie hat sich einfach geweigert, uns ihre Adresse zu nennen. Erst vor etwa einer Stunde hatten wir sie soweit.«

Priests Herz verkrampfte sich bei der Vorstellung, wie seine kleine Tochter sich in Polizeihaft standhaft weigerte, das Geheimnis der Kommune zu verraten, bis man sie am Ende doch zum Reden brachte. Tränen stiegen ihm in die Augen.

»Trotzdem war's verdammt schwer, Sie zu finden«, fuhr der Polizist fort. »So eine Bande von schießwütigen Spinnern ungefähr fünf Meilen talabwärts sagte mir schließlich, wo's langgeht.«

Priest nickte. »Los Alamos.«

»Richtig. Haben so ein riesiges Schild vor ihrem Gelände, wo draufsteht: ›Wir erkennen die Staatsgewalt der US-Regierung nicht an.‹ Arschlöcher.«

»Ja, ich weiß«, sagte Priest. Rechtsradikale Vigilanten hatten dort unten an einem abgelegenen Fleck ein großes, altes Farmhaus übernommen, bewachten es seither mit Schnellfeuergewehren und träumten davon, eine chinesische Invasionsarmee zurückzuschlagen. Unglücklicherweise waren sie die nächsten Nachbarn der Kommune. »Warum wurde Flower festgenommen? Hat sie was Unrechtes getan?«

»Das ist gewöhnlich der Grund für eine Festnahme«, erwiderte der Polizist sarkastisch.

»Und was?«

»Man hat sie bei einem Ladendiebstahl erwischt.«

»Bei einem *Ladendiebstahl*?« Aus welchem Grund sollte ein Kind, das jederzeit Zugang zu einem freien Laden hat, einen Ladendiebstahl begehen? »Was hat sie denn gestohlen?«

»Ein Poster von Leonardo DiCaprio.«

Am liebsten hätte Priest dem Bullen ins Gesicht geschlagen, aber damit war Flower gewiß nicht geholfen. Statt dessen dankte er dem Mann für seinen Besuch und versprach, er werde in einer Stunde mit Flowers Mutter nach Silver City kommen und ihre Tochter im Büro des Sheriffs abholen. Der Polizist gab sich damit zufrieden und fuhr davon.

Priest machte sich umgehend auf den Weg zu Stars Blockhütte, die gleichzeitig als Krankenstation der Kommune diente. Star besaß zwar keine medizinische Ausbildung, hatte jedoch bei ihren Eltern, einem Arzt und einer Krankenschwester, eine Menge Fachwissen aufgeschnappt. Mit medizinischen Notfällen war sie von Kindesbeinen an vertraut, und mehrfach hatte sie sogar bei Entbindungen geholfen. In ihrer Hütte standen zahlreiche Kartons mit Verbandmaterial und Salbentöpfen; es gab einen Vorrat an Aspirintabletten, Hustensaft und verschiedenen Verhütungsmitteln.

Als Priest sie mit der unerfreulichen Nachricht weckte, bekam sie einen hysterischen Anfall. Star war die Polizei fast ebenso verhaßt wie ihm selbst. In den sechziger Jahren war sie auf Demonstrationen mit Schlagstöcken geprügelt worden, verdeckte Ermittler der Drogenpolizei hatten ihr unreinen Stoff verkauft, und einmal war sie sogar auf einer Polizeiwache von mehreren Bullen vergewaltigt worden. Jetzt sprang sie schreiend aus dem Bett und schlug auf Priest ein. Er packte sie an den Handgelenken und tat sein Bestes, sie zu beruhigen.

»Wir müssen sofort hin und sie da rausholen!« kreischte Star.

»Ja, müssen wir«, sagte Priest. »Aber erst mal ziehst du dich an, okay?«

Sie wehrte sich nicht mehr. »Okay.«

Während Star sich ihre Jeans überstreifte, sagte er: »Du hattest schon mit dreizehn 'ne Menge Holz vor der Hütte, hast du mir mal erzählt.«

»Ja, und da kam so ein schmieriger alter Wachtmeister mit 'ner Zigarette im Mundwinkel auf mich zu, legte mir die Pfoten auf die Titten und sagte, ich würde mal eine sehr schöne Frau werden.«

»Wenn du nachher wieder durchdrehst und selbst festgenommen wirst, hilft das Flower gar nichts«, warnte Priest.

Star hatte sich wieder im Griff. »Da hast du recht. Also werden wir uns um ihretwillen bei diesen Arschgeigen lieb Kind machen.« Sie kämmte sich und blickte in einen kleinen Spiegel. »Okay dann. Ich bin soweit, daß ich mir jeden Scheiß anhöre.«

Konventionelle Kleidung hatte sich nach Priests Erfahrungen im Umgang mit der Polizei bisher noch immer ausgezahlt. Er weckte Dale auf und holte sich den alten dunkelblauen Anzug, der inzwischen längst Eigentum der Kommune war. Dale war derjenige, der ihn zuletzt getragen hatte: Seiner Frau, die er vor zwanzig Jahren verlassen hatte, war plötzlich eingefallen, daß sie sich scheiden lassen wollte; daher hatte Dale vor Gericht erscheinen müssen. Priest zog den Anzug über sein Arbeitshemd und band sich die fünfundzwanzig Jahre alte, auffallend breite, in Rosa und Grün gestreifte Krawatte um. Da die dazugehörigen Schuhe längst ausgetreten waren, schlüpfte er wieder in seine Sandalen. Dann machten die beiden sich auf den Weg zum Barracuda.

Sie bogen bereits in die Bezirksstraße ein, da sagte Priest: »Keiner von uns hat gestern abend gemerkt, daß Flower gar nicht daheim ist. Wie war das möglich?«

»Als ich ihr gute Nacht sagen wollte, hat Pearl mir erzählt, sie wäre auf dem Klo.«

»Ja, diese Geschichte hat sie mir auch aufgetischt! Sie muß Bescheid gewußt und Flower gedeckt haben!« Pearl, die Tochter von Dale und Poem, war zwölf Jahre alt und Flowers beste Freundin.

»Ich bin später noch einmal zum Schlafhaus gegangen. Die Kerzen waren schon aus, und es war stockfinster. Da wollte ich die Kinder nicht mehr aufwecken. Ich wäre doch nie im Leben darauf gekommen, daß …«

»Wie solltest du auch? Diese Göre hat doch seit ihrer Geburt jede Nacht in derselben Hütte geschlafen – wie soll man da ahnen, daß sie plötzlich ganz woanders ist?«

Sie erreichten Silver City. Das Büro des Sheriffs lag gleich neben dem Gerichtsgebäude. Sie betraten einen düsteren Vorraum, dessen Wände mit vergilbenden Zeitungsberichten über lang zurückliegende Morde geschmückt waren. Hinter einer Fensterscheibe mit Sprechanlage und Summer befand sich eine Art Schalter. Ein Hilfssheriff in khakifarbenem Hemd mit grünem Schlips fragte: »Kann ich Ihnen helfen?«

»Mein Name ist Stella Higgins«, sagte Star. »Sie haben meine Tochter hier.«

Der Hilfssheriff unterzog die beiden einer kritischen Musterung. Er schätzt uns ab und fragt sich, was für Eltern wir wohl sind, dachte Priest. »Augenblick, bitte«, sagte der Mann und verschwand.

Priest wandte sich an Star und raunte ihr zu: »Ich denke, wir sollten hier als ehrbare, gesetzestreue Bürger auftreten. Wir sind hellauf entsetzt, daß eines unserer Kinder Schwierigkeiten mit der Polizei hat. Wir hegen den denkbar größten Respekt vor allen Gesetzeshütern, und es tut uns schrecklich leid, daß wir diesen bienenfleißigen Menschen solche Umstände bereitet haben.«

»Kapiert«, sagte Star angespannt.

Eine Tür ging auf, und der Hilfssheriff ließ sie herein. »Mr. und Mrs. Higgins«, sagte er, und Priest korrigierte ihn nicht. »Bitte folgen Sie mir.« Er führte sie zu einem Konferenzsaal mit grauem Teppichboden und schmuckloser moderner Einrichtung.

Flower wartete bereits auf sie.

Eines Tages würde sie in die Fußstapfen ihrer Mutter treten und zu einer großartigen, kurvenreichen Frau heranwachsen. Jetzt, mit dreizehn, war sie noch ein schlaksiges, linkisches Mädchen und obendrein ebenso schlecht gelaunt wie verheult, allem Anschein nach aber wenigstens unverletzt. Star nahm sie wortlos in die Arme und drückte sie an sich, dann tat Priest das gleiche.

»Hast du die Nacht im Gefängnis verbracht, Liebling?« fragte Star.

Flower schüttelte den Kopf. »Nein, in irgend 'nem Haus.«

»Das kalifornische Gesetz ist in diesem Punkt sehr streng«, erklärte der Hilfssheriff. »Jugendliche dürfen nicht unter dem gleichen Dach wie erwachsene Kriminelle inhaftiert werden. Es gibt daher bei uns in der Stadt ein paar Leute, die bereit sind, jugendliche Straftäter eine Nacht lang zu betreuen. Flower hat bei Miss Waterlow übernachtet. Sie ist Lehrerin und zufällig auch die Schwester unseres Sheriffs.«

»War das okay?« wollte Priest von Flower wissen.

Das Kind nickte trübsinnig.

Allmählich fühlte er sich wieder besser. *Es gibt heutzutage, weiß Gott, Schlimmeres, was Kindern zustoßen kann.*

»Bitte setzen Sie sich, Mr. und Mrs. Higgins«, sagte der Hilfssheriff. »Ich bin hier der Bewährungshelfer, zu dessen Aufgaben unter anderem der Umgang mit jugendlichen Straftätern gehört.«

Sie setzten sich.

»Gegen Flower liegt eine Anzeige wegen Diebstahls eines Posters im Werte von 9,99 Dollar vor. Geschädigter ist der Silver Disc Music Store.«

Star wandte sich an ihre Tochter. »Das verstehe ich einfach nicht«, sagte sie. »Was bringt dich dazu, ein *Poster* mit einem dämlichen *Filmstar* zu stehlen?«

Flower reagierte laut und heftig: »Ich wollte es eben *haben*!«

kreischte sie. »Ich wollte es *haben*, das ist alles!« Sie brach in Tränen aus.

Priest wandte sich an den Hilfssheriff: »Wir würden unsere Tochter gern so bald wie möglich mit nach Hause nehmen. Was müssen wir tun?«

»Ich darf Sie darauf hinweisen, Mr. Higgins, daß die Höchststrafe für das Delikt, das Flower begangen hat, Gefängnis bis zu ihrem einundzwanzigsten Lebensjahr ist.«

»*Jesus Christ!*« rief Priest aus.

»Sofern es sich um ein Erstdelikt handelt, rechne ich allerdings nicht mit einer so harten Bestrafung. Sagen Sie – hatte Flower schon einmal vergleichbare Probleme?«

»Nein, noch nie.«

»Und Sie? Überrascht Sie, was Ihre Tochter getan hat?«

»Ja.«

»Wir sind entsetzt«, sagte Star.

Der Hilfssheriff stellte nun Fragen zum Familienleben. Er wollte herausfinden, ob Flower daheim gut aufgehoben war. Die meisten Fragen beantwortete Priest. Seiner Darstellung zufolge waren sie einfache Landarbeiter. Vom Leben in der Kommune und von ihren Überzeugungen erzählte er nichts. Auf die Frage, ob Flower eine Schule besuche, erwiderte er, es gebe auf dem Weingut eine Schule für die Kinder der Landarbeiter.

Priests Antworten stellten den Hilfssheriff offenbar zufrieden. Flower mußte eine Erklärung unterschreiben, in der sie versprach, in genau vier Wochen um zehn Uhr vormittags zur Gerichtsverhandlung zu erscheinen. Auf den Hinweis des Polizisten, daß ein Elternteil gegenzeichnen müsse, setzte auch Star ihre Unterschrift auf das Papier. Eine Kaution wurde nicht verlangt. Nach einer knappen Stunde war alles vorbei.

Vor der Tür zum Büro des Sheriffs sagte Priest zu seiner Tochter: »Du bist deshalb kein schlechter Mensch, Flower. Du hast Blödsinn gemacht, aber wir haben dich genauso lieb wie eh und je, vergiß das nicht. Zu Hause reden wir alle noch einmal über die Sache.«

Sie fuhren zurück zum Weingut. In den vergangenen Stunden hatte Priest ausschließlich an seine Tochter und deren Befinden denken können. Nun, da er sie wohlbehalten wieder bei sich hatte, machte er sich über die weiteren Folgen ihrer Festnahme Gedanken. Noch nie hatten die Kommunarden die Aufmerksamkeit der Polizei erregt, und da sie Privateigentum ablehnten, war Diebstahl ein unbekanntes Delikt. Hie und da kam es zu einer Schlägerei, doch damit wurden sie alleine fertig. Todesfälle hatte es in ihrem Kreis noch keine gegeben, und ein Telefon, mit dem man die Polizei hätte benachrichtigen können, besaßen sie erst, seit Melanie bei ihnen lebte. Vom Drogenkonsum abgesehen – bei dem sie sich aber ausgesprochen diskret verhielten – gab es bei ihnen keine Gesetzesverstöße.

Nun aber war ihr Flecken mit einem Schlag polizeibekannt geworden.

Und das zum denkbar ungünstigsten Zeitpunkt.

Jetzt galt es, extreme Vorsicht walten zu lassen; das war das einzige, was sie in dieser Situation tun konnten. Priest beschloß, Flower keinen Vorwurf zu machen. Er selbst war in ihrem Alter schon seit drei Jahren ein professioneller Dieb gewesen und hatte bereits mehrere Festnahmen hinter sich. Wenn einer elterliches Verständnis für Flower aufbringen mußte, dann er.

Priest stellte das Autoradio an. Zur vollen Stunde wurden Nachrichten gesendet. Erst die letzte Meldung bezog sich auf die Erdbebendrohung: »Gouverneur Mike Robson trifft sich heute vormittag mit Vertretern des FBI zu einem Gespräch über die terroristische Vereinigung ›Die Kinder von Eden‹, die damit gedroht hat, ein Erdbeben auszulösen«, verkündete der Nachrichtensprecher. »Das FBI teilte mit, daß Drohungen aller Art sehr ernst genommen würden, wollte jedoch vor dem Treffen keinen weiteren Kommentar geben.«

Priest zog daraus den Schluß, daß sich der Gouverneur nach der Konferenz mit dem FBI äußern würde, und bedauerte, daß der genaue Zeitpunkt dafür nicht bekanntgegeben wurde.

Am späten Vormittag waren sie wieder zu Hause. Melanies Wagen fehlte auf der Lichtung: Sie war mit Dusty unterwegs nach San Francisco; er sollte das Wochenende bei seinem Vater verbringen.

In der Siedlung herrschte gedämpfte Stimmung. Die meisten Kommunarden waren beim Unkrautjäten im Weinberg, doch Priest hörte niemanden dabei singen oder lachen, wie er es gewohnt war. Holly, die Mutter seiner Söhne Ringo und Smiler, briet vor dem Küchenhaus mit verbissenem Gesicht Zwiebeln, während Slow, der immer sehr schnell reagierte, wenn etwas nicht stimmte, mit verschreckter Miene Frühkartoffeln aus dem Gemüsegarten putzte. Selbst Oaktree, der Zimmermann, wirkte ungewöhnlich still. Er stand an seiner Werkbank und sägte ein Brett zurecht.

Kaum hatten die Kommunarden gesehen, daß Priest und Star mit Flower zurückgekehrt waren, stellten sie auch schon ihre jeweilige Tätigkeit ein und gingen zum Tempel. Dort trafen sie sich immer, wenn es Probleme gab, die besprochen werden mußten. Kleinere Angelegenheiten konnten bis zum Abend warten, aber der vorliegende Fall war so wichtig, daß er keine Verschiebung duldete.

Priest und seine Familie wurden jedoch auf dem Weg zum Tempel von Dale, Poem und deren Tochter Pearl aufgehalten.

Dale war ein kleiner Mann mit gepflegtem, kurzem Haar und der Bürgerlichste in ihrer Gemeinschaft. Weil er ein erfahrener Winzer war und das Verschneiden der jährlichen Weinlese in seine Verantwortung fiel, hatte er eine Schlüsselrolle inne. Priest allerdings beschlich mitunter das Gefühl, Dale sähe in der Kommune nichts anderes als ein x-beliebiges Dorf. Er und Poem waren die ersten gewesen, die sich eine eigene Familienhütte gebaut hatten. Poem mit ihrer dunklen Haut und ihrem französischen Akzent besaß zweifellos eine wilde Ader – die Priest bestens kannte, denn er hatte viele Male mit ihr geschlafen. Seit sie jedoch mit Dale zusammenlebte, wirkte sie wie gebändigt. Dale gehörte zu den wenigen in der Kommune, von denen anzunehmen war, daß sie sich, falls sie wirklich die Siedlung verlassen mußten, auch im normalen Leben wieder zurechtfanden. Bei den meisten anderen war Priest skeptisch – sie würden wahrscheinlich im Knast oder im Irrenhaus landen oder eines frühen Todes sterben.

»Wir müssen euch was zeigen«, sagte Dale. »Ihr solltet Bescheid wissen.«

Priest fiel auf, daß die beiden Mädchen kurze Blicke wechselten. Flower funkelte Pearl wütend an; Pearl dagegen wirkte ängstlich und schuldbewußt.

»Was ist denn nun schon wieder los?« fragte Star.

Dale führte sie zu der einzigen Hütte, die gegenwärtig leerstand und von den älteren Kindern als Studierstube genutzt wurde. Das Mobiliar bestand aus einem einfachen Tisch, ein paar Stühlen und einem Schrank, in dem Bücher und Schreibzeug aufbewahrt wurden. Eine aufklappbare Falltür in der Decke führte auf den Dachboden, der indes so niedrig war, daß man dort nur kriechend vorankam.

In der offenstehenden Falltür lehnte eine Leiter.

Priest schwante Fürchterliches.

Dale zündete eine Kerze an und stieg die Leiter hoch, gefolgt von Priest und Star. Oben fanden sie das geheime Versteck der Mädchen: eine Schachtel, die bis zum Rand gefüllt war mit billigem Schmuck, Make-up, modischen Kleidern und Teenager-Zeitschriften.

»All das Zeug, von dem wir ihnen von Anfang an beigebracht haben, daß es nichts taugt«, sagte Priest leise.

»Sie sind per Anhalter nach Silver City gefahren, dreimal in den vergangenen vier Wochen«, erklärte Dale. »Dort packen sie die Jeans und die Arbeitshemden ein und ziehen sich diese Klamotten an.«

»Und was treiben sie sonst noch in Silver City?« fragte Star.

»Lungern auf der Straße herum, quatschen mit Jungs und gehen in den Läden klauen.«

Priest griff in die Schachtel und zog ein enggeschnittenes blaues

T-Shirt mit einem orangefarbenen Streifen heraus. Es war aus Nylon und fühlte sich dünn und minderwertig an – genau die Art von Kleidung, die Priest verabscheute: Weder wärmte sie, noch bot sie sonst irgendwelchen Schutz. Statt dessen überzog sie die Schönheit des menschlichen Körpers mit einer Schicht Häßlichkeit.

Mit dem T-Shirt in der Hand kletterte er die Leiter wieder hinunter. Star und Dale folgten ihm.

Die beiden Mädchen sahen aus, als würden sie am liebsten vor Scham in den Erdboden versinken.

»Gehen wir in den Tempel und reden in der Gruppe darüber«, sagte Priest.

Dort hatten sich alle anderen, einschließlich der Kinder, bereits versammelt. Mit gekreuzten Beinen saßen sie auf dem Fußboden und warteten.

Priest nahm, wie immer, in der Mitte des Kreises Platz. Diskussionen wurden nach demokratischen Prinzipien abgehalten, denn die Kommune hatte offiziell keine Anführer. Doch das galt nur in der Theorie. In der Praxis beherrschten Priest und Star die Versammlungen. Priest pflegte das Gespräch in die von ihm gewünschte Richtung zu lenken, indem er Fragen stellte und seine eigene Meinung gar nicht erst preisgab. Gefiel ihm eine Idee, so sorgte er dafür, daß ausführlich über die Vorteile diskutiert wurde; hielt er dagegen nichts von einem Vorschlag, so fragte er, ob sich derselbe auch tatsächlich realisieren ließ. Wenn er spürte, daß sich die allgemeine Stimmung gegen ihn kehrte, tat er so, als habe er sich überzeugen lassen, und hintertrieb die Entscheidung später.

»Wer möchte anfangen?« fragte er.

Aneth ergriff als erste das Wort. Sie war ein mütterlicher Typ in den Vierzigern und sagte, ihrer Ansicht nach müsse man Verständnis für die Mädchen haben und dürfe sie nicht verurteilen. »Vielleicht wäre es am besten, wenn Flower und Pearl uns zuerst einmal erklären würden, warum es sie so sehr nach Silver City gezogen hat.«

»Um dort Leute zu treffen«, sagte Flower trotzig.

Aneth lächelte. »Jungs, meinst du?«

Flower zuckte mit den Schultern.

»Also, ich meine, das ist durchaus verständlich …«, sagte Aneth und fügte hinzu: »Aber warum mußtet ihr klauen?«

»Um gut auszusehen!«

Star seufzte gereizt. »Was paßt euch denn an euern normalen Klamotten nicht?«

»Komm, Mama, mach dich doch nicht lächerlich!« erwiderte Flower voller Verachtung.

Star beugte sich vor und gab ihr eine Ohrfeige.

Flower schnappte nach Luft. Auf ihrer Wange erschien ein roter Streifen.

»Ich verbitte mir diesen Ton!« sagte Star. »Du bist beim Stehlen erwischt worden, und ich mußte dich aus dem Gefängnis holen. Und jetzt reißt du den Mund auf und tust, als wäre *ich* die Idiotin.«

Pearl brach in Tränen aus.

Priest seufzte. Er hätte das kommen sehen müssen. Mit den Kleidern im Kommuneladen war alles in Ordnung. Es gab blaue, schwarze und braune Jeans, Hemden aus Denim, weiße, graue, rote und gelbe T-Shirts, Sandalen und Stiefel, dicke Wollpullover für den Winter, wasserdichte Mäntel für die Arbeit im Regen. Das Problem war, daß alle Kommunarden die gleiche Kleidung trugen, und dies schon seit Jahren. Natürlich wollten die Kinder mal etwas anderes anziehen. Vor fünfunddreißig Jahren hatte Priest eine Beatles-Jacke aus der Rave-Boutique in der San Pedro Street gestohlen.

»Pearl, *chérie*, gefallen dir deine Kleider nicht?« fragte Poem ihre Tochter.

»Wir … wir wollten doch nur so aussehen wie Melanie«, stieß Pearl zwischen Schluchzern hervor.

»Aha«, sagte Priest, dem in diesem Augenblick alles klar war.

Melanie trug noch immer die Kleider, die sie mitgebracht hatte – knappe Tops, die den Bauch freiließen, Miniröcke, kurze Shorts, ausgeflippte Schuhe und freche Mützen. Sie sah schick und sexy aus. Kein Wunder, daß sich die Mädchen an ihrem Vorbild orientierten.

»Wir müssen uns mal über Melanie unterhalten«, sagte Dale, und es klang etwas besorgt. Die meisten Kommunarden wurden nervös, wenn sie eine Meinung äußerten, die als Kritik an Priest aufgefaßt werden konnte.

Priest fühlte sich in die Defensive gedrängt. Er war es, der Melanie hierher gebracht hatte, er war ihr Liebhaber. Und Melanie spielte eine entscheidende Rolle in seinem Plan. Sie war die einzige, welche die Daten auf Michaels Diskette, die sie inzwischen auf ihren Laptop überspielt hatte, interpretieren konnte. Er, Priest, konnte nicht zulassen, daß Stimmung gegen sie gemacht wurde. »Wir haben von Neuankömmlingen noch nie verlangt, daß sie sofort die Kleider wechseln«, sagte er. »Sie tragen erst einmal ihre alten auf, so war es bisher üblich.«

Jetzt meldete sich Alaska zu Wort. Die ehemalige Lehrerin war mit Juice, ihrer Geliebten, vor zehn Jahren zu ihnen gestoßen. Die beiden hatten sich als Lesbierinnen geoutet, worauf ihnen in der Kleinstadt, in der sie wohnten, das Leben zur Hölle gemacht worden war. »Es geht ja nicht nur um Melanies Kleider«, sagte sie. »Von Arbeit scheint sie auch nicht viel zu halten.« Juice nickte zustimmend.

»Ich habe sie aber in der Küche gesehen«, erwiderte Priest. »Sie hat Geschirr abgewaschen und Plätzchen gebacken.«

Alaska wirkte eingeschüchtert, ließ aber nicht locker: »Leichte Hausarbeiten, okay. Im Weinberg rührt sie keinen Finger. Wir füttern sie durch, Priest.«

Star erkannte, daß Priest unter Beschuß geriet, und kam ihm zu Hilfe. »Solche Leute gab es bei uns schon öfter. Erinnert ihr euch noch, wie Holly in ihrer ersten Zeit bei uns war?«

Holly hatte sich kaum anders als Melanie verhalten – ein hübsches Mädchen, das sich zunächst von Priest und erst später von der Kommune angezogen fühlte.

Holly setzte ein reuevolles Grinsen auf. »Ich geb's ja zu, ich war faul. Irgendwann kam ich mir dann schäbig vor, weil ich mich nicht so reingehängt habe wie die anderen. Kein Mensch hat mir Vorwürfe gemacht. Ich bin schließlich von allein drauf gekommen, daß ich mich viel wohler fühle, wenn ich mich angemessen an der Arbeit beteilige.«

»Melanie übt einen schlechten Einfluß auf die Kinder aus«, warf Garden ein. Die ehemalige Drogenabhängige war fünfundzwanzig, sah aber aus wie vierzig. »Sie spricht mit ihnen über Pop-Platten, Fernsehshows und lauter solchen Mist.«

»Wenn Melanie aus San Francisco zurück ist, werden wir zweifellos mit ihr über diese Dinge reden müssen«, sagte Priest. »Ich weiß, daß sie über das, was Flower und Pearl getan haben, sehr böse sein wird.«

Dale gab sich damit noch nicht zufrieden. »Was vielen von uns stinkt …«

Priest runzelte die Stirn. Das klang, als hätten sich einige hinter seinem Rücken abgesprochen. *Herrgott noch mal, hab' ich vielleicht eine echte Rebellion am Hals?* Er ließ seine Ungehaltenheit mit Absicht durchklingen. »Nun? Was ›stinkt‹ vielen von euch?«

Dale schluckte. »Ihr Handy und ihr Computer.«

Es gab keine Stromleitung im Tal, weshalb die Kommune kaum Elektrogeräte besaß. Was Fernsehen und Videobänder betraf, hatte sich über die Jahre eine Art Puritanismus entwickelt. Verächtlich sah man auf alles herab, was Strom verbrauchte. Wenn er Nachrichten hören wollte, mußte Priest das Autoradio benutzen. Melanies Geräte, deren Akkus sie in der Stadtbibliothek von Silver City an einer Steckdose auflud, die eigentlich dem Staubsauger vorbehalten war, hatten schon viele mißbilligende Blicke auf sich gezogen. Nun, da Dale seinem Ärger Luft machte, nickten mehrere Kommunarden zustimmend.

Daß Melanie ihr Handy und ihren Computer behalten mußte, hatte natürlich einen ganz besonderen Grund, den Priest Dale allerdings nicht erklären konnte. Dale war kein Reisesser. Zwar war er

Vollmitglied der Kommune und lebte schon seit Jahren hier, doch wußte Priest nicht mit Sicherheit zu sagen, ob er dem Erdbebenplan zugestimmt hätte. Es war nicht auszuschließen, daß er ausflippte.

Priest wurde klar, daß er die Sache schleunigst beenden mußte. Sie drohte, außer Kontrolle zu geraten. Unzufriedene mußten in Einzelgesprächen bearbeitet werden, nicht in der Gruppendiskussion, wo sie sich gegenseitig Schützenhilfe leisten konnten.

Doch bevor er die Initiative ergreifen konnte, wandte sich Poem an ihn: »Priest, was geht hier eigentlich vor? Verschweigst du uns irgendwas? Ich habe bis heute nicht begriffen, warum ihr beide, du und Star, zweieinhalb Wochen verreisen mußtet.«

Song, die auf Priests Seite stand, meinte: »Junge, Junge, das ist aber eine ganz schön mißtrauische Frage!«

Die Gruppe zerfiel, Priest sah es genau. Der Grund lag auf der Hand: Alle glaubten, sie müßten das Tal schon in Kürze verlassen. Von dem »Wunder«, das Priest angedeutet hatte, war weit und breit nichts zu sehen. Alle dachten nur noch an den bevorstehenden Untergang ihrer kleinen Welt.

»Ich dachte, ich hätte es euch allen erklärt«, sagte Star. »Ein Onkel von mir ist gestorben und hat ein heilloses Durcheinander hinterlassen. Ich bin seine einzige Verwandte und mußte den Anwälten helfen, Licht in das Chaos zu bringen.«

Jetzt reicht's.

Priest wußte, wie man Protest im Keim erstickt. Mit entschlossener Stimme sagte er: »Ich habe den Eindruck, wir diskutieren in einer unguten Atmosphäre. Stimmt mir jemand zu?«

Natürlich stimmten ihm alle zu. Die meisten nickten.

»Was können wir dagegen tun?« Priest richtete den Blick auf seinen zehnjährigen Sohn, ein dunkeläugiges, ernst dreinschauendes Kind. »Was meinst du, Ringo?«

»Wir können zusammen meditieren«, sagte der Junge. Die gleiche Antwort hätten auch alle anderen gegeben.

Priest sah sich im Kreis um. »Sind alle einverstanden mit Ringos Vorschlag?«

Niemand widersprach.

»Dann bereiten wir uns darauf vor.«

Jeder nahm die Haltung ein, die ihm am bequemsten erschien. Einige legten sich flach auf den Rücken, andere rollten sich zusammen wie ein Fötus, ein oder zwei nahmen ihre Schlafposition ein. Priest und mehrere andere blieben mit gekreuzten Beinen sitzen, legten die Hände locker auf die Knie, schlossen die Augen und hoben das Gesicht himmelwärts.

»Entspannt den kleinen Zeh eures linken Fußes«, sagte Priest mit ruhiger, aber durchdringender Stimme. »Dann den vierten Zeh, dann den mittleren, dann den zweiten, dann den großen. Entspannt den ganzen Fuß … und den Knöchel … und die Wade.« Während er Schritt für Schritt alle Körperteile ansprach, senkte sich beschaulicher Friede über den Raum. Die Atemzüge der Menschen verlangsamten sich und verflachten, die Körper wurden ruhiger und ruhiger, und über die Gesichter legte sich allmählich meditative Gelassenheit.

Zuletzt intonierte Priest langsam und mit tiefer Stimme die Silbe »Om«.

Und die Gemeinde antwortete einstimmig: »Omm …«

Mein Volk.

Möge es ewig hier leben!

KAPITEL 6

D ie Konferenz in der Gouverneurskanzlei sollte um zwölf Uhr mittags beginnen. Sacramento, Kaliforniens Hauptstadt, lag zwei Autostunden von San Francisco entfernt. Da sie mit starkem Verkehr auf der Ausfallstraße rechnete, fuhr Judy bereits um Viertel vor zehn zu Hause ab.

Die rechte Hand des Gouverneurs, Al Honeymoon, war eine bekannte Figur in der kalifornischen Politik. Sein offizieller Titel lautete Kabinettssekretär, doch in Wirklichkeit war er der Mann fürs Grobe. Jedesmal wenn Gouverneur Robson sich bemüßigt sah, eine reizvolle Landschaft mit einer neuen Fernstraße zu zerschneiden, wenn er ein Atomkraftwerk errichten, tausend Staatsangestellte entlassen oder einen treuen Freund verraten mußte – jedesmal ließ er Honeymoon die Drecksarbeit erledigen.

Die beiden Männer arbeiteten schon seit zwanzig Jahren zusammen. Als sie sich kennenlernten, war Mike Robson noch ein kleiner Abgeordneter im kalifornischen Parlament, und Honeymoon hatte gerade sein Jurastudium hinter sich. Honeymoon war die Rolle des Scharfmachers zugefallen, weil er schwarz war und der Gouverneur clever darauf spekuliert hatte, daß die Presse Hemmungen haben würde, über einen Schwarzen herzuziehen. Zwar waren jene liberalen Zeiten längst vorbei, doch Honeymoon war inzwischen zu einem ebenso geschickten wie skrupellosen Politprofi gereift. Niemand mochte ihn, aber viele hatten Angst vor ihm.

Des FBIs wegen wollte Judy einen guten Eindruck bei ihm hinterlassen. Daß Politiker sich persönlich für einen Fall interessierten, geschah nicht allzu oft. Judy wußte, daß die Art und Weise, wie sie den Auftrag anpackte, ein für allemal Honeymoons Haltung zum FBI und zur Polizei im allgemeinen prägen würde. Persönliche Erfahrungen wogen immer schwerer als Berichte und Statistiken.

Das FBI stellte sich gerne als allmächtig und unfehlbar dar. Aber Judys Ermittlungen hatten bisher so wenig handfeste Ergebnisse gebracht, daß es ihr schwerfiel, die übliche Rolle zu spielen, vor allem gegenüber einem harten Hund wie Honeymoon. Davon abgesehen entsprach es auch nicht ihrem Stil. Ihr Plan bestand schlicht und einfach darin, den Kabinettssekretär mit Kompetenz und Zuversicht zu beeindrucken.

Judy hatte noch einen anderen Grund, sich von ihrer besten Seite zu zeigen. Sie wollte, daß der Gouverneur den Kindern von Eden ein Gesprächsangebot unterbreitete. Schon die Andeutung, daß er unter Umständen zu Verhandlungen bereit wäre, mochte die Terroristen dazu veranlassen, ihr Vorhaben zumindest aufzuschieben. Und wenn sie auf den Vorschlag eingingen, ergaben sich für Judy vielleicht neue Hinweise auf ihren Aufenthaltsort. Eine andere Möglichkeit, den Erpressern das Handwerk zu legen, sah sie gegenwärtig nicht. Alle anderen Versuche hatten bisher in die Sackgasse geführt.

Den Gouverneur zu einer entsprechenden Stellungnahme zu bewegen würde wahrscheinlich nicht leicht sein. Schon aus Angst vor Nachahmungstätern würde er den Eindruck vermeiden wollen, er wäre dazu bereit, auf terroristische Forderungen einzugehen. Aber es mußte eine Möglichkeit geben, die Stellungnahme so zu formulieren, daß nur die Kinder von Eden die Botschaft verstanden.

Sie trug heute nicht ihr Power-Kostüm von Armani. Ihr Instinkt sagte ihr, daß Honeymoon eher mit Leuten warm wurde, die ihm als einfache Arbeiter begegneten. Sie hatte daher einen stahlgrauen Hosenanzug angezogen und ihr Haar zu einem glatten Knoten zurückgebunden. Ihre Pistole trug sie in einem Hüftholster. Um nicht allzu streng zu wirken, hatte sie kleine Perlenohrringe angelegt, die ihren schlanken Hals betonten. Es konnte nie schaden, attraktiv auszusehen.

Ob Michael Quercus mich attraktiv findet? Eigentlich ein toller Typ – schade, daß er so eine Nervensäge ist. Mutter hätte er gefallen. ›Ich mag Männer, die wissen, wo's langgeht‹, hätte sie gesagt. Er versteht sich gut anzuziehen, mit sympathischem Understatement. Wie er wohl unter seinen Klamotten aussieht – total bepelzt vielleicht, wie ein Affe? Ich mag keine haarigen Männer … Vielleicht ist seine Haut auch ganz blaß und weich – ach was, der Mann ist durchtrainiert und fit … Mensch, was sollen diese Phantasien über einen nackten Erdbebenforscher? Judy ärgerte sich über sich selbst. Das letzte, was ich jetzt brauchen kann, ist ein schlechtgelaunter Filmstar-Verschnitt …

Um sich vorab nach den Parkmöglichkeiten zu erkundigen, wählte Judy über das Autotelefon die Nummer der Gouverneurskanzlei und ließ sich Honeymoons Sekretärin geben. »Ich habe um zwölf Uhr einen Termin bei Mr. Honeymoon und wollte gerne wissen, ob ich vor dem Regierungsgebäude parken kann. Ich war noch nie in Sacramento.«

Die Sekretärin erwies sich als junger Mann. »Einen Besucherparkplatz unmittelbar vor dem Gebäude haben wir nicht, aber gleich gegenüber ist ein Parkhaus.«

»Wo genau?«

»Der Eingang liegt in der Tenth Street, zwischen K- und L-Street. Das Regierungsgebäude liegt zwischen L- und M-Street, also nur ein paar Schritte weiter. Aber Ihr Termin ist nicht Punkt zwölf, sondern halb zwölf.«

»Wie bitte?«

»Die Besprechung, an der Sie teilnehmen sollen, beginnt um elf Uhr dreißig.«

»Ist der Termin geändert worden?«

»Nein, *Madam*, er war von Anfang an auf elf Uhr dreißig festgesetzt.«

Judy schäumte vor Wut. Wenn sie zu spät kam, stand ihr Auftritt schon unter einem schlechten Stern, bevor sie auch nur den Mund aufmachte. Das konnte ja heiter werden!

Sie zügelte ihren Ärger. »Das muß irgendwer verbockt haben«, sagte sie und sah auf die Uhr. *Wenn ich fahre wie der Teufel, schaffe ich es in neunzig Minuten.* »Aber das macht nichts«, log sie. »Ich bin ohnehin ein bißchen zu früh losgefahren. Ich werde pünktlich da sein.«

»Sehr gut.«

Sie drückte aufs Gaspedal und sah, wie der Zeiger des Tachometers die Hundert-Meilen-Marke überschritt. Glücklicherweise war die Straße weitgehend frei. Der morgendliche Berufsverkehr verlief größtenteils stadteinwärts, Richtung San Francisco.

Die Uhrzeit stammte von Brian Kincaid – demnach würde er auch zu spät kommen. Weil er in Sacramento noch einen zweiten Termin hatte – eine Besprechung im dortigen FBI-Büro –, fuhren sie getrennt. Judy wählte die Nummer der Dependance in San Francisco und sprach mit der Sekretärin des SAC. »Linda, hier ist Judy. Würden Sie bitte Brian anrufen und ihm sagen, daß der Kabinettssekretär uns bereits um elf Uhr dreißig erwartet, nicht erst um zwölf?«

»Das weiß er doch, denke ich«, sagte Linda.

»Nein, er hat mir gesagt, die Besprechung findet um zwölf statt. Versuchen Sie, ihn zu erreichen, und sagen Sie ihm Bescheid.«

»Mach' ich.«

»Danke.« Judy legte auf und konzentrierte sich aufs Fahren. Ein paar Minuten später hörte sie hinter sich eine Polizeisirene.

Sie warf einen Blick in den Rückspiegel und erkannte einen Streifenwagen der kalifornischen Highway Patrol. Die braune Lackierung war unverkennbar.

»Das ist doch nicht zu fassen!« stöhnte sie, bremste scharf und fuhr rechts ran. Der Streifenwagen hielt hinter ihr. Judy öffnete die Tür.

Eine lautsprecherverstärkte Stimme sagte: »BLEIBEN SIE IM WAGEN.«

Sie zog ihre FBI-Erkennungsmarke heraus, streckte sie dem Polizisten entgegen und stieg aus.

»BLEIBEN SIE IM WAGEN!«

Judy spürte, daß Angst in der Stimme lag, und sah, daß der Polizist allein war. Sie seufzte. *Das hat mir gerade noch gefehlt. Der Grünschnabel hat die Hosen gestrichen voll. Der ist imstande und knallt mich aus lauter Nervosität ab.*

Demonstrativ hielt sie die Erkennungsmarke hoch und schrie: »FBI! Um Himmels willen, sehen Sie das denn nicht?«

»SETZEN SIE SICH WIEDER IN IHREN WAGEN!«

Judy sah auf die Uhr. Halb elf. Zitternd vor Ärger setzte sie sich wieder ans Steuer. Die Tür ließ sie offen.

Es dauerte zum Verrücktwerden lange.

Endlich stieg der Polizist aus und kam zu ihr. »Ich habe Sie angehalten, weil Sie neunundneunzig Meilen in der Stunde gefahren …«

»Hier, bitte, sehen Sie sich das an!« Sie hielt ihm ihre Marke unter die Nase.

»Was ist das?«

»Eine Erkennungsmarke des FBI, Herrgott noch mal! Ich bin FBI-Agentin und in einer dringenden Angelegenheit unterwegs.«

»Also, eines ist mal sicher: Sie sehen nicht aus wie eine …«

Judy sprang aus dem Wagen und drohte dem verdutzten Polizisten mit dem Finger. »Sagen Sie jetzt bloß nicht, daß ich nicht wie eine Agentin aussehe! Sie kennen ja nicht einmal die Erkennungsmarke – woher wollen Sie dann wissen, wie eine FBI-Agentin aussieht?« Sie legte die Hände auf die Hüften, schob ihre Jacke zurück und gab den Blick auf ihr Pistolenholster frei.

»Darf ich bitte Ihren Führerschein sehen?«

»Nein, verdammt noch mal! Ich fahr' jetzt weiter, und zwar mit neunundneunzig bis nach Sacramento, kapiert?« Sie setzte sich wieder in ihren Wagen.

»Das dürfen Sie nicht«, sagte der Polizist.

»Schreiben Sie das Ihrem Kongreßabgeordneten!« Judy schlug die Tür zu und fuhr davon.

Sie wechselte auf die Überholspur, beschleunigte wieder auf hundert Meilen und sah auf die Uhr. Sie hatte fünf Minuten verloren, aber sie konnte es gerade noch schaffen.

Sie war dem Polizisten gegenüber ausfällig geworden. Der Mann würde seinem Vorgesetzten Bericht erstatten, der würde sich beim FBI beschweren, und Judy mußte mit einer Rüge rechnen. *Aber wäre ich höflich geblieben, stünde ich jetzt noch da ...* »Scheiße«, sagte sie mit Gefühl.

Zwanzig nach elf erreichte sie die Abfahrt Sacramento Mitte. Fünf Minuten vor halb zwölf bog sie in das Parkhaus an der Tenth Street ein. Zwei Minuten brauchte sie, bis sie einen freien Stellplatz gefunden hatte. Dann rannte sie die Treppen hinunter und hastete über die Straße.

Das Regierungsgebäude – Kapitol genannt – war ein weißer Palast, der an einen Hochzeitskuchen erinnerte. Er lag in einer wunderschönen, von riesigen Palmen gesäumten Parkanlage. Eiligen Schritts durchmaß Judy eine Marmorhalle und blieb vor einem großen Eingang stehen, auf dem das Wort GOVERNOR, ›Gouverneur‹, eingemeißelt war. Dort atmete sie ein paarmal tief durch, um sich zu beruhigen, und sah wieder auf die Uhr. Punkt halb zwölf. Sie hatte es gerade noch rechtzeitig geschafft. Das FBI behielt seinen Nimbus von Kompetenz und Pünktlichkeit.

Sie öffnete die Doppeltüren und betrat ein imposantes Vorzimmer. Es wurde von einer Sekretärin beherrscht, die hinter einem riesigen Schreibtisch saß. Auf der einen Seite befand sich eine Stuhlreihe, wo zu Judys Überraschung Brian Kincaid saß. Er trug einen piekfeinen dunkelgrauen Anzug. Sein weißes Haar war perfekt frisiert. Er wirkte kühl und gelassen und nicht im geringsten wie jemand, der auf den letzten Drücker herbeigehetzt war. Judy wurde sich plötzlich der Tatsache bewußt, daß sie schwitzte.

Als Kincaid ihren Blick erwiderte, wirkte er sekundenlang überrascht, hatte sich aber gleich wieder im Griff.

»Äh ... hallo, Brian«, sagte Judy.

»Tag«, sagte er und wandte den Blick ab.

Mit keinem Wort bedankte er sich für die Benachrichtigung, daß das Treffen schon um halb begann.

»Seit wann sind Sie hier?« fragte Judy.

»Seit ein paar Minuten.«

Der richtige Zeitpunkt für die Besprechung war ihm also bekannt gewesen. Trotzdem hatte er ihr den späteren Termin genannt. *Der hat mich doch nicht absichtlich falsch informiert?* Der Gedanke kam ihr beinahe kindisch vor.

Für ein abschließendes Urteil fehlte ihr die Zeit. Ein junger Schwarzer betrat durch eine Seitentür den Raum und wandte sich an Brian. »Agent Kincaid?«

Kincaid erhob sich. »Der bin ich, ja.«

»Dann müssen Sie Agentin Maddox sein. Mr. Honeymoon erwartet Sie.«

Der junge Mann ging voran, durch den Korridor und um eine Ecke herum. Im Gehen sagte er: »Wir nennen das hier das Hufeisen, weil die Büros der Regierung drei Seiten eines Rechtecks bilden.«

Ungefähr in der Mitte der zweiten Seite kamen sie durch ein weiteres Vorzimmer, diesmal freilich mit zwei Sekretärinnen besetzt. Auf einer Ledercouch saß ein junger Mann mit einem Aktenordner in der Hand. Judy vermutete, daß hier die eigentliche Gouverneurskanzlei lag. Ein paar Schritte weiter wurden sie in Honeymoons Büro geführt.

Der Kabinettssekretär war ein großer Mann mit kurzgeschnittenem, graumeliertem Haar. Er hatte das Jackett seines grauen Nadelstreifenanzugs ausgezogen, so daß man die schwarzen Hosenträger sah. Die Ärmel des weißen Hemds waren aufgerollt, doch die Seidenkrawatte saß stramm gebunden zwischen den Ecken des hohen Kragens, der mit einer Nadel geschlossen war. Honeymoon nahm seine goldumrandete Halbbrille ab und erhob sich. Seine dunklen Züge wirkten wie gemeißelt, und in seinem Ausdruck lag eine Warnung: *Mit mir ist nicht zu spaßen* … Er hätte auch als höherer Polizeibeamter durchgehen können, allerdings war er dafür zu gut gekleidet.

Sein höfliches Benehmen paßte nicht ganz zu seiner Erscheinung, die eher einschüchternd wirkte. Er schüttelte Judy und Brian die Hand und sagte: »Ich bin Ihnen dankbar, daß Sie den weiten Weg von San Francisco hierher auf sich genommen haben.«

»Keine Ursache«, sagte Kincaid.

Sie setzten sich.

Honeymoon kam sofort zur Sache: »Wie beurteilen Sie die Lage?«

»Sie haben mich gebeten, die Person mitzubringen, die unmittelbar an der Front steht. Judy wird Sie informieren.«

»Wir haben diese Leute bisher leider noch nicht gefaßt«, sagte Judy und verfluchte sich insgeheim, weil sie mit einer Entschuldigung begonnen hatte. *Immer positiv bleiben!* »Wir sind uns ziemlich sicher, daß sie mit der Bewegung Grünes Kalifornien nichts zu tun haben – das war nur ein schwacher Versuch, uns auf die falsche Fährte zu lenken. Wo sie stecken, wissen wir noch nicht. Dennoch kann ich Ihnen schon einige wichtige Erkenntnisse über sie vorlegen.«

»Bitte tun Sie das«, sagte Honeymoon.

»Erstens: Die sprachliche Analyse der Drohung hat ergeben, daß wir es nicht mit einem Einzeltäter, sondern mit einer Gruppe zu tun haben.«

»Genauer gesagt: mit mindestens zwei Personen«, präzisierte Kincaid.

Judy warf ihm einen bösen Blick zu, aber er vermied es, sie anzusehen.

»Also was nun – zwei Personen oder eine Gruppe?« fragte Honeymoon gereizt.

Judy spürte, daß sie errötete. »Die Nachricht wurde von einem Mann entworfen und von einer Frau getippt; es handelt sich also mindestens um zwei Personen. Ob es mehr sind, können wir zur Zeit nicht sagen.«

»Okay. Bitte halten Sie sich exakt an die Fakten.«

Das läuft nicht gut.

»Zweitens: Die Leute sind keineswegs verrückt«, fuhr Judy fort.

»Also meinetwegen nicht im klinischen Sinn«, bemerkte Kincaid. »Aber normal sind die garantiert nicht.« Er lachte, als hätte er etwas besonders Geistreiches von sich gegeben.

Judy verfluchte ihn insgeheim. Was Kincaid trieb, war systematische Sabotage. »Gewalttäter lassen sich in zwei Gruppen einteilen: in organisierte und unorganisierte. Die Unorganisierten handeln spontan, bedienen sich jeder Waffe, die ihnen gerade in die Hände fällt, und wählen ihre Opfer zufällig aus. Das sind die wahren Verrückten.«

Honeymoons Interesse war geweckt. »Und die andere Sorte?«

»Die Organisierten planen ihre Verbrechen, nehmen die Waffen zum Tatort mit und greifen sich Opfer, die sie vorher gezielt ausgewählt haben. Sie folgen einer gewissen Logik.«

»Die sind genauso verrückt, nur auf andere Art und Weise«, sagte Kincaid.

Judy versuchte, seinen Einwurf zu ignorieren. »Solche Leute können krank sein, aber sie sind nicht reif für die Klapsmühle. Wir können ihnen rationales Denken unterstellen und versuchen, ihre nächsten Schritte vorauszuberechnen.«

»Gut. Diese Kinder von Eden sind demnach organisiert.«

»Dem Wortlaut ihrer Drohung nach, ja.«

»Sie verlassen sich weitgehend auf diese Sprachanalyse«, merkte Honeymoon skeptisch an.

»Es ist eine sehr wichtige Methode.«

»Aber kein Ersatz für sorgfältige Ermittlungsarbeit«, warf Kincaid ein. »Das Problem in diesem Fall ist: Wir haben sonst nichts in der Hand.«

Damit implizierte er, daß sie auf die Sprachanalyse zurückgreifen mußten, weil Judy ihre Hausaufgaben nicht gemacht hatte. Mit dem Mut der Verzweiflung sprach sie weiter: »Wir haben es mit Leuten zu tun, die es ernst meinen«, sagte sie. »Das heißt, wenn es ihnen nicht gelingt, ein Erdbeben auszulösen, werden sie vielleicht etwas anderes versuchen.«

»Zum Beispiel?«

»Herkömmlichen Terrorismus, zum Beispiel: Sie legen eine

Bombe, nehmen Geiseln oder verüben ein Attentat auf eine hochrangige Persönlichkeit.«

»Vorausgesetzt natürlich, sie haben die Fähigkeiten dazu«, sagte Kincaid. »Bisher gibt es dafür keine Hinweise.«

Judy holte tief Luft. Was sie noch zu sagen hatte, ließ sich leider nicht umgehen. »Im übrigen ist die Möglichkeit, daß sie tatsächlich ein Erdbeben hervorrufen können, nicht ganz von der Hand zu weisen.«

»Was?« sagte Honeymoon.

Kincaid lachte verächtlich.

Judy ließ sich nicht beirren. »Es ist unwahrscheinlich, aber vorstellbar. Das jedenfalls hat mir Professor Quercus gesagt, der auf diesem Gebiet führende Experte in Kalifornien. Es wäre ein Verstoß gegen meine Pflichten, würde ich Ihnen dies vorenthalten.«

Kincaid lehnte sich in seinem Sessel zurück und schlug die Beine übereinander. »Judys Antwort entspricht der Theorie der Lehrbücher, Al«, sagte er im plump vertraulichen Ton einer Männerrunde. »Vielleicht sollte ich Ihnen sagen, wie sich der Sachverhalt aus der Perspektive eines gewissen Alters und einer gewissen Erfahrung heraus darstellt ...«

Judy starrte ihn an. *Das wirst du mir büßen, Kincaid, und wenn das meine letzte Amtshandlung ist! Seit wir hier sitzen, hast du nichts anderes im Hirn, als mich fertigzumachen. Was machst du Arschloch bloß, wenn es tatsächlich ein Erdbeben gibt? Was willst du dann den Angehörigen der Opfer sagen?*

»Bitte«, sagte Honeymoon zu Kincaid.

»Es ist völlig ausgeschlossen, daß diese Kerle ein Erdbeben auslösen. Außerdem sind ihnen die Kraftwerke scheißegal. Nach meinem Gefühl haben wir es hier mit einem Spinner zu tun, der seiner Freundin imponieren will. Es ist ihm gelungen, den Gouverneur nervös zu machen, das FBI läuft herum wie ein aufgescheuchter Hühnerhaufen, und jeden Abend hört er seine Räuberpistole bei John Truth im Radio. Plötzlich ist er ein toller Hecht, und seine Süße himmelt ihn an.«

Judy kam sich zutiefst gedemütigt vor. Kincaid hatte sie ihre Ermittlungsergebnisse vortragen lassen und anschließend jede ihrer Aussagen mit Spott und Verachtung überzogen. Das hatte er eindeutig inszeniert, ebenso wie er ihr – da war sie sich jetzt ganz sicher – mit voller Absicht den falschen Termin genannt hatte, damit sie sich verspätete. Dahinter steckte die Strategie, ihr die Glaubwürdigkeit zu nehmen und gleichzeitig sich selbst ins beste Licht zu setzen. Judy kam die Galle hoch.

Unvermittelt stand Honeymoon auf. »Ich werde dem Gouverneur raten, die Drohung zu ignorieren«, sagte er und fügte hinzu: »Ich danke Ihnen.« Damit waren sie entlassen.

Judy sah ein, daß es jetzt zu spät war, den Kabinettssekretär zu bitten, mit den Terroristen Kontakt aufzunehmen. Sie hatte den geeigneten Moment dafür verpaßt – ganz davon abgesehen, daß Kincaid ohnehin jeden Vorschlag von ihr hintertrieben hätte. Sie spürte, wie Verzweiflung in ihr aufstieg. *Angenommen, die Drohung ist doch echt – was dann? Angenommen, die Kerle schaffen es doch irgendwie?*

»Wir stehen Ihnen natürlich jederzeit zu weiteren Auskünften zur Verfügung«, sagte Kincaid.

Honeymoon wirkte leicht ungehalten. Um die Dienste des FBI in Anspruch zu nehmen, bedurfte er kaum einer besonderen Einladung. Dennoch reichte er Kincaid höflich die Hand.

Einen Augenblick später standen Judy und Kincaid vor der Tür.

Auf dem Weg zurück durch das Hufeisen, die Lobby und die marmorverkleidete Eingangshalle sagte Judy kein Wort. In der Halle blieb Kincaid stehen und sagte: »Sie haben sich prächtig geschlagen, Judy. Machen Sie sich bloß keine Gedanken.« Ein bösartiges Grinsen konnte er sich nicht verkneifen.

Judy war fest entschlossen, ihn auf keinen Fall merken zu lassen, wie sehr es in ihr brodelte. Am liebsten hätte sie ihn angebrüllt, aber sie zwang sich zu einer Antwort, die ruhig und besonnen klang: »Ich glaube, wir haben unseren Job getan.«

»Genau. Wo haben Sie Ihren Wagen stehen?«

»Im Parkhaus gegenüber.« Sie deutete mit dem Daumen in die Richtung.

»Meiner steht auf der anderen Seite. Wir sehen uns.«

»Klar.«

Kincaid ging, und Judy sah ihm einen Augenblick nach. Dann drehte sie sich um und entfernte sich in die andere Richtung.

Als sie die Straße überquerte, fiel ihr ein Süßwarenladen ins Auge. Sie ging hinein und kaufte sich eine Schachtel Pralinen.

Auf der Rückfahrt nach San Francisco futterte sie die ganze Schachtel leer.

KAPITEL 7

P riest mußte sich unbedingt körperlich abreagieren, wenn er nicht vor Unruhe durchdrehen wollte. Daher ging er nach der Versammlung im Tempel in den Weinberg und jätete Unkraut. Es war heiß, so daß er schon bald zu schwitzen anfing und sein Hemd ablegte.

Star arbeitete Seite an Seite mit ihm. Nach etwa einer Stunde sah sie auf die Uhr und sagte: »Zeit für eine kleine Pause. Komm, wir gehen und hören uns die Nachrichten an.«

Wenig später saßen sie in Priests Wagen und stellten das Radio an. Die Nachrichtensendung war identisch mit der letzten, die sie gehört hatten. Priest biß frustriert die Zähne zusammen. »Verdammt, dieser Gouverneur muß sich doch jetzt bald mal äußern!«

»Du erwartest doch nicht etwa, daß er sofort klein beigibt, oder?«

»Nein, aber ich habe fest mit einer Art Angebot gerechnet, mit irgendeinem versteckten Hinweis auf einen Kompromiß. Unsere Forderung nach einem Baustopp für Kraftwerke ist ja schließlich kein Schwachsinn. Bestimmt wären Millionen von Kaliforniern damit einverstanden.«

Star nickte. »Mensch, in Los Angeles ist die Luftverschmutzung so schlimm, daß schon das Atmen gefährlich ist. Mir will einfach nicht in den Kopf, wie man freiwillig unter solchen Bedingungen leben kann, Herrgott noch mal.«

»Und trotzdem wird nichts getan.«

»Wir haben ja von Anfang an vermutet, daß wir ihnen erst einen kleinen Denkanstoß geben müssen, bevor sie auf uns hören.«

»Ja, das stimmt.« Priest zögerte, dann rief er aus: »Wahrscheinlich hab' ich bloß Angst, es könnte nicht funktionieren!«

»Was? Der seismische Vibrator?«

Er zögerte erneut. Soviel Offenheit wagte er nur Star gegenüber; dennoch tat ihm das Eingeständnis seiner Zweifel fast schon wieder leid. Da er nun aber einmal damit angefangen hatte, konnte er ihr auch gleich alles sagen: »Diese ganze Geschichte, meine ich. Ich hab' Angst, daß das mit dem Erdbeben nicht klappt. Und dann sind wir aufgeschmissen.«

Er merkte, daß er Star erschreckt hatte. So kannte sie ihn nicht. Normalerweise trug er bei allem, was er sich in den Kopf setzte, ein unverwüstliches Selbstbewußtsein zur Schau. Nur: Das, was sie jetzt vorhatten, war absolut beispiellos.

Auf dem Rückweg zum Weinberg sagte sie: »Du solltest heute abend irgendwas mit Flower unternehmen.«

»Wie meinst du das?«

»Nimm dir Zeit für sie. Du spielst immer nur mit Dusty.«

Dusty war fünf. Mit ihm zu spielen war ein reines Vergnügen. Er konnte sich noch für alles begeistern. Flower hingegen war dreizehn, ein Alter, in dem einem alles, was Erwachsene tun oder lassen, blödsinnig vorkommt. Priest wollte Star schon eine entsprechende Antwort geben, als ihm aufging, daß sie noch ein zweites Motiv für ihre Anregung hatte.

Sie glaubt, ich könnte den morgigen Tag nicht überleben.

Die Erkenntnis traf ihn wie ein Schlag. Natürlich wußte er, daß der Erdbebenplan gefährlich war, hatte aber bisher das Risiko eher auf sich allein bezogen und sich allenfalls noch Gedanken darüber gemacht, wie die Kommune ohne seine Führung zurechtkommen sollte. Wie es Flower erginge, stünde sie mit ihren dreizehn Jahren plötzlich allein auf der Welt – darüber hatte er sich noch nicht den Kopf zerbrochen.

»Was soll ich denn mit ihr tun?« fragte er.

»Sie möchte Gitarre spielen lernen.«

Das war Priest neu. Er selbst war alles andere als ein großer Gitarrist, aber er konnte Folksongs und einfachen Blues spielen. Die Anfangsgründe würde er ihr schon beibringen können. Er zuckte mit den Schultern. »Okay, wir fangen heute abend an.«

Sie machten sich wieder an die Arbeit, doch es dauerte nur Minuten bis zur nächsten Unterbrechung. Von einem Ohr zum anderen grinsend, rief Slow: »He, schaut mal, wer da kommt!«

Priest spähte über die Reben. Er wartete eigentlich nur auf Melanie, die Dusty zu ihrem Vater nach San Francisco brachte. Sie war die einzige, die ihm, Priest, exakt jene Stelle bezeichnen konnte, wo er den seismischen Vibrator ansetzen mußte. Er würde sich erst wieder einigermaßen ruhig fühlen, wenn sie zurückkam. Dazu war es momentan aber noch zu früh – ganz abgesehen davon, daß Slow um Melanie auch nicht soviel Aufhebens gemacht hätte.

Ein Mann kam den Hang herunter, gefolgt von einer Frau, die ein Kind im Arm trug. Priest runzelte die Stirn. Oft verirrte sich ein ganzes Jahr lang kein Mensch in ihr abgelegenes Tal. Heute allerdings war am frühen Morgen dieser Bulle aufgekreuzt – und nun kam schon wieder jemand. Aber waren es tatsächlich Fremde? Der wiegende Gang des Mannes kam ihm furchtbar vertraut vor. Als sich die beiden näherten, sagte er: »Mein Gott, ist das etwa Bones?«

»Ja, genau!« rief Star freudig aus. »Heiliger Bimbam!« Schon lief sie den Besuchern entgegen. Spirit stimmte in ihre Aufregung ein und rannte bellend mit.

Priest folgte ihnen, wenn auch um einiges langsamer. Bones, dessen richtiger Name Billy Owens lautete, gehörte zu den Reisessern. Ihm hatte jedoch die kümmerliche Existenz in der Frühzeit der Kommune besser gefallen als das Leben später, nachdem Priest aufgetaucht war. Bones lebte gern von der Hand in den Mund. Er hatte die ständigen Krisen genossen, und morgens war er schon ein paar Stunden nach dem Aufstehen betrunken, bekifft oder beides zugleich gewesen. Er spielte die Blues-Mundharmonika mit manischer Brillanz und war der bei weitem erfolgreichste Straßenbettler, den sie je gehabt hatten. Was seinen Vorstellungen vom Kommuneleben nicht entsprach, waren Arbeit, Selbstdisziplin und eine tägliche Andacht. Folglich machte er sich, als sich nach einigen Jahren herauskristallisierte, daß Priest und Star wohl auf Dauer das Regiment übernommen hatten, aus dem Staub und hatte sich seither nicht mehr blicken lassen. Nach über zwanzig Jahren war er nun zurückgekehrt.

Star umarmte ihn überschwenglich, drückte ihn an sich und küßte ihn auf die Lippen. Die zwei waren eine Weile ziemlich eng liiert gewesen. Alle Männer in der Kommune hatten in jener Zeit mehr oder weniger regelmäßig mit Star geschlafen, doch für Bones hatte sie stets eine besondere Schwäche gehabt. Priest sah, wie Bones ihren Körper an sich preßte, und verspürte einen Anflug von Eifersucht.

Als sich die beiden wieder voneinander lösten, erkannte er, daß Bones gar nicht gut aussah. Er war schon immer sehr schlank gewesen, doch jetzt hätte man meinen können, er wäre kurz vor dem Verhungern. Seine Haare waren wild zerzaust und schienen ihm büschelweise auszufallen, der Bart war struppig und verfilzt. Jeans und T-Shirt starrten vor Schmutz, und an einem seiner Cowboystiefel fehlte der Absatz.

Er ist zurückgekommen, weil es ihm dreckig geht.

Bones stellte ihnen die Frau vor, Debbie. Sie war erheblich jünger als er, höchstens fünfundzwanzig, und sah nicht schlecht aus, nur waren ihre Züge ein wenig verkniffen. Das Kind war ein kleiner Junge von vielleicht anderthalb Jahren. Mutter und Kind waren beide fast genauso mager und verdreckt wie Bones.

Da es Zeit zum Mittagessen war, nahmen sie Bones mit ins Küchenhaus. Es gab einen Perlgraupenauflauf, gewürzt mit von Garden gezüchteten Kräutern. Debbie schlang das Essen geradezu in sich hinein und fütterte auch das Kind, Bones dagegen nahm nur ein paar Löffelvoll zu sich und zündete sich dann eine Zigarette an.

Das Gespräch drehte sich hauptsächlich um die alten Zeiten. »Ich will euch mal erzählen, woran ich mich am liebsten erinnere«, sagte Bones. »Da drüben auf dem Hang hat mir Star eines Nachmittags erklärt, was ein Cunnilingus ist.« Rund um den Tisch brandete Lachen auf, doch Bones entging völlig, daß peinliche Berührtheit darin mitschwang. »Ich war gerade mal zwanzig«, fuhr er ungeniert fort, »und hatte keine Ahnung, daß es so etwas gibt.

Mann, war ich schockiert. Aber sie hat's mich ausprobieren lassen. Was für ein Geschmack! Super!«

»Es gab eine ganze Menge, wovon du damals keine Ahnung hattest«, sagte Star. »Ich erinnere mich noch, wie du mir einmal erzählt hast, du könntest überhaupt nicht verstehen, warum du morgens manchmal mit solchen Kopfschmerzen aufwachst. Ich mußte dir dann erklären, daß das immer dann der Fall war, wenn du am Abend vorher besoffen umgefallen warst. Die Bedeutung des Wortes ›Kater‹ war dir damals völlig unbekannt.«

Star hatte für einen radikalen Themenwechsel gesorgt. In den alten Tagen der Kommune war es absolut normal gewesen, bei Tisch über Cunnilingus zu reden. Doch seit Bones' Abgang hatten sich die Dinge geändert. Nicht, daß irgendwer es bewußt auf die Reinhaltung der Umgangssprache angelegt hätte; es hatte sich vielmehr ganz natürlich dadurch ergeben, daß die Kinder heranwuchsen und allmählich auch mehr mitbekamen.

Bones war nervös, lachte immer wieder laut auf und wollte sich offenbar unbedingt bei ihnen einschmeicheln. Er gestikulierte viel und zündete sich eine Zigarette nach der anderen an.

Er will etwas von uns. Und er wird mir bald sagen, was.

Als der Tisch abgeräumt und das Geschirr gespült wurde, nahm Bones Priest beiseite und sagte: »Du, ich hab' da was, was ich dir zeigen will. Komm mal mit.«

Priest zuckte mit den Schultern und folgte ihm.

Unterwegs kramte Priest einen kleinen Beutel mit Marihuana und ein Päckchen Zigarettenpapier aus seiner Tasche. Tagsüber rauchten die Kommunarden normalerweise kein Dope, weil die Arbeit im Weinberg darunter litt. Heute allerdings war eine Ausnahme, und Priest brauchte etwas zur Beruhigung seiner Nerven. Mit einer Fingerfertigkeit, die lange Übung verriet, rollte er sich einen Joint, während er mit Bones den bewaldeten Hang hinaufstieg.

Bones leckte sich die Lippen. »Du hast nicht zufällig was … Stärkeres, oder?«

»Was ziehst du dir denn heutzutage so rein, Bones?«

»Ab und zu mal ein bißchen braunen Zucker, weißt du. Um 'nen klaren Kopf zu behalten.«

Heroin.

Das war es also. Bones war zum Junkie geworden.

»So was haben wir hier nicht«, sagte Priest. »Keiner von uns nimmt das Zeug.« *Und ich würde jeden rausschmeißen, der damit anfängt, und zwar schneller, als du piep sagen kannst.*

Er zündete sich seinen Joint an.

An der Lichtung, auf der die Autos parkten, sagte Bones: »Hier ist es.«

Zuerst erkannte Priest gar nicht, was da vor ihm stand. Es war ein Lastwagen – aber was für einer? Das Gefährt war lebhaft gelb und rot gestrichen, und auf der Seite waren ein feuerspeiendes Ungeheuer und irgendwelche in den gleichen grellen Farben gehaltene Buchstaben aufgemalt.

Bones, der wußte, daß Priest nicht lesen konnte, sagte: »›Das Drachenmaul‹. Es ist ein Karussell. Ein Kirmeswagen.«

Jetzt wurde Priest klar, womit er es zu tun hatte. So etwas sah man ziemlich häufig: kleine Karussells, die auf Lastwagen montiert waren. Der Lkw-Motor diente als Antrieb. Nach Betriebsende wurden die Einzelteile zusammengeklappt, und der Laster fuhr weiter zum nächsten Rummelplatz.

Priest gab seinen Joint an Bones weiter und sagte: »Gehört er dir?«

Bones inhalierte tief, behielt den Rauch in den Lungen und antwortete erst, nachdem er wieder ausgeatmet hatte. »Seit zehn Jahren lebe ich davon. Aber das Fahrzeug muß repariert werden, und das kann ich mir nicht leisten. Ich muß es leider verkaufen.«

Priest wußte nun, worauf er hinauswollte.

Bones zog erneut an dem Joint, gab ihn jedoch nicht zurück. »Ist wahrscheinlich so um die fünfzigtausend wert. Ich will aber nur zehntausend.«

Priest nickte. »Klingt nach einem guten Geschäft – für den, der so was braucht.«

»Vielleicht könnt ihr's ja kaufen«, sagte Bones.

»Was soll ich denn mit einem Karussellwagen anfangen?«

»Ist 'ne gute Investition. Wenn ihr mit euerm Wein mal ein schlechtes Jahr habt, könnt ihr mit dem Ding durch die Gegend fahren und ein bißchen Geld verdienen.«

Es gab schlechte Jahre, gewiß. Auf das Wetter hatten sie keinen Einfluß. Aber Paul Beale war stets bereit, ihnen Kredit einzuräumen. Er glaubte an die Ideale der Kommune, obwohl er es in seinem eigenen Leben nicht geschafft hatte, sich danach zu richten. Außerdem wußte er, daß die Ernte schon im nächsten Jahr wieder anders ausfallen würde.

Priest schüttelte den Kopf. »Ich fürchte, nein. Aber ich wünsch' dir viel Glück, alter Kumpel. Laß nur nicht locker. Du findest schon noch einen Kunden.«

Obwohl Bones gewußt haben mußte, daß er kaum Chancen hatte, sein Gefährt hier loszuwerden, schien ihn plötzlich eine Art Panik zu befallen. »Du, Priest, um die Wahrheit zu sagen … Mir geht's verdammt mies. Kannst du mir vielleicht tausend Dollar leihen? Damit käme ich erst mal wieder klar.«

Damit willst du dich volldröhnen bis zur Bewußtlosigkeit, das meinst du doch. Und nach ein paar Tagen bist du wieder genauso weit wie vorher.

»Wir haben kein Geld«, sagte Priest. »Wir benutzen hier keines, hast du das vergessen?«

Bones grinste verschlagen. »Komm, Priest, irgendwo habt ihr doch bestimmt 'n paar Penunzen verbuddelt.«

Und du bildest dir ein, ich würde das ausgerechnet dir *auf die Nase binden?*

»Tut mir leid, Kumpel, ich kann dir nicht helfen.«

Bones nickte. »Das ist ein ganz schöner Hammer, Mann. Ich meine, ich stecke echt ziemlich tief in der Patsche.«

»Und versuch bloß nicht, hinter meinem Rücken Star anzupumpen«, sagte Priest. »Von ihr bekommst du nämlich die gleiche Antwort.« Er schlug absichtlich einen harschen Ton an. »Hörst du mir überhaupt zu?«

»Klar doch …« Bones sah verängstigt aus. »Immer schön cool bleiben, Mann, ganz cool …«

»Ich *bin* cool«, sagte Priest.

Den ganzen Nachmittag über kreisten Priests Gedanken um Melanie. *Vielleicht hat sie ihre Meinung geändert und ist zu ihrem Mann zurückgekehrt. Vielleicht hat sie auch bloß Schiß bekommen, sich in ihr Auto gesetzt und aus dem Staub gemacht. Dann bin ich erledigt …*

Er war auf sie angewiesen. Außer ihr gab es weit und breit niemanden, der die Daten lesen konnte, die sie von Michael Quercus gestohlen hatten, und außer ihr konnte niemand sagen, wohin Priest am folgenden Tag mit dem seismischen Vibrator fahren sollte.

Zu seiner großen Erleichterung fand sich Melanie dann plötzlich am späten Nachmittag wieder ein. Priest berichtete von Flowers Festnahme und erzählte Melanie, daß ein oder zwei Kommunarden ihr und ihren modischen Kleidern die Schuld daran zuschieben wollten. Sofort versprach sie, sich im Laden mit Arbeitskleidung einzudecken.

Nach dem Essen ging Priest zu Song in die Hütte und holte sich ihre Gitarre. »Brauchst du sie gerade?« fragte er höflich. Nie hätte er gesagt: »Darf ich mir deine Gitarre ausleihen?«, denn theoretisch war alles in der Kommune Gemeineigentum und er demnach Mitbesitzer ihrer Gitarre, auch wenn Song sie selbst gebaut hatte. In der Praxis freilich wurde in solchen Fällen immer gefragt.

Priest ließ sich mit Flower vor seiner Hütte nieder und stimmte das Instrument. Spirit, der Hund, sah ihm aufmerksam zu, als wolle er ebenfalls Gitarre spielen lernen. »Die meisten Lieder bauen auf drei Akkorden auf«, begann Priest. »Wenn du die beherrschst, kannst du neun von zehn Liedern spielen.« Er zeigte ihr den C-Dur-Akkord.

Während Flower sich bemühte, die Saiten mit ihren weichen Fingerkuppen hinunterzudrücken, studierte er im Licht der Abendsonne ihr Gesicht – die makellose Haut, das dunkle Haar, Stars grüne Augen, die vor Konzentration leicht gerunzelte Stirn. *Ich muß am Leben bleiben, damit ich mich um dich kümmern kann.*

Er mußte daran denken, wie er selbst in Flowers Alter gewesen war – ein Verbrecher schon damals, erfahren, geschickt, hart im Nehmen wie im Austeilen, voller Haß auf die Bullen und voller Verachtung für die Spießbürger, die dumm genug waren, sich ausrauben zu lassen. *Ich war mit dreizehn schon auf der schiefen Bahn.* Nein, Flower sollte nicht den gleichen Weg gehen. Sie war in einer liebevollen, friedfertigen Gemeinschaft aufgewachsen, unberührt von jener Welt, die den kleinen Ricky Granger verdorben und ihn, noch ehe an seinem Kinn die ersten Härchen sprossen, zum Gangster gemacht hatte. *Dir wird es einmal besser gehen, dafür werde ich sorgen.*

Flower bewältigte den Akkord, und im selben Moment wurde Priest klar, daß ihm seit Bones' Auftauchen unentwegt ein Lied im Kopf herumging. Es war ein Folksong aus den frühen sechziger Jahren, der stets zu Stars Lieblingsliedern gehört hatte.

Show me the prison,
Show me the jail,
Show me the prisoner
Whose face is growin' pale ...

»Ich bringe dir ein Lied bei, das deine Mutter immer gesungen hat, als du noch ein Baby warst«, erklärte er und nahm Flower die Gitarre aus den Händen. »Erinnerst du dich?« Er sang:

»I'll show you a young man
With so many reasons why ...«

In seinem Kopf hörte er Stars unverkennbare Stimme – tief und sexy, damals wie heute.

»There, but for fortune
May go you or I,
You or I.«

Priest war ungefähr so alt wie Bones, und Bones hatte, das stand für Priest außer Zweifel, nicht mehr lange zu leben. Das Mädchen mit dem Baby würde ihn bald verlassen, und er würde seinen Körper weiter auszehren und immer wieder seiner Sucht nachgeben. Irgendwann würde er dann an einer Überdosis oder an verunreinigtem Stoff eingehen. Oder sein Organismus war eines Tages einfach überfordert und fing sich eine Lungenentzündung ein, die ihm den Rest gab. So oder so – Bones war praktisch ein toter Mann.

Wenn ich von hier weg muß, wird es mir genauso ergehen.

Flower, die sich die Gitarre längst zurückgeholt hatte, mühte sich mit dem a-Moll-Akkord ab. Priest spielte unterdessen mit dem Gedanken an eine Rückkehr in die bürgerliche Gesellschaft. Er stellte sich vor, wie es wäre, jeden Tag zur Arbeit zu gehen, Sokken und Halbschuhe aus durchbrochenem Leder zu kaufen, einen Toaster und ein Fernsehgerät zu besitzen. Ihm wurde allein schon von der Vorstellung übel. Er hatte nie ein normales Leben geführt. Sein Zuhause war ein Bordell, seine Schule die Straße gewesen. Eine Zeitlang hatte er ein halblegales Unternehmen besessen, den weitaus größten Teil seines Lebens jedoch als Chef einer von der Außenwelt abgeschotteten Hippiekommune verbracht.

Er mußte an den einzigen normalen Beruf denken, den er je ausgeübt hatte. Mit achtzehn hatte er eine Stelle bei den Jenkinsons angetreten, die den Spirituosenladen ein Stück weiter in der gleichen Straße führten. Das Ehepaar war ihm damals sehr alt vorgekommen; jetzt schätzte er, daß die beiden so um Mitte Fünfzig gewesen sein mußten. Ursprünglich hatte er nur so lange bei ihnen arbeiten wollen, bis er wußte, wo sie ihr Geld aufbewahrten; das wollte er dann klauen. Doch dann hatte er plötzlich etwas über sich selbst gelernt.

Er entdeckte, daß er eine eigenartige mathematische Begabung besaß. Jeden Morgen legte Mr. Jenkinson Wechselgeld im Wert von zehn Dollar in die Registrierkasse. Wenn Priest einen Kunden nicht selbst bediente, hörte er Mr. oder Mrs. Jenkinson die Summe für die verkauften Waren nennen: »Ein Dollar neunundzwanzig bitte, Mrs. Roberto.« Oder: »Macht genau drei Dollar, Sir.« Im Gehirn des jungen Ricky Granger addierten sich die gehörten Zahlen automatisch; er wußte also jederzeit auf den Cent genau, wieviel Geld sich in der Kasse befand. Wenn Mr. Jenkinson abends die Einkünfte zusammenzählte, konnte Priest ihm die richtige Summe immer schon vorher nennen.

Er bekam auch mit, wenn Mr. Jenkinson mit den Vertretern sprach, die ihn besuchten. Es dauerte nicht lange, und Priest kannte die Großhandels- und Ladenpreise jeder einzelnen Ware im Angebot. Von da an berechnete das automatische Zählwerk in seinem Gehirn bei jedem Einzelverkauf sofort den Profit. Es beeindruckte ihn tief, wieviel die Jenkinsons in die eigene Tasche stecken konnten, *ohne auch nur ein einziges Mal klauen zu müssen.*

Er sorgte dafür, daß das Geschäft viermal in einem Monat überfallen und ausgeraubt wurde. Dann bot er an, ihnen den Laden abzukaufen. Als sie seinen Vorschlag ablehnten, organisierte Priest den fünften Überfall, bei dem Mrs. Jenkinson – auch das mit Kalkül – zusammengeschlagen wurde. Diesmal ging Mr. Jenkinson auf das Kaufangebot ein.

Die Anzahlung lieh sich Priest vom lokalen Kredithai, und die Ratenzahlungen beglich er aus den Einnahmen. Obwohl er weder schreiben noch lesen konnte, wußte er immer genau Bescheid über seine finanzielle Lage. Ihn konnte niemand übers Ohr hauen. Einmal beschäftigte er eine vertrauenswürdig aussehende Frau mittleren Alters, die jeden Tag einen Dollar aus der Registrierkasse mitgehen ließ. Am Ende der Woche zog er ihr fünf Dollar vom Lohn ab, verprügelte sie und warf sie hinaus.

Binnen eines Jahres war er Besitzer von vier Läden, zwei Jahre später Eigentümer eines Spirituosengroßhandels. Nach drei Jahren war er Millionär – und am Ende des vierten Jahres auf der Flucht.

Manchmal dachte er darüber nach, was wohl geschehen wäre, wenn er dem Kredithai die verlangte Summe samt den Wucherzinsen voll zurückgezahlt, seinem Buchhalter ehrliche Zahlen für die Steuererklärung geliefert und sich, was die Betrugsvorwürfe anging, mit der Polizei von Los Angeles auf einen juristischen Kuhhandel eingelassen hätte. *Dann wäre ich heute vielleicht Inhaber einer Firma in der Größenordnung von Coca Cola und lebte in einer dieser Villen in Beverly Hills, mit Gärtner, Swimmingpool-Aufseher und einer Garage, in der fünf große Schlitten Platz haben.*

Doch als er jetzt versuchte, sich in eine solche Situation hineinzudenken, wußte er sofort, daß das reine Illusion war. So etwas paßte nicht zu ihm. Der Kerl, der da im weißen Bademantel die Treppen seiner Villa hinunterschritt und dem Zimmermädchen lässig befahl, ihm frische Orangen auszupressen, trug nicht sein Gesicht. In der sogenannten normalen Welt konnte Priest nicht existieren. Mit fremden Regeln und Vorschriften hatte er seit jeher Probleme gehabt, denn er war außerstande, sich daran zu halten. Etwas anderes als das Leben in der Kommune kam für ihn nicht mehr in Frage.

Im Silver River Valley bestimme ich die Regeln, und ich ändere sie, wenn ich es für richtig halte. Hier bin ich das Gesetz.

»Meine Finger tun mir weh«, sagte Flower.

»Dann hörst du am besten auf«, antwortete Priest. »Wenn du willst, bringe ich dir morgen ein anderes Lied bei.«

Wenn ich morgen abend noch am Leben bin.

»Tun sie dir auch weh?«

»Nein, aber nur deshalb, weil ich daran gewöhnt bin. Wenn du eine Weile übst, wächst dir eine Hornhaut an den Fingerkuppen, so ähnlich wie an deinen Hacken.«

»Hat Noel Gallagher auch Hornhaut auf den Fingerspitzen?«

»Wenn Noel Gallagher Popgitarrist ist ...«

»Natürlich! Er spielt doch bei *Oasis*!«

»Ja, dann hat er eine Hornhaut. Könntest du dir vorstellen, Musikerin zu werden?«

»Nein.«

»Das war eine klare Antwort. Hast du schon irgendwelche anderen Vorstellungen?«

Flower schien ein schlechtes Gewissen zu haben; es war, als wisse sie schon im voraus, daß er ihre Wahl nicht billigen würde. Aber sie nahm ihren ganzen Mut zusammen und sagte: »Ich möchte schreiben.«

Priest wußte nicht genau, was er davon halten sollte. *Dein Papa wird deine Werke niemals lesen können* ... Aber er tat, als wäre er ganz begeistert: »Das ist ja toll! Was willst du denn schreiben?«

»Artikel und so. Für Jugendzeitschriften wie *Teen* zum Beispiel.«

»Warum?«

»Da triffst du 'n Haufen Stars und kannst sie interviewen. Oder du schreibst über Mode und Make-ups und so.«

Priest biß die Zähne zusammen, um sich seine Abscheu nicht anmerken zu lassen. »Also, daß du Schrifstellerin werden willst, finde ich auf jeden Fall gut. Und wenn du keine Zeitschriftenartikel, sondern Gedichte und Erzählungen schreibst, könntest du vielleicht sogar hier im Silver River Valley wohnen bleiben.«

»Ja, vielleicht«, sagte Flower, aber es klang nicht sonderlich überzeugt.

Priest spürte, daß sie nicht vorhatte, ihr ganzes Leben in der Kommune zu verbringen. Sie war einfach noch zu jung dafür. War sie erst einmal alt genug, ihre eigenen Entscheidungen zu treffen, würde sie die Dinge ganz anders sehen. *Hoffe ich jedenfalls* ...

Star kam zu ihnen. »Zeit für John Truth«, meinte sie.

Priest nahm Flower die Gitarre ab. »So, und du siehst zu, daß du ins Bett kommst«, sagte er zu ihr.

Gemeinsam mit Star machte er sich auf den Weg zur Lichtung und ließ unterwegs die Gitarre in Songs Hütte zurück. Melanie saß bereits auf dem Rücksitz des Barracuda und hatte das Radio eingeschaltet. Sie trug jetzt ein hellgelbes T-Shirt und Blue Jeans aus dem Laden. Beides war ihr zu groß, weshalb sie das T-Shirt in die

Hose gesteckt und diese mit einem Gürtel strammgezogen hatte, so daß man sehen konnte, wie schmal ihre Taille war. Auch jetzt wirkte sie noch zum Vernaschen sexy.

John Truth hatte eine flache, nasale Stimme von manchmal geradezu hypnotischer Eindringlichkeit. Seine Spezialität bestand darin, laut auszusprechen, was seine Zuhörer insgeheim dachten, sich aber genierten, offen einzugestehen. Das meiste war der übliche rechtsradikale Mist: AIDS sei die Strafe für schlimme Sünden und Intelligenz ein erbliches Rassemerkmal; die Welt lechze angeblich nach mehr Strenge und Disziplin; Politiker seien ausnahmslos strohdumm und korrupt ... die ganze Palette eben. In Priests Vorstellung setzte sich Truth' Zuhörerschaft weitgehend aus feisten Weißen zusammen, die ihr gesamtes Wissen in der Bar und am Stammtisch aufgeschnappt hatten. »Dieser Kerl verkörpert alles, was ich an Amerika hasse«, sagte Star. »Vorurteile, Scheinheiligkeit, Heuchelei, Selbstgerechtigkeit und eine Dummheit, bei der dir das Kotzen kommt.«

»Stimmt«, sagte Priest. »Aber jetzt hör zu.«

»Ich verlese noch einmal die Stellungnahme des Kabinettssekretärs, Mr. Honeymoon«, sagte Truth.

Priest sträubten sich die Haare im Nacken, und Star sagte: »Dieser Scheißkerl!«

Honeymoon war die graue Eminenz, die hinter den Plänen für den Staudamm im Silver River Valley stand. Sie haßten ihn.

Langsam und gewichtig, als käme es auf jede Silbe an, fuhr John Truth fort: »Im Wortlaut heißt es: ›Das FBI hat die Drohung überprüft, die am ersten Mai auf einem Internet Bulletin Board erschien. Den Untersuchungsergebnissen zufolge ist sie gegenstandslos.‹«

Priest war tief enttäuscht, obwohl er mit so etwas gerechnet hatte. Er hatte sich zumindest die Andeutung einer gewissen Kompromißbereitschaft erhofft. Honeymoons Kommentar klang jedoch völlig unnachgiebig.

Truth las weiter: »»Auf Empfehlung des FBI hat Gouverneur

Mike Robson beschlossen, keine weiteren Maßnahmen in dieser Angelegenheit zu ergreifen.‹ Dies, meine Freunde ist die *gesamte* Stellungnahme!« Truth hielt sie offenbar für empörend kurz. »Geben *Sie* sich, liebe Zuhörer, damit zufrieden? Das Ultimatum der Terroristen läuft morgen ab. Fühlen *Sie* sich jetzt sicher? Rufen Sie mich an, und sagen Sie der Welt, was *Sie* davon halten.«

»Das heißt, wir müssen handeln«, konstatierte Priest.

»Ich habe nie damit gerechnet, daß der Gouverneur ohne eine handfeste Demonstration unsererseits einlenkt«, sagte Melanie.

»Ich eigentlich auch nicht.« Priest runzelte die Stirn. »Das FBI wird gleich zweimal in dem Text erwähnt. Klingt, als würde Mike Robson schon nach Sündenböcken suchen für den Fall, daß doch noch was schiefgeht. *So* sicher scheint er sich seiner Sache gar nicht zu sein.«

»Wenn wir ihm also beweisen, daß wir sehr wohl ein Erdbeben auslösen könnnen …«

»… überlegt er sich's vielleicht noch anders.«

Star wirkte niedergeschlagen. »Verdammt«, sagte sie. »Ich hab' wohl die ganze Zeit gehofft, sie würden uns nicht zum Äußersten treiben.«

Priest erschrak. Daß Star in dieser Phase kalte Füße kriegte, hatte ihm gerade noch gefehlt. Ihre Unterstützung war unerläßlich, wenn die übrigen Reisesser bei der Stange bleiben sollten. »Wir können es schaffen, ohne daß dabei jemand zu Schaden kommt«, sagte er. »Melanie hat die ideale Stelle gefunden.« Er drehte sich um. »Erzähl ihr mal, worüber wir gesprochen haben, Melanie.«

Melanie beugte sich vor, entfaltete eine Karte und hielt sie so, daß auch Star und Priest sie einsehen konnten. Daß Priest keine Karten lesen konnte, wußte sie nicht. »Hier ist die Owens-Valley-Störung«, sagte sie und deutete auf einen roten Strich. »Dort kam es in den Jahren 1790 und 1872 zu größeren Erdbeben. Das nächste ist also überfällig.«

»Erdbeben halten sich doch nicht an genaue Fahrpläne, oder?«

»Nein, aber aus der Geschichte dieser Störung geht hervor, daß sich der Druck, der zu einem Erdbeben führt, in einem Zeitraum von ungefähr hundert Jahren aufbaut. Und dies wiederum heißt, daß wir dort ein Beben auslösen können, wenn wir an der richtigen Stelle ein bißchen nachhelfen.«

»Und das wäre wo?«

Melanie deutete auf einen bestimmten Punkt auf der Karte. »Ungefähr hier.«

»Genauer geht's nicht?«

»Doch, aber erst wenn ich vor Ort bin. Michaels Daten geben uns den Punkt auf ungefähr eine Meile genau an. Im Gelände müßte ich den richtigen Fleck dann eigentlich erkennen.«

»Woran?«

»An den Spuren früherer Erdbeben. Sie sind meistens noch irgendwo sichtbar.«

»Okay.«

»Der günstigste Zeitpunkt wäre nach Michaels Erkenntnissen über die seismischen Fenster zwischen dreizehn Uhr dreißig und vierzehn Uhr zwanzig.«

»Woher seid ihr euch so sicher, daß niemand dabei verletzt wird?«

»Schau dir die Karte an. Das Owens Valley ist dünn besiedelt. Es gibt nur ein paar kleine Ortschaften am Rande eines ausgetrockneten Flußbetts. Die Stelle, die ich ausgesucht habe, liegt meilenweit von jeder menschlichen Siedlung entfernt.«

»Wir können uns auch darauf verlassen, daß wir kein großes Erdbeben auslösen werden«, ergänzte Priest. »Schon in der nächsten Ortschaft wird man kaum etwas davon mitbekommen.« Er wußte, daß es keine absolute Gewißheit gab. Auch Melanie wußte das, doch genügte ein strenger Blick von Priest, um ihren Widerspruch im Keim zu ersticken.

»Wenn man kaum was spürt, kratzt das doch keine Sau«, meinte Star. »Da können wir gleich darauf verzichten.«

Ihr Widerspruch war nur ein Zeichen von Nervosität. »Wir haben damit gedroht, daß wir morgen ein Erdbeben verursachen«, erwiderte Priest. »Sobald wir es getan haben, rufen wir über Melanies Handy John Truth an und sagen ihm, daß wir unser Versprechen gehalten haben.« *Das wird ein Spaß, ein tolles Gefühl!*

»Wird er uns glauben?«

»Wenn er seinen Seismographen anschaut, wird ihm nichts anderes übrigbleiben«, meinte Melanie.

»Stellt euch bloß mal die dummen Gesichter von Robson und seinen Leuten vor«, sagte Priest und hörte selbst, wieviel Begeisterung in seiner Stimme mitschwang. »Vor allem die Visage von diesem Arschloch Honeymoon. ›Scheiße, diese Kerle kriegen das wirklich hin, Mann!‹, werden sie denken. ›Was, verdammt noch mal, sollen wir jetzt tun?‹«

»Und wie geht's dann weiter?« wollte Star wissen.

»Wir drohen mit einer Wiederholung, geben ihnen diesmal aber nicht einen Monat, sondern nur eine Woche Zeit.«

»Wie schicken wir die Drohung raus? So wie beim erstenmal?«

»Nein, besser nicht«, erwiderte Melanie. »Inzwischen haben sie garantiert eine Methode gefunden, das Bulletin Board zu überwachen und unsere Meldung zurückzuverfolgen. Und bei einem anderen Bulletin Board besteht immer die Gefahr, daß unsere Botschaft keinem auffällt. Vergeßt nicht, daß es immerhin drei Wochen gedauert hat, bis John Truth auf die erste aufmerksam wurde.«

»Dann rufen wir also an und drohen mit einem zweiten Erdbeben.«

»Aber beim nächstenmal gehen wir nicht wieder in die Wildnis, sondern irgendwohin, wo's richtig kracht.« Priest fing einen ängstlichen Blick von Star auf. »Das muß natürlich nicht unser Ernst sein«, fügte er hinzu. »Haben wir erst mal gezeigt, wozu wir fähig sind, sollte die Drohung allein schon genügen.«

»*Inschallah*«, sagte Star. Den Ausdruck hatte sie von Poem, die aus Algerien stammte. »So Gott will.«

Es war noch pechschwarze Nacht, als sie am nächsten Morgen losfuhren.

In einem Umkreis von hundert Meilen ums Tal hatte noch niemand den seismischen Vibrator bei Tageslicht gesehen, und so sollte es nach Priests Willen auch bleiben. Er hatte vor, nur bei Dunkelheit abzufahren und zurückzukehren. Die Gesamtstrecke betrug diesmal ungefähr fünfhundert Meilen, das bedeutete eine Fahrtzeit von elf Stunden bei einer Höchstgeschwindigkeit von fünfundvierzig Meilen. Den Barracuda bestimmte Priest zum Begleitfahrzeug. Oaktree würde mitfahren und sie bei Gelegenheit am Steuer ablösen.

Mit Hilfe einer Taschenlampe fand Priest den Pfad, der sie zu dem versteckten Lastwagen führte. Keiner der vier sprach ein Wort, alle waren angespannt und konzentriert. Sie brauchten eine halbe Stunde, um den Laster von seiner Tarnung aus Laub und Zweigen zu befreien.

Endlich klemmte sich Priest nervös hinters Steuerrad und steckte den Schlüssel ins Zündschloß. Der Motor sprang gleich beim ersten Versuch an und heulte beruhigend auf. Priest fiel ein Stein vom Herzen.

Die Siedlung lag über eine Meile entfernt. Er rechnete fest damit, daß dort niemand den Motorenlärm hören würde; der dichte Wald schluckte Geräusche aller Art. Später am Tag würde das Fehlen der vier Kommunarden natürlich auffallen. Sie hatten Aneth instruiert, den anderen zu erzählen, sie wollten auf Empfehlung von Paul Beale ein Weingut in Napa besichtigen, wo man eine neue Rebsorte gepflanzt hatte. Daß Kommunemitglieder auf Reisen gingen, war ungewöhnlich, doch weil niemand sich gerne mit Priest anlegte, würden sich die Fragen in Grenzen halten.

Er stellte die Scheinwerfer an, und Melanie kletterte neben ihn auf den Beifahrersitz. Priest legte den ersten Gang ein, steuerte das schwere Fahrzeug durch den Wald auf den Weg und dann den Hang hinauf Richtung Straße. Die Geländereifen bewältigten die Bachbetten und Schlammlöcher ohne Schwierigkeiten.

Jesus, ich frag' mich, ob das wirklich klappt.
Ein Erdbeben? Du spinnst ja wohl …
Aber es muß einfach klappen.

An der Straße bogen sie nach Osten ab. Zwanzig Minuten später kletterten sie aus dem Silver River Valley hinaus und erreichten die Fernstraße 89. Priest ging auf Südkurs. Im Rückspiegel sah er, daß Star und Oaktree im Barracuda noch immer hinter ihnen waren.

Melanie neben ihm verhielt sich sehr still. »Wie ging's Dusty gestern abend?« fragte er sanft.

»Prächtig. Er besucht seinen Vater gerne. Für ihn hat Michael immer Zeit gehabt, für mich nie.«

Melanies Verbitterung war Priest nichts Neues. Was ihn überraschte, war ihre Furchtlosigkeit. Anders als er quälte sie sich nicht mit dem Gedanken herum, was aus ihrem Kind werden sollte, wenn sie den heutigen Tag nicht überlebte. Sie schien felsenfest davon überzeugt zu sein, daß das Erdbeben sie nicht in Gefahr bringen würde. *Weiß sie mehr als ich? Oder gehört sie zu den Menschen, die unbequeme Tatsachen einfach nicht wahrhaben wollen?* Priest wußte es nicht.

Im ersten Licht des Morgens erreichten sie das Nordende des Lake Tahoe, dessen spiegelglatte Wasseroberfläche wie eine zwischen die Berge gefallene Scheibe aus blankem Stahl aussah. Der seismische Vibrator war ein auffälliges Gefährt auf der kurvenreichen Straße, die den Windungen des von Kiefern gesäumten Ufers folgte. Aber die Urlauber lagen alle noch in ihren Betten, und so bekamen den Laster nur ein paar schläfrige Arbeiter und Angestellte zu Gesicht, die auf dem Weg zu ihren Jobs in Hotels und Restaurants waren. Bei Sonnenaufgang hatten sie auf der US 395 bereits die Grenze nach Nevada überquert und rumpelten durch eine flache Wüstenlandschaft weiter gen Süden. An einem Fernfahrerstopp fanden sie einen Parkplatz, der von der Straße aus nicht einsehbar war, frühstückten ölige Western-Omelettes und tranken dünnen Kaffee.

Als die Straße in einer weiten Biegung wieder nach Kalifornien zurückschwang, begann der Anstieg in die Berge. Zwei Stunden lang fuhren sie durch eine grandiose Landschaft mit steilen, bewaldeten Hängen – eine größere Ausgabe ihres Silver River Valleys. Dann ging es wieder bergab zu einem silbrig schimmernden See – dem Mono Lake, wie Melanie sagte.

Kurze Zeit später waren sie auf einer kleineren Straße, die in gerader Linie ein langes, staubiges Tal durchschnitt. Das Tal weitete sich, bis die Berge am anderen Ende im blauen Dunst verschwanden, dann wurde es wieder schmaler. Der Boden beiderseits der Straße war gelbbraun und steinig; hie und da wuchsen ein paar Sträucher. Einen Fluß gab es hier nicht mehr, doch die ausgetrockneten Salzpfannen sahen aus wie ferne Gewässer.

»Jetzt sind wir im Owens Valley«, sagte Melanie.

Priest konnte sich des Eindrucks nicht erwehren, daß dieses Gebiet irgendwann von einer Katastrophe heimgesucht worden sein mußte. »Was ist hier passiert?« fragte er.

»Der Fluß ist trockengefallen, weil das Wasser schon vor Jahren nach Los Angeles abgeleitet wurde«, erklärte Melanie.

Etwa alle zwanzig Meilen fuhren sie durch verschlafene kleine Ortschaften. Mit der Anonymität war es hier vorbei. Es gab nur wenig Verkehr. Jedesmal wenn der seismische Vibrator an einer roten Ampel hielt, wurde er angestarrt. Viele Menschen würden sich später daran erinnern. *Ja, ich hab' diesen Apparat gesehen. Sah aus, als wollten sie damit 'ne Straße teeren. Was war das überhaupt für 'n Ding?*

Melanie schaltete ihren Laptop an, entfaltete die Karte und meinte nachdenklich: »Irgendwo unter uns sind zwei riesige Platten der Erdkruste verkeilt. Sie stecken fest und wollen sich voneinander lösen.«

Ein kalter Schauer überlief Priest. *Und ausgerechnet ich will diese aufgestaute zerstörerische Kraft entfesseln? Ich muß verrückt sein …*

»Irgendwo auf den nächsten fünf bis zehn Meilen«, sagte Melanie.

»Wieviel Uhr ist es?«

»Kurz nach eins.«

Sie lagen gut in der Zeit. In einer halben Stunde würde sich das seismische Fenster öffnen und fünfzig Minuten danach wieder schließen.

Melanie dirigierte Priest auf eine Seitenstraße, welche die flache Talsohle durchschnitt. Von einer Straße konnte man allerdings kaum sprechen; es war nicht viel mehr als eine steinige Piste durchs Gebüsch. Obwohl der Boden fast eben erschien, verschwand die Hauptstraße hinter ihnen bald aus dem Blickfeld; nur noch die Oberkanten vorüberfahrender Lastzüge waren zu erkennen.

Endlich sagte Melanie: »Halt mal an.«

Priest brachte das Fahrzeug zum Stehen, und sie stiegen aus. Von einem gnadenlosen Himmel brannte die Sonne auf sie herab. Der Barracuda hinter ihnen stoppte ebenfalls. Star und Oaktree stiegen aus und reckten die Glieder nach der langen Fahrt.

»Schaut mal her«, sagte Melanie. »Seht ihr den trockenen Graben hier?«

Priest erkannte, daß hier ein Bach, der schon vor langer Zeit ausgetrocknet war, sein Bett durch den felsigen Boden gegraben hatte. Doch an der Stelle, auf die Melanie deutete, endete das Bachbett abrupt, als wäre es durch eine Mauer abgeschottet worden. »Seltsam«, sagte Priest.

»Und jetzt schaut mal ein paar Meter weiter nach rechts.«

Priest folgte ihrem Zeigefinger. Das Bachbett begann hier ebenso abrupt, wie es zuvor geendet hatte, und setzte sich in Richtung Talmitte fort. Jetzt begriff er, worauf Melanie hinauswollte. »Da ist die Verwerfung«, sagte er. »Beim letzten Erdbeben hat eine Seite des Tals ihr Röckchen gehoben und sich fünf Meter weiter wieder hingesetzt.«

»Ja, so ungefähr.«

»Und wir wollen jetzt zusehen, daß es noch einmal passiert, stimmt's?« fragte Oaktree. Eine gewisse Ehrfurcht schwang in seiner Stimme mit.

»Wir werden es jedenfalls versuchen«, sagte Priest kurz angebunden. »Und dazu bleibt uns nicht mehr viel Zeit.« Er wandte sich an Melanie. »Steht der Laster genau an der richtigen Stelle?«

»Ich denke, ja«, sagte sie. »Ein paar Meter mehr oder weniger in dieser oder jener Richtung hier an der Oberfläche dürften in fünf Meilen Tiefe keinen großen Unterschied machen.«

»Okay.« Priest zögerte. *Eigentlich sollte ich jetzt eine kleine Ansprache halten.* »Na, dann fang' ich mal an«, sagte er.

Er stieg wieder ins Führerhaus und setzte sich auf den Fahrersitz. Dann startete er den Motor, der den Vibrator antrieb. Er legte den Hebel um, mit dem die Stahlplatte auf den Boden gesenkt wurde, und stellte den Vibrator so ein, daß er bei mittlerer Frequenz dreißig Sekunden lang zittern würde. Er warf einen Blick durchs Rückfenster der Kabine und überprüfte noch einmal die Anzeigen. Alle Angaben waren normal. Dann nahm er die Fernsteuerung an sich und stieg wieder aus.

»Alles bereit«, sagte er.

Die vier setzten sich in den Barracuda. Oaktree übernahm das Steuer. Sie fuhren zur Hauptstraße zurück, überquerten sie und schlugen sich durch das Gebüsch auf der anderen Seite. Auf halbem Weg eine Anhöhe hinauf sagte Melanie: »Okay, hier können wir bleiben.«

Oaktree hielt an.

Priest hoffte, daß man sie von der Straße aus nicht allzu deutlich sah. Falls doch, so konnte er jetzt auch nichts mehr daran ändern. Immerhin fügte sich die dreckverkrustete Karosserie des Barracuda nahtlos ins Braun der Landschaft.

»Sind wir auch weit genug weg?« fragte Oaktree nervös.

»Glaub' schon«, sagte Melanie gelassen. Sie empfand nicht die geringste Angst. Priest musterte ihre Miene und erkannte in ihren Augen einen Anflug wahnsinniger Erregung, die beinahe sexuell anmutete. Rächte sie sich jetzt an den Seismologen, die sie abgewiesen hatten? Oder an ihrem Ehemann, der ihr nicht geholfen hatte? Oder gar an der ganzen verdammten Welt? Was immer dahintersteckte – Melanie war in diesem Augenblick wie im Rausch.

Sie stiegen aus und starrten auf die andere Talseite hinüber. Vom Lastwagen war gerade noch das obere Viertel zu erkennen.

»Es war ein Fehler, daß wir beide hierher gefahren sind«, sagte Star zu Priest. »Wenn wir umkommen, hat Flower niemanden mehr.«

»Sie hat die gesamte Kommune«, erwiderte Priest. »Wir beide sind nicht die einzigen Erwachsenen, die sie liebt und denen sie vertraut. Wir sind keine Kernfamilie – und dies ist einer der vielen guten Gründe dafür.«

Melanie verzog ärgerlich das Gesicht. »Wenn die Verwerfung wirklich auf der Talsohle verläuft, wovon wir eigentlich ausgehen können, dann sind wir jetzt eine Viertelmeile von ihr entfernt.« Ihr Tonfall klang, als wollte sie sagen: Schluß jetzt mit dem dummen Geschwätz! »Wir werden zwar spüren, daß die Erde sich bewegt, aber von einer Gefährdung kann überhaupt keine Rede sein. Erdbebenopfer werden normalerweise von Gebäudeteilen getroffen – von einfallenden Zimmerdecken, einstürzenden Brücken, durch die Luft fliegenden Glasscherben und dergleichen. Hier im Freien sind wir sicher.«

Star warf einen Blick über ihre Schulter. »Der Berg da hinten wird uns nicht auf den Kopf fallen, oder?«

»Möglich ist alles. Möglich ist auch, daß wir auf der Rückfahrt ins Silver River Valley bei einem Verkehrsunfall sterben. Aber das ist höchst unwahrscheinlich, und wir sollten uns davon nicht irre machen lassen. Reine Zeitverschwendung.«

»Du hast leicht reden. Der Vater deines Kindes ist in San Francisco, dreihundert Meilen von hier.«

»Mir ist es egal, ob ich hier draufgehe«, sagte Priest. »Ich kann meine Kinder jedenfalls nicht in irgendeiner amerikanischen Vorstadt großziehen.«

»Es *muß* klappen«, murmelte Oaktree. »Es *muß* einfach klappen!«

»Herrgott, Priest, wir haben nicht den ganzen Tag Zeit!« sagte Melanie. »Nun drück endlich auf den verdammten Knopf!«

Priest ließ den Blick noch einmal über die Straße schweifen und wartete, bis ein dunkelgrüner Jeep Grand Cherokee Limited vorübergefahren war. »Okay«, sagte er, als die Straße wieder frei dalag. »Jetzt geht's los.«

Er drückte auf den Knopf der Fernsteuerung.

Unmittelbar darauf hörte er, wenn auch gedämpft durch die Entfernung, das Hämmern des Vibrators. Dann nahm er die Schwingungen in seinen Fußsohlen wahr: ein schwaches, aber durchaus spürbares Zittern.

»O Gott!« sagte Star.

Um den Laster herum wirbelte eine Staubwolke auf.

Alle vier waren gespannt wie Gitarrensaiten, und ihre Körper strafften sich in Erwartung der ersten Bewegungen im Boden.

Sekunden verstrichen.

Priest suchte die Landschaft mit den Augen ab, spähte aus nach Hinweisen auf ein Beben, obwohl er eigentlich damit rechnete, daß er es spüren würde, bevor es zu sehen war.

Na los schon! Los!

Die Wissenschaftler und ihre Geophon-Teams arbeiteten gewöhnlich mit »Sweeps« von sieben Sekunden Dauer. Priest hatte eine halbe Minute einprogrammiert. Sie kam ihm vor wie eine Stunde.

Endlich hörte der Lärm auf.

»Verdammt!« sagte Melanie.

Priest hätte heulen können. Es gab kein Erdbeben. Es hatte nicht geklappt.

War vielleicht bloß wieder so eine Schnapsidee von ein paar verrückten Hippies, so wie der Versuch, das Pentagon zum Schweben zu bringen.

»Versuch's noch mal«, sagte Melanie.

Priest blickte auf die Fernsteuerung in seiner Hand. *Warum nicht?*

Ein achtachsiger Schwertransporter näherte sich auf der US 395. Diesmal wartete Priest jedoch nicht, bis er vorbeigefahren war. *Wenn Melanie recht hat, macht ihm das Erdbeben nichts aus. Wenn Melanie nicht recht hat, sind wir gleich alle tot.*

Er drückte auf den Knopf.

Das entfernte Dröhnen begann von neuem, auch spürten sie wieder ein feines Zittern unter ihren Füßen. Eine Staubwolke hüllte den Vibrator ein.

Priest fragte sich, ob die Straße unter dem Achtachser aufreißen würde.

Nichts geschah.

Diesmal vergingen die dreißig Sekunden schneller; Priest war direkt überrascht, als die Maschine verstummte. *War das schon alles?*

Verzweiflung packte ihn. War denn die Kommune im Silver River Valley nur ein Traum, der nun unwiederbringlich zu Ende ging? *Was soll ich tun? Wo soll ich leben? Was soll ich machen, damit ich nicht so ende wie Bones?*

Aber Melanie war noch nicht bereit aufzugeben. »Fahren wir den Laster ein Stück weiter und probieren es noch einmal.«

»Du hast doch gesagt, daß es auf den genauen Standort nicht ankommt«, wandte Oaktree ein. »›Ein paar Meter mehr oder weniger in dieser oder jener Richtung hier an der Oberfläche dürften in fünf Meilen Tiefe keinen großen Unterschied machen.‹ Das waren deine Worte!«

»Dann fahren wir halt ein bißchen weiter als nur ein paar Meter«, erwiderte Melanie wütend. »Aber los jetzt, die Zeit läuft uns davon!«

Priest ließ sich auf keinen Streit mit ihr ein. Sie war wie ausgewechselt. Normalerweise war er es, der in ihrer Beziehung den Ton angab. Sie war ein edles Fräulein in Not und er der Ritter, der sie gerettet hatte. Also war sie ihm dankbar – und mußte sich für immer und ewig seinem Willen beugen. Jetzt aber hatte sie die Initiative an sich gerissen, war ungeduldig, dominant. Priest konnte sich damit abfinden, solange Melanie tat, was sie versprochen hatte. Später würde er sie wieder in ihre Schranken weisen.

Sie stiegen in den Barracuda und fuhren schnell über die ausgedörrte Erde zu ihrem seismischen Vibrator zurück. Priest und Melanie stiegen wieder ein, und Melanie gab die Fahrtrichtung vor.

Sie verließen die Piste und fuhren jetzt querfeldein. Die Lastwagenräder zermalmten das dürre Gesträuch und rollten problemlos über die Steine, doch Priest fürchtete, der tiefliegende Barracuda könne Schaden nehmen. Oaktree wird sicher hupen, wenn's kritisch wird, dachte er.

Melanie hielt Ausschau nach charakteristischen Geländeformationen, die den weiteren Verlauf der Verwerfung anzeigten. Versetzte Bachbetten sah Priest keine mehr. Nach etwa einer halben Meile deutete Melanie jedoch auf eine rund ein Meter zwanzig hohe Gesteinsformation, die wie eine kleine Klippe aussah. »Eine Abbruchfläche«, sagte sie. »Ungefähr hundert Jahre alt.«

»Ja, ich kann sie erkennen«, sagte Priest. Im Boden vor ihnen zeichnete sich eine schüsselförmige Mulde ab. Ein Bruch im Rand der Mulde zeigte, wo der Boden sich seitwärts verschoben hatte. Es sah aus, als hätte die Schüssel einen Sprung bekommen, der von ungeschickten Händen wieder geklebt worden war.

»Versuchen wir's hier mal«, sagte Melanie.

Priest brachte den Laster zum Stehen und senkte die Stahlplatte. Rasch überprüfte er die Anzeigen und stellte den Vibrator ein, diesmal auf einen Sechzig-Sekunden-Sweep. Dann sprang er aus dem Lastwagen.

Er warf einen besorgten Blick auf die Uhr. Es war jetzt zwei. Ihnen blieben nur noch zwanzig Minuten.

Wieder überquerten sie die US 395 im Barracuda und fuhren den Hang auf der gegenüberliegenden Seite hinauf. Die Fahrer der wenigen Autos, die ihnen begegneten, scherten sich nach wie vor nicht um sie. Dennoch war Priest nervös. Früher oder später würde jemand kommen und fragen, was sie hier trieben. Er hatte nicht die geringste Lust, einem neugierigen Bullen oder einem herumschnüffelnden Gemeinderat Rede und Antwort zu stehen. Zwar hatte er eine halbwegs glaubhafte Ausrede parat – daß sie im Auftrag einer Universität die Geologie des ausgetrockneten Flußbetts erforschten –, aber er wollte nicht, daß sich jemand sein Gesicht einprägte.

Sie stiegen aus und richteten die Blicke wieder auf die andere Talseite, wo der seismische Vibrator neben der Abbruchkante stand. Priest wünschte von ganzem Herzen, daß er diesmal sehen würde, wie die Erde sich bewegte und auftat. *Komm schon, Gott – tu mir den Gefallen, okay?*

Er drückte auf den Knopf.

Der Lastwagen rumorte, die Erde zitterte leicht, Staub stieg auf. Die Vibration hielt eine volle Minute an. Aber ein Erdbeben blieb wiederum aus. Diesmal hatten sie lediglich länger auf die Enttäuschung warten müssen.

Als der Lärm erstarb, sagte Star: »Das wird wohl nicht klappen, oder?«

Melanie bedachte sie mit einem wütenden Blick. An Priest gewandt, sagte sie: »Kannst du die Frequenz der Schwingungen verändern?«

»Ja«, sagte Priest. »Momentan liegt sie im mittleren Bereich. Ich kann sie höher oder niedriger einstellen. Warum?«

»Es gibt eine Theorie, nach der die Frequenz ein entscheidender Faktor ist. Die Erde wird ständig von schwachen Schwingungen durchzogen – warum also bebt sie nicht unentwegt? Vielleicht weil eine Schwingung die verkeilten Platten nur auseinanderbringt, wenn sie in einer bestimmten Stärke erfolgt. Du weißt doch, daß man mit einem hohen Ton ein Glas zerspringen lassen kann?«

»Gesehen hab' ich das nie, nur in einem Cartoon. Aber ich weiß, was du meinst. Es stimmt. Die Forscher arbeiten bei ihren Sieben-Sekunden-Sweeps mit wechselnden Frequenzen.«

»Ach ja?« Melanies Interesse war geweckt. »Warum?«

»Das weiß ich nicht. Vielleicht weil ihre Geophone die Sweeps dann besser lesen können. Ist ja auch egal – ich dachte jedenfalls, daß das für uns nicht das Richtige wäre, deshalb habe ich die gleiche Frequenz beibehalten. Ich weiß aber, wie ich sie ändern kann.«

»Dann probieren wir's doch mal.«

»Okay, aber wir müssen uns beeilen. Es ist schon fünf nach zwei.«

Sie sprangen wieder in den Wagen. Oaktree fuhr so schnell, daß der Barracuda stellenweise über den staubigen Wüstenboden schlingerte. Priest programmierte die Vibratorsteuerung so um, daß der einminütige Sweep diesmal mit kontinuierlich steigender Schwingungsfrequenz durchgeführt wurde. Sie rasten zurück zu ihrem Beobachtungsposten. Priest sah wieder auf die Uhr. »Viertel nach zwei. Das ist unsere letzte Chance.«

»Keine Angst«, sagte Melanie, »mir fällt auch nichts Neues mehr ein. Wenn's diesmal wieder nicht klappt, geb' ich auf.«

Oaktree bremste und hielt an. Sie stiegen aus.

Die Vorstellung, die lange Rückfahrt ins Silver River Valley möglicherweise ohne jedes Erfolgserlebnis antreten zu müssen, deprimierte Priest so sehr, daß in ihm der Gedanke aufstieg, den Lastwagen irgendwo auf der Landstraße zu Schrott zu fahren und damit allem ein Ende zu setzen. Vielleicht war das der Ausweg, den er suchte. Er fragte sich, ob Star bereit wäre, mit ihm zu sterben. *Ich sehe die Szene schon vor mir: Wir beide, eine Überdosis Paracetamol, eine Flasche Wein, um die Pillen damit herunterzuspülen …*

»Worauf wartest du noch?« fragte Melanie. »Zwanzig nach! Jetzt drück endlich auf den verdammten Knopf!«

Priest tat es.

Der Lastwagen dröhnte auf wie gehabt, der Boden zitterte, und eine Staubwolke stieg auf, wo die stampfende Stahlplatte die Erde bearbeitete. Diesmal aber blieb das Geräusch nicht auf mittlerer Tonhöhe, sondern begann mit einem Grollen im tiefsten Baß und stieg ganz allmählich an.

Und dann geschah es.

Die Erde unter Priests Füßen schien sich zu kräuseln wie das Meer bei böigem Wind. Dann hatte er das Gefühl, jemand packe ihn am Bein und werfe ihn um. Mit dem Rücken prallte er so hart auf den Boden, daß ihm die Luft wegblieb.

Star und Melanie schrien gleichzeitig auf – Melanie kreischte schrill, bei Star war es eher ein fassungsloses, angstvolles Gebrüll. Priest sah beide Frauen umfallen, Melanie gleich neben sich, Star einige Schritte weiter. Oaktree taumelte, blieb noch ein paar Augenblicke auf den Beinen und stürzte dann als letzter.

Stilles Entsetzen ergriff Priest. *Das war's. Jetzt muß ich sterben.*

Ein tiefes Grollen hing in der Luft, wie von einem vorüberbrausenden Schnellzug. Überall wirbelte Staub auf. Kleine Steine flogen durch die Luft, und Felsblöcke purzelten in alle Richtungen.

Die Erde kam nicht zur Ruhe. Es war, als hätte jemand einen Teppich an einem Ende hochgehoben und schüttelte ihn heftig – ein unglaublich verwirrendes Gefühl. Die Welt schien mit einem Schlag völlig aus den Fugen geraten zu sein. Es war zutiefst erschreckend.

Ich will noch nicht sterben. Ich bin noch nicht soweit …

Priest schnappte nach Luft und bemühte sich aufzustehen. Er kam auf die Knie, doch gerade, als er einen Fuß flach auf dem Boden hatte, packte Melanie ihn am Arm und zerrte ihn wieder herunter. »Laß mich los, du dumme Votze!« brüllte er sie an, aber er konnte nicht einmal seine eigenen Worte verstehen.

Der Boden wölbte sich auf und warf ihn den Abhang hinunter. Melanie fiel über ihn. Priest befürchtete, der Barracuda könne umkippen und sie beide unter sich begraben; daher versuchte er, sich aus der Fallinie zu rollen. Star und Oaktree waren nicht mehr zu sehen. Ein vorbeifliegender Dornbusch peitschte sein Gesicht und zerkratzte es. Sand und Staub drangen ihm in die Augen und nahmen ihm vorübergehend die Sicht. Er verlor jede Orientierung, rollte sich zusammen, barg sein Gesicht in den Armen und wartete auf den Tod.

Herrgott, wenn ich schon sterben muß, dann möchte ich wenigstens zusammen mit Star sterben.

Das Beben endete ebenso plötzlich, wie es begonnen hatte. Priest hätte beim besten Willen nicht sagen können, ob es zehn Sekunden oder zehn Minuten gedauert hatte.

Unmittelbar darauf erstarb auch der Lärm.

Priest rieb sich den Staub aus den Augen und stand auf. Langsam kehrte sein Sehvermögen zurück. Vor seinen Füßen kauerte

Melanie. Er streckte die Hand aus und zog sie hoch. »Alles in Ordnung?« fragte er.

»Ich glaub' schon«, antwortete sie mit zittriger Stimme.

Der Staub in der Luft setzte sich allmählich wieder. Priest sah, wie Oaktree schwankend auf die Beine kam. *Wo ist Star?* Da war sie, nur wenige Schritte von ihm entfernt. Sie lag auf dem Rücken und hatte die Augen geschlossen. Das Herz schlug ihm bis zum Hals. *Nicht tot … Bitte, lieber Gott, laß sie nicht tot sein.* Er kniete neben ihr nieder. »Star!« rief er. »Star! Bist du okay?«

Sie schlug die Augen auf. »Uff!« sagte sie. »Das war vielleicht ein Ding!«

Priest grinste und unterdrückte die Tränen der Erleichterung, die in ihm aufstiegen.

Er half Star auf die Beine.

»Wir haben es alle überlebt«, sagte er.

Der aufgewirbelte Staub hatte sich rasch gelegt. Priest spähte hinüber zur anderen Talseite und suchte den Lastwagen. Er stand auf allen vier Rädern und sah unbeschädigt aus. Ein paar Meter weiter klaffte ein breiter Spalt im Boden, der sich von Norden nach Süden mitten durch das Tal zog, soweit das Auge reichte.

»Ja, leck mich doch«, sagte Priest leise. »Seht euch das an!«

»Es hat geklappt«, sagte Melanie.

»Wir haben es geschafft«, sagte Oaktree. »Gott verdamm mich, wir haben ein echtes, ein richtiges Erdbeben ausgelöst!«

Priest sah sie reihum an und grinste übers ganze Gesicht. »So ist es«, sagte er.

Er küßte Star und dann Melanie, dann küßte Oaktree die beiden Frauen, dann Star Melanie. Alle lachten. Und dann fing Priest an zu tanzen. Mitten in dem zerborstenen Tal führte er einen indianischen Kriegstanz auf, und seine Stiefel wirbelten den Staub wieder hoch, der gerade erst zur Ruhe gekommen war. Zuerst schloß Star sich ihm an, dann folgten auch Melanie und Oaktree. Wieder und wieder drehten sie sich im Kreis. Sie juchzten, jubelten und lachten, bis ihnen die Tränen kamen.

Zweiter Teil

SIEBEN TAGE

ls Judy Maddox am Freitagabend nach Hause fuhr, hatte sie die schlimmste Woche ihrer bisherigen Laufbahn beim FBI hinter sich.

Vergeblich fragte sie sich, was sie wohl angestellt haben mochte, um so etwas zu verdienen. Gut, sie hatte ihren Boß angeschrien, doch war der schon, bevor ihr der Kragen platzte, sauer auf sie gewesen – also mußte es einen anderen Grund geben. Gestern war sie mit der festen Absicht nach Sacramento gefahren, das FBI so schlagkräftig und kompetent wie irgend möglich darzustellen – und hatte am Ende den Eindruck von Chaos und Ohnmacht vermittelt. Sie war frustriert und niedergeschlagen.

Nach der Begegnung mit Al Honeymoon war so gut wie alles schiefgelaufen. Sie hatte mehrere Seismologieprofessoren angerufen und gefragt, ob sie gerade in Gebieten arbeiteten, wo kritische Verwerfungszonen verliefen, und, wenn ja, wer Zugang zu ihren Daten besaß und möglicherweise über Verbindungen zu terroristischen Gruppierungen verfügte.

Die Seismologen waren ihr keine Hilfe gewesen. Die meisten Akademiker hatten in den sechziger und siebziger Jahren studiert, als das FBI jeden Idioten auf dem Campus für Spitzeldienste gegen die Protestbewegung bezahlte. Das war zwar lange her, aber die Betroffenen hatten es nicht vergessen: Für sie war und blieb das FBI ein Feind. Judy konnte sie sogar verstehen, hätte sich aber trotzdem gegenüber Agenten, die im öffentlichen Interesse tätig waren, eine weniger von Passivität und Aggressivität geprägte Einstellung gewünscht.

Heute lief das Ultimatum jener Gruppe ab, die sich ›Die Kinder von Eden‹ nannte, und es hatte kein Erdbeben stattgefunden. Judy war zutiefst erleichtert, auch wenn sich ihre Meinung, man müsse die Drohung ernst nehmen, offenbar als irrig erwiesen hatte. Vielleicht war damit der ganze Spuk vorüber. Eigentlich hast du dir ein erholsames Wochenende verdient, dachte sie. Das Wetter war phantastisch – sonnig und warm. Zum Abendessen wollte sie für sich und Bo Hühnerfleisch im Wok zubereiten und dazu eine Flasche Wein kredenzen. Morgen mußte sie Einkäufe erledigen, aber am Sonntag wollte sie wie ein ganz normaler Mensch nach Bodega Bay an die Küste fahren, sich an den Strand setzen und ein Buch lesen. Am Montag würde man ihr dann wahrscheinlich einen neuen Fall übertragen. Vielleicht bot der ihr die Chance für einen Neuanfang.

Sollte sie Virginia anrufen, ob sie Lust habe, am Sonntag mitzufahren? Ginny war ihre älteste Freundin, ebenso alt wie sie, ebenfalls Polizistentochter und arbeitete als Vertriebschefin eines Wach- und Sicherheitsdienstes. Aber eigentlich war Judy nicht nach weiblicher Begleitung zumute – schöner wäre es, neben einem Menschen mit behaarten Beinen und tiefer Stimme am Strand zu liegen. Seit ihrer Trennung von Don vor mittlerweile einem Jahr hatte sie keinen Liebhaber mehr gehabt – so lange wie seit ihrer Teenagerzeit nicht mehr. Auf dem College war sie ein bißchen wild gewesen, fast promisk; bei der Mutual American Insurance hatte sie sich auf eine Affäre mit ihrem Chef eingelassen und danach sieben Jahre lang mit Steve Dolen zusammengelebt. Es hatte nicht viel gefehlt, und sie hätte ihn geheiratet. Sie dachte oft an Steve. Er war attraktiv, klug und freundlich – zu freundlich vielleicht, denn zum Schluß hatte sie ihn für einen Schwächling gehalten. Vielleicht verlange ich das Unmögliche, dachte sie. Möglicherweise sind alle rücksichtsvollen, aufmerksamen Männer schwach, während die starken – wie Don Riley – am Ende ihre Sekretärinnen bumsen.

Das Autotelefon klingelte. Sie brauchte den Hörer nicht abzunehmen; nach dem zweiten Signalton schaltete es das Gespräch automatisch auf die Freisprechanlage um. »Hallo«, sagte sie. »Judy Maddox hier.«

»Hier ist dein Vater, Judy.«

»Hallo, Bo. Bist du heute abend zu Hause? Wir könnten …«
Er unterbrach sie. »Mach dein Radio an«, forderte er sie auf.
»Schnell! Die Sendung mit John Truth.«

Herrgott, was soll denn das schon wieder? Judy stellte das Radio
an. Rockmusik ertönte. Sie tippte hastig auf eine Vorwahltaste und
erwischte den Sender in San Francisco, der *John Truth Live* übertrug. Die näselnde Stimme des Moderators dröhnte durch den
Wagen.

Er sprach so pompös und dramatisch wie immer, wenn er den
Eindruck zu erwecken suchte, er habe Dinge von weltbewegender
Bedeutung vorzutragen. »Die staatliche Erdbebenwarte bestätigte
inzwischen, daß sich heute ein Beben ereignet hat – also genau an
dem Tag, für den die Kinder von Eden ein solches angekündigt
hatten. Zu diesem Erdbeben kam es am Nachmittag um vierzehn
Uhr zwanzig im Owens Valley. Ort und Zeit stimmen mit den Angaben überein, die uns die Kinder von Eden vor wenigen Minuten
bei einem Anruf hier im Studio mitgeteilt haben.«

Mein Gott – die haben es wirklich getan!

Judy war wie elektrisiert. Sie vergaß ihren Frust, und ihre Nie-
dergeschlagenheit war wie weggeblasen. Ihre Lebensgeister kehrten zurück.

»Dieselbe staatliche Erdbebenwarte«, fuhr John Truth fort,
»legt jedoch Wert auf die Feststellung, daß weder dieses Beben
noch irgendein anderes von einer terroristischen Vereinigung ausgelöst werden konnte.«

Stimmte das? Judy mußte es herausfinden. Was hielten andere
Seismologen davon? Eine Reihe von Telefongesprächen war fällig.
Im selben Moment sagte John Truth: »In Kürze spielen wir Ihnen
eine Tonbandaufnahme der Botschaft vor, die uns die Kinder von
Eden zukommen ließen.«

Sie haben die Stimme mitgeschnitten!

Das konnte ein entscheidender Fehler der Terroristen sein. Die
hatten bestimmt keine Ahnung, was für eine Fundgrube so eine
Tonbandstimme darstellte, wenn Simon Sparrow sie analysierte.

John Truth war noch nicht fertig. »Was halten *Sie* inzwischen von der Sache, liebe Zuhörer? Schenken *Sie* der Erdbebenwarte Glauben? Oder glauben Sie, daß die Herrschaften dort mit dem Grauen Scherze treiben? Vielleicht spreche ich ja auch einen Seismologen unter *Ihnen* an, der uns erklären kann, welche technischen Möglichkeiten es gibt. Vielleicht sind Sie auch nur ein besorgter Bürger, welcher der Meinung ist, daß die Behörden seine Sorgen eigentlich teilen sollten – rufen Sie uns auf jeden Fall an. Rufen Sie an bei *John Truth Live*, und sagen Sie der Welt, was *Sie* von der Sache halten.«

Es folgte der Werbespot eines Möbelhauses. Judy drehte das Radio leiser. »Bist du noch da, Bo?«

»Ja, sicher.«

»Sie haben's also tatsächlich fertiggebracht?«

»Sieht so aus, ja.«

Judy hätte gerne gewußt, ob er wirklich noch unsicher war oder nur vorsichtig. »Was sagt dir dein Gefühl?«

Er gab eine weitere Antwort, die alle Fragen offen ließ: »Daß diese Leute sehr gefährlich sind.«

Judy versuchte, ihr rasendes Herz zu beruhigen, und überlegte, was sie als nächstes tun sollte. »Am besten rufe ich gleich Brian Kincaid an …«

»Was willst du ihm sagen?«

»Was passiert ist – oder, wart mal …« Sie begriff, daß Bo ihr etwas anderes raten wollte. »Du meinst, ich soll ihn nicht anrufen?«

»Ich glaube, du solltest dich erst bei deinem Boß melden, wenn du etwas weißt, das er nicht schon aus dem Radio erfahren hat.«

»Du hast recht.« Judy überdachte die Möglichkeiten, die ihr offenstanden, und beruhigte sich allmählich. »Am besten fahre ich gleich ins Büro zurück.« Sie bog rechts ab.

»Okay. Ich bin in ungefähr einer Stunde zu Hause. Ruf mich an, falls du zu Abend essen willst.«

Liebe und Zuneigung wallten in ihr auf. »Dank dir, Bo. Bist ein toller Papa!«

Er lachte. »Und du eine tolle Tochter! Bis später!«

»Bis später.« Sie drückte die Taste, die das Gespräch beendete, und stellte das Radio wieder lauter.

Eine tiefe, sinnliche Stimme sagte: »Hier sind die Kinder von Eden mit 'ner Botschaft an Gouverneur Mike Robson.«

In Judys Kopf formte sich das Bild einer reifen Frau mit großen Brüsten und einem breiten Lächeln, nicht unsympathisch, aber ein bißchen exzentrisch.

Das ist meine Gegnerin?

Der Ton veränderte sich. »Scheiße …«, murmelte die Frau. »Ich hätte nicht erwartet, mit einem Tonbandgerät zu sprechen. Ein verdammter Recorder …«

Sie ist nicht das Gehirn, nicht die Planerin. Dazu ist sie zu chaotisch. Sie bekommt ihre Instruktionen von jemand anders.

Die Frau fand wieder zu ihrem formellen Ton zurück. »Wie versprochen, haben wir heute ein Erdbeben ausgelöst, vier Wochen nach unserer letzten Botschaft. Es fand kurz nach zwei Uhr nachmittags im Owens Valley statt. Sie können das nachprüfen.«

Ein leises Hintergrundgeräusch ließ sie zögern.

Was war das?

Simon wird es herausfinden.

Eine Sekunde später fuhr die Frau fort: »Wir erkennen die Staatsgewalt der US-Regierung nicht an. Jetzt, wo Sie wissen, daß wir unsere Ankündigungen wahrmachen können, denken Sie besser noch einmal über unsere Forderung nach. Verkünden Sie einen allgemeinen Baustopp für neue Kraftwerke in Kalifornien. Wir geben Ihnen sieben Tage Bedenkzeit.«

Sieben Tage! Beim letztenmal waren es noch vier Wochen.

»Danach werden wir ein zweites Erdbeben auslösen, allerdings nicht mehr irgendwo in der Einöde. Wenn Sie uns dazu zwingen, tut es beim nächstenmal weh.«

Eine genau kalkulierte Eskalation der Bedrohung. Herr im Himmel, diese Leute machen mir angst.

»Wir tun das nicht zum Vergnügen, aber es gibt keine andere

Möglichkeit. Erfüllen Sie unsere Forderung, damit dieser Alptraum ein Ende hat.«

Jetzt meldete sich wieder John Truth. »Das war sie – die Stimme der Kinder von Eden, jener Gruppe, die von sich behauptet, heute nachmittag im Owens Valley ein Erdbeben hervorgerufen zu haben.«

Judy brauchte unbedingt das Band mit der Aufzeichnung. Sie stellte das Radio wieder leiser und wählte Rajas Privatnummer. Er war Junggeselle – da konnte er am Freitag schon einmal auf seinen Feierabend verzichten.

Als er sich meldete, sagte sie: »Hallo, hier ist Judy.«

»Es geht nicht«, erwiderte er sofort. »Ich habe Karten für die Oper.«

Sie zögerte, ehe sie sich entschloß, auf sein Spielchen einzugehen. »Was läuft denn?«

»Äh … *Macbeth' Hochzeit.*«

Judy verkniff sich das Lachen. »Von Ludwig Sebastian Wagner?«

»Genau.«

»Die Oper gibt's nicht, genauso wenig wie den Komponisten. Sie arbeiten heute abend.«

»Oh, verflixt.«

»Warum haben Sie sich nicht eine Rockband ausgesucht? Die hätte ich Ihnen abgenommen.«

»Ich vergesse immer wieder, wie alt Sie sind.«

Judy lachte. Raja war sechsundzwanzig, sie fünfunddreißig. »Ich nehme das als Kompliment.«

»Was soll ich tun?« Das klang nicht allzu ablehnend.

Judy wurde wieder ernst. »Folgendes: Heute nachmittag hat sich im Osten des Staates ein Erdbeben ereignet, und die Kinder von Eden behaupten, sie hätten es ausgelöst.«

»Uff! Dann sind diese Leute vielleicht doch ernst zu nehmen!« Raja klang eher zufrieden als besorgt. Er war jung und ehrgeizig. Die möglichen Konsequenzen hatte er noch gar nicht bedacht.

»Die Täter haben sich bei John Truth gemeldet. Er hat die Nachricht aufgenommen und eben in seiner Sendung abgespielt. Sie müssen zum Sender fahren und uns das Band organisieren.«

»Bin schon unterwegs.«

»Achten Sie darauf, daß Sie das Original bekommen und keine Kopie. Wenn man Ihnen Schwierigkeiten macht, sagen Sie den Leuten, daß wir in einer Stunde mit einer gerichtlichen Verfügung wiederkommen.«

»Mir macht keiner Schwierigkeiten. Ich bin Raja, schon vergessen?«

Sie gab ihm recht – er war ein Charmeur. »Bringen Sie das Band zu Simon Sparrow, und sagen Sie ihm, daß ich morgen früh was in der Hand haben muß.«

»Alles klar.«

Sie beendete das Gespräch und stellte John Truth wieder lauter. »… ein kleineres Erdbeben übrigens«, sagte er gerade. »Die Stärke lag zwischen fünf und sechs.«

Wie haben die Kerle das bloß geschafft, verdammt?

»Zwar gab es weder Personen- noch Sachschäden, doch wurde die Erschütterung von den Einwohnern der Orte Bishop, Bigpine, Independence und Lone Pine deutlich wahrgenommen.«

Irgendwem dort müssen die Täter in den vergangenen Stunden aufgefallen sein. Ich muß schleunigst hin und mögliche Zeugen befragen. Und wo genau war das Epizentrum? Ich muß mit einem Experten reden …

Erster Ansprechpartner wäre die staatliche Erdbebenwarte gewesen, doch dort hatte man offenbar eine vorgefaßte Meinung. Daß es sich um ein von Menschenhand ausgelöstes Beben handeln könnte, hatte der Leiter bereits kategorisch verneint. Damit war Judy nicht geholfen. Sie wollte mit jemandem reden, der bereit war, auch das scheinbar Unmögliche in Erwägung zu ziehen. Michael Quercus. Der kam natürlich in Frage. Er konnte eine Nervensäge sein, scheute sich aber nicht vor Spekulationen, und außerdem lebte er gleich auf der anderen Seite der Bucht in Berkeley, während sich die staatliche Erdbebenwarte in Sacramento befand.

Wenn ich ohne Voranmeldung komme, läßt er mich wieder nicht rein ... Judy seufzte und wählte seine Nummer.

Eine Zeitlang nahm niemand ab, so daß sie schon glaubte, er wäre nicht zu Hause. Erst nach dem sechsten Läuten meldete er sich. »Quercus.« Es klang, als ärgere er sich über die Störung.

»Hier spricht Judy Maddox vom FBI. Ich muß mit Ihnen reden. Es ist dringend, und ich würde gerne sofort bei Ihnen vorbeikommen.«

»Das ist unmöglich. Ich bin nicht allein.«

Hätte ich mir denken können, daß du Schwierigkeiten machst.
»Vielleicht geht es, wenn Ihre Besprechung vorbei ist?«

»Es handelt sich nicht um eine Besprechung, und außerdem bin ich bis Sonntag unabkömmlich.«

Schon recht ...

Damenbesuch, schloß Judy. Aber hatte er nicht bei ihrer ersten Begegnung gesagt, er sei zur Zeit unbeweibt? Aus irgendeinem Grund hatte sie sich sogar den Wortlaut seines Satzes gemerkt: »Ich lebe von meiner Frau getrennt, und eine Freundin habe ich nicht.« Vielleicht war das eine Lüge. Oder hatte er die Dame gerade erst kennengelernt? Aber ob sie dann gleich das ganze Wochenende bei ihm blieb? Arrogant genug, sich einzubilden, daß eine Frau gleich beim ersten Rendezvous mit ihm ins Bett stieg, war er ja – und attraktiv genug, um es bei vielen auch zu schaffen, ebenfalls.

Wieso interessiere ich mich eigentlich so sehr für sein Liebesleben?

»Haben Sie zufällig gerade Radio gehört?« fragte sie. »Es hat tatsächlich ein Erdbeben stattgefunden, und die Terrorgruppe, über die wir sprachen, behauptet, sie hätte es inszeniert.«

»Tatsächlich?« Ein beinahe widerwilliges Interesse klang durch. »Stimmt das denn auch?«

»Genau darüber wollte ich mich mit Ihnen unterhalten.«

»Aha.«

Na los, du Sturkopf, gib schon nach – wenigstens einmal in deinem Leben!

»Es handelt sich wirklich um eine sehr dringende Angelegenheit, Professor.«

»Ich würde Ihnen ja gerne helfen ... aber heute abend geht es wirklich nicht ... Nein, warten Sie ...« Seine Stimme klang plötzlich wie erstickt; er hatte die Hand über die Sprechmuschel gelegt. Judy konnte trotzdem noch verstehen, was er sagte. »He, hast du schon mal eine echte FBI-Agentin gesehen?« Die Antwort konnte sie nicht hören, aber einen Moment später sagte Quercus zu ihr: »Okay, mein Gast würde Sie gerne kennenlernen. Kommen Sie rüber.«

Der Gedanke, vorgeführt zu werden wie eine Zirkusattraktion, mißfiel ihr, aber so, wie die Dinge standen, konnte sie nicht nein sagen. »Danke, ich bin in zwanzig Minuten bei Ihnen.« Sie beendete das Gespräch.

Auf der langen Fahrt über die Brücke ging Judy durch den Sinn, daß weder Raja noch Michael Angst zu haben schienen. Raja war aufgeregt bei der Sache, Michael offenbar neugierig. Auch sie selbst hatte die plötzliche Wiederbelebung des Falles mitgerissen. Aber dann mußte sie wieder an das Erdbeben von 1989 denken, an die Fernsehbilder von Rettungsmannschaften, die Leichen aus den Trümmern des eingestürzten zweistöckigen Nimitz Freeways hier in Oakland bargen ... *Angenommen, da gibt es eine Handvoll Terroristen, die tatsächlich über Mittel und Wege verfügt, solche Katastrophen auszulösen ...* Bei dieser Vorstellung wurde ihr kalt ums Herz, und eine düstere Vorahnung stieg in ihr auf.

Um auf andere Gedanken zu kommen, versuchte sie sich ein Bild von Michael Quercus' Freundin zu machen. Sie hatte ein Foto von seiner Frau gesehen, einer rothaarigen Schönheit mit Schmollmund und der Figur eines Topmodels. *Er hat offenbar eine Schwäche fürs Exotische ...* Aber die beiden hatten sich getrennt, also war die Rothaarige vielleicht doch nicht ganz sein Typ. Judy konnte sich Michael durchaus mit einer Universitätsprofessorin vorstellen, einer Frau mit Kurzhaarschnitt und schmalrandiger, modischer Brille, aber ohne Make-up. Andererseits würde sich eine solche Frau nicht die Bohne dafür interessieren, eine FBI-Agentin kennenzulernen. Höchstwahrscheinlich hatte er sich ein hübsches Betthäschen angelacht, hohlköpfig, aber sexy und leicht zu beeindrucken. Vor Judys geistigem Auge erschien eine Blondine in knapp sitzenden Kleidern, die gleichzeitig rauchte und Kaugummi kaute, sich in Michaels Wohnung umsah und sagte: »Hast du diese Bücher hier wirklich alle *gelesen*?«

Wieso bin ich eigentlich so auf seine Freundin fixiert? Ich hab' doch, weiß Gott, ganz andere Sorgen.

In der Euclid Street parkte sie unter derselben Magnolie wie beim letztenmal. Sie klingelte, und Michael ließ sie per Summer ins Haus. An der Wohnungstür trat er ihr barfuß entgegen und wirkte angenehm entspannt, in Wochenendstimmung. Er trug Blue Jeans und ein weißes T-Shirt. *So ein ganzes Wochenende mit ihm in der Wohnung herumalbern – kann schon sein, daß das ganz lustig ist für eine Frau …*

Sie folgte ihm in sein kombiniertes Wohn- und Arbeitszimmer und erblickte dort zu ihrer großen Verblüffung einen kleinen Jungen von vielleicht fünf Jahren, blond und sommersprossig. Er trug einen Pyjama, auf dem sich die verschiedensten Dinosaurier tummelten. Judy erkannte rasch, daß dies das Kind auf der Fotografie war, die auf dem Schreibtisch stand: Michaels Sohn, sein Wochenendgast. Plötzlich war ihr die dumme Blondine, die sie sich vorgestellt hatte, peinlich. *Ich war nicht ganz fair zu Ihnen, Professor.*

»Dusty, ich möchte dir Spezialagentin Judy Maddox vorstellen«, sagte Michael.

Der Junge gab ihr höflich die Hand und fragte: »Sind Sie wirklich beim FBI?«

»Ja, das bin ich.«

»*Wow!*«

»Willst du meine Dienstmarke sehen?« Sie holte die Marke aus ihrer Schultertasche und reichte sie Dusty. Ehrfürchtig hielt er sie in der Hand.

»Zu Dustys Lieblingssendungen im Fernsehen gehört *Akte X*«, erklärte Michael.

Judy lächelte. »Ich arbeite nicht im UFO-Dezernat. Ich fange ganz normale irdische Verbrecher.«

»Zeigen Sie mir Ihre Pistole?« fragte Dusty.

Judy zögerte. Sie wußte, daß Jungen von Waffen fasziniert waren, wollte aber diese Neugier nicht noch schüren. Sie sah Michael an; der zuckte nur die Achseln. Judy knöpfte ihre Jacke auf, nahm die Pistole aus dem Schulterhalfter – und registrierte im selben Augenblick, daß Michaels Blick auf ihren Brüsten ruhte. Ein Schauer sexueller Erregung überlief sie. Nun, da Michael – barfuß und im locker über die Hose fallenden T-Shirt – seine Griesgrämigkeit abgelegt hatte, wirkte er durchaus anziehend.

»Pistolen sind ziemlich gefährlich, Dusty«, sagte sie. »Deshalb behalte ich sie lieber in der Hand. Aber du kannst sie dir gerne ansehen.«

Dusty starrte die Waffe mit dem gleichen Gesichtsausdruck an, den Judy bei seinem Vater bemerkt hatte, als sie ihre Jacke öffnete. Bei dem Gedanken mußte sie grinsen.

Eine Minute später steckte sie die Pistole wieder in das Holster.

Mit ausgesuchter Höflichkeit sagte Dusty: »Wir wollten gerade *Cap'n Crunch* essen. Wollen Sie auch welche?«

Judy brannte darauf, Michael ihre Fragen zu stellen, spürte jedoch, daß er mitteilsamer sein würde, wenn sie erst einmal geduldig mitspielte. »Einverstanden«, sagte sie zu Dusty. »Ich bin wirklich hungrig und hab' nichts gegen *Cap'n Crunch*.«

»Dann kommen Sie mit in die Küche.«

In der kleinen Küche setzten sie sich an einen Tisch mit Resopalplatte und aßen Frühstücksflocken mit Milch aus tiefblauen Keramikschalen. Judy hatte tatsächlich Hunger; die Abendbrotzeit war schon vorüber. »Meine Güte«, sagte sie. »Ich hatte schon ganz vergessen, wie gut das schmeckt.«

Michael lachte. Der Unterschied zu ihrem letzten Besuch war wirklich erstaunlich. Er gab sich entspannt und freundlich; er wirkte beinahe wie ein anderer Mensch, kein Vergleich mit dem mürrischen Zeitgenossen, der sie gezwungen hatte, ins Büro zurückzufahren und von dort aus telefonisch um einen Termin bei ihm nachzusuchen. Judy begann ihn zu mögen.

Nach dem Abendbrot machte Michael den Jungen fertig fürs Bett. »Kann Agentin Judy mir eine Geschichte erzählen?« fragte Dusty.

Judy schluckte ihre Ungeduld hinunter. *Mir bleiben noch sieben Tage. Da kommt es jetzt auf fünf Minuten mehr oder weniger auch nicht an.* »Ich glaube«, sagte sie, »dein Papa möchte dir lieber selber eine Geschichte erzählen, weil er dazu nicht so oft Gelegenheit hat.«

»Nein, nein, das geht schon in Ordnung«, sagte Michael lächelnd. »Ich hör' sie mir auch an.«

Sie gingen ins Schlafzimmer. »Viele Geschichten kenne ich nicht«, erklärte Judy, »aber an eine kann ich mich gut erinnern. Meine Mama hat sie mir immer erzählt. Es handelt sich um das Märchen vom guten Drachen. Möchtest du es hören?«

»Ja, bitte«, sagte Dusty.

»Ich auch«, bemerkte Michael.

»Es war einmal vor vielen, vielen Jahren ein freundlicher Drache. Er lebte in China, wo alle Drachen herkommen. Eines Tages begab sich der freundliche Drache auf Wanderschaft. Er wanderte so weit, bis er China hinter sich ließ und sich in der Wildnis verirrte.

Nach vielen Tagen kam er in ein anderes Land, das tief im Süden lag. Es war das schönste Land, das er je gesehen hatte, voller Wälder, Berge und fruchtbarer Täler. Und voller Flüsse, in denen er herumplanschen konnte. Es gab Bananen und Palmen und Maulbeerbäume, und alle trugen sie reichlich Früchte. Das Wetter war immer warm, und es wehte eine angenehme Brise.

Nur eines stimmte nicht mit dem Land: Es war leer. Niemand lebte dort – keine Menschen und keine Drachen. Und so war der Drache furchtbar einsam, obwohl es ihm in dem neuen Land eigentlich sehr gut gefiel.

Da er den Weg zurück nach China nicht kannte, zog er kreuz

und quer durchs Land und suchte Gefährten. Nach langer Zeit hatte er Glück und fand das einzige Wesen, das es in diesem Land gab – eine Märchenprinzessin. Sie war so schön, daß er sich sofort in sie verliebte. Nun war ja auch die Prinzessin sehr einsam, und obwohl der Drache furchterregend aussah, hatte sie ein gutes Herz und heiratete ihn.

Der freundliche Drache und die Märchenprinzessin liebten einander sehr und hatten gemeinsam hundert Kinder. Diese Kinder waren alle tapfer und freundlich wie ihr Vater und wunderschön wie ihre Mutter.

Der freundliche Drache und die Märchenprinzessin sorgten für ihre Kinder, bis sie erwachsen waren. Dann verschwanden die Eltern plötzlich. Sie waren in die Welt der Geister eingegangen und lebten dort in Frieden und Eintracht weiter bis in alle Ewigkeit. Aus ihren Kindern aber wurden die tapferen, freundlichen und schönen Vietnamesen – und aus Vietnam stammte auch meine Mama.«

Mit großen Augen fragte Dusty: »Ist die Geschichte wahr?«

Judy lächelte. »Ich weiß es nicht. Vielleicht.«

»Auf jeden Fall ist es eine sehr schöne Geschichte«, sagte Michael und gab Dusty einen Gutenachtkuß.

Als Judy aus dem Zimmer ging, hörte sie Dusty flüstern: »Die ist prima, oder?«

»Ja«, antwortete Michael.

Wieder im Wohnzimmer, sagte er zu Judy: »Vielen Dank, Sie waren sehr nett zu ihm.«

»Das war nicht schwer. Er ist ein charmanter kleiner Bursche.«

Michael nickte. »Das hat er von seiner Mutter.«

Judy lächelte.

Michael grinste und sagte: »Ich stelle fest, daß Sie mir nicht widersprechen.«

»Ich habe Ihre Frau nie kennengelernt. Dem Bild nach ist sie sehr schön.«

»Das ist sie auch. Und ... untreu.«

Mit diesem Geständnis hatte Judy nicht gerechnet, zumal aus dem Munde eines Mannes, den sie für sehr stolz hielt. Er wurde ihr immer sympathischer – dennoch wußte sie nicht, wie sie auf seine Bemerkung reagieren sollte.

Sekundenlang sprach keiner von beiden ein Wort. Dann sagte Michael: »Von der Familie Quercus haben Sie jetzt genug gehört. Erzählen Sie mir von dem Erdbeben.«

Na endlich! »Es ereignete sich heute nachmittag um zwanzig nach zwei im Owens Valley.«

»Schauen wir mal auf dem Seismographen nach.« Michael setzte sich an seinen Schreibtisch und gab die entsprechenden Befehle in seinen Computer ein. Judy starrte geistesabwesend auf seine nackten Füße. Manche Männer hatten häßliche Füße, die Michaels jedoch waren gut geformt und kräftig, die Zehennägel sauber geschnitten. Die Haut war weiß, und auf den großen Zehen sprossen winzige Büschel dunkler Haare.

Michael bemerkte nichts von ihrer Musterung. »Wie war das damals bei der ersten Warnung vor vier Wochen? Haben Ihre Terroristen da eine Ortsangabe gemacht?«

»Nein.«

»Hmmm. In Fachkreisen heißt es, daß eine erfolgreiche Erdbebenvorhersage das Datum, den Ort und die Stärke umfassen muß. Ihre Leute haben nur das Datum genannt. Das klingt nicht besonders überzeugend. Erdbeben gibt es in Kalifornien praktisch jeden Tag – *irgendwo* eben. Vielleicht haben sie sich nur an ein natürliches Ereignis drangehängt und behaupten jetzt, sie wären's gewesen.«

»Können Sie mir sagen, wo genau das heutige Beben stattgefunden hat?«

»Ja, ich kann das Epizentrum durch Triangulation errechnen. Genauer gesagt, unser Computer errechnet es automatisch. Ich drucke kurz mal die Koordinaten aus.« Gleich darauf begann der Drucker zu summen.

»Läßt sich auf irgendeine Weise feststellen, wodurch das Beben ausgelöst wurde?«

»Sie meinen, ob ich aus der Kurve herauslesen kann, ob es durch menschliche Manipulation ausgelöst wurde? Ja, das sollte möglich sein.«

»Wie das?«

Nach einem Mausklick wandte sich Michael vom Bildschirm ab und sah Judy an. »Einem normalen Erdbeben geht eine graduell zunehmende Anzahl von Vorbeben oder kleineren Erschütterungen voraus, die wir auf dem Seismographen erkennen können. Wenn das Beben dagegen von einer Explosion ausgelöst wurde, fehlen diese Vorbeben, und die Kurve beginnt mit einem charakteristischen spitzen Ausschlag, einem sogenannten Spike.« Er drehte sich wieder zu seinem Computer um.

Bestimmmt ist er ein guter Lehrer. Er kann die Dinge verständlich erklären, kennt aber wahrscheinlich auch keinerlei Toleranz gegenüber studentischen Nachlässigkeiten. Er ist genau der Typ, der unangekündigte Tests schreiben läßt und Zuspätkommer von seinen Vorlesungen ausschließt.

»Das ist merkwürdig«, sagte Michael.

Judy blickte über seine Schulter auf den Monitor. »Was ist merkwürdig?«

»Das Seismogramm.«

»Ich sehe keinen Ausschlag.«

»Nein. Es gab keine Explosion.«

Judy wußte nicht, ob sie darüber erleichtert oder enttäuscht sein sollte. »Dann hat das Erdbeben natürliche Ursachen?«

Michael schüttelte den Kopf. »Da bin ich mir nicht sicher. Es gibt Vorbeben, ja – nur habe ich Vorbeben wie diese hier noch nie gesehen.«

Judy war am Ende ihres Lateins. Er hatte ihr eine klare Auskunft darüber versprochen, ob die Behauptung der Kinder von Eden aus der Luft gegriffen war oder nicht. Und jetzt war er sich nicht sicher. Das war ja zum Verrücktwerden! »Was ist denn an diesen Vorbeben so ungewöhnlich?« fragte sie.

»Sie sind zu regelmäßig. Sie wirken künstlich.«

»Künstlich?«

Michael nickte. »Ich weiß nicht, was diese Schwingungen verursacht hat – aber natürlich sehen sie nicht aus. Ich glaube jetzt wirklich, daß Ihre Terroristen da was gedreht haben – *irgend etwas* ... Ich weiß bloß noch nicht, was genau.«

»Können Sie das herausfinden?«

»Ich hoffe es. Ich muß ein paar Leute anrufen. Es wird sich ja schon eine ganze Reihe von Seismologen über diese Kurve hier die Köpfe zerbrechen. Gemeinsam sollte uns eigentlich ein Licht aufgehen.«

Allzu sicher schien er sich seiner Sache nicht zu sein. Aber Judy ging davon aus, daß sie sich wohl fürs erste zufrieden geben mußte. Mehr war aus Michael heute abend nicht herauszubekommen. Sie selbst mußte jetzt so schnell wie möglich zum Tatort. Sie nahm den Computerausdruck an sich. Er enthielt eine Anzahl kartographischer Daten.

»Vielen Dank, daß Sie sich Zeit für mich genommen haben«, sagte sie. »Ich bin Ihnen sehr verbunden.«

»War mir ein Vergnügen.« Er lächelte sie an – ein strahlendes Hundert-Watt-Lächeln, das zwei Reihen weißer Zähne offenbarte.

»Und noch ein schönes Wochenende mit Dusty.«

»Danke.«

Judy ging zu ihrem Wagen und fuhr zurück in die City. Sie wollte ins Büro gehen und im Internet auf den Flugplänen nachsehen, ob es morgen früh einen Flug ins Owens Valley oder in dessen Nähe gab. Außerdem mußte sie überprüfen, welches FBI-Büro für das Owens Valley zuständig war, und den Kollegen von ihren Ermittlungen berichten. Zuletzt wollte sie mit dem örtlichen Sheriff sprechen und ihn zum Tatort kommen lassen.

Golden Gate Avenue 450. Sie parkte den Wagen in einer Tiefgarage und fuhr mit dem Fahrstuhl hinauf. Als sie an Brian Kincaids Büro vorbeikam, hörte sie drinnen Stimmen. Er machte offenbar Überstunden.

Ob ich ihm jetzt Beine mache oder erst später, ist eigentlich egal, dachte sie, durchschritt das Vorzimmer und klopfte an die Tür des Chefbüros.

»Herein!« rief Kincaid.

Sie trat ein. Als sie sah, daß Marvin Hayes bei Kincaid war, verließ sie der Mut. Sie und Marvin konnten einander nicht ausstehen. Er saß im braunen Sommeranzug mit weißem Button-down-Hemd und schwarzgoldener Macho-Krawatte vor dem Schreibtisch. Er war ein gutaussehender Mann mit dunklem Haar im kurzen Bürstenschnitt und akkurat gestutztem Schnurrbart. Wer ihn sah, hielt ihn für einen Ausbund an Kompetenz, doch in Wirklichkeit war er das genaue Gegenteil des vorbildlichen Gesetzeshüters: faul, brutal, oberflächlich und skrupellos. Er seinerseits hielt Judy für eine prüde Pedantin.

Das Pech war nur: Brian Kincaid mochte Marvin, und Brian war jetzt der Chef.

Die beiden Männer wirkten gleichermaßen erschrocken wie schuldbewußt, als Judy eintrat und sofort merkte, daß die beiden gerade über sie geredet haben mußten. Um noch Salz in die Wunde zu streuen, fragte sie: »Störe ich?«

»Wir sprachen gerade über das Erdbeben«, sagte Brian. »Haben Sie die Nachrichten gehört?«

»Selbstverständlich. Ich bin schon bei der Arbeit. Eben habe ich einen Seismologen befragt. Er meinte, die Vorbeben seien in ihrer Art einmalig; er habe so was noch nie gesehen. Seiner Ansicht nach sind sie künstlich erzeugt worden. Er gab mir die genauen Koordinaten des Epizentrums. Morgen reise ich ins Owens Valley und sehe mich nach Zeugen um.«

Die beiden Männer wechselten bedeutsame Blicke. »Judy«, sagte Brian, »kein Mensch kann ein Erdbeben erzeugen.«

»Das wissen wir nicht.«

»Ich habe mich heute abend selbst mit zwei Seismologen unterhalten«, sagte Marvin. »Beide haben mir bestätigt, daß es völlig unmöglich ist.«

»Wissenschaftler sind oft uneinig.«

»Wir sind davon überzeugt, daß die Bande nie auch nur in die Nähe des Owens Valley gekommen ist«, sagte Brian. »Sie hat von dem Erdbeben erfahren und behauptet nun, sie sei's gewesen.«

Judy runzelte die Stirn. »Das ist mein Fall«, sagte sie. »Wie kommt Marvin dazu, Seismologen anzurufen?«

»Der Fall wird inzwischen auf höchster Ebene gehandelt«, sagte Brian, und mit einem Mal wußte Judy, was auf sie zukam. Ohnmächtige Wut erfüllte sie. »Wir glauben zwar nicht, daß die Kinder von Eden ihre Drohungen wahrmachen können. Was aber passieren kann, ist, daß sie große Publicity auf sich ziehen. Ich habe Bedenken, ob Sie damit fertigwerden.«

Es kostete Judy große Überwindung, ihre Wut im Zaum zu halten. »Sie können mich nicht ohne Begründung von dem Fall abziehen.«

»Ach, eine Begründung? Die habe ich schon«, sagte Brian und nahm ein Fax zur Hand, das auf dem Schreibtisch lag. »Sie haben sich gestern auf einen Streit mit einem Beamten der Highway Patrol eingelassen. Er hat Sie wegen Geschwindigkeitsüberschreitung angehalten. Nach dem, was hier steht, waren Sie in keiner Weise kooperativ. Sie sind ausfällig geworden und haben sich geweigert, dem Beamten Ihren Führerschein zu zeigen.«

»Herrgott noch mal, ich habe ihm doch meine Erkennungsmarke unter die Nase gehalten!«

Brian ignorierte den Einwand. Für Judy war es klar, daß ihn die Einzelheiten kaum interessierten. Der Zwischenfall auf der Straße war nur ein Vorwand. »Ich stelle eine Sondereinsatztruppe zusammen, die sich mit den Kindern von Eden befassen wird«, fuhr er fort. Dann schluckte er nervös, hob aggressiv das Kinn und sagte: »Ich habe Marvin gebeten, die Leitung zu übernehmen. Er wird Ihre Hilfe nicht benötigen. Sie haben mit dem Fall nichts mehr zu tun.«

KAPITEL 9

P riest konnte kaum fassen, daß es tatsächlich geklappt hatte.

Ich habe ein Erdbeben ausgelöst. Ich habe es wirklich und wahrhaftig geschafft. Ich!

Auf der Heimfahrt nordwärts über die US 395, neben sich Melanie und hinter sich im Barracuda Star und Oaktree, ließ er seiner Phantasie freien Lauf. Er sah einen Fernsehreporter mit käseweißem Gesicht vor sich, der bekanntgab, daß die Kinder von Eden ihre Drohung wahrgemacht hatten; auf den Straßen kam es zu Unruhen, weil die Menschen bei der Androhung eines zweiten Bebens in Panik gerieten. Und vor dem Regierungsgebäude stand ein fassungsloser Gouverneur Mike Robson und verkündete einen Baustopp für sämtliche Kraftwerksprojekte in Kalifornien.

Gut möglich, daß seine Vision zu optimistisch war. Für eine Panik war es vielleicht noch zu früh, und so schnell würde der Gouverneur wohl nicht nachgeben. Zumindest aber war er gezwungen, sich auf Verhandlungen mit Priest einzulassen.

Wie würde die Polizei sich verhalten? Die Öffentlichkeit erwartete, daß sie die Täter bald dingfest machte. Der Gouverneur hatte das FBI zu Hilfe gerufen, aber bisher wußte niemand, wer die Kinder von Eden waren. Es gab keinerlei Anhaltspunkte. Die Ermittlungsbehörden standen vor einer unlösbaren Aufgabe.

Eines allerdings war heute schiefgegangen, und Priest gestand sich ein, daß ihm das einige Sorgen bereitete. Als Star John Truth anrief, hatte sich dort nur ein Anrufbeantworter gemeldet. Priest hätte die Verbindung sofort unterbrochen, doch als er mitbekam, daß Star auf Band sprach, war es bereits zu spät.

Mit einer unbekannten Stimme auf Band konnten die Bullen

zwar kaum viel anfangen. Trotzdem war sie ein Indiz, von dem er wünschte, sie hätten es nie in die Hand bekommen.

Es kam ihm reichlich seltsam vor, daß die Welt sich weiter drehte, als wäre nichts geschehen. Personen- und Lastkraftwagen kamen ihnen entgegen oder überholten sie; vor einem Burger-King-Restaurant parkten Autos; die Highway Patrol hatte einen jungen Mann in einem roten Porsche angehalten; ein Arbeitstrupp der Straßenbauverwaltung schnitt die Sträucher am Fahrbahnrand zurück. Wieso waren diese Leute nicht alle wie gelähmt vom Schock?

Ob das Erdbeben überhaupt stattgefunden hatte? Plötzlich kamen Priest Zweifel. Hatte er sich das alles etwa nur im Drogenrausch eingebildet? Aber nein, er hatte sie doch mit eigenen Augen gesehen, die Erdspalte, die sich im Owens Valley aufgetan hatte – und doch schien es ihm, als sei das Beben viel weniger realistisch und vorstellbar als zuvor, da es nur eine fixe Idee gewesen war. Er gierte nach einer offiziellen Bestätigung – sei es in Form eines Fernsehberichts oder eines Titelfotos auf einer Illustrierten. Schon ein Gespräch wildfremder Leute in einer Bar oder in der Schlange vor einer Supermarktkasse hätte ihm genügt.

Am Spätnachmittag – sie befanden sich wieder auf dem Streckenabschnitt, der durch Nevada führte – fuhr Priest an einer Tankstelle vor. Der Barracuda folgte. Im schräg einfallenden Licht der untergehenden Sonne betankten Priest und Oaktree die beiden Fahrzeuge, während Melanie und Star in der Damentoilette verschwanden.

»Hoffentlich kommen wir in den Nachrichten«, sagte Oaktree gereizt.

Er machte sich die gleichen Gedanken wie Priest. »Warum auch nicht?« fragte der zurück. »Schließlich haben wir die Erde beben lassen!«

»Die Behörden könnten das unter den Teppich kehren.«

Wie viele Althippies glaubte auch Oaktree, die Regierung kontrolliere die Nachrichtenmedien. Priest hatte da seine eigene Meinung. So einfach, wie Oaktree sich das vorstellte, war es sicher nicht. Die Menschen zensieren sich selbst, dachte er, indem sie keine Zeitungen kaufen und keine Fernsehsendungen sehen, die ihre Vorurteile in Frage stellen. Lieber lassen sie sich mit dem üblichen Mist füttern.

Oaktrees Bemerkung beunruhigte ihn trotzdem. Ein kleines Erdbeben in einer einsamen Gegend totzuschweigen war vielleicht gar nicht so schwer.

Er betrat den Tankstellenshop, um zu zahlen. Die Klimaanlage ließ ihn frösteln. Hinter dem Mann an der Kasse plärrte ein Radio. Vielleicht können wir hier noch Nachrichten hören, dachte er, fragte den Mann nach der Uhrzeit und erfuhr, daß es fünf Minuten vor sechs war. Er zahlte, blieb aber noch im Laden und blätterte, Interesse vortäuschend, in Zeitschriften, die in einem Regal gestapelt lagen. Im Radio sang Billy Jo Spears *Fifty-seven Chevrolet*. Kurz darauf verließen Melanie und Star den Toilettenraum und betraten ebenfalls den Laden.

Endlich kamen die Nachrichten. Um sein Verweilen plausibel zu machen, wählte Priest umständlich noch ein paar Süßigkeiten aus und trug sie zur Kasse.

In der ersten Meldung ging es um die Hochzeit einer Schauspielerin und eines Schauspielers, die in einer Vorabendserie Nachbarn spielten. *Wen interessiert denn so ein Scheiß?* Nervös trat Priest von einem Fuß auf den anderen. Der Präsident der Vereinigten Staaten weilte auf Staatsbesuch in Indien ... *Hoffentlich lernt er dort ein Mantra.* Der Mann an der Kasse nannte den Preis für die Süßigkeiten. Priest zahlte. Die nächste Meldung war sicher das Erdbeben ... nein, es ging um eine Schießerei an einer Schule in Chicago.

Langsam schlenderte Priest auf die Ladentür zu. Melanie und Star folgten ihm. Ein anderer Kunde, der draußen seinen Jeep Wrangler aufgetankt hatte, kam herein, um zu zahlen.

Endlich sagte der Nachrichtensprecher: »Die Umweltterroristen, die sich ›Die Kinder von Eden‹ nennen, haben die Verantwortung für ein kleineres Erdbeben übernommen, das sich heute nachmittag im ostkalifornischen Owens Valley ereignete.«

»Ja!« flüsterte Priest und klatschte triumphierend mit der rechten Faust in die linke Hand.

»Wir sind keine Terroristen!« zischte Star ihm zu.

Der Nachrichtensprecher fuhr fort: »Das Erdbeben ereignete sich am selben Tag, für den die Gruppe ein Beben vorausgesagt hatte. Der Leiter der staatlichen Erdbebenwarte, Matthew Bird, bestritt jedoch, daß dieses oder ein anderes Beben von Menschenhand ausgelöst werden könne.«

»Lügner!« flüsterte Melanie beinahe unhörbar.

»Die Erklärung der Gruppe erfolgte in einem Bekenneranruf an die erfolgreichste Talkrunde unseres Senders, *John Truth Live.*«

Priest hatte gerade den Ausgang erreicht, da tönte zu seinem Entsetzen Stars Stimme aus dem Radio. Wie angewurzelt blieb er stehen. »Wir erkennen die Staatsgewalt der US-Regierung nicht an«, sagte sie. »Jetzt, wo Sie wissen, daß wir unsere Ankündigungen wahrmachen können, denken Sie besser noch einmal über unsere Forderung nach. Verkünden Sie einen allgemeinen Baustopp für neue Kraftwerke in Kalifornien. Wir geben Ihnen sieben Tage Bedenkzeit.«

»Um Himmels willen, das bin ja ich!« entfuhr es Star.

»Pssst!« machte Priest und sah sich erschrocken um. Der Jeepfahrer unterhielt sich mit dem Mann an der Kasse, der gerade seine Kreditkarte durch ein Lesegerät schob. Keiner von beiden schien Stars Ausbruch bemerkt zu haben.

»Von Gouverneur Mike Robson liegt noch keine Reaktion auf die neue Drohung vor. Und nun zum Sport ...«

Priest, Melanie und Star gingen hinaus.

»Mein Gott! Sie senden meine Stimme! Was soll ich tun?«

»Vor allem erst mal Ruhe bewahren!« erwiderte Priest, der selber alles andere als ruhig war. Über den asphaltierten Tankstellenvorplatz gingen sie zu ihren Fahrzeugen. Flüsternd appellierte er an ihre Vernunft: »Kein Mensch außerhalb unserer Kommune kennt deine Stimme. Seit fünfundzwanzig Jahren hast du höchstens fünf Worte mit Leuten von draußen gewechselt. Und wer dich noch aus der Zeit in Haight-Ashbury kennt, hat keine Ahnung, wo du inzwischen lebst.«

»Da hast du wahrscheinlich recht«, sagte Star, aber überzeugt klang es nicht.

»Die einzige undichte Stelle, die ich mir vorstellen könnte, ist Bones. Er wird deine Stimme vermutlich erkennen, wenn er sie im Radio hören sollte.«

»Bones würde uns nie verraten, Priest. Er ist ein Reisesser.«

»Ich bin mir da nicht so sicher. Junkies sind zu allem imstande.«

»Und die anderen – Dale und Poem zum Beispiel?«

»Ja, die machen mir auch ein wenig Sorgen«, gab Priest zu. In den Blockhütten gab es keine Rundfunkgeräte, aber der Pickup der Kommune, den Dale manchmal fuhr, hatte ein Autoradio. »Wenn sie was rauskriegen, müssen wir ihnen eben reinen Wein einschenken.«

Im Notfall bleibt immer noch die Mario-Lösung.

Nein, das könnte ich nicht. Nicht mit Dale oder Poem.

Oder doch?

Oaktree saß am Steuer des Barracuda und wartete auf sie. »Nun kommt schon, Leute, was soll die Trödelei?« rief er ungeduldig.

Star berichtete kurz, was sie gehört hatten. »Ein Glück, daß außerhalb der Kommune niemand meine Stimme kennt … au, verdammt, da fällt mir was ein!« Sie wandte sich an Priest. »Dieser Bewährungshelfer in der Polizeiwache.«

Priest fluchte. Natürlich. Erst gestern hatte Star mit dem Mann gesprochen. Angst schnürte ihm die Kehle ab. *Wenn der die Sendung mitbekommen hat und sich an Stars Stimme erinnert, dann ist der Sheriff schon mit einem halben Dutzend Bullen unterwegs zur Kommune und nimmt Star bei unserer Rückkehr in Empfang …*

Aber wer sagte, daß der Mann die Sendung überhaupt gehört hatte? Priest mußte es herausfinden. Aber wie? »Ich ruf' mal beim Sheriff an«, sagte er zu den anderen.

»Aber was willst du ihm sagen?« fragte Star.

»Weiß ich noch nicht. Ich lass' mir was einfallen. Wartet solange auf mich.«

Er ging zurück in den Laden, wechselte bei dem Mann an der Kasse ein wenig Kleingeld ein und verschwand in der Telefonzelle. Bei der Auskunft erfuhr er die Nummer des Sheriffs von Silver City und wählte sie. Plötzlich fiel ihm der Name des Bewährungshelfers ein. »Ich muß mit Mr. Wicks sprechen«, sagte er.

»Billy ist nicht da«, erwiderte eine freundliche Stimme.

»Aber ich habe ihn doch erst gestern gesprochen.«

»Der ist noch am Abend nach Nassau geflogen. Heute liegt er am Strand, schlürft ein Bierchen und läßt die Bikinis an sich vorüberziehen, der Glückspilz. In vierzehn Tagen kommt er zurück. Kann Ihnen vielleicht sonst jemand weiterhelfen?«

Priest legte auf.

Schwein gehabt.

Er ging zu den anderen zurück. »Gott ist auf unserer Seite«, erklärte er.

»Wieso? Was ist denn passiert?« fragte Star ungeduldig.

»Der Kerl ist gestern abend in Urlaub geflogen und verbringt die nächsten zwei Wochen auf den Bahamas. Ich kann mir nicht vorstellen, daß Stars Stimme auch im Ausland gesendet wird. Wir sind sicher.«

Star fiel ein Stein vom Herzen. »Gott sei Dank«, sagte sie.

Priest öffnete die Lastwagentür. »Kommt, Leute, wir machen uns wieder auf die Socken!«

Es ging auf Mitternacht zu, als Priest den seismischen Vibrator über den holprigen, kurvenreichen Waldweg steuerte, der zur Kommune führte, und ihn wieder in seinem Versteck abstellte. Trotz der Dunkelheit und obwohl sie alle hundemüde waren, bestand er darauf, daß der Laster wieder bis auf den letzten Quadratzentimeter mit Ästen und Blattwerk bedeckt wurde, so daß man ihn weder vom Boden noch aus der Luft erkennen konnte. Erst danach setzten sie sich alle in den Barracuda und fuhren nach Hause.

Priest stellte das Radio an, um noch einmal die Nachrichten zu hören.

Diesmal ging es bereits in der ersten Meldung um das Erdbeben: »Unsere Radio-Talkrunde *John Truth Live* spielte heute eine zentrale Rolle bei dem fortlaufenden Drama um die ›Kinder von Eden‹, jene Gruppe von Umweltterroristen, die behauptet, Erdbeben hervorrufen zu können«, sagte eine aufgeregte Stimme. »Nach einem leichten Beben im ostkalifornischen Owens Valley rief eine Frau im Studio an, die im Namen der Gruppe die Verantwortung dafür übernahm.«

Wieder folgte Stars Botschaft in vollem Wortlaut.

»Scheiße«, murmelte Star, als sie ihre Stimme hörte.

Priest war unwillkürlich sehr betroffen. Obwohl er überzeugt war, daß die Polizei mit der Aufnahme nicht viel würde anfangen können, war ihm Stars Bloßstellung zutiefst unangenehm. Sie wirkte dadurch furchtbar verletzlich. In seinem Innern sehnte er sich danach, alle, die ihr Böses wollten, zu vernichten.

Als das Band abgespielt war, meldete sich wieder der Nachrichtensprecher: »Spezialagent Raja Khan holte die Aufnahme heute im Studio ab. Das Band wird jetzt von FBI-Experten für Psycholinguistik analysiert.«

Die Meldung traf Priest wie ein Faustschlag in die Magengrube. »Was, zum Teufel, ist Psycholinguistik?« fragte er.

»Das Wort höre ich auch zum erstenmal«, antwortete Melanie. »Ich schätze, die wollen Stars Sprache untersuchen und daraus Rückschlüsse auf ihre Psyche ziehen.«

»Ich hätte nicht gedacht, daß sie auf solche Tricks kommen«, sagte Priest besorgt.

»Nun mach dir mal nicht in die Hosen, Mann«, sagte Oaktree. »Die können an Star herumanalysieren, soviel sie wollen. Ihre *Adresse* kriegen sie trotzdem nicht heraus.«

»Nein, wahrscheinlich nicht.«

Der Nachrichtensprecher fuhr fort: »Von Gouverneur Mike Robson gibt es bisher noch keine Stellungnahme, doch kündete das FBI-Büro in San Francisco für morgen früh eine Pressekonferenz an. Soviel zu diesem Thema ...«

Priest stellte das Radio ab. Oaktree parkte den Barracuda neben Bones' Kirmeswagen. Zum Schutz der bunten Bemalung hatte Bones das Fahrzeug mit einer riesigen Plane bedeckt – was darauf schließen ließ, daß er sich auf einen längeren Aufenthalt bei ihnen einrichtete.

Sie gingen den Hang hinunter, durchquerten den Weinberg und kamen zur Siedlung. Das Küchenhaus und die Schlafhütte der Kinder waren dunkel. Hinter Apples Fenster flackerte Kerzenlicht – sie litt unter Schlaflosigkeit und las gerne bis in die frühen Morgenstunden. Aus Songs Hütte drang leise Gitarrenmusik; die anderen Hütten lagen in tiefer, stiller Dunkelheit. Nur Spirit, Priests Hund, kam ihnen im Mondlicht entgegen, um sie schwanzwedelnd zu begrüßen. Leise sagten sie einander gute Nacht und trollten sich in ihr jeweiliges Quartier. Sie waren zu müde, um ihren Triumph zu feiern.

Die Nacht war warm. Priest lag nackt auf seinem Bett und dachte nach. Kein Kommentar vom Gouverneur, aber eine Pressekonferenz des FBI. Das war beunruhigend. Beim gegenwärtigen Stand der Dinge mußte der Gouverneur eigentlich allmählich in Panik geraten und sich sagen: *Das FBI hat versagt, und ein zweites Erdbeben können wir uns nicht leisten. Ich muß mit diesen Leuten reden ...* Daß er die Gedanken seiner Gegner so schlecht einschätzen konnte, machte Priest nervös. Bisher hatte er seine Ziele immer erreicht, indem er die Menschen genau studierte und aus ihrer Miene, ihrem Lächeln, der Art, wie sie die Arme verschränkten oder sich am Kopf kratzten, Rückschlüsse auf ihre wahren Absichten zog. Er wollte Gouverneur Robson manipulieren, doch ohne direkten Blickkontakt war das schwer. Und was hatte das FBI vor? Was steckte hinter diesem Geschwätz über eine »psycholinguistische Analyse«?

Er mußte mehr wissen. Einfach liegenzubleiben und auf den nächsten Schritt des Gegners zu warten reichte nicht aus.

Priest überlegte, ob er versuchen sollte, den Gouverneur in seinem Büro anzurufen. Die Frage war, ob er überhaupt zu ihm durchkommen würde, und wenn ja, was er sich davon erwarten durfte. Vielleicht war es tatsächlich einen Versuch wert. Die Situation, in die er sich dadurch manövrieren würde, mißfiel ihm allerdings: Er käme in der Rolle des Bittstellers, der um das Privileg nachsuchte, ein Gespräch mit dem großen Mann führen zu dürfen. Seine Strategie bestand jedoch nicht darin, den Gouverneur um einen Gefallen zu bitten, sondern ihm seinen Willen aufzuzwingen.

Ich könnte ja zu der Pressekonferenz gehen.

Ungefährlich war das nicht: Wenn man ihm auf die Schliche kam, war alles umsonst.

Trotzdem gefiel ihm der Gedanke. Sich als Reporter getarnt in die Pressekonferenz einzuschleichen wäre ein Trick wie in alten Zeiten. Damals war er auf Überraschungscoups spezialisiert gewesen: Er hatte den weißen Lincoln geklaut und bei »Pigface« Riley abgeliefert, Inspektor Jack Kassner in der Herrentoilette der Blue Light Bar erstochen, den Jenkinsons ihren Spirituosenladen abgeluchst. Und bei all diesen Aktionen und vielen ähnlichen war er ungeschoren davongekommen.

Er konnte auch als Fotograf gehen. Paul Beale würde ihm eine schicke Kamera leihen, und Melanie könnte als Reporterin auftreten. So hübsch, wie sie war, konnte sie jeden FBI-Agenten von seiner Aufgabe ablenken.

Um welche Uhrzeit fand diese Pressekonferenz statt?

Priest rollte sich vom Bett, schlüpfte in seine Sandalen und ging hinaus. Im Mondlicht fand er den Weg zu Melanies Hütte.

Melanie saß nackt auf der Bettkante, bürstete ihr langes, rotes Haar und begrüßte ihn mit einem Lächeln. Das Kerzenlicht zeichnete die Konturen ihres Körpers nach und umgab die ebenmäßigen Schultern, Brustwarzen, Hüften und das rote Haar zwischen ihren Schenkeln wie mit einem Halo. Der Anblick war atemberaubend.

»Hallo«, sagte sie.

Er dauerte einen Moment, bis ihm wieder einfiel, warum er gekommen war. »Ich brauch' mal dein Handy.«

Melanie schob die Lippen vor und schmollte: Das war nicht gerade das, was sie von einem Mann erwartete, der nackt ihr Schlafzimmer betrat.

Er setzte sein Ganovengrinsen auf. »Aber vielleicht muß ich dich erst zu Boden werfen und vernaschen und dann erst telefonieren ...«

Sie lächelte. »Schon gut, bring deinen Anruf ruhig zuerst hinter dich.«

Priest nahm das Handy auf, dann zögerte er. Melanie hatte den ganzen Tag über das Sagen gehabt, und er hatte es hingenommen, weil sie Seismologin war und wußte, worauf es ankam. Doch das war jetzt vorbei. Daß sie ihm etwas *erlauben* konnte, mißfiel ihm prinzipiell; es widersprach den Grundbedingungen ihrer Beziehung.

Er legte sich aufs Bett und zog Melanies Kopf zwischen seine Beine. Nach kurzem Zögern tat sie, was er wollte.

Minutenlang lag er da und gab sich der Liebkosung hin.

Dann rief er bei der Auskunft an.

Melanie hielt inne und hob den Kopf, doch Priest zog ihn an einer Haarlocke wieder an Ort und Stelle. Sekundenlang spürte er ihren Widerstand, als wolle sie protestieren, doch da machte sie auch schon weiter.

So ist es schon besser.

Priest ließ sich die Nummer des FBI-Büros in San Francisco geben und wählte sie.

Eine Männerstimme meldete sich. »FBI.«

Wie immer konnte Priest sich auf seine Inspiration verlassen. »Hier spricht Dave Horlock von Radio KCAR in Carson City«, sagte er. »Wir wollen morgen einen Reporter zu Ihrer Pressekonferenz schicken. Können Sie mir sagen, wann und wo sie stattfindet?«

»Das ging doch über die Agenturen raus«, sagte der Mann.

Fauler Sack. »Ich bin gerade nicht im Büro«, improvisierte Priest. »Und unser Reporter muß morgen wahrscheinlich ziemlich früh los.«

»Die Pressekonferenz findet um zwölf Uhr mittags statt, und zwar hier im Federal Building, 450 Golden Gate Avenue.«

»Braucht man dazu eine Einladung, oder kann man einfach so kommen?«

»Es gibt keine Einladungen. Ein normaler Presseausweis reicht.«

»Vielen Dank für Ihre Hilfe.«

»Von welchem Sender sind Sie noch?«

Priest beendete das Gespräch.

Presseausweis. Wie komme ich denn an so was?

Melanie hörte auf zu saugen und sagte: »Hoffentlich checken sie nicht nach, woher der Anruf kam.«

»Wieso denn das?« fragte Priest überrascht.

»Weiß ich nicht. Vielleicht gehört das beim FBI zur Routine.«

Er runzelte die Stirn. »Geht das denn so ohne weiteres?«

»Ja, mit Computern schon.«

»Na ja, dafür habe ich nicht lange genug geredet.«

»Priest, wir leben nicht mehr in den sechziger Jahren! Das geht ganz fix jetzt, so ein Computer macht das in Nanosekunden. Die brauchen bloß die Rechnungsdaten zu überprüfen, und schon wissen sie, wem die Nummer gehört, der drei Minuten vor ein Uhr nachts bei ihnen angerufen hat.«

Priest hatte das Wort »Nanosekunde« noch nie gehört, konnte sich aber vorstellen, was es bedeutete. Jetzt wurde ihm doch mulmig. »Scheiße«, sagte er. »Können die auch rausfinden, wo du steckst?«

»Nur solange das Handy an ist.«

Hastig schaltete Priest das Gerät aus.

Allmählich ging ihm die Sache auf die Nerven. In den vergangenen vierundzwanzig Stunden hatte sich zuviel Unvorhergesehenes ereignet: die Tatsache, daß Stars Stimme auf Band festgehalten worden war, die psycholinguistische Analyse und was immer dahintersteckte und jetzt auch noch dieser Computer, mit dem man Anrufe zurückverfolgen konnte. *Gibt es noch andere Fallstricke, mit denen ich nicht gerechnet habe?*

Er schüttelte den Kopf. Das war negatives Denken. Ständig Sorgen und Bedenken vor sich her zu tragen war schon immer unproduktiv. Seine Trümpfe waren Phantasie und Nervenstärke. Er nahm sich vor, die Pressekonferenz zu besuchen; irgendwie würde es ihm schon gelingen, sich den Zugang zu erschwatzen. Er wollte seinen Gegner sehen und herausfinden, was er vorhatte.

Melanie lag auf dem Rücken und hatte die Augen geschlossen. »Das war ein langer Tag im Sattel«, sagte sie.

Priest betrachtete ihren Körper. Er liebte den Anblick ihrer Brüste. Es gefiel ihm, wie sie sich in einem bestimmten Rhythmus von einer Seite zur anderen schoben, wenn Melanie ging. Er sah ihr gerne zu, wenn sie sich den Pullover über den Kopf zog, weil ihre Titten dabei vorragten wie gezückte Pistolen, und er genoß es, wenn sie ihren Büstenhalter anlegte und die Brüste des bequemeren Sitzes wegen sorgfältig in den Körbchen arrangierte. Jetzt, da Melanie auf dem Rücken lag, waren sie leicht abgeflacht und wölbten sich ein wenig zur Seite. Die Brustwarzen waren weich und entspannt.

Er mußte den Kopf frei bekommen und seine Bedenken vertreiben. Die zweitbeste Methode dafür war Meditation. Die beste lag vor ihm.

Er kniete sich über Melanie und küßte ihre Brüste. Sie seufzte zufrieden und streichelte sein Haar, hielt aber die Lider weiterhin geschlossen.

Aus dem Augenwinkel nahm Priest eine Bewegung wahr. Er blickte sich um. Gekleidet in einen Morgenrock aus violetter Seide, stand Star in der Tür. Er lächelte, denn er wußte, was sie vorhatte – es geschah nicht zum erstenmal. Fragend zog sie eine Braue hoch, und Priest nickte zustimmend. Star trat ein und schloß lautlos die Tür hinter sich.

Priest widmete sich wieder Melanies Busen. Mit den Lippen

saugte er eine rosa Knospe in seinen Mund und ließ sie wieder hinausgleiten, wobei er sie sanft mit der Zungenspitze umspielte. Wieder und wieder tat er das, im gleichbleibenden Rhythmus. Melanie stöhnte vor Lust.

Star öffnete ihren Gürtel, ließ den Morgenrock zu Boden fallen und sah ihnen zu. Sanft berührte sie dabei ihre eigenen Brüste. Ihr Körper war so ganz anders – die Haut nicht weiß wie Melanies, sondern hellbraun, Hüften und Schultern breiter, die Haare dunkel und dick statt rotgolden und fein. Nach einer Weile beugte sie sich vor, küßte Priest aufs Ohr und ließ ihre Hand über seinen Rücken gleiten, die Wirbelsäule entlang abwärts, bis sie zwischen seinen Beinen war und das, was sie dort fand, zu streicheln und zu massieren begann.

Priest atmete schneller.

Langsam, laß dir Zeit, koste jeden Moment aus …

Star kniete sich neben das Bett und fing an, die Brust, an der Priest saugte, mit ihren Händen zu liebkosen.

Melanie spürte, daß sich etwas verändert hatte. Sie hörte auf zu stöhnen. Ihr Körper versteifte sich, dann öffnete sie die Augen. Als sie Star erkannte, stieß sie einen erstickten Schrei aus.

Star lächelte und streichelte sie weiter. »Du hast einen wunderschönen Körper«, raunte sie. Wie in Trance sah Priest ihr zu, als sie sich über Melanie beugte und deren andere Brust in den Mund nahm.

Melanie schob sie beide weg und setzte sich auf. »Nein!« sagte sie.

»Entspann dich«, sagte Priest. »Das ist schon okay.« Er strich ihr übers Haar.

Star streichelte die Innenseite von Melanies Oberschenkel. »Es wird dir gefallen«, sagte sie. »Manche Dinge beherrscht eine Frau viel besser als jeder Mann. Laß dich überraschen.«

»Nein!« wiederholte Melanie und drückte die Beine fest zusammen.

Priest spürte, daß es so nicht ging. Er war enttäuscht. Er liebte es, wenn Star sich über eine andere Frau hermachte und sie vor seinen Augen zur Ekstase brachte. Aber Melanie war zu verschreckt.

Star gab noch nicht auf. Ihre Hand glitt höher, und ihre Fingerspitzen berührten das rote Haarbüschel zwischen Melanies Schenkeln.

»Nein!« Melanie schlug Stars Hand beiseite.

Der Schlag war nicht von schlechten Eltern. »Au!« rief Star. »Warum tust du das?«

Melanie stieß sie beiseite und sprang vom Bett. »Weil du alt und fett bist und ich mit dir keinen Sex haben will!«

Star hielt die Luft an, und Priest zuckte zusammen.

Melanie marschierte zur Tür und öffnete sie. »Bitte!« sagte sie zu Star. »Laß mich in Ruhe und geh!«

Zu Priests Verwunderung fing Star an zu weinen. »Melanie!« sagte er vorwurfsvoll.

Bevor Melanie noch etwas sagen konnte, war Star bereits verschwunden.

Melanie schlug die Tür zu.

»Au weia, Baby«, sagte Priest. »Das war gemein.«

Melanie riß die Tür wieder auf. »Du kannst gleich mitgehen, wenn dir danach ist. Laß mich in Ruhe!«

Priest erschrak. In fünfundzwanzig Jahren des Kommunelebens war er nicht ein einziges Mal aus einer der Blockhütten hinausgeworfen worden. Und jetzt stand da eine nackte Schönheit mit vor Wut, Erregung oder beidem gerötetem Gesicht und wies ihm die Tür. Daß er einen Ständer hatte wie ein Flaggenmast, war sozusagen der Gipfel der Demütigung.

Entgleitet mir langsam die Kontrolle?

Der Gedanke beunruhigte ihn. Bisher war es ihm noch immer gelungen, die Leute nach seiner Pfeife tanzen zu lassen, vor allem hier in der Kommune. In seiner Verblüffung war er schon drauf und dran, Melanie zu gehorchen. Ohne ein weiteres Wort ging er zur Tür.

Doch dann wurde ihm auf einmal klar, daß er nicht nachgeben durfte. Ließ er zu, daß Melanie ihn jetzt so abfertigte, würde er sie wahrscheinlich nie wieder beherrschen können. Aber genau darauf war er angewiesen: Er brauchte Melanie, und sie mußte ihm gefügig sein. Sie spielte die entscheidende Rolle in seinem Plan. Ohne ihre Hilfe gab es kein zweites Erdbeben. Er durfte nicht zulassen, daß sie auf diese Art und Weise ihre Unabhängigkeit unter Beweis stellte. Sie war zu wichtig.

Auf der Schwelle drehte er sich um und sah sie an. Die Hände auf die Hüften gelegt, stand sie vor ihm, nackt. Was wollte sie? Gestern, im Owens Valley, hatte sie ihres Fachwissens wegen dominiert, und das verlieh ihr jetzt den Mut für diesen zickigen Auftritt. Doch im Grunde ihres Herzens lag ihr gar nichts an ihrer Unabhängigkeit – sonst wäre sie nicht bei der Kommune gelandet. Sie suchte einen Machtmenschen, der ihr sagte, was sie zu tun hatte. Deshalb hatte sie ihren Professor geheiratet. Und deshalb hatte sie sich gleich nach der Trennung von ihm wieder mit einer Autoritätsperson eingelassen, dem Anführer einer Kommune. Heute abend hatte sie aufbegehrt, weil sie Priest nicht mit einer anderen Frau teilen wollte. Wahrscheinlich fürchtete sie, Star könne ihn ihr wegnehmen. Daß Priest jetzt ging und sie verließ, wäre das letzte gewesen, was sie wollte.

Er machte die Tür wieder zu.

Mit drei Schritten durchmaß er den kleinen Raum und blieb vor Melanie stehen. Noch immer war ihr Gesicht rot vor Wut, und ihr Atem ging schwer. »Leg dich hin!« befahl Priest.

Obwohl ihr eine gewisse Beunruhigung anzumerken war, legte sie sich aufs Bett.

»Mach die Beine breit«, sagte er.

Nach kurzem Zögern gehorchte sie.

Priest legte sich auf sie. Als er in sie eindrang, umarmte sie ihn unvermittelt und preßte ihn an sich. Er bewegte sich schnell in ihr und nahm sie mit voller Absicht hart ran. Sie hob die Beine und schlang sie um seine Hüften, und Priest spürte ihre Zähne in seiner

Schulter. Es tat weh, aber das mochte er. Melanie öffnete den Mund und keuchte. »Ach, Priest«, sagte sie mit tiefer, kehliger Stimme. »Ich liebe dich, du alter Hurensohn.«

Als Priest erwachte, stand er auf und ging zu Star in die Hütte.

Sie lag mit offenen Augen auf der Seite und starrte an die Wand. Als er sich zu ihr aufs Bett setzte, fing sie an zu weinen.

Er küßte ihr die Tränen vom Gesicht und spürte, wie er wieder einen Steifen bekam. »Sprich mit mir«, flüsterte er.

»Hast du gewußt, daß Flower Dusty ins Bett bringt?«

Damit hatte er nun wirklich nicht gerechnet. Was sollte denn das jetzt? »Nein, das wußte ich nicht«, antwortete er.

»Ich mag das nicht.«

»Und warum nicht?« Er gab sich Mühe, seine Gereiztheit nicht durchklingen zu lassen. *Gestern haben wir ein Erdbeben ausgelöst – und heute heulst du wegen der Kinder?* »Ist auf jeden Fall viel besser, als Filmplakate in Silver City zu klauen.«

»Aber du hast eine neue Familie«, brach es aus ihr hervor.

»Was, zum Teufel, soll denn das schon wieder heißen?«

»Du, Melanie, Flower und Dusty. Ihr seid wie eine Familie. Für mich ist da kein Platz mehr, ich passe nicht dazu.«

»Natürlich paßt du dazu. Du bist die Mutter meines Kindes und die Frau, die ich liebe. Wie solltest du da nicht zu uns passen?«

»Ich habe mich heut nacht so furchtbar gedemütigt gefühlt.«

Er streichelte ihre Brüste durch den Baumwollstoff des Nachthemds. Star bedeckte seine Hand mit der ihren und drückte sie fester gegen ihren Körper.

»Die Gruppe ist unsere Familie«, sagte Priest. »So war es doch immer. Wir pfeifen eben auf die Konventionen der üblichen Vorstadtfamilie – Mami, Papi, zwei Kinder und so weiter …« Er wiederholte nur die Weisheiten, die er vor Jahren von ihr gelernt hatte. »Wir sind eine große Familie. Wir lieben die ganze Gruppe, und jeder kümmert sich um jeden. Auf diese Weise brauchen wir in puncto Sex niemanden zu belügen, weder uns selbst noch sonst jemanden. Du kannst es mit Oaktree tun oder mit Song – und doch weiß ich, daß du immer auch mich und unser Kind lieben wirst.«

»Aber weißt du was, Priest? Noch nie hat uns jemand so eine Abfuhr erteilt – weder dir noch mir.«

Es gab keine Regeln dafür, wer mit wem Sex hatte, doch war natürlich niemand zur Liebe verpflichtet, wenn er nicht wollte. Doch als Priest jetzt über Stars Worte nachdachte, mußte er ihr recht geben: Er konnte sich nicht daran erinnern, daß ihn jemals eine Frau zurückgewiesen hatte. Und Star erging es offensichtlich ebenso – bis Melanie gekommen war.

Ein Anflug von Panik überkam ihn. Das war ihm nun in den letzten Wochen schon mehrfach passiert. Es lag an seiner Angst vor dem Zusammenbruch der Kommune, der Angst davor, die Dinge nicht mehr im Griff zu haben und alles zu verlieren, was ihm lieb und teuer war. Es war wie der Verlust des Gleichgewichtssinns; als sei der feste Boden unter seinen Füßen plötzlich unsicher geworden und bewege sich in einer Weise, die nicht vorhersehbar war, genau wie gestern im Owens Valley. Er bemühte sich, seiner Beklemmung Herr zu werden. Er mußte einen kühlen Kopf bewahren. Nur er konnte die anderen bei der Stange halten, nur er alles zusammenhalten. Er *mußte* einen kühlen Kopf bewahren …

Priest legte sich neben Star aufs Bett und streichelte ihr Haar. »Es wird alles wieder gut«, sagte er. »Wir haben gestern dafür gesorgt, daß Gouverneur Roberts gewaltig die Muffe geht. Er wird unsere Forderung erfüllen, du wirst schon sehen.«

»Bist du dir sicher?«

Mit beiden Händen umfaßte er ihre Brüste und spürte, wie seine Erregung wuchs. »Vertrau mir«, murmelte er und drückte sich an sie, so daß sie seine Erektion spüren konnte.

»Komm, Priest, ich will geliebt werden«, sagte Star.

Er setzte sein Schwerenötergrinsen auf. »Wie denn?«

Sie lächelte durch ihre Tränen zurück. »Verdammt, besorg's mir, wie du willst.«

Danach schlief Star ein. Priest lag wach neben ihr und machte sich Gedanken über den Presseausweis, bis ihm schließlich eine Lösung einfiel. Dann stand er auf.

Er ging zur Schlafhütte der Kinder und weckte Flower auf. »Ich möchte, daß du mit mir nach San Francisco fährst«, sagte er. »Zieh dich an.«

Im menschenleeren Küchenhaus röstete er ihr eine Scheibe Brot und bereitete einen Orangensaft. Während Flower aß, sagte er zu ihr: »Du hast mir doch erzählt, daß du Schriftstellerin oder Journalistin werden willst, weißt du noch? Für eine Jugendzeitschrift wolltest du arbeiten, oder?«

»Ja, für *Teen*«, sagte sie.

»Genau.«

»Aber du wolltest, daß ich Gedichte schreibe, damit ich hier wohnen bleiben kann.«

»Das will ich nach wie vor. Aber heute werde ich dir erst einmal zeigen, was eine Reporterin so alles tun muß.«

»Au, super!« rief Flower sichtlich erfreut aus.

»Ich nehme dich mit zu einer Pressekonferenz des FBI.«

»Des FBI?«

»Ja, über so was mußt du als Reporterin berichten.«

Flower rümpfte angeekelt die Nase. Von ihrer Mutter hatte sie den Widerwillen gegen Gesetzeshüter aller Art übernommen. »In *Teen* stand noch nie was über das FBI.«

»Tja, aber Leonardo DiCaprio gibt heute nirgends eine Pressekonferenz, ich hab' mich erkundigt.«

Sie grinste verlegen. »Schade.«

»Aber stell einfach die Fragen, die du stellen würdest, wenn du Reporterin von *Teen* wärst, das haut dann schon hin.«

Flower nickte nachdenklich. »Und worum geht es bei der Pressekonferenz?«

»Um irgendeine Gruppe, die behauptet, sie hätte ein Erdbeben verursacht. Allerdings möchte ich nicht, daß du das überall ausposaunst. Es bleibt unter uns, ja?«

»Okay.«

Er wollte die Reisesser erst nach der Rückkehr einweihen. »Mit Mama, Melanie, Oaktree, mit Song, Aneth und Paul Beale kannst du darüber reden, aber sonst mit niemandem. Das ist sehr wichtig.«

»Kapiert.«

Priest war klar, daß er sich auf ein irrsinniges Risiko einließ. Ging etwas schief, war alles verloren. Wenn er nun gar vor den Augen seiner Tochter verhaftet wurde, stand ihr am Ende der schlimmste Tag ihres Lebens bevor. Andererseits waren solch wahnsinnige Risiken schon immer sein Markenzeichen gewesen.

Damals, als er den Vorschlag gemacht hatte, Reben zu pflanzen, hatte Star darauf hingewiesen, daß der Pachtvertrag nur für ein einziges Jahr abgeschlossen war. Das Graben und Pflanzen, die ganze Schufterei konnten umsonst sein; gut möglich, daß sie die Früchte ihre Arbeit niemals ernten würden. Wollen wir nicht lieber erst einen Zehnjahresvertrag aushandeln, bevor wir so viel investieren, hatte Star gefragt. Das Argument klang durchaus vernünftig, doch Priest wußte, daß es tödlich war. Wenn sie nicht sofort anfingen, würden sie es nie tun. Er überredete sie, das Risiko in Kauf zu nehmen. Am Ende des Jahres war die Kommune zu einer Gemeinschaft geworden, und die Regierung hatte Stars Pachtvertrag seither Jahr für Jahr verlängert. Bis jetzt.

Priest überlegte, ob er seinen marineblauen Anzug anziehen sollte – aber der war inzwischen so altmodisch, daß er in San Francisco auffallen mußte, und so entschied er sich für seine üblichen Blue Jeans. Obwohl es ziemlich warm war, zog er sich über das T-Shirt noch ein langes, kariertes Flanellhemd, das er über der Hose trug. Aus dem Werkzeugschuppen holte er sich ein großes Messer mit einer etwa zwölf Zentimeter langen Klinge und steckte es samt der hübschen Lederscheide hinten in den Hosenbund, wo es von den Hemdschößen verdeckt wurde.

Auf der gesamten vierstündigen Fahrt nach San Francisco blieb sein Adrenalinpegel auf konstant hohem Niveau. Alptraumhafte

Visionen suchten ihn heim: Sie wurden beide verhaftet; ihn warf man sofort in eine Gefängniszelle, während Flower in einem Verhörzimmer vom FBI in die Mangel genommen und über ihre Eltern ausgequetscht wurde … Doch die Angst gab ihm einen zusätzlichen Kick.

Gegen elf Uhr erreichten sie die Stadt und ließen den Wagen auf einem Parkplatz an der Golden Gate Bridge stehen. In einem Laden kaufte Priest ein Notizbuch mit Spiralbindung und zwei Bleistifte für Flower, dann ging er mit ihr in ein Café und bestellte ihr eine Limonade. Während sie trank, sagte er: »Ich komm' gleich wieder«, und ging hinaus.

Er schlug den Weg zum Union Square ein und musterte die Gesichter der Passanten. Er brauchte einen Mann, der ihm ähnlich sah. Die Straßen waren voller Menschen, die ihre Einkäufe erledigten, so daß er Hunderte von Gesichtern zur Auswahl hatte. Ein dunkelhaariger Mann mit schmalen Wangen, der die vor einem Restaurant aushängende Speisekarte studierte, fiel ihm auf, und er glaubte schon, sein Opfer gefunden zu haben. Gespannt wie eine Bogensehne beobachtete er den Mann, doch als der sich nach einigen Sekunden umdrehte, sah Priest, daß sein rechtes Auge aufgrund einer Verletzung geschlossen war.

Enttäuscht ging er weiter. Es war nicht leicht. Es gab viele dunkelhaarige Männer in den Vierzigern, doch die meisten von ihnen brachten um die zehn bis fünfzehn Kilo mehr auf die Waage als er. Ein anderer potentieller Kandidat kam nicht in Frage, weil er eine Kamera um den Hals trug: Mit einem Touristen konnte Priest nichts anfangen; er brauchte jemanden, den seine Papiere als Einheimischen auswiesen. *Ich gehe an einem Samstagvormittag durch eine der größten Einkaufsstraßen der Welt. Da muß es doch jemanden geben, der mir ähnlich sieht.*

Er warf einen Blick auf die Uhr. Es war halb zwölf. Die Zeit wurde knapp.

Endlich hatte er Glück: Ein schmalgesichtiger, etwa fünfzigjähriger Mann mit großer Brille kam ihm mit schnellen Schritten entgegen. Obwohl er eine marineblaue Freizeithose und ein grünes Polohemd trug, hatte er ein altes, abgeschabtes Aktenköfferchen dabei und blickte ziemlich trübsinnig drein. *Wahrscheinlich ist er auf dem Weg ins Büro, um ein paar liegengebliebene Arbeiten zu erledigen,* dachte Priest. *Jetzt muß ich mir seine Brieftasche greifen.* Er folgte dem Mann um eine Straßenecke, putschte sich mental auf und wartete auf eine Gelegenheit.

Ich koche vor Wut. Ich bin verzweifelt. Ich bin ein Wahnsinniger, der aus der Klapsmühle ausgebrochen ist. Ich brauche zwanzig Dollar für einen Schuß. Ich hasse alle Welt. Ich will nur noch schlagen, schlitzen, töten. Ich bin wahnsinnig, wahnsinnig, wahnsinnig …

Der Mann ging an dem Parkplatz vorüber, auf dem der Barracuda stand, und bog in eine Straße mit alten Bürogebäuden ein. Einen Augenblick lang war kein Mensch außer ihnen beiden zu sehen. Priest zog sein Messer, rannte auf den Mann zu und sagte: »He, du!«

Der Mann blieb reflexartig stehen und drehte sich um.

Priest packte ihn am Hemd, hielt ihm das Messer vors Gesicht und schrie: »HER MIT DEINER BRIEFTASCHE, ODER ICH SCHLITZ' DIR DEINE VERDAMMTE SCHNAUZE AUF!«

Der Kerl hätte eigentlich vor Angst und Schrecken zusammenbrechen müssen, tat es aber nicht. *O Gott, das ist einer von der harten Sorte.*

Die Miene des Mannes verriet Wut, keine Angst.

Priest starrte ihn an und las seine Gedanken: *Es ist nur einer, und er hat keine Pistole …*

Priest zögerte. Plötzlich bekam er selbst es mit der Angst zu tun. *Verdammt. Das darf jetzt einfach nicht schiefgehen, ich kann es mir nicht leisten.* Für Bruchteile von Sekunden war alles wieder offen. *Ein Mann in Freizeitkleidung und mit einem Aktenköfferchen in der Hand auf dem Weg ins Büro – an einem Samstagmorgen? Könnte das ein Kriminalbeamter sein?*

Aber für solche Bedenken war es jetzt zu spät. Ehe der Mann sich rühren konnte, fuhr Priest ihm mit der Messerschneide quer über die Wange. Auf einer Länge von etwa fünf Zentimetern, bis knapp unter das rechte Brillenglas, zeigte sich eine rote Blutspur.

Da verließ den Überfallenen der Mut und damit auch jeder Gedanke an Widerstand. Seine Augen weiteten sich vor Angst, und sein Körper schien zusammenzusacken. »Okay, okay!« sagte er mit hoher, zitternder Stimme.

Also doch kein Bulle.

Priest schrie: »HER DAMIT! SOFORT!«

»Sie ist da drin.«

Priest riß ihm das Aktenköfferchen aus der Hand. Im letzten Moment beschloß er, dem Mann auch noch die Brille wegzunehmen. Er riß sie ihm von der Nase, drehte sich um und lief davon.

An der Ecke warf er einen Blick zurück. Der Mann stand auf dem Bürgersteig und übergab sich.

Priest wandte sich nach rechts, warf das Messer in einen Mülleimer und ging weiter. An der nächsten Ecke, vor einer Baustelle, blieb er stehen und öffnete das Köfferchen. Es enthielt einen Aktenordner, ein Notizbuch und einige Stifte, ein in Papier eingewikkeltes Päckchen, in dem sich wahrscheinlich ein Sandwich befand, sowie eine lederne Brieftasche. Priest nahm die Brieftasche an sich und warf das Köfferchen über den Baustellenzaun in einen Bauschuttcontainer.

Er kehrte zurück zum Café und setzte sich wieder zu Flower. Sein Kaffee war noch warm. *Ich habe nichts verlernt. Es ist zwar dreißig Jahre her, daß ich so etwas getan habe, doch kann ich noch immer den Leuten die Hölle heiß machen. In dir steckt noch was, Ricky.*

Er öffnete die Brieftasche. Sie enthielt Geld, Kreditkarten, Visitenkarten und eine Art Ausweis mit einem Foto. Priest zog eine Visitenkarte heraus und reichte sie Flower. »Meine Karte, Madam.«

Sie kicherte. »Du bist Peter Shoebury von der Firma Watkins, Colefax und Brown.«

»Ein Rechtsanwalt?«

»Sieht so aus.«

Er betrachtete das Foto auf dem Ausweis. Es war vielleicht anderthalb Quadratzentimeter groß, schätzungsweise zehn Jahre alt und stammte aus einem Fotoautomaten. Wie Priest aus dem Gesicht geschnitten, sah es nicht gerade aus, ähnelte aber auch dem echten Peter Shoebury nicht sonderlich. Das hatten Fotos nun einmal so an sich.

Immerhin ließ sich die Ähnlichkeit noch ein wenig vergrößern. Shoebury hatte glattes, dunkles Haar, aber es war kurz. »Kannst du mir mal dein Haarband leihen?« fragte Priest seine Tochter.

»Klar.« Flower streifte sich ein Gummiband aus dem Haar und schüttelte ihre Locken, so daß sie ihr frei ums Gesicht fielen. Priest tat genau das Gegenteil: Er faßte sein Haar zu einem Pferdeschwanz zusammen und band ihn mit dem Gummi fest. Dann setzte er die Brille auf.

Er zeigte Flower das Bild. »Wie gefällt dir meine neue Identität?«

»Hmmm.« Sie sah sich die Rückseite des Ausweises an. »Damit kommst du am Pförtner vorbei, aber nicht in den Tresorraum.«

»Damit kann ich leben, glaub' ich.«

Flower grinste. »Wo hast du denn diese Sachen her, Daddy?«

Priest zog eine Braue hoch, sah sie an und sagte: »Die hab' ich mir geliehen.«

»Hast du sie wem aus der Tasche gezogen?«

»Gewissermaßen.« Er sah ihr an, daß sie das eher für einen Streich als für ein Verbrechen hielt. Sollte sie ruhig glauben, was sie wollte. Er warf einen Blick auf die Wanduhr. Es war Viertel vor zwölf. »Bist du soweit? Können wir gehen?«

»Ja, natürlich.«

Nach einem kurzen Fußmarsch betraten sie das Federal Building, einen abweisenden Monolith aus grauem Granit, der einen ganzen Häuserblock in Anspruch nahm. In der Lobby mußten sie einen Metalldetektor passieren, und Priest war heilfroh, daß er daran gedacht hatte, das Messer wegzuwerfen. Er wandte sich an einen Wachmann und fragte ihn, in welchem Stockwerk das FBI angesiedelt war.

Mit dem Fahrstuhl fuhren sie hinauf. Priest kam sich vor wie im Kokainrausch. Die Gefahr machte ihn überwach. *Wenn dieser Aufzug jetzt seinen Geist aufgäbe, könnte ich ihn mit meiner psychischen Energie wieder in Bewegung setzen.* Es war wahrscheinlich ganz gut, wenn er einen selbstbewußten, ja vielleicht sogar ein wenig arroganten Eindruck machte – schließlich trat er als Rechtsanwalt auf.

Er führte Flower in die FBI-Etage und war seiner Tochter dankbar dafür, daß sie ihn in der Lobby auf ein Schild mit der Aufschrift *Konferenzsaal* aufmerksam machte. Vor der offenstehenden Tür zum Saal, auf dessen anderer Seite ein Tisch mit einigen Mikrofonen erkennbar war, standen vier Männer – große, sportliche Typen in gut gebügelten Geschäftsanzügen, weißen Hemden und braven Krawatten. Das mußten FBI-Agenten sein.

Wenn die wüßten, wer ich bin, würden sie mich über den Haufen schießen, ohne auch nur darüber nachzudenken …

Immer ruhig bleiben, Priest. Die Kerle sind keine Gedankenleser. Sie haben keine Ahnung, wer du bist.

Priest war eins dreiundachtzig, doch die vier waren allesamt größer als er. Er spürte sofort, daß der ältere Herr mit dem dichten, perfekt gescheitelten und gekämmten weißen Haar der Ranghöchste war. Der Mann, mit dem er sich unterhielt, hatte einen schwarzen Schnurrbart. Zwei jüngere Männer hörten zu; ihre Mienen verrieten großen Respekt.

Eine junge Frau mit einem Klemmbrett kam auf Priest zu. »Guten Tag, kann ich Ihnen helfen?«

»Ja, ich glaube schon«, sagte Priest.

Dabei fiel er den Agenten ins Auge. Er wußte, was in ihren Köpfen vorging, als sie ihn musterten: Der Pferdeschwanz und die Blue Jeans machten sie mißtrauisch, doch dann sahen sie Flower und entspannten sich wieder.

Einer der beiden jüngeren Männer sagte: »Alles okay hier?«

»Mein Name ist Peter Shoebury«, sagte Priest. »Ich bin Anwalt bei Watkins, Colefax und Brown hier in der City. Meine Tochter Florence ist Redakteurin der Schülerzeitung. Sie hat im Radio von

Ihrer Pressekonferenz gehört und möchte darüber in ihrer Zeitung berichten. Da hab' ich mir gedacht, das ist doch eine öffentliche Veranstaltung, nicht wahr? Da kann ich mit ihr hin. Ich hoffe, Sie haben nichts dagegen, oder?«

Alle sahen den Weißhaarigen an und bestätigten dadurch Priests Eindruck, daß er der Boß war.

Es entstand eine kurze Pause. Priest befürchtete schon das Schlimmste.

He, mein Junge, den Anwalt nehme ich dir nicht ab! Du bist doch Ricky Granger, der in den Sechzigern damals in Los Angeles über so 'ne Kette von Schnapsläden ein Riesengeschäft mit Amphetaminen aufgebaut hat. Hast du etwa deine schmutzigen Pfoten in diesem Erdbeben-Quatsch, he? Los, Jungs, filzt ihn! Und packt euch die Kleine da auch gleich. Legt ihnen Handschellen an. Wir buchten sie ein und quetschen sie aus. Mal sehen, was sie uns zu erzählen haben.

Der Weißhaarige streckte ihm die Hand entgegen und sagte: »Ich bin Leitender Spezialagent Brian Kincaid, Chef des FBI-Büros in San Francisco.«

Priest schlug ein. »Freut mich, Sie kennenzulernen.«

»Bei welcher Firma waren Sie doch gleich, Sir?«

»Watkins, Colefax und Brown.«

Kincaid runzelte die Stirn. »Ist das eine Anwaltskanzlei? Ich dachte, das wären Immobilienhändler?«

Verdammt ...

Priest nickte und versuchte, einnehmend zu lächeln. »Da haben Sie vollkommen recht, Sir. Und mein Job ist es, den Kollegen juristische Probleme vom Hals zu halten.« Gab es da nicht einen Fachausdruck für angestellte Juristen? Priest durchforschte sein Gedächtnis und fand das Wort. »Ich bin der Justitiar des Hauses.«

»Können Sie sich ausweisen?«

»Aber selbstverständlich.« Er öffnete die gestohlene Brieftasche, entnahm ihr den Ausweis mit dem Foto von Peter Shoebury und hielt den Atem an.

Kincaid betrachtete das Bild und verglich es mit Priests Gesicht. Priest wußte genau, was sein Gegenüber dachte: *Könnte er sein, denk' ich.* Kincaid gab den Ausweis zurück. Priest atmete wieder gleichmäßig weiter.

Kincaid wandte sich an Flower: »In welche Schule gehst du, Florence?«

Priests Herz schlug schneller. *Denk dir irgendwas aus, Mädchen.*

»Ich, äh …« Flower zögerte. Priest war schon drauf und dran, an ihrer Stelle zu antworten, da sagte sie: »Eisenhower Junior High.«

Stolz erfüllte Priests Brust. Flower hatte seine Nervenstärke geerbt. Da Kincaid die Schulen San Franciscos vielleicht kannte, fügte er sicherheitshalber noch hinzu: »Das ist in Oakland.«

Damit gab sich Kincaid offensichtlich zufrieden. »Nun, wir freuen uns, daß du zu uns gekommen bist, Florence«, sagte er.

Wir haben es geschafft!

»Ich danke Ihnen, Sir«, sagte Flower.

»Hast du vielleicht ein paar Fragen an mich, die ich dir schon vor der Pressekonferenz beantworten kann?«

Priest hatte darauf geachtet, Flower vorab nicht mit zu vielen Instruktionen zu überfrachten. Wenn sie schüchtern ist oder sich bei ihren Fragen verhaspelt, wirkt das nur natürlich, dachte er. Redet sie dagegen zu abgeklärt und einstudiert, schöpft vielleicht jemand Verdacht. Doch jetzt verspürte er plötzlich große Angst um sie und mußte den väterlichen Drang, sich einzumischen und ihr zu sagen, was sie zu tun hatte, unterdrücken. Er biß sich auf die Unterlippe.

Flower schlug ihr Notizbuch auf. »Sind Sie der Leiter dieser Untersuchung?«

Priest entspannte sich ein wenig. *Die macht das schon.*

»Für mich ist das nur eine von vielen Untersuchungen, um die ich mich kümmern muß«, antwortete Kincaid und deutete auf den Mann mit dem schwarzen Schnurrbart. »Die Ermittlungen in diesem Fall leitet Spezialagent Marvin Hayes.«

Flower wandte sich an Hayes. »Ich glaube, meine Mitschüler

würden sehr gerne wissen, was für ein Mensch Sie sind, Mr. Hayes. Darf ich Ihnen ein paar persönliche Fragen stellen?«

In der Art und Weise, wie Flower den Kopf neigte und Hayes anlächelte, beobachtete Priest nicht ohne Erschrecken eine gewisse Koketterie. *Um Himmels willen, sie ist doch noch viel zu jung, um mit erwachsenen Männern zu flirten!*

Aber Hayes nahm es ihr ab. Die Frage schien ihm sogar zu gefallen. »Bitte sehr! Schieß los!«

»Sind Sie verheiratet?«

»Ja. Und ich habe zwei Kinder, einen Jungen etwa in deinem Alter und ein Mädchen, das ein bißchen jünger ist.«

»Haben Sie Hobbys?«

»Ich sammle alles, was mit dem Boxsport zu tun hat.«

»Das ist aber ungewöhnlich.«

»Da hast du wahrscheinlich recht.«

Die Selbstverständlichkeit, mit der Flower sich in ihre Rolle hineinversetzte, löste zwiespältige Gefühle in Priest aus: Einerseits gefiel es ihm – andererseits war er entsetzt. *Sie macht das echt gut. Aber, verdammt, ich hab' sie doch nicht all die Jahre großgezogen, damit sie eines Tages für so eine billige Illustrierte schreibt.*

Während der Agent Flowers unschuldige Fragen beantwortete, musterte Priest ihn eingehend. Hayes war sein unmittelbarer Gegenspieler. Der Mann war durchaus gepflegt gekleidet, im konventionellen Stil. Sein leichter brauner Anzug, das weiße Hemd und die dunkle Seidenkrawatte stammten wahrscheinlich aus einem Herrenmodegeschäft. Er trug schwarze, auf Hochglanz polierte und straff geschnürte Lederhalbschuhe. Haar und Schnurrbart waren sorgfältig getrimmt.

Aber Priest spürte auch, daß das ultrakonservative Äußere dieses Mannes nur Fassade war. Die Krawatte war ein bißchen zu auffällig. Am kleinen Finger der linken Hand trug er einen protzigen Rubinring, und der Schnurrbart wirkte irgendwie ordinär. Hayes wollte offenbar die amerikanische Elite kopieren, aber es gelang ihm nicht recht, ganz abgesehen davon, daß deren Angehörige sich an einem Samstagvormittag nicht so herausputzen würden, nicht einmal für eine Pressekonferenz.

»Was ist Ihr Lieblingsrestaurant?« fragte Flower.

»Viele von uns gehen ins Everton, aber das ist eigentlich eher eine Kneipe.«

Der Konferenzsaal füllte sich allmählich. Männer und Frauen mit Notizbüchern und Kassettenrecordern erschienen, mit Kameras und Elektronenblitzgeräten beladene Fotografen, Rundfunkreporter mit Mikrofonen und ein paar Fernsehteams mit Camcordern. Bevor sie den Saal betraten, bat sie die junge Frau mit dem Klemmbrett, ihren Namen in ein Buch einzutragen. Priest und Flower schienen diese Prozedur umgangen zu haben. Er war heilfroh darüber, denn den Namen Peter Shoebury hätte er nicht schreiben können, und wenn es um sein Leben gegangen wäre.

Kincaid, der Boß, berührte Hayes am Ellbogen. »Wir müssen uns jetzt auf unsere Pressekonferenz vorbereiten, Florence«, sagte er. »Ich hoffe, du bleibst hier und hörst dir an, was wir zu sagen haben.«

»Ja, natürlich«, sagte sie. »Und vielen Dank auch.«

»Das war wirklich sehr freundlich von Ihnen, Mr. Hayes«, sagte Priest. »Florence' Lehrer werden Ihnen aufrichtig dankbar sein.«

Die Agenten begaben sich zu dem Tisch am anderen Ende des Saals. *Mein Gott, haben wir diese Kerle an der Nase herumgeführt ...* Priest und Flower nahmen im Hintergrund Platz und warteten. Priests innere Anspannung legte sich. Er hatte ihnen mal wieder ein Schnippchen geschlagen.

Ich wußte, daß es mir gelingen würde.

Konkrete Informationen gab es für ihn bisher noch nicht viele, doch die würden sich sicher aus der offiziellen Presseerklärung ergeben. Dafür konnte er sich jetzt ein Bild machen von den Leuten, mit denen er es zu tun hatte. Was er über sie erfahren hatte, gab ihm neue Zuversicht: Weder Kincaid noch Hayes waren große Leuchten. Sie kamen ihm wie ganz gewöhnliche, schwerfällige Bullen vor. Typen dieser Art wursteln sich durch, indem sie ihren

Job mit sturer Routine abspulten und hier und da ihr Händchen offenhielten. Von denen hatte er wenig zu befürchten.

Kincaid erhob sich und stellte sich vor. Er klang selbstsicher, trug aber ein bißchen zu dick auf. Vielleicht war er noch nicht lange auf seinem Führungsposten. Er sagte: »Ich möchte gleich am Anfang eines klarstellen: Das FBI ist nicht der Ansicht, daß das gestrige Erdbeben von einer terroristischen Vereinigung ausgelöst wurde.«

Die Blitzlichter klickten und flackerten auf, die Tonbandgeräte surrten, und die Reporter machten sich Notizen. Priest versuchte, sich seine Wut nicht anmerken zu lassen. Diese Mistkerle weigerten sich einfach, ihn ernst zu nehmen – immer noch!

»Diese Meinung wird auch von der staatlichen Erdbebenwarte geteilt, die, soweit ich weiß, heute vormittag in Sacramento für Interviews bereitsteht.«

Was muß ich denn noch alles tun, um euch zu überzeugen? Ich habe ein Erdbeben angedroht und dann dafür gesorgt, daß es auch passiert, und ihr glaubt mir immer noch nicht. Muß ich erst wen umbringen, bis ihr mir zuhört?

»Dennoch«, fuhr Kincaid fort, »haben wir es hier mit einer terroristischen Drohung zu tun, und das FBI will deren Urheber hinter Schloß und Riegel bringen. Die Ermittlungen in diesem Fall leitet Spezialagent Marvin Hayes. Bitte, Marvin.«

Hayes stand auf. Priest erkannte sofort, daß er nervöser war als Kincaid. Mechanisch las er eine vorformulierte Stellungnahme ab. »FBI-Agenten haben heute vormittag alle fünf bezahlten Angestellten der Bewegung Grünes Kalifornien in ihren Wohnungen vernommen. Die Betroffenen arbeiten freiwillig mit uns zusammen.«

Priest war über diese Angaben sehr froh: Er hatte eine falsche Fährte gelegt, und die Bullen waren prompt darauf hereingefallen.

Hayes fuhr fort: »FBI-Agenten suchten auch die Zentrale der Bewegung hier in San Francisco auf und überprüften Dokumente und Computeraufzeichnungen.«

Wahrscheinlich durchkämmen sie die Adressenkartei der Organisation nach irgendwelchen Hinweisen, dachte Priest.

Hayes sprach weiter, doch er begann sich bereits zu wiederholen. Die versammelten Journalisten stellten Fragen, die noch ein paar Details hinzufügten und ein bißchen Farbe gaben, das Gesamtbild aber nicht wesentlich veränderten. Priest wartete ungeduldig auf eine Gelegenheit, möglichst unauffällig zu verschwinden, und seine Anspannung nahm wieder zu. Es war gut zu wissen, daß die FBI-Ermittlungen in die falsche Richtung liefen – sie hatten noch nicht einmal seine *zweite* falsche Spur entdeckt –, aber es ärgerte ihn, daß sich die Behörden immer noch weigerten, seiner Drohung Glauben zu schenken.

Endlich beendete Kincaid die Veranstaltung. Die Journalisten erhoben sich von ihren Sitzen und packten ihre Unterlagen zusammen.

Priest und Flower strebten dem Ausgang zu. Da trat ihnen die Frau mit dem Klemmbrett in den Weg und sagte mit strahlendem Lächeln: »Sie beide haben sich, glaube ich, noch nicht in die Liste eingetragen, stimmt's?« Sie reichte Priest eine Art Gästebuch und einen Kugelschreiber. »Nur Ihre Namen, bitte, und die Organisation oder Firma, die Sie hier vertreten.«

Priest erstarrte vor Angst. *Ich kann nicht. Ich kann das doch nicht!*

Keine Panik. Entspann dich.

Ley, tor, pur-doy-cor.

»Sir? Würden Sie sich bitte eintragen?«

»Ja, natürlich.« Priest nahm das Buch und den Kugelschreiber an sich und gab beides gleich an Flower weiter. »Ich meine, du solltest für uns unterschreiben«, sagte er. »Du bist doch die Journalistin, Florence.« Zur Erinnerung betonte er den falschen Namen, und für den Fall, daß sie vergessen hatte, wie die Schule hieß, die sie angeblich besuchte, fügte er noch hinzu: »Bloß deinen Namen und die Eisenhower Junior High, okay?«

Flower zuckte mit keiner Wimper. Sie machte die Eintragung und gab der Frau das Buch zurück.

Können wir jetzt endlich gehen, Herrgott noch mal?

»Sie bitte auch, Sir«, sagte die Frau und hielt ihm schon wieder das Buch hin.

Widerstrebend nahm er es ihr ab. Und nun? Wenn er ein unleserliches Gekritzel hinterließ, mußte er damit rechnen, daß sie ihn bat, seinen Namen in lesbaren Druckbuchstaben hinzuzufügen; so etwas war ihm schon des öfteren passiert. Aber vielleicht konnte er sich einfach weigern und gehen – schließlich war diese Frau nur eine kleine Sekretärin.

Er zögerte noch, als er plötzlich Kincaids Stimme vernahm. »Ich hoffe, die Pressekonferenz war interessant für dich, Florence«, sagte er.

Kincaid ist FBI-Agent. Mißtrauisch zu sein ist sein Job.

»Ja, Sir, sehr interessant«, antwortete Flower höflich.

Priest spürte, wie ihm unter dem Hemd der Schweiß ausbrach.

Er setzte sein unleserliches Gekritzel an die für die Unterschrift vorgesehene Stelle. Dann klappte er das Buch zu und reichte es der Sekretärin zurück.

»Denkst du daran, mir eine Ausgabe eurer Schülerzeitung zu schicken, sobald sie gedruckt ist?«

»Ja, gerne.«

Wir müssen hier raus! Schnell jetzt, gehen wir …

Die Frau schlug das Buch auf. »Oh, Sir, es tut mir leid. Würden Sie bitte Ihren Namen in Druckbuchstaben hinzufügen? Ich fürchte, Ihre Unterschrift ist nicht deutlich genug.«

Was soll ich bloß machen?

»Du brauchst natürlich eine Adresse«, sagte Kincaid zu Flower und zog eine Visitenkarte aus der Brusttasche seines Anzugs. »Hier.«

»Danke, Sir.«

In diesem Moment fiel Priest ein, daß ja auch Peter Shoebury Visitenkarten bei sich hatte. *Das ist die Lösung – Gott sei Dank!*

Er nahm eine Karte aus der Brieftasche und reichte sie der Frau. »Ich habe eine fürchterliche Klaue«, sagte er, »nehmen Sie besser die Karte hier. Aber jetzt müssen wir uns beeilen.« Er drückte Kincaid die Hand. »Sie waren großartig. Und verlassen Sie sich drauf, Sie bekommen das Interview. Ich sorge dafür, daß Florence daran denkt.«

Sie verließen den Konferenzsaal, durchquerten die Lobby und warteten auf den Aufzug. Priest hatte plötzlich die Vision, Kincaid käme ihnen mit gezogener Pistole hinterher. *Was für 'n Anwalt wollen Sie denn sein? Sie können ja nicht mal Ihren eigenen Namen schreiben, Sie Idiot!* Doch da kam auch schon der Fahrstuhl und brachte sie hinunter ins Erdgeschoß. Sekunden später verließen sie das Gebäude durch den Haupteingang und waren wieder an der frischen Luft.

»Ich habe den verrücktesten Papa der Welt«, sagte Flower.

Priest schenkte ihr ein Lächeln. »Da hast du vollkommen recht.«

»Warum hatten wir falsche Namen?«

»Mein richtiger Name geht die Kerle nichts an, das war schon immer so.« Das wird sie mir wohl abkaufen, dachte er. Sie weiß ja, was ihre Eltern von den Bullen halten.

Aber Flower hatte noch etwas auf dem Herzen. »Weißt du, daß ich stocksauer auf dich bin?«

Er runzelte die Stirn. »Wieso?«

»Weil du mich Florence genannt hast! Das verzeih' ich dir nie!«

Priest starrte sie einen Augenblick lang verblüfft an. Dann fingen sie beide schallend an zu lachen.

»Komm, mein Kind«, sagte Priest liebevoll zu seiner Tochter. »Fahren wir nach Hause!«

KAPITEL 10

J udy träumte, sie ginge mit Michael Quercus an der Küste spazieren, wobei seine nackten Füße präzise, wohlgeformte Abdrücke im nassen Sand hinterließen.

Am Samstagmorgen half sie dabei, einer Klasse junger Straftäter Unterricht im Lesen und Schreiben zu erteilen. Da sie eine Waffe trug, hatten die Halbwüchsigen Respekt vor ihr. In einer Gemeindehalle saß sie neben einem siebzehnjährigen Ganoven und ermutigte ihn bei seinen Übungen, das Datum zu schreiben – insgeheim hoffend, die Mühe möge dazu beitragen, daß die Aussicht, den jungen Burschen in zehn Jahren verhaften zu müssen, an Wahrscheinlichkeit verlor.

Am Nachmittag fuhr sie das kurze Stück von Bos Haus zu Gala Foods am Geary Boulevard und kaufte ein.

Doch die gewohnten samstäglichen Verrichtungen vermochten es diesmal nicht, Judys Gemüt zu besänftigen. Sie war wütend auf Brian Kincaid. Er hatte sie von dem Kinder-von-Eden-Fall abgezogen, und sie konnte nichts dagegen tun. Also stapfte sie die Regalreihen entlang und versuchte, ihre Aufmerksamkeit auf Kartoffelchips, Puffreis und eine »Kollektion« mit gelbem Muster bedruckter Geschirrtücher zu lenken. Am Regal mit den Frühstücksflocken dachte sie an Dusty, Michaels Sohn, und kaufte eine Packung *Cap'n Crunch*.

Doch ihre Gedanken kehrten immer wieder zu dem Fall zurück. *Gibt es da draußen wirklich jemanden, der Erdbeben hervorrufen kann? Oder habe ich nicht mehr alle Tassen im Schrank?*

Als Judy wieder zu Hause war, half Bo ihr beim Auspacken der Lebensmittel und erkundigte sich nach dem Stand der Ermittlungen. »Marvin Hayes hat eine Razzia bei der Bewegung Grünes Kalifornien gemacht, hab' ich gehört.«

»Das dürfte ihm nicht viel eingebracht haben«, sagte Judy. »Die sind alle sauber. Raja hat sie schon am Donnerstag vernommen. Zwei Männer und drei Frauen, alle über fünfzig. Keine Strafregister – nicht mal ein Bußgeldbescheid wegen Geschwindigkeitsübertretung – und keinerlei Verbindung zu irgendwelchen verdächtigen Personen. Wenn diese Leute Terroristen sind, bin ich Kojak.«

»In den Fernsehnachrichten hieß es, Marvin überprüfe ihre Akten.«

»Stimmt. Dabei handelt es sich um eine Liste aller, die jemals an die Bewegung Grünes Kalifornien geschrieben und um Informationen gebeten haben, darunter auch Jane Fonda. Achtzehntausend Namen und Anschriften. Marvins Team muß jetzt jeden Namen durch den FBI-Computer jagen, um herauszufinden, bei wem sich eine Vernehmung lohnt. Das kann Wochen dauern.«

Es läutete an der Haustür. Judy öffnete und sah sich Simon Sparrow gegenüber. Sie war überrascht, aber erfreut. »Hallo, Simon! Kommen Sie rein.«

Er trug schwarze Radlershorts, ein enges T-Shirt, Nike-Sportschuhe und eine Panorama-Sonnenbrille. Doch er war nicht mit dem Fahrrad gekommen; sein smaragdgrüner Honda Del Sol stand mit offenem Verdeck am Straßenrand. Judy fragte sich, was ihre Mutter von Simon gehalten hätte. *Netter Junge*, hätte sie vielleicht gesagt. *Aber kein richtiger Mann.*

Bo schüttelte Simon die Hand; dann bedachte er Judy mit einem verstohlenen Blick, der besagte: *Wer, zum Teufel, ist denn dieser Schwuli?* Um so größer war sein Schock, als Judy erklärte: »Simon ist einer der führenden Sprachanalytiker beim FBI.«

Ein wenig verwirrt sagte Bo: »Äh, ist mir ein Vergnügen, Sie kennenzulernen, Simon.«

Simon hatte eine Audiokassette und einen braunen Umschlag in der Hand. Er hielt beides in die Höhe. »Ich wollte Ihnen meinen Bericht über die Bandaufnahme von der Terroristengruppe bringen«, sagte er. »Diesen Kindern von Eden ...«

»Ich arbeite nicht mehr an dem Fall«, erwiderte Judy.

»Weiß ich. Aber ich dachte mir, es interessiert Sie vielleicht trotzdem. Leider passen die Stimmen auf dem Band zu keiner einzigen, die wir in unserem Archiv haben.«

»Also habt ihr keine Namen.«

»Nein. Aber jede Menge interessantes Material.«

Judys Neugier war geweckt. »Sie sagten ›Stimmen‹. Ich habe nur eine gehört.«

»Nein, es sind zwei.« Simon schaute sich um und sah auf dem Küchentresen Bos alten Kassettenrecorder stehen. Der wurde normalerweise nur für *Die größten Hits der Everly Brothers* benutzt. Simon ließ die Klappe aufschnappen und schob seine Kassette ein. »Wir spielen das Band ab, und ich gebe Ihnen die entsprechenden Erklärungen.«

»Nichts wäre mir lieber, aber es ist jetzt Marvin Hayes' Fall.«

»Trotzdem möchte ich gern Ihre Meinung hören.«

Hartnäckig schüttelte Judy den Kopf. »Dann müssen Sie vorher mit Marvin reden.«

»Weiß ich, weiß ich. Aber Marvin ist ein Idiot. Wissen Sie, wie lange es her ist, seit er das letzte Mal 'nen richtig schweren Jungen in den Knast gebracht hat?«

»Simon, wenn Sie mich dazu überreden wollen, hinter Kincaids Rücken an dem Fall zu arbeiten, dann können Sie sich das gleich abschminken.«

»Lassen Sie mich einfach machen, ja? Schaden kann es jedenfalls nicht.« Simon drehte die Lautstärke höher und ließ die Kassette anlaufen.

Judy seufzte. Im Grunde brannte sie darauf zu erfahren, was Simon über die Kinder von Eden herausgefunden hatte. Doch falls Kincaid zu Ohren kam, daß Simon zuerst mit ihr statt mit Marvin gesprochen hatte, wäre die Hölle los.

Die Stimme der Frau sagte: »Hier sind die Kinder von Eden mit 'ner Botschaft an Gouverneur Mike Robson.«

Simon stoppte das Band und schaute Bo an. »Was hatten Sie vor Augen, als Sie das zum erstenmal gehört haben?«

Bo grinste. »Ich habe mir eine große Frau vorgestellt, ungefähr fünfzig, mit sattem, breitem Lächeln. Irgendwie sexy. Ich weiß noch, daß ich dachte, wie gern ich diese Frau ...«, er warf einen Blick auf Judy und beendete den Satz: »... kennengelernt hätte.«

Simon nickte. »Sie haben ein gutes Einschätzungsvermögen. Ungeübte können viel über einen Menschen aussagen, wenn sie nur dessen Stimme hören. Natürlich weiß man fast immer, ob es die Stimme einer Frau oder eines Mannes ist. Aber außerdem kann man auch das Alter, die ungefähre Größe und den Körperbau des Sprechers ziemlich genau abschätzen. Manchmal lassen sich sogar Vermutungen über den Gesundheitszustand anstellen.«

»Da ist was dran«, sagte Judy, die wider Willen fasziniert war. »Sobald ich am Telefon eine Stimme höre, stelle ich mir ein Gesicht dazu vor, selbst wenn nur die Ansage des Anrufbeantworters läuft.«

»Weil der Klang der Stimme vom ganzen Körper getragen wird. Tonhöhe, Lautstärke, Resonanz, Rauheit – sämtliche stimmlichen Merkmale haben physische Ursachen. Hochgewachsene Menschen besitzen einen längeren Stimmtrakt, alte Leute haben steiferes Gewebe und härtere Knorpel, und bei Kranken ist häufig der Rachen entzündet.«

»Das leuchtet mir ein«, sagte Judy. »Ich habe bloß noch nie darüber nachgedacht.«

»Mein Computer nimmt dieselben Hinweise auf wie das menschliche Ohr, ist aber genauer.« Simon zog einen getippten Bericht aus dem Umschlag, den er mitgebracht hatte. »Die Frau ist zwischen siebenundvierzig und zweiundfünfzig Jahre alt. Sie ist groß – eins zweiundachtzig, plus/minus drei Zentimeter. Und sie ist übergewichtig, aber nicht fettleibig. Wahrscheinlich der Typ Frau, den man als üppig bezeichnet. Sie raucht und trinkt, ist aber gesund.«

Judy war ebenso besorgt wie aufgeregt. Obwohl sie wünschte, sie hätte Simon gar nicht erst zu Wort kommen lassen, war es doch faszinierend, mehr über die Frau zu erfahren, der diese Stimme gehörte.

Simon schaute Bo an. »Und Sie haben recht, was das satte, breite Lächeln angeht. Die Frau hat eine große Mundhöhle, und ihre Aussprache ist nur wenig labial – beim Sprechen von Konsonanten spitzt sie kaum die Lippen.«

»Die Frau gefällt mir«, sagte Bo. »Sagt Ihr Computer auch, ob sie gut im Bett ist?«

Simon lächelte. »Sie empfinden diese Frau deshalb als sexy, weil ihre Stimme einen rauchigen Beiklang hat. Das kann ein Zeichen sexueller Erregung sein. Wenn es sich aber um ein permanentes Merkmal handelt, ist es nicht unbedingt ein Hinweis auf Sinnlichkeit.«

»Ich glaube, da liegen Sie verkehrt«, sagte Bo. »Sexy Frauen haben sexy Stimmen.«

»Starke Raucherinnen ebenfalls.«

»Hm, ja, das stimmt.«

Simon spulte das Band bis zum Anfang zurück. »Jetzt achten Sie mal auf ihren Akzent.«

»Simon«, protestierte Judy, »ich glaube wirklich nicht, daß wir ...«

»Hören Sie einfach nur zu. Bitte!«

»Schon gut, schon gut.«

Diesmal spielte Simon die ersten beiden Sätze ab. »Hier sind die Kinder von Eden mit 'ner Botschaft an Gouverneur Mike Robson. Scheiße, ich hätte nicht erwartet, mit einem Tonbandgerät zu sprechen. Ein verdammter Recorder.«

Simon stoppte das Band. »Natürlich ist es ein Akzent aus Nordkalifornien. Aber ist Ihnen noch etwas aufgefallen?«

Bo sagte: »Sie stammt aus der Mittelschicht.«

Judy runzelte die Stirn. »Ich finde, sie hört sich nach Oberschicht an.«

»Sie haben beide recht«, sagte Simon. »Zwischen dem ersten und dem zweiten Satz verändert sich ihre Aussprache.«

»Ist das ungewöhnlich?« fragte Judy.

»Nein. Die meisten von uns erwerben ihre Sprechweise in

ihrem ursprünglichen sozialen Umfeld und passen sie später ihren neuen Lebensumständen an. Gemeinhin versuchen sie dabei, sich aufzuwerten. Ein Aufsteiger will gebildeter klingen, als er ist; Neureiche reden daher, als gehörten sie zum alten Geldadel. Manchmal läuft es auch andersherum. Zum Beispiel, wenn ein Politiker aus einer Familie der Oberschicht sein sprachliches Niveau herunterschraubt, damit er wie ein Mann des Volkes wirkt. Sie verstehen, was ich meine?«

Judy lächelte. »Kannste deinen Arsch drauf wetten.«

»Die erlernte Sprechweise wird unter kontrollierten Bedingungen eingesetzt«, sagte Simon, während er das Band zurückspulte. »Und zwar immer dann, wenn wir uns gelassen und selbstsicher fühlen. Doch sobald wir unter Streß stehen, kehren wir zu den Sprachmustern unserer Kindheit zurück. Soweit alles klar?«

»Ja«, sagte Bo.

»Diese Frau hat ihr sprachliches Niveau willentlich heruntergeschraubt. Sie redet mit Absicht proletarischer, als sie in Wirklichkeit ist.«

Judy war fasziniert. »Sie meinen, die Frau ist eine Art Patty Hearst?«

»Was das betrifft, ja. Sie beginnt mit einem eingeübten förmlichen Satz, den sie mit ihrer normalen Stimme spricht. Nun, im Englischen spricht man das R um so deutlicher aus, je höher die soziale Schicht ist, aus der man stammt. Behalten Sie das im Kopf, und achten Sie jetzt mal darauf, wie diese Frau das Wort ›Gouverneur‹ ausspricht.«

Judy wollte Simon aufhalten, doch ihr Interesse war einfach zu groß. Die Frauenstimme auf dem Band sagte: »Hier sind die Kinder von Eden mit 'ner Botschaft an Gouverneur Mike Robson.«

»Haben Sie gehört, wie sie die Worte ›Guv'nöh Mike‹ ausgesprochen hat? Das ist Straßenjargon. Aber jetzt hören Sie sich das nächste Stück Band an. Die Frau war nicht auf den Ansagetext eines Anrufbeantworters gefaßt und verfällt in ihre gewohnten Sprachmuster.«

»Scheiße, ich hätte nicht erwartet, mit einem Tonbandgerät zu sprechen. Ein verdammter Recorder.«

»Auch wenn sie ›Scheiße‹ und ›verdammt‹ sagt, spricht sie das Wort ›Recorder‹ sehr präzise aus. Eine Frau aus der Unterschicht würde etwa ›Räcohda‹ sagen und nur das erste R betonen. Der durchschnittliche College-Absolvent würde das Wort ›Recorda‹ aussprechen, wobei er das zweite R deutlich betont. Nur sehr überlegene, kultivierte Menschen sagen ›Recorder‹, so wie diese Frau, und betonen sorgfältig alle drei R.«

»Wer hätte gedacht, daß man zwei Sätzen so viel entnehmen kann?« meinte Bo.

Simon lächelte. Er sah zufrieden aus. »Ist Ihnen am Vokabular denn nichts aufgefallen?«

Bo schüttelte den Kopf. »Nichts, auf das ich mich genau festlegen könnte.«

»Was ist ein Tonbandgerät?«

Bo lachte. »Ein Gerät, so groß wie ein kleiner Koffer, mit zwei Spulen obendrauf. Ich hatte eins in Vietnam – ein Grundig.«

Judy erkannte, worauf Simon hinauswollte. Der Begriff ›Tonbandgerät‹ war veraltet. Heute benutzte man Kassettendecks. Beim Fernsehsender wurden mündliche Mitteilungen auf Datenträgern gespeichert. »Die Frau lebt in der Vergangenheit«, sagte Judy. »Da muß ich wieder an Patty Hearst denken. Was ist eigentlich aus ihr geworden?«

»Sie hat ihre Zeit abgesessen«, erklärte Bo, »kam aus dem Gefängnis, schrieb ein Buch und erschien in *Geraldo*. Willkommen in Amerika.«

Judy erhob sich. »Das war wirklich faszinierend, Simon, aber ich habe Schiß bei der ganzen Sache. Ich glaube, Sie sollten Ihren Bericht jetzt lieber zu Marvin bringen.«

»Eines möchte ich Ihnen noch vorführen«, sagte Simon und drückte auf die Taste für Schnellvorlauf.

»Wirklich …«

»Hören Sie sich's einfach mal an.«

Die Frauenstimme sagte: »Es passierte kurz nach zwei Uhr mittags im Owens Valley. Sie können es nachprüfen.« Ein schwaches Hintergrundgeräusch war zu vernehmen, und die Frau zögerte.

Simon stoppte die Kassette. »Ich habe dieses seltsame leise Gemurmel akustisch verstärkt. Passen Sie auf, jetzt kann man es deutlich verstehen.«

Er ließ die Kassette wieder anlaufen. Judy hörte eine Männerstimme, verzerrt vom Knistern und Rauschen im Hintergrund, aber deutlich genug, um den Mann verstehen zu können: »Wir erkennen die Staatsgewalt der US-Regierung nicht an.« Das Hintergrundgeräusch wurde wieder normal, und die Stimme der Frau wiederholte: »Wir erkennen die Staatsgewalt der US-Regierung nicht an.« Sie fuhr fort: »Da Sie jetzt wissen, daß wir keine leeren Drohungen ausstoßen, sollten Sie lieber noch mal über unsere Forderung nachdenken.«

Simon stoppte das Band.

»Sie hat gesagt, was der Mann ihr vorgesprochen hat«, sagte Judy, »und dann etwas vergessen; deshalb hat er sie daran erinnert.«

»Wart ihr nicht zu dem Schluß gelangt«, fragte Bo, »daß diese Internet-Nachricht von einem Proleten, vielleicht sogar einem Analphabeten diktiert, aber von einer Frau mit guter Ausbildung geschrieben wurde?«

»Ja«, sagte Simon. »Das hier ist jedoch eine andere Frau – älter.«

»Also wirst du dich jetzt dranmachen«, sagte Bo zu Judy, »und die Profile von drei unbekannten Personen erstellen.«

»Nein, werde ich nicht«, erwiderte sie. »Ich habe mit diesem Fall nichts mehr zu tun. Hören Sie, Simon, Sie wissen, daß mir das noch mehr Schwierigkeiten einbringen kann, als ich ohnehin schon habe.«

»Also gut.« Er nahm das Band aus dem Recorder und erhob sich. »Jedenfalls habe ich Ihnen alles Wichtige mitgeteilt. Sagen Sie mir Bescheid, falls Sie irgendeinen genialen Einfall haben, den ich an Misthaufen Marvin weitergeben kann.«

Judy führte Simon zur Tür. »Ich werde meinen Bericht sofort ins Office bringen – vielleicht ist Marvin noch da«, sagte er. »Und dann leg' ich mich in die Falle. Ich habe mir wegen dieser Sache schon die ganze Nacht um die Ohren geschlagen.« Er stieg in sein Fun-Car und jagte mit aufheulendem Motor davon.

Als Judy zurückkam, setzte Bo gerade grünen Tee auf. Er sah nachdenklich aus. »Also hat dieser abgebrühte Ganove eine Herde von Klasseweibern, die seine Diktate aufnehmen.«

Judy nickte. »Ich weiß, worauf du hinaus willst, glaube ich.«

»Es ist eine Sekte.«

»Ja. Ich hatte recht, als ich an Patty Hearst dachte.« Judy schauderte. Der Mann im Hintergrund mußte eine charismatische Gestalt sein – ein Mann, der Macht über Frauen hatte. Er besaß weder Bildung noch Ausbildung, was aber kein Hindernis für ihn zu sein schien, denn andere führten seine Befehle aus. »Aber irgend etwas paßt nicht ins Bild. Diese Forderung, den Bau neuer Kraftwerke einzustellen, ist einfach nicht … verrückt genug.«

»Da hast du recht«, sagte Bo. »Sie ist nicht spektakulär genug. Ich glaube, diese Leute haben einen ganz sachlichen und eigennützigen Grund dafür, daß sie einen Baustopp verlangen.«

»Ich frage mich«, überlegte Judy, »ob es denen um ein bestimmtes Kraftwerk geht.«

Bo blickte sie an. »Da könnte was dran sein, Judy. Vielleicht befürchten diese Leute, daß ihr Forellenteich verseucht wird oder so was in der Preislage.«

»Irgendwas in der Art«, sagte sie. »Aber es muß ihnen verdammt schwer zu schaffen machen.« Judy fühlte sich von plötzlicher Erregung gepackt. Sie war auf eine Spur gestoßen.

»Demnach ist die Forderung, den Bau *sämtlicher* Kraftwerke einzustellen, bloß eine Tarnung. Diese Leute haben Angst, das *eine* Kraftwerk zu nennen, um das es ihnen wirklich geht, weil sie befürchten, es könnte uns auf ihre Fährte bringen.«

»Aber wie viele Möglichkeiten gibt es da? Kraftwerke werden nicht überall und jeden Tag errichtet. Und meist gibt es vorher Streitigkeiten ... mit Bürgerinitiativen, Umweltschützern. Bestimmt ist über jedes geplante Kraftwerk in der Zeitung berichtet worden.«

»Überprüfen wir's.«

Sie gingen ins Arbeitszimmer. Judys Laptop stand auf dem Beistelltisch. Manchmal schrieb sie in diesem Zimmer Berichte, während Bo sich eine Footballübertragung anschaute. Der Fernseher lenkte Judy nicht ab, und sie war gern in Bos Nähe. Sie schaltete den Laptop ein. Während sie wartete, bis das Gerät hochgefahren war, sagte sie: »Wenn wir eine Liste von Orten erstellen, an denen Kraftwerke gebaut werden sollen, könnten wir über den FBI-Computer erfahren, ob es in der Nähe der betreffenden Orte irgendwelche Sekten gibt.«

Judy lud die Dateien des *San Francisco Chronicle* und suchte nach Verweisen auf Artikel über Kraftwerke in den letzten drei Jahren. Der Suchlauf erbrachte 117 Berichte. Judy überflog die Schlagzeilen; die Artikel über Pittsburgh und Kuba ließ sie aus. »Ah, ja, hier ist zum Beispiel von dem Plan die Rede, in der Mojave-Wüste ein Atomkraftwerk zu bauen ...« Judy speicherte den Artikel. »Ein Stausee für ein Wasserkraftwerk in der Sierra County ... ein erdölbetriebenes Kraftwerk unweit der Grenze zu Oregon ...«

»Sierra County?« sagte Bo. »Da läutet's irgendwo bei mir. Kannst du den Ort genauer bestimmen?«

Judy klickte den Artikel an. »Ja ... der Vorschlag geht dahin, den Silver River aufzustauen.«

Bo runzelte die Stirn. »Silver River Valley ...«

Judy wandte sich von dem kleinen LCD-Monitor ab. »Moment mal, das kommt mir bekannt vor ... gibt's da nicht irgendeine rechtsradikale Vereinigung?«

»Genau«, sagte Bo. »Sie nennen sich Los Alamos. Werden von einem Tablettenjunkie namens Poco Latella geführt, der ursprünglich aus Dale City kommt. Deshalb weiß ich von dem Verein.«

»Stimmt. Die sind bis an die Zähne bewaffnet und weigern

sich, die US-Regierung anzuerkennen ... du lieber Himmel, genau das sagen die Kinder von Eden doch auf dem Band! ›Wir erkennen die Staatsgewalt der US-Regierung nicht an.‹ Ich glaube, wir haben sie, Bo.«

»Und was willst du jetzt tun?«

Judys Hochstimmung verflog, als sie daran dachte, daß sie von dem Fall entbunden war. »Wenn Kincaid herausfindet, daß ich an dieser Sache gearbeitet habe, flippt er aus.«

»Aber die Los Alamos *müssen* überprüft werden.«

»Ich rufe Simon an.« Judy nahm den Hörer ab und wählte die Nummer des Office. Sie kannte den Mann in der Telefonzentrale. »Hallo, Charlie. Hier Judy. Ist Simon Sparrow in seinem Büro?«

»Er ist gekommen und sofort wieder verschwunden«, sagte Charlie. »Soll ich versuchen, sein Autotelefon anzuwählen?«

»Ja. Danke.«

Judy wartete. Nach kurzer Zeit meldete Charlie sich wieder. »Nimmt keiner ab«, sagte er. »Ich hab's auch bei ihm zu Hause versucht. Soll ich eine Nachricht auf seinem Handy hinterlassen?«

»Ja, bitte.« Dann fiel Judy wieder ein, daß Simon gesagt hatte, er wolle sich aufs Ohr legen. »Aber ich wette, es ist nicht eingeschaltet.«

»Ich kann ihm auf jeden Fall in seiner Mailbox eine Nachricht hinterlassen, daß er Sie anrufen soll.«

»Danke.« Judy legte auf und sagte zu Bo: »Ich glaube, ich muß mit Kincaid sprechen. Wenn ich ihm eine heiße Spur präsentiere, wird er wohl nicht allzu sauer auf mich sein.«

Bo zuckte bloß die Schultern. »Du hast keine Wahl, stimmt's?«

Judy durfte und wollte nicht das Risiko eingehen, daß Menschen nur deshalb getötet wurden, weil sie sich vor dem Geständnis fürchtete, sich unerlaubt in Ermittlungen eingeschaltet zu haben. »Stimmt«, sagte sie, »ich habe keine Wahl.«

Sie trug enge schwarze Jeans und ein erdbeerfarbenes T-Shirt. Das T-Shirt war zu figurbetont, als daß sie es im Office hätte tragen können, selbst an einen Samstag. Sie ging hinauf auf ihr Zimmer und zog statt dessen ein weites weißes Polohemd an. Dann stieg sie in ihren Monte Carlo und fuhr in die Innenstadt.

Marvin mußte eine Razzia bei den Los Alamos organisieren. Das konnte Ärger geben: Diese Rechtsradikalen waren unberechenbar. Die Razzia mußte peinlich genau geplant und mit starken Polizeikräften vorgenommen werden. Der bloße Gedanke an ein zweites Waco mit einer langen Belagerung und möglicherweise katastrophalem Ende, und das alles vor den Augen der Öffentlichkeit, löste beim FBI helles Entsetzen aus. Man würde also jeden Agenten des Office für diesen Einsatz heranziehen. Überdies mußte die FBI-Außenstelle Sacramento eingespannt werden. Wahrscheinlich würden die Agenten morgen zuschlagen, im ersten Tageslicht.

Judy ging geradewegs zu Kincaids Büro. Seine Sekretärin saß im Vorzimmer am Computer; sie trug lässige Wochenendkleidung: weiße Jeans und rote Bluse. Sie nahm den Hörer ab und sagte: »Judy Maddox ist hier und möchte Sie sprechen.« Nach einem Moment legte sie auf und sagte zu Judy: »Gehen Sie gleich hinein.«

An der Tür zum inneren Heiligtum zögerte Judy. Die letzten beiden Gespräche in diesem Büro hatten ihr nichts als Demütigungen und Enttäuschungen eingetragen. Doch sie war nicht abergläubisch. Vielleicht zeigte Kincaid sich diesmal entgegenkommender.

Es ging Judy immer noch gegen den Strich, Kincaids massige Gestalt in dem Sessel zu sehen, der einst dem zierlichen, adretten Milton Lestrange gehört hatte. Sie hatte Milt noch gar nicht im Krankenhaus besucht, fiel ihr plötzlich ein, und sie nahm sich vor, das am selben Abend noch nachzuholen oder spätestens am nächsten Tag.

Brians Begrüßung fiel kühl aus. »Was kann ich für Sie tun, Judy?«

»Ich habe heute früh Simon Sparrow getroffen«, begann sie. »Er wollte mir seinen Bericht bringen. Er wußte ja nicht, daß ich den Kinder-von-Eden-Fall los bin. Natürlich habe ich ihm gesagt, er soll Marvin die Unterlagen geben.«

»Natürlich.«

»Aber Simon hat mir ein bißchen was davon erzählt, was er herausgefunden hat. Ich habe darüber nachgedacht und bin zu dem Schluß gelangt, daß die Kinder von Eden eine Sekte sind, die sich aus irgendeinem Grund durch das geplante Bauvorhaben für ein Kraftwerk bedroht fühlt.«

Brian starrte Judy verärgert an. »Aha. Ich werde es Marvin mitteilen«, sagte er ungeduldig.

Judy ließ sich nicht beirren. »Zur Zeit sind in Kalifornien mehrere Kraftwerke im Planungsstadium. Ich habe es nachgeprüft. Eines soll im Silver River Valley entstehen. Dort gibt es eine rechtsextreme Organisation, die sich Los Alamos nennt. Brian, ich glaube, daß die Los Alamos und die Kinder von Eden identisch sind. Wir sollten eine Razzia vornehmen.«

»Ach ja? Sollten wir?«

Oh, verflucht!

»Gibt es einen Fehler in meiner Gedankenkette?« fragte Judy mit frostiger Stimme.

»Das kann man wohl sagen.« Kincaid erhob sich. »Der Fehler besteht darin, daß es nicht mehr Ihr Fall ist.«

»Ich weiß«, sagte Judy. »Aber ich dachte …«

Er unterbrach sie, streckte den Arm über den großen Schreibtisch aus und richtete anklagend einen Finger auf sie. »Sie haben den psycholinguistischen Bericht abgefangen und versuchen jetzt, sich wieder in den Fall hineinzuschleichen – und ich weiß, warum! Weil Sie diesen Fall für bedeutend halten und weil Sie auf sich aufmerksam machen wollen.«

»So? Und wen?« fragte Judy zornig.

»Die FBI-Zentrale, die Presse, Gouverneur Robson.«

»Das ist nicht wahr!«

»Hören Sie mir gut zu. Sie sind diesen Fall los. Haben Sie verstanden? L-o-s. *Los.* Sie werden nicht mehr mit Ihrem Freund Simon darüber reden. Sie werden nicht mehr in irgendwelchen Plänen für Kraftwerke herumschnüffeln. Und Sie werden keine Razzien bei rechtsextremen Spinnern mehr vorschlagen.«

»Du liebe Güte! Ich möchte doch nur ...«

»Ich will Ihnen sagen, was Sie tun werden. Sie gehen nach Hause und überlassen diesen Fall Marvin und mir.«

»Brian ...«

»Wiedersehen, Judy. Und schönes Wochenende.«

Sie starrte Kincaid an. Sein Gesicht war gerötet, und sein Atem ging schwer. Judy kochte vor Wut, doch sie fühlte sich machtlos. Nur mit Mühe hielt sie die scharfen Erwiderungen zurück, die ihr auf der Zunge lagen. Schon einmal war sie gezwungen worden, sich bei Kincaid zu entschuldigen, weil sie sich in der Wortwahl vergriffen hatte, und auf eine neuerliche Demütigung dieser Art konnte sie verzichten. Sie biß sich auf die Lippe. Nach langen Sekunden machte sie auf dem Absatz kehrt und ging aus dem Zimmer.

KAPITEL 11

I m fahlen Licht des frühen Morgens parkte Priest den alten Plymouth Barracuda am Straßenrand. Er nahm Melanie an der Hand und führte sie in das Wäldchen. Die Bergluft war kalt, und beide schauderten in ihren T-Shirts, bis ihnen vom Laufen warm wurde. Nach wenigen Minuten gelangten sie auf eine Klippe mit Blick über die gesamte Breite des Silver River Valley.

»Hier soll der Staudamm gebaut werden«, sagte Priest.

An dieser Stelle verengte das Tal sich zu einem Flaschenhals, so daß die gegenüberliegende Seite nicht mehr als vier-, fünfhundert Meter entfernt war. Es war immer noch zu dunkel, als daß man den Fluß hätte sehen können, doch in der morgendlichen Stille hörten sie ihn in der Tiefe rauschen. Als es heller wurde, konnten sie im Tal die dunklen Schatten von Kränen und riesigen Erdbewegungsmaschinen ausmachen, regungslos und stumm, wie schlafende Dinosaurier.

Priest hatte schon beinahe jede Hoffnung aufgegeben, Gouverneur Robson könne sich noch verhandlungsbereit zeigen. Heute war der zweite Tag nach dem Erdbeben im Owens Valley, und es gab immer noch keine Reaktion. Priest wußte nicht, welche Strategie der Gouverneur verfolgte, doch eines war klar: auf eine Kapitulation lief sie nicht hinaus.

So blieb ihnen nur eine Möglichkeit: ein weiteres Erdbeben.

Doch Priest machte sich Sorgen. Melanie und Star zogen womöglich nur widerstrebend mit, zumal das zweite Beben größere Schäden anrichten mußte als das erste. Seine Aufgabe war es daher, die beiden Frauen in ihrer Entschlossenheit zu bestärken, und mit Melanie fing er an.

»Die Mauer wird einen See von zehn Meilen Länge aufstauen«, erklärte er, »und das ganze Tal überfluten.« Er sah, wie plötzlicher

Zorn Melanies blasses Gesicht verzerrte. »Von hier aus stromaufwärts wird alles, was du siehst, unter Wasser stehen.«

Unterhalb des Flaschenhalses befand sich eine breite Talsohle. Als die Landschaft in der zunehmenden Helligkeit sichtbar wurde, konnten sie verstreut liegende Häuser und mehrere sorgfältig bebaute Äcker sehen, die allesamt durch Feldwege miteinander verbunden waren. »Aber es hat doch bestimmt jemand versucht, den Bau des Dammes zu verhindern?«

Priest nickte. »Es gab 'ne gewaltige juristische Schlacht. Wir haben uns nicht daran beteiligt. Wir glauben nicht an Gerichte und Anwälte. Und wir wollten nicht, daß Heerscharen von Reportern und Fernsehteams in unsere Siedlung einfallen – zu viele von uns müssen Geheimnisse wahren. Deshalb haben wir den Leuten nicht mal gesagt, daß wir 'ne Kommune sind. Die meisten von unseren Nachbarn wissen gar nicht, daß es uns gibt, und die anderen glauben, das Weingut wird von Napa aus geleitet und von Saisonarbeitern betrieben. Deshalb hatten wir uns nicht an dem Protest beteiligt. Doch ein paar reiche Bewohner des Tales haben sich Anwälte genommen, und die Umweltschutzorganisationen stellten sich auf die Seite der Ortsansässigen. Hat aber nichts gebracht.«

»Warum nicht?«

»Gouverneur Robson hat sich für den Damm stark gemacht und diesen Burschen, diesen Al Honeymoon, auf die Sache angesetzt.« Priest haßte Honeymoon. Der Mann hatte gelogen und betrogen und die Presse rücksichtslos manipuliert. »Und Honeymoon hat's so gedeichselt, daß die Bewohner des Tales von den Medien als 'ne Handvoll Egoisten hingestellt wurden, die jedem Krankenhaus und jeder Schule in Kalifornien den elektrischen Strom verweigern wollen.«

»Als wäre es eure Schuld, daß manche Leute in Los Angeles Unterwasserbeleuchtungen in ihre Swimmingpools einbauen und ihre Vorhänge mit Elektromotoren zuziehen.«

»Genau. Aber wegen so 'nem Scheiß bekam die Coastal Electric die Genehmigung, den Damm zu errichten.«

»Und alle Leute da unten werden ihre Häuser verlieren.«

»Außerdem wird ein Pony-Reiterhof verschwinden, ein Wildgehege, mehrere Sommerhäuschen und ein verrückter Haufen bewaffneter Rechtsradikaler, die unter dem Namen Los Alamos bekannt sind. Alle werden entschädigt, nur wir nicht, weil das Land nicht uns gehört. Wir haben's auf Ein-Jahres-Basis gepachtet, wie schon seit vielen Jahren. Wir bekommen nichts – für das beste Weingut zwischen Napa und Bordeaux.«

»Und für den einzigen Ort, an dem ich jemals Frieden gefunden habe.«

Priest murmelte ein paar mitfühlende Worte. Genau in diese Richtung sollte das Gespräch verlaufen. »Hatte Dusty immer schon diese Allergieanfälle?«

»Von Geburt an. Er war sogar gegen Milch allergisch – gegen Frischmilch, gegen pasteurisierte Milch, sogar gegen Muttermilch. Nur dank Ziegenmilch hat er überlebt. Damals wurde mir klar, daß die menschliche Rasse irgend etwas verkehrt machen *muß*, wenn die Erde dermaßen verseucht ist, daß selbst mein Baby nicht einmal mehr meine Muttermilch verträgt, weil sie zu viele Giftstoffe enthält.«

»Aber du warst mit dem Jungen bei Ärzten.«

»Michael hat darauf bestanden. Ich wußte, daß es nichts bringt. Die Ärzte haben uns Mittel gegeben, die Dustys körperliche Reaktionen auf Allergene hemmen sollten, aber gleichzeitig sein Immunsystem geschwächt haben. Was ist das denn für eine Methode, seine Krankheit zu behandeln? Dusty braucht reines Wasser, saubere Luft, eine gesunde Lebensweise. Ich glaube, ich habe schon seit seiner Geburt nach einem Ort wie diesem gesucht.«

»Das war 'ne schlimme Zeit für dich.«

»Du machst dir gar keine Vorstellung davon! Eine getrennt lebende Frau mit einem kranken Kind kann sich in keinem Job halten, kriegt keine vernünftige Wohnung, kann nicht leben. Da denkst du, Amerika ist ein wundervolles Land – doch es ist überall der gleiche Mist.«

»Als ich dich kennengelernt habe, warst du ziemlich am Boden.«

»Ich hätte mich beinahe umgebracht – und Dusty auch.« Melanie traten Tränen in die Augen.

»Dann hast du dieses Tal entdeckt.«

Ihr Gesicht wurde dunkel vor Zorn. »Und jetzt wollen sie's mir wegnehmen.«

»Das FBI behauptet, wir hätten das Erdbeben gar nicht ausgelöst. Und der Gouverneur hat überhaupt nichts dazu gesagt.«

»Zum Teufel mit denen allen! Dann tun wir's eben noch einmal! Aber diesmal müssen wir dafür sorgen, daß sie das Beben nicht ignorieren *können*.«

Genau das hatte Priest von ihr hören wollen. »Aber es müßte wirkliche Schäden verursachen, Gebäude zum Einsturz bringen und so. Dabei könnten Menschen verletzt werden.«

»Aber uns bleibt doch keine andere Wahl.«

»Wir könnten das Tal verlassen, die Kommune auflösen und in unser altes Leben zurückkehren: geregelte Jobs, Geld, verpestete Luft, Habgier, Neid und Haß.«

Jetzt hatte er Melanie verängstigt. »Nein!« rief sie. »Sag nicht so was!«

»Ich glaube, du hast recht. Jetzt können wir nicht mehr zurück.«

»Ich bestimmt nicht.«

Wieder ließ Priest den Blick über das Tal schweifen. »Wir werden dafür sorgen, daß hier alles so bleibt, wie Gott es geschaffen hat.«

Melanie schloß erleichtert die Augen und sagte: »Amen.«

Priest nahm ihre Hand und führte sie zwischen den Bäumen hindurch zurück zum Wagen.

Als sie über die schmale Straße das Tal hinauf fuhren, fragte Priest: »Wirst du Dusty heute aus San Francisco abholen?«

»Ja. Nach dem Frühstück fahre ich los.«

Über das Stottern und Rattern des gewaltigen alten V-8-Motors hinweg hörte Priest plötzlich ein seltsames Geräusch. Er blickte aus dem Seitenfenster und sah einen Hubschrauber.

»Scheiße!« fluchte er und trat aufs Bremspedal.

Melanie wurde im Sitz nach vorn gerissen. »Was ist?« fragte sie mit verängstigter Stimme.

Priest hielt den Wagen an und sprang hinaus. Der Helikopter verschwand in nördlicher Richtung.

Auch Melanie stieg aus. »Was ist denn los?«

»Was hat der Hubschrauber hier verloren?«

»Oh, mein Gott.« Melanies Stimme bebte. »Glaubst du, die suchen uns?«

Das Geräusch wurde schwächer, schwoll dann wieder an. Plötzlich erschien der Helikopter erneut über den Bäumen, diesmal in niedriger Flughöhe.

»Ich glaube, es ist das FBI«, sagte Priest. »Verdammt!« Nach der ereignislosen Pressekonferenz am gestrigen Tag hatte er sich für ein paar weitere Tage in Sicherheit gewähnt. Kincaid und Hayes hatten nicht den Eindruck erweckt, als stünden sie kurz davor, ihn aufzuspüren. Nun aber waren sie *hier*, im Tal.

»Was sollen wir tun?« fragte Melanie.

»Immer mit der Ruhe. Die sind nicht wegen uns gekommen.«

»Woher willst du *das* denn wissen?«

»Weil ich dafür gesorgt hab'.«

Melanie brach in Tränen aus. »Warum sprichst du immer in Rätseln, Priest?«

»Tut mir leid.« Er erinnerte sich, daß er Melanie brauchte, um zu tun, was getan werden mußte. Also mußte er ihr erklären, was Sache war. Er überlegte kurz; dann begann er: »Die Typen können deshalb nicht wegen uns gekommen sein, weil sie gar nichts von uns wissen. Die Kommune steht in keiner Akte der Regierung, die mit unserem Land zu tun hat – Star hat es gepachtet. Und weil wir nie die Aufmerksamkeit der Cops erregt haben, sind wir in keiner Polizeiakte vermerkt, auch in keiner Akte des FBI. Und es ist nie ein Zeitungsartikel über uns erschienen, nie wurde ein Fernsehbericht über uns gezeigt. Wir sind nicht beim Finanzamt gemeldet. Und unser Weingut steht auf keiner Landkarte.«

»Weshalb ist das FBI dann hier?«

»Ich nehme an, die sind wegen der Los Alamos gekommen. Diese Hirnamputierten dürften bei jeder Polizei- und Justizbehörde in den Vereinigten Staaten aktenkundig sein. Mein lieber Schwan, die stehen mit Schnellfeuergewehren vor ihrem Tor, nur damit auch jeder genau weiß, daß eine Horde gefährlicher Irrer dort haust.«

»Woher willst du wissen, daß das FBI hinter *denen* her ist?«

»Weil ich dafür gesorgt hab'. Als Star bei der John-Truth-Show angerufen hat, hab' ich sie den Wahlspruch der Los Alamos sagen lassen: ›Wir erkennen die Staatsgewalt der US-Regierung nicht an.‹ Ich hab' 'ne falsche Fährte gelegt.«

»Dann sind wir also in Sicherheit?«

»Nee, nicht ganz. Wenn die Arschlöcher vom FBI bei den Los Alamos 'ne Niete gezogen haben, werden sie 'nen Blick auf den Rest des Tales werfen. Sie werden vom Hubschrauber aus das Weingut sehen und uns 'nen Besuch abstatten. Also sollten wir lieber nach Hause fahren und die anderen vorwarnen.«

Rasch stiegen sie in den Wagen. Kaum saß Melanie im Sitz, trat Priest das Gaspedal durch. Doch der Barracuda war fünfundzwanzig Jahre alt und nicht dafür geschaffen, mit hoher Geschwindigkeit über kurvenreiche Straßen im Hügelland zu jagen. Priest fluchte über den kurzatmigen Vergaser und die weiche, schaukelnde Radaufhängung.

Während er sich bemühte, auf der gewundenen Straße die Geschwindigkeit zu halten, fragte er sich besorgt, wer beim FBI diese Razzia angeordnet hatte. Er hatte nicht damit gerechnet, daß Kincaid oder Hayes den erforderlichen intuitiven Schluß zogen. Nein, es mußte noch jemand anders dahinterstecken. Aber wer, fragte sich Priest. *Wer?*

Ein schwarzer Wagen tauchte hinter ihnen auf, in rasendem Tempo und mit aufgeblendetem Fernlicht, obwohl inzwischen der

Tag angebrochen war. Beide Fahrzeuge näherten sich einer Kurve, doch der Fahrer des schwarzen Wagens hupte und scherte zum Überholen aus. Als das Auto am Barracuda vorüberschoß, sah Priest für einen kurzen Moment den Fahrer und dessen Begleiter. Es waren zwei stämmige junge Männer, leger gekleidet, aber sorgfältig rasiert und mit kurzgeschnittenem Haar.

Sekunden später jagte ein zweiter Wagen von hinten heran, dessen Fahrer ebenfalls hupte und das Fernlicht betätigte.

»Scheiß drauf«, sagte Priest. Wenn das FBI es eilig hatte, war es am besten, man machte ihm Platz. Er bremste und zog den Wagen nach rechts. Die Reifen auf der Beifahrerseite des Barracuda hopsten und rumpelten über die grasbewachsene Bankette. Der zweite Wagen schoß vorbei, und ein dritter raste heran. Priest hielt den Barracuda an.

Dann saßen er und Melanie im Wagen und beobachteten, wie ein Strom von Fahrzeugen an ihnen vorüberjagte. Außer den Personenwagen sahen sie zwei gepanzerte Laster und drei Kleinbusse, in denen düster blickende Männer und ein paar Frauen saßen. »Die machen eine Razzia«, sagte Melanie mit dünner Stimme.

»Was du nicht sagst«, erwiderte Priest, dessen Anspannung sich in Sarkasmus entlud.

Melanie schien es nicht zu bemerken.

Dann scherte ein Wagen aus der Kolonne und hielt direkt hinter dem Barracuda an.

Plötzliche Angst stieg in Priest auf. Durch den Innenspiegel starrte er auf die Limousine. Es war ein dunkelgrüner Buick Regal. Der Fahrer sprach in ein Mikrofon. Auf dem Beifahrersitz saß ein weiterer Mann. Priest konnte die Gesichter der beiden nicht erkennen.

Hättest du die verdammte Pressekonferenz doch niemals besucht! schoß es ihm durch den Kopf. Vielleicht war einer der Kerle im Buick gestern dort gewesen. Falls dem so war, würde der Mann sich bestimmt erkundigen, was ein Anwalt aus Oakland im Silver River Valley zu suchen hatte – das konnte schwerlich ein Zufall sein. Jeder nur halbwegs intelligente FBI-Agent würde Priest sofort ganz oben auf die Liste der Verdächtigen setzen.

Die letzten Wagen der Kolonne jagten vorüber. Im Buick hängte der Fahrer das Funkgerät in die Halterung. Jeden Augenblick würden die Agenten aus dem Wagen steigen. Verzweifelt versuchte Priest, sich irgendeine plausible Geschichte zurechtzulegen. *Ich interessiere mich sehr für diesen Fall, wissen Sie, und ich konnte mich erinnern, einen Fernsehbericht über diese Rechtsradikalen und ihren Wahlspruch gesehen zu haben, daß sie die Regierung nicht anerkennen ... das gleiche, was diese Frau auf John Truth' Anrufbeantworter gesprochen hat ... und da habe ich mir gedacht, ich spiel' mal ein bißchen Detektiv und überprüfe die Sache auf eigene Faust ...* Aber das würden sie ihm nicht abkaufen. Wie schlüssig seine Geschichte auch sein mochte – die FBI-Leute würden ihn so gründlich unter die Lupe nehmen, daß er sie unmöglich täuschen konnte.

Die Männer stiegen aus. Priest beobachtete sie scharf durch den Rückspiegel.

Keinen der beiden hatte er je gesehen.

Seine Anspannung ließ ein wenig nach. Auf seinem Gesicht hatte sich ein Schweißfilm gebildet. Mit dem Handrücken wischte er sich über die Stirn.

»O Gott«, sagte Melanie. »Was wollen diese Männer?«

»Bleib ganz ruhig«, sagte Priest. »Du darfst nicht den Eindruck machen, daß du schnell von hier weg willst. Ich tu' so, als würde *ich* mich sehr für die beiden Knilche interessieren. Dann werden sie versuchen, uns so schnell wie möglich loszuwerden. Ich dreh' den Spieß einfach um.«

Mit einem Satz war er aus dem Wagen.

»He, sind Sie von der Polizei?« Seine Frage klang enthusiastisch. »Ist hier irgendwas Besonderes im Busch?«

Der Fahrer war ein hagerer Bursche. Er trug eine Brille mit schwarzem Gestell. »Wir sind FBI-Agenten, Sir«, sagte er. »Wir haben Ihr Nummernschild überprüft und festgestellt, daß Ihr Wagen auf die Napa Bottling Company zugelassen ist.«

Paul Beale sorgte dafür, daß die Fahrzeuge versichert und zugelassen wurden, und er kümmerte sich auch um den anderen Papierkram. »Ich arbeite für diese Firma«, sagte Priest.

»Darf ich mal Ihren Führerschein sehen?«

»Ja, sicher.« Priest zog ihn aus der Gesäßtasche. »War das ein FBI-Hubschrauber, den ich vorhin gesehen habe?«

»Ja, Sir, allerdings.« Der Agent überprüfte den Führerschein und reichte ihn Priest zurück. »Wohin sind Sie unterwegs?«

»Wir arbeiten auf dem Weingut ein Stück das Tal rauf. Mann, ich hoffe, Sie sind hinter diesen verdammten Rechtsradikalen her. Diese Kerle jagen allen hier 'ne Heidenangst ein. Sie …«

»Und wo waren Sie heute früh?«

»Wir hatten gestern abend 'ne Party in Silver City, und da ist es ein bißchen spät geworden. Aber ich bin wieder nüchtern, keine Bange.«

»Schon in Ordnung.«

»Wissen Sie, ich schreibe Artikel für die hiesige Zeitung, den *Silver Star Chronicle*. Könnte ich von Ihnen wohl ein paar Auskünfte über diese Razzia bekommen? In der Sierra County ist das die sensationellste Nachricht seit Jahren.« Die Worte waren noch nicht einmal ganz ausgesprochen, da erkannte Priest auch schon, daß er für einen Mann, der weder lesen noch schreiben konnte, ein riskantes Täuschungsmanöver versuchte. Er klopfte seine Taschen ab. »Oh, verflixt, jetzt hab' ich nicht mal 'nen Stift dabei.«

»Wir können Ihnen sowieso nichts sagen«, erklärte der Agent. »Sie müssen den Pressesprecher in der FBI-Außenstelle Sacramento anrufen.«

Priest spielte den Enttäuschten. »Oh. Oh, natürlich. Verstehe.«

»Sie wollten nach Hause, sagten Sie?«

»Ja. Na dann … ich glaube, wir sollten uns jetzt auf den Weg machen. Viel Glück mit diesen Alamos-Typen!«

»Danke.«

Die Agenten gingen zu ihrem Wagen zurück.

Sie haben sich nicht einmal meinen Namen notiert.

Priest schwang sich wieder auf den Fahrersitz und beobachtete im Innenspiegel, wie die Agenten in ihren Wagen stiegen. Keiner der beiden schien irgend etwas zu notieren.

»Herr im Himmel«, stieß Priest dankbar hervor. »Die haben meine Geschichte doch tatsächlich geschluckt.«

Er fuhr los. Der Buick folgte ihm.

Als Priest sich ein paar Minuten später dem Eingang zum Los-Alamos-Gelände näherte, ließ er das Seitenfenster herunter und lauschte auf Schußgeräusche. Es waren keine zu hören. Offenbar hatte das FBI die Los Alamos im Schlaf überrascht.

Er bog um eine Kurve und sah zwei Wagen, die in der Nähe des Eingangs geparkt waren. Das Tor mit den fünf Querstangen, das den Pfad versperrt hatte, war zersplittert: Priest vermutete, daß das FBI mit den Panzerfahrzeugen hindurchgedonnert war, ohne anzuhalten. Normalerweise wurde das Tor bewacht – wo war der Posten? Dann sah er einen Mann in Tarnhose im Gras liegen, mit dem Gesicht nach unten, die Arme mit Handschellen auf den Rücken gefesselt, von vier FBI-Agenten bewacht. Die FBI-Leute gingen kein Risiko ein.

Wachsam hoben die Agenten den Blick, beobachteten den Barracuda und entspannten sich wieder, als sie sahen, daß ein grüner Buick dem Wagen folgte.

Priest fuhr langsam, wie ein neugieriger Gaffer, der zufällig vorbeikam.

Hinter ihm scherte der Buick aus und hielt in der Nähe des zerschmetterten Tores.

Kaum war Priest außer Sicht, trat er das Gaspedal voll durch.

In der Kommunesiedlung suchte Priest umgehend Star in ihrer Hütte auf, da er ihr über die FBI-Aktivitäten berichten wollte.

Er fand sie mit Bones im Bett.

Priest strich leicht über Stars Schulter, um sie zu wecken; dann sagte er: »Wir müssen 'n paar Takte miteinander reden. Ich warte draußen.«

Star nickte. Bones rührte sich nicht.

Während Star sich anzog, trat Priest nach draußen. Natürlich hatte er nichts dagegen, daß Star ihr Verhältnis mit Bones wieder aufleben ließ. Priest selbst schlief regelmäßig mit Melanie; also hatte auch Star das Recht, sich mit einem alten Liebhaber zu vergnügen. Dennoch verspürte Priest eine Mischung aus Neugier und Besorgnis. Wenn Star mit Bones ins Bett ging, trieben sie es dann leidenschaftlich miteinander? Waren sie wild und hungrig aufeinander? Oder gingen sie entspannt und spielerisch miteinander um? Dachte Star an ihn, wenn sie mit Bones schlief? Oder verdrängte sie die Gedanken an alle anderen Liebhaber und dachte immer nur an den Mann, mit dem sie gerade zusammen war? Stellte sie Vergleiche an? Hatte sie jemanden gefunden, der leidenschaftlicher war als er oder zärtlicher oder erfahrener im Bett? Diese Fragen waren nicht neu. Priest stellte sie sich jedesmal, wenn Star einen Liebhaber hatte. Es war fast so wie in den Frühzeiten ihrer Gemeinschaft, nur daß sie alle viel älter geworden waren.

Priest wußte, daß seine Kommune anders war als andere, die den Weg eingeschlagen hatten, den auch Paul Beale ging. Sie hatten alle einstmals mit ähnlichen Idealen angefangen, doch die meisten hatten Zugeständnisse gemacht. Im großen und ganzen hielten sie noch immer an ihren Glaubensgrundsätzen fest, indem sie einem Guru folgten oder sich irgendwelchen religiösen Regeln unterwarfen. Doch sie hatten sich wieder dem Privateigentum zugewandt, benutzten Geld und hatten die völlige sexuelle Freiheit aufgegeben. Sie sind schwach, überlegte Priest. Sie haben weder die Kraft noch den Willen, an ihren Idealen festzuhalten und sie in die Tat umzusetzen. In Augenblicken der Selbstzufriedenheit sagte sich Priest, daß es eine Frage der Führerschaft sei.

In Jeans und einem ausgebeulten, leuchtend blauen Sweatshirt kam Star aus der Hütte. Für eine Frau, die gerade erst aufgestanden war, sah sie großartig aus, und das sagte Priest ihr auch. »Ein guter Fick wirkt Wunder für meinen Teint«, erwiderte Star. In ihrer Stimme lag gerade so viel Schärfe, um in Priest den Verdacht aufkeimen zu lassen, daß ihr Verhältnis mit Bones so etwas wie die Rache dafür war, daß er selber mit Melanie schlief. Kann das zu Schwierigkeiten führen? fragte er sich. Zu Streitigkeiten, Zerwürfnissen? Er hatte jetzt schon mehr als genug Sorgen.

Priest schob den Gedanken vorerst beiseite. Als sie zum Küchenhaus gingen, erzählte er Star von der FBI-Razzia bei den Los Alamos. »Vielleicht kommen die FBI-Heinis auf die Idee, auch die anderen Bewohner im Tal unter die Lupe zu nehmen, und dann finden sie wahrscheinlich auch den Weg zu uns. Solange wir den Typen nicht klarmachen, daß wir hier in 'ner Art Genossenschaft leben, werden sie keinen Verdacht schöpfen. Wir brauchen bloß den üblichen Schein zu wahren. Wenn wir ihnen die Saisonarbeiter vorspielen, die keinen Bock drauf haben, längere Zeit im Tal zu bleiben, haben wir nach außen hin auch keinen Grund, uns irgendwelche Sorgen wegen des Staudamms zu machen.«

Star nickte. »Das solltest du beim Frühstück allen sagen. Die Reisesser werden schon wissen, was du wirklich vorhast, und die anderen werden glauben, daß wir es einfach so halten wie immer und nichts sagen, was Aufmerksamkeit erregen könnte. Was ist mit den Kindern?«

»Die Burschen vernehmen keine Kinder. Die sind vom FBI, nicht von der Gestapo.«

»Okay.«

Sie betraten das Küchenhaus und tranken Kaffee.

Es war Vormittag, als zwei Agenten mit staksigen Schritten den Hügelhang herunterkamen. An ihren Halbschuhen klebte Lehm, und an den Aufschlägen ihrer Hosen hatte sich Unkraut verfangen. Priest beobachtete die Männer von der Scheune aus. Falls er jemanden von gestern wiedererkannte, wollte er zwischen den Hütten davonhuschen und im Waldstück verschwinden. Doch er hatte die beiden Männer noch nie gesehen. Der jüngere war ein nordischer Typ, hochgewachsen und kräftig, mit blaßblondem Haar und heller Haut. Der ältere war Asiate; sein schwarzes Haar lichtete sich bereits auf dem Scheitel. Es waren nicht die zwei

Agenten, die Priest an diesem Morgen angehalten und nach dem Führerschein gefragt hatten, und er war sicher, daß keiner der beiden gestern auf der Pressekonferenz gewesen war.

Die meisten Erwachsenen waren auf den Weinfeldern und besprühten die Rebstöcke mit scharfer Pfefferlösung, um die Rehe davon abzuhalten, die jungen Triebe zu fressen. Die Kinder waren im Tempel, wo Star heute die Sonntagsschule abhielt und ihnen dazu die Geschichte von Moses im Weidenkörbchen erzählte.

Trotz der sorgfältigen Vorbereitungen, die Priest getroffen hatte, durchzuckten ihn Wut und Erschrecken zugleich, als die Agenten näher kamen. Seit fünfundzwanzig Jahren war dieser Ort ein geheimes Heiligtum. Bis zum vergangenen Donnerstag, als ein Cop erschienen war, um nach Flowers Eltern zu suchen, hatte kein Beamter jemals seinen Fuß auf diesen Boden gesetzt: kein Landvermesser, kein Briefträger, nicht mal ein Müllarbeiter. Und nun war das FBI gekommen. Hätte Priest einen Blitz vom Himmel herunterbeschwören können, der die Agenten erschlug – er hätte es getan, ohne auch nur eine Sekunde zu zögern.

Er holte tief Luft; dann ging er über den Hügelhang zum Weinberg. Wie abgesprochen, begrüßte Dale bereits die beiden FBI-Männer. Priest füllte eine Gießkanne mit der Pfefferlösung und machte sich daran, die Rebstöcke zu sprengen, wobei er sich auf Dale zubewegte, so daß er mithören konnte, was die Männer redeten.

Der Asiate sagte in freundlichem Tonfall: »Wir sind FBI-Agenten und möchten Ihnen, wie allen Bewohnern des Tales, ein paar Routinefragen stellen. Mein Name ist Bill Ho, und das ist John Aldritch.«

Routinefragen? Das läßt hoffen, sagte sich Priest. Es hörte sich an, als hätten die Agenten kein besonderes Interesse am Weingut. Wahrscheinlich schauten sie sich nur kurz um, in der Hoffnung, zufällig irgendwelche Hinweise zu finden – ein Schuß ins Blaue. Doch dieser Gedanke vermochte Priests innere Spannung kaum zu lösen.

Bewundernd ließ Ho den Blick über das Tal schweifen. »Was für ein schönes Fleckchen Erde«, sagte er.

Dale nickte. »Deshalb hängen wir ja so sehr daran.«

Sei vorsichtig, Dale – spar dir deine Ironie. Das ist kein Spiel, verdammt noch mal.

Aldritch, der jüngere FBI-Mann, fragte ungeduldig: »Sind Sie hier der Verantwortliche?« Er sprach mit Südstaatenakzent.

»Ich bin der Vorarbeiter«, erwiderte Dale. »Wie kann ich Ihnen helfen?«

»Wohnen Sie und Ihre Leute hier?« fragte Ho.

Priest tat weiterhin, als wäre er allein mit seiner Gießkanne beschäftigt, doch das Herz klopfte ihm bis zum Hals. Es kostete ihn Mühe, das Gespräch weiterhin mitzuhören.

»Die meisten von uns sind Saisonarbeiter«, sagte Dale und folgte dem Drehbuch, das er und Priest entworfen hatten. »Die Firma, für die wir arbeiten, sorgt für die Unterbringung, weil's hier so abgelegen ist.«

Aldritch sagte: »Ein seltsamer Ort für eine Obstplantage.«

»Es ist keine Obstplantage, es ist ein Weingut. Möchten Sie mal ein Glas von der Lese aus dem letzten Jahr probieren? Schmeckt phantastisch.«

»Nein, danke. Es sei denn, Sie haben irgend etwas Alkoholfreies. Traubensaft vielleicht.«

»Tut mir leid. Wir haben hier nur richtigen Wein.«

»Wem gehört das alles hier?«

»Der Napa Bottling Company.«

Aldritch machte sich eine Notiz.

Ho blickte zu der Ansammlung von Gebäuden auf der anderen Seite der Weinberge hinüber. »Dürften wir uns hier mal umschauen?«

Dale zuckte die Achseln. »Na klar. Nur zu.« Er machte sich wieder an seine Arbeit.

Besorgt beobachtete Priest, wie die Agenten davongingen. Oberflächlich betrachtet war es eine plausible Geschichte, daß die

Leute hier schlecht bezahlte Arbeiter waren, die in schäbigen Unterkünften hausten, welche ihnen von der knauserigen Geschäftsleitung eines Unternehmens zur Verfügung gestellt wurden. Doch es gab genug Hinweise, die einen cleveren Agenten zu weiteren Fragen veranlassen mochten. Vor allem der Tempel konnte Neugier erregen. Star hatte zwar die alte Flagge mit den Fünf Paradoxen des Baghram abgenommen; dennoch kam es einem mißtrauischen und aufmerksamen Besucher womöglich in den Sinn, zu fragen, aus welchem Grund die Schule wohl ein Rundbau ohne Fenster und Mobiliar war.

Darüber hinaus gab es in den nahe gelegenen Wäldern Beete, auf denen Marihuana-Hanf angepflanzt war. Die FBI-Agenten mochten zwar kein Interesse an Schmalspur-Junkies haben, doch der Anbau von Marihuana paßte nicht in das künstliche Bild einer Gemeinschaft aus Wanderarbeitern. Und der Laden mochte durchaus wie ein normales kleines Geschäft wirken – aber nur so lange, wie niemandem auffiel, daß die Ware nicht mit Preisen ausgezeichnet war und daß es keine Registrierkasse gab.

Es gab noch Hunderte weiterer Möglichkeiten, die falsche Fassade durch gründliche Nachforschungen zum Einsturz zu bringen, doch Priest hoffte inständig, daß sich das FBI allein auf die Los Alamos konzentrierte und die Nachbarn nur routinemäßig überprüfte.

Er mußte das Verlangen niederkämpfen, den Agenten zu folgen. Er hatte den brennenden Wunsch zu sehen, was sie sich anschauten, und zu hören, was sie einander sagten, als sie nun in seinem Zuhause herumschnüffelten. Doch er zwang sich, weiterhin die Rebstöcke zu begießen, wobei er immer wieder kurz den Blick hob, um festzustellen, wo die FBI-Männer sich befanden und was sie gerade taten.

Sie betraten das Küchenhaus, in dem Garden und Slow sich aufhielten und Lasagne für das Mittagessen zubereiteten. Was die beiden Agenten sie wohl fragten? Plapperte Garden nervös drauflos und verriet sich dabei? Hatte Slow seine Anweisungen vergessen und ließ sich nun begeistert über die täglichen Meditationen aus?

Die Agenten kamen wieder aus dem Küchenhaus. Priest behielt sie scharf im Auge und versuchte zu erkennen, was in ihren Köpfen vorging, doch die Männer waren zu weit entfernt, als daß er in ihren Gesichtern hätte lesen können, und ihrer Körpersprache war nichts zu entnehmen.

Sie schlenderten um die Hütten herum und spähten ins Innere. Priest wußte nicht, ob die Männer irgend etwas sahen, das in ihnen den Verdacht aufkeimen ließ, hier könne sich mehr als nur ein Weingut befinden.

Die Agenten begutachteten die Traubenpresse, die Scheunen, in denen der Wein vergoren wurde, und die Fässer mit der Lese aus dem vergangenen Jahr, die darauf wartete, in Flaschen abgefüllt zu werden. Ob den beiden aufgefallen war, daß hier kein einziges Gerät mit elektrischem Strom betrieben wurde?

Die FBI-Leute öffneten die Tür zum Tempel. Würden sie doch noch mit den Kindern sprechen, entgegen Priests Voraussage? Würde Star durchdrehen und die beiden Agenten als Faschistenschweine beschimpfen? Priest hielt den Atem an.

Die Agenten schlossen die Tür, ohne den Tempel zu betreten.

Sie redeten mit Oaktree, der auf dem Hof damit beschäftigt war, Faßdauben zuzuschneiden. Er schaute zu den Agenten auf und gab ihnen knappe Antworten, ohne sich bei seiner Arbeit stören zu lassen. Vielleicht hatte Oaktree sich überlegt, daß es verdächtig erscheinen konnte, wenn er sich allzu freundlich verhielt.

Die Agenten kamen zu Aneth, die Windeln zum Trocknen aufhängte. Aneth weigerte sich, Wegwerfwindeln zu benutzen – und genau das erklärte sie jetzt womöglich den Agenten, vielleicht mit den Worten: *Es gibt nicht genug Bäume auf der Welt, um jedes Kind mit Wegwerfwindeln zu versorgen.*

Die beiden FBI-Männer gingen zum Fluß hinunter, betrachteten die Steine im seichten Wasserlauf und schienen zu überlegen, ob sie ihn durchqueren sollten. Sämtliche Marihuana-Pflanzungen befanden sich am anderen Ufer. Doch die Agenten wollten sich offensichtlich keine nassen Füße holen, denn sie machten kehrt und kamen zurück.

Als sie sich wieder dem Weinberg näherten, versuchte Priest, die Gesichter der Männer zu studieren, ohne sie anzustarren. Waren die Kerle jetzt endlich zufrieden, oder hatten sie irgend etwas gesehen, das ihren Verdacht erregte? Aldritch machte einen feindseligen Eindruck, Ho wirkte freundlich, aber das konnte bloß gespielt sein.

Aldritch wandte sich an Dale. »Für eine ›zeitweilige Unterbringung‹ haben Sie ein paar von diesen Hütten ganz schön ausstaffiert, finden Sie nicht auch?«

Priest durchfuhr es eiskalt. Es war eine mißtrauische Frage, die den Schluß zuließ, daß Aldritch die Geschichte nicht geschluckt hatte. Allmählich fragte sich Priest, ob es irgendeine Möglichkeit gab, die beiden FBI-Männer zu töten und ungeschoren davonzukommen.

»Ja«, sagte Dale. »Einige von uns kommen jedes Jahr wieder her.« Er improvisierte; diesmal war nichts mit Priest abgesprochen. »Und ein paar von uns wohnen das ganze Jahr hier.« Dale war kein geübter Lügner. Wenn das Gespräch zu lange dauerte, verriet er sich noch.

»Ich möchte eine Liste sämtlicher Personen, die hier wohnen und arbeiten«, sagte Aldritch.

Priests Gedanken überschlugen sich. Dale durfte die Kommune-Namen nicht preisgeben, sonst war es aus und vorbei. Doch Priest beruhigte sich – die Agenten würden die bürgerlichen Namen wissen wollen. Allerdings hatten einige Kommunebewohner ein Vorstrafenregister, darunter Priest selbst. Schaltete Dale schnell genug, um zu erkennen, daß er sich für jeden Kommunarden einen Falschnamen ausdenken mußte? Hatte er überhaupt den nötigen Schneid?

Ho fügte in entschuldigendem Tonfall hinzu: »Außerdem brauchen wir die Altersangaben und die Anschriften.«

Verflucht! Das wird ja immer schlimmer.

Dale sagte: »Sie könnten das alles unseren Personalakten bei der Firma entnehmen.«

Nein, können sie nicht.

»Tut mir leid«, sagte Ho. »Wir brauchen diese Angaben sofort.«

Dale blickte ratlos drein. »Tja, Mann, dann müssen Sie wohl rumlaufen und jeden einzelnen fragen. Woher soll ich denn wissen, wann jeder Geburtstag hat? Ich bin ihr Boß, nicht ihr Großvater.«

Priest dachte noch immer fieberhaft nach. Die Situation war hochbrisant. Er durfte nicht zulassen, daß die Agenten jeden einzelnen befragten: Sie würden sich ein dutzendmal verraten.

Er faßte einen plötzlichen Entschluß und trat vor. »Mr. Arnold?« sagte er und erfand binnen eines Augenblicks einen Falschnamen für Dale. »Vielleicht kann ich den Herren helfen.« Ohne näheren Plan war Priest in die Rolle des freundlichen Trottels geschlüpft, der zwar nicht sonderlich helle, dafür um so hilfsbereiter ist. Er wandte sich an die Agenten. »Ich komm' schon 'n paar Jahre hierher. Ich glaub', ich kenn' hier jeden und weiß, wie alt die Leute sind.«

Dale war sichtlich erleichtert, die Verantwortung wieder an Priest abgeben zu können. »In Ordnung, dann mach du das«, sagte er.

»Woll'n Sie nicht ins Küchenhaus kommen?« fragte Priest die FBI-Männer. »Wenn Sie schon keinen Wein möchten, dann bestimmt 'ne Tasse Kaffee, hab' ich recht?«

Ho lächelte. »Nichts dagegen einzuwenden«, sagte er.

Priest führte die Männer durch die Reihen der Rebstöcke zum Küchenhaus. »Wir müssen 'n bißchen Papierkram erledigen«, sagte er zu Garden und Slow. »Für euch zwei sind wir gar nich' da, okay? Macht einfach mit eurer Pasta weiter. Übrigens – riecht lecker.«

Ho reichte Priest sein Notizbuch. »Schreiben Sie einfach die Namen, Altersangaben und Anschriften hinein, ja?«

Priest nahm das Notizbuch nicht. »Oh, Mann, ich hab' die schlechteste Handschrift von der Welt«, wich er rasch aus. »Nee,

nee. Setzen Sie sich nur hin, und notieren Sie in Ruhe die Namen. Ich koch' schon mal den Kaffee.« Er stellte einen Topf Wasser auf den Herd, und die Agenten nahmen an dem langen Tisch aus Fichtenholz Platz.

»Unser Vorarbeiter is' Dale Arnold. Is' zweiundvierzig Jahre.« Das würden die Burschen niemals nachprüfen können. Kein Kommunebewohner stand im Telefonbuch oder in irgendeinem sonstigen Verzeichnis.

»Und der ständige Wohnsitz?«

»Er wohnt hier. Wie alle anderen auch.«

»Ich dachte, Sie sind Saisonarbeiter.«

»Sind wir auch. Im November, wenn die Lese zu Ende is' und die Trauben gepreßt sind, hauen die meisten von hier ab; aber sie gehören nicht zu den Leuten, die zwei Wohnungen haben. Wieso Miete für 'ne Bude zahlen, wenn man woanders wohnt?«

»Demnach haben alle *hier* ihren ständigen Wohnsitz. Wie lautet die Anschrift?«

»Weinkellerei Silver River Valley, Silver City, Kalifornien. Aber ihre Post bekommen die Leute zur Firma in Napa geschickt. Da kann wenigstens nix verlorengehen.«

Aldritch sah verärgert und ein bißchen verwirrt aus – genau so, wie Priest es beabsichtigt hatte. Menschen wie Aldritch besaßen nicht die Geduld, kleinen Ungereimtheiten auf den Grund zu gehen.

Priest schenkte den Agenten Kaffee ein, während er sich eine Namensliste zusammenreimte. Um sich selbst eine Gedächtnisstütze zu verschaffen, bei wem es sich um wen handelte, benutzte Priest Abwandlungen der Kommunen-Namen: Dale Arnold, Peggy Star, Richard Priestley, Holly Goodman. Melanie und Dusty ließ er aus, weil sie nicht da waren – Dusty war bei seinem Vater, und Melanie war unterwegs, um den Jungen abzuholen.

Aldritch unterbrach Priest. »Nach meiner Erfahrung sind die meisten Wanderarbeiter in der Landwirtschaft Mexikaner oder spanischer Abstammung.«

»Genau, und das kann man von dieser Bande hier nich' behaupten«, pflichtete Priest ihm bei. »Die Firma hat mehrere Weingüter. Ich könnt' mir vorstellen, daß der Boß die Hispanos in Arbeitskolonnen steckt, wo sie unter sich sind und Vorarbeiter haben, die Spanisch sprechen. Alle anderen steckt er in unsere Truppe hier. Hat mit Rassismus nix zu tun, wissen Sie. Ist bloß praktischer.«

Was den Agenten offenbar einleuchtend erschien.

Priest ließ sich Zeit und zog das Gespräch so lange hin wie möglich. Im Küchenhaus konnten die Agenten kein Unheil anrichten. Falls es ihnen zu langweilig wurde oder falls sie ungeduldig wurden und aufbrechen wollten – um so besser.

Während Priest mit den FBI-Leuten sprach, beschäftigten Garden und Slow sich weiter mit der Zubereitung des Mittagessens. Garden war schweigsam, ihr Gesicht steinern, und irgendwie gelang es ihr, auf überhebliche Art und Weise in den Töpfen zu rühren. Slow war nervös und warf immer wieder ängstliche Blicke auf die Agenten, doch die beiden schienen es nicht zur Kenntnis zu nehmen. Vielleicht waren sie es gewohnt, daß Leute in ihrer Anwesenheit ängstlich reagierten. Und vielleicht gefiel es ihnen sogar.

Priest brauchte fünfzehn oder zwanzig Minuten, den Agenten die Namen und das Alter der sechsundzwanzig erwachsenen Kommunebewohner zu nennen. Ho klappte sein Notizbuch zu, als Priest sagte: »Au weia, die Kinder. Da müßte ich erst nachdenken. Mann, die werden verdammt schnell groß, hab' ich nicht recht?«

Aldritch stieß ein verzweifeltes Ächzen aus. »Ich glaube nicht, daß wir die Namen der Kinder wissen müssen«, sagte er.

»Nee?« erwiderte Priest gleichmütig. »Na gut. Möchte noch jemand Kaffee?«

»Nein, danke.« Aldritch schaute Ho an. »Ich glaube, wir sind hier fertig.«

Ho fragte: »Das Land gehört also der Napa Bottling Company?«

Priest erkannte die Gelegenheit, den Fehler auszubügeln, den

Dale vorhin begangen hatte. »Nee, is' nicht ganz richtig«, sagte er. »Die Firma führt das Weingut, aber das Land gehört der Regierung, soviel ich weiß.«

»Dann gibt es also einen Pachtvertrag mit der Napa Bottling?«

Priest zögerte. Ho, der Freundliche, stellte die wirklich gefährlichen Fragen. Scheiße, dachte Priest. Was soll ich jetzt antworten? Eine Lüge war zu riskant; die Agenten konnten die Sache binnen Sekunden überprüfen. Widerwillig erklärte er: »Um genau zu sein, der Pachtvertrag läuft auf den Namen Stella Higgins.« Alles in Priest sträubte sich dagegen, dem FBI Stars richtigen Namen zu nennen. »Das is' die Frau, die vor Jahren das Weingut hier gegründet hat.« Priest hoffte, daß die Agenten mit dieser Information nichts anzufangen wußten. Er konnte sich auch nicht vorstellen, daß er den Männern damit irgendwelche Hinweise gab.

Ho notierte sich den Namen. »Ich glaube, das ist alles«, sagte er.

Priest ließ sich seine Erleichterung nicht anmerken. »Tja, dann viel Glück bei den anderen Spurensuchen, oder wie man's bei euch nennt«, sagte er, als er mit den beiden Männern das Küchenhaus verließ.

Er führte die Agenten über das Weingut. Bei Dale blieben sie stehen, um ihm für seine Mithilfe zu danken. »Hinter wem seid ihr Jungs eigentlich her?« fragte Dale.

»Hinter einer Terroristengruppe, die den Gouverneur von Kalifornien zu erpressen versucht«, erwiderte Ho.

»Tja, dann hoffe ich sehr, daß ihr sie schnappt«, sagte Dale mit aufrichtigem Unterton.

Nein, hoffst du nicht.

Schließlich gingen die beiden Agenten über das Feld davon, wobei sie auf dem unebenen Boden hin und wieder ins Straucheln gerieten, und verschwanden zwischen den Bäumen.

Dale, der einen selbstzufriedenen Eindruck machte, wandte sich an Priest. »Na, das ist ja leicht und locker gelaufen.«

Mein lieber Mann, wenn du wüßtest.

KAPITEL 12

Am Sonntagnachmittag nahm Judy Bo mit ins Alexandria Cinema an der Ecke Geary- und Achtzehnte Straße, um sich den neuen Clint-Eastwood-Film anzuschauen. Zu ihrem eigenen Erstaunen fand sie tatsächlich Ablenkung und dachte zwei Stunden lang nicht an Erdbeben. Nach der Vorstellung ging sie mit Bo auf ein Sandwich und ein Bier zu einem seiner Treffs, eine Polizistenkneipe mit einem Fernseher über dem Tresen und einem Schild mit der Aufschrift *Wir bescheißen Touristen* an der Tür.

Bo aß seinen Cheeseburger und trank einen Schluck Guinness. »Bei der Verfilmung meines Lebens müßte Clint Eastwood die Hauptrolle spielen«, sagte er.

»Jetzt mach aber mal halblang«, erwiderte Judy. »Das meint doch jeder Inspektor der Welt.«

»Ja, aber ich sehe sogar wie Clint aus.«

Judy grinste. Bo hatte ein rundes Gesicht mit Stupsnase. »Mir würde Mickey Rooney in dieser Rolle gefallen«, sagte sie.

Im Fernseher wurden die Nachrichten gebracht. Als Judy den ausführlichen Bericht über die Razzia bei den Los Alamos sah, lächelte sie säuerlich. Erst hatte Brian Kincaid sie wegen ihrer Einmischung heruntergeputzt – und dann ihren Plan übernommen.

Doch es wurde kein triumphales Interview mit Brian gezeigt; statt dessen war ein zerschmettertes Tor mit fünf Querstangen zu sehen und ein Schild mit der Aufschrift: *Wir erkennen die Staatsgewalt der US-Regierung nicht an*, sowie ein Sondereinsatzkommando in kugelsicheren Westen, das vom Schauplatz zurückkehrte. »Sieht so aus, als hätten sie nichts gefunden«, sagte Bo.

Judy war baß erstaunt. »Das begreife ich nicht«, sagte sie. »Die Los Alamos sahen wirklich wie heiße Verdächtige aus.« In ihrem

Inneren machte sich Enttäuschung breit. Es schien, als hätte ihre Nase sie gründlich getrogen.

Der Nachrichtensprecher erklärte soeben, man habe keine Verhaftungen vorgenommen. »Die sagen nicht mal, daß man Beweismaterial gefunden hat«, meinte Bo. »Ich frag' mich wirklich, was da gelaufen ist.«

»Wenn du hier fertig bist, könnten wir hinfahren und es herausfinden«, sagte Judy.

Sie verließen die Kneipe und stiegen in den Wagen. Judy nahm den Hörer des Autotelefons aus der Halterung und wählte Simon Sparrows Privatnummer. »Was haben Sie über die Razzia erfahren, Simon?« fragte sie.

»War 'n Schuß in den Ofen.«

»Dachte ich mir.«

»Es gibt keine Computer auf dem Gelände der Los Alamos, also ist es schwer vorstellbar, daß sie eine Nachricht im Internet hinterlassen haben. Keiner von den Burschen hat einen Collegeabschluß, und ich bezweifle, daß auch nur einer von denen den Begriff ›Seismologie‹ *buchstabieren* kann. Es gibt vier Frauen in der Gruppe, aber keine von ihnen entspricht einem unserer beiden weiblichen Profile – die Los-Alamos-Mädels sind noch nicht mal oder höchstens zwanzig. Und mit dem Staudamm hat dieser Verein ohnehin keine Probleme. Die Typen sind glücklich über die Entschädigung, die sie von der Coastal Electric für ihr Land kassieren, und freuen sich schon auf den Umzug an einen neuen Ort. Ach ja – und am Freitagnachmittag, um zwanzig nach zwei, sind sechs von den sieben Männern in einem Laden namens Frank's Sporting Weapons in Silver City gewesen und haben Munition gekauft.«

Judy schüttelte den Kopf. »Wer ist eigentlich auf den dämlichen Gedanken gekommen, bei den Los Alamos eine Razzia zu machen?«

Du selbst, natürlich.

Simon sagte: »Heute morgen bei der Einsatzbesprechung hat Marvin behauptet, es wäre seine Idee.«

»Geschieht ihm recht, daß es in die Hose gegangen ist.« Judy runzelte die Stirn. »Aber ich kapiere es nicht. Es sah nach einer verdammt heißen Spur aus.«

»Morgen nachmittag hat Brian eine weitere Besprechung mit Mr. Honeymoon in Sacramento. Jetzt sieht's ganz so aus, als würde er mit leeren Händen antanzen.«

»Das wird Mr. Honeymoon aber gar nicht gefallen.«

»Na ja, so reizbar soll er nun auch wieder nicht sein, hab' ich mir sagen lassen.«

Judy lächelte verkniffen. Sie konnte Kincaid zwar nicht ausstehen; aber deshalb gefiel es ihr noch lange nicht, daß die Razzia ein Fehlschlag gewesen war. Denn das hieß, daß die Kinder von Eden noch immer existierten, irgendwo da draußen, und ein weiteres Erdbeben planten. »Danke, Simon. Wir sehen uns morgen.«

Kaum hatte Judy den Hörer eingehängt, klingelte das Autotelefon. Es war der Mann von der Telefonzentrale im Office. »Ein Professor Quercus hat angerufen und eine Nachricht hinterlassen. Er sagte, es sei dringend. Er hätte wichtige Neuigkeiten für Sie.«

Judy kämpfte mit sich, ob sie Marvin anrufen und ihm die Nachricht zukommen lassen sollte. Doch sie war zu neugierig darauf, was Michael zu berichten hatte. Sie wählte seine Privatnummer.

Als er sich meldete, konnte Judy im Hintergrund den Soundtrack einer Fernseh-Zeichentrickserie hören. Sie vermutete, daß Dusty immer noch bei Michael war. »Hier Judy Maddox«, sagte sie.

»Hallo! Wie geht's?«

Judy hob die Brauen. Ein Wochenende mit Dusty hatte Michael offenbar umgänglicher werden lassen. »Mir geht es prima, aber ich bin den Fall los«, sagte sie.

»Ich weiß. Ich habe versucht, den Burschen zu erreichen, der die Sache übernommen hat. Der Mann hat einen Namen wie ein Soulsänger ...«

»Marvin Hayes.«

»Genau. Wie *Dancin' in the Grapevine* von Marvin Hayes und den Haystacks.«

Judy lachte.

»Aber er nimmt meine Anrufe nicht entgegen«, sagte Michael. »Deshalb muß ich mich an Sie halten.«

Das klang schon mehr nach Michael. »Okay. Was haben Sie denn Neues für mich?«

»Können Sie nicht zu mir kommen? Ich muß es Ihnen wirklich zeigen.«

Schon der Gedanke, Michael wiederzusehen, stimmte Judy freudig, machte sie sogar ein bißchen aufgeregt. »Haben Sie noch *Cap'n Crunch*?«

»Ich glaube, ein bißchen ist noch übrig.«

»Also gut. In ungefähr einer Viertelstunde bin ich bei Ihnen.« Judy hängte ein. »Ich muß zu meinem Seismologen«, sagte sie zu Bo. »Soll ich dich an der Bushaltestelle absetzen?«

»Ich kann nicht wie Jim Rockford mit dem Bus kutschieren. Ich bin Inspektor aus San Francisco!«

»Ach ja? Du bist ein menschliches Wesen.«

»Stimmt, aber die Typen von den Straßengangs wissen das nicht.«

»Die wissen nicht, daß du ein Mensch bist?«

»Für die bin ich ein Halbgott.«

Es sollte ein Scherz sein, doch Judy wußte, daß ein Körnchen Wahrheit in Bos Worten steckte. In dieser Stadt brachte er seit fast dreißig Jahren schwere Jungs hinter Schloß und Riegel. Jeder Halbstarke an einer x-beliebigen Straßenecke, der Crack in den Taschen seiner Fliegerjacke versteckte, hatte Schiß vor Bo Maddox.

»Also willst du mich nach Berkeley begleiten?«

»Klar, warum nicht? Ich bin neugierig darauf, deinen gutaussehenden Seismologen kennenzulernen.«

Judy wendete den Wagen und fuhr in Richtung Bay Bridge. »Wie kommst du darauf, daß er gut aussieht?«

Bo grinste. »Das kann ich raushören, wenn du mit ihm redest«, erwiderte er selbstgefällig.

»In deiner eigenen Familie solltest du keine Bullen-Psychologie anwenden.«

»Red keinen Quatsch. Du bist meine Tochter. Ich kann deine Gedanken lesen.«

»Na schön. Du hast recht. Er sieht blendend aus. Aber ich mag ihn nicht sonderlich.«

»So?« Bos Stimme klang skeptisch.

»Er ist arrogant und schwierig. Nur wenn er sein Kind bei sich hat, ist es nicht so schlimm. Das macht ihn umgänglicher.«

»Er ist verheiratet?«

»Er lebt in Trennung.«

»Wer in Trennung lebt, ist verheiratet.«

Judy konnte spüren, wie Bos Interesse an Michael verebbte. Es war wie ein Temperatursturz. Sie lächelte vor sich hin. Bo hatte es noch immer darauf abgesehen, sie unter die Haube zu bringen, doch er hatte altmodische Vorbehalte.

Sie gelangten nach Berkeley und fuhren die Euclid Street hinunter. Auf Judys gewohntem Parkplatz unter dem Magnolienbaum stand ein orangefarbener Subaru, doch sie fand eine andere Parklücke.

Als Michael die Wohnungstür öffnete, bemerkte Judy, daß er angespannt aussah. »Hi, Michael«, sagte sie. »Das ist mein Vater, Bo Maddox.«

»Kommen Sie rein«, sagte Michael kurz angebunden.

Seine Stimmung schien in der wenigen Zeit, die Judys Fahrt gedauert hatte, umgeschlagen zu sein. Als sie das Wohnzimmer betraten, sah Judy den Grund dafür.

Dusty lag auf der Couch. Er sah schrecklich aus. Seine Augen waren rot und wäßrig, und die Augäpfel schienen geschwollen zu sein. Seine Nase lief, und sein Atem ging laut und rasselnd. Im Fernsehen lief ein Zeichentrickfilm, doch Dusty schaute kaum hin.

Judy kniete sich neben ihn und strich ihm übers Haar. »Armer Dusty«, sagte sie. »Was ist passiert?«

»Er leidet unter Allergieanfällen«, erklärte Michael.

»Haben Sie einen Arzt gerufen?«

»Nicht nötig. Ich habe Dusty bereits das Medikament gegeben, das die allergische Reaktion abschwächt.«

»Wie schnell wirkt es denn?«

»Es wirkt jetzt schon. Das Schlimmste hat Dusty hinter sich. Aber so, wie es ihm jetzt geht, wird es wohl noch ein paar Tage bleiben.«

»Ich wollte, ich könnte etwas für dich tun, kleiner Mann«, sagte Judy zu dem Jungen.

Eine Frauenstimme sagte: »Zu freundlich von Ihnen, aber *ich* werde mich schon um ihn kümmern.«

Judy stand auf und drehte sich um. Die Frau, die soeben das Zimmer betreten hatte, sah aus, als käme sie direkt vom Laufsteg eines Modeschöpfers. Sie hatte ein blasses, ovales Gesicht und glattes rotes Haar, das ihr bis über die Schultern fiel. Wenngleich die Frau hochgewachsen und superschlank war, waren ihr Busen voll und die Hüften schön gerundet. Die langen Beine steckten in engen braunen Jeans; dazu trug sie ein modisches hellgrünes Top mit V-Ausschnitt.

Bis zu diesem Moment war Judy sich in ihren Khaki-Shorts, den lohfarbenen Halbschuhen, die ihre hübschen Knöchel zeigten, und einem weißen Polohemd, das auf ihrer milchkaffeebraunen Haut schimmerte, elegant vorgekommen. Nun aber fühlte sie sich wie eine graue Maus, wie eine Frau mittleren Alters, die im Vergleich mit diesem Sinnbild lässigen Chics wie ein Hausmütterchen wirkte. Und bestimmt entging Michael bei dieser Gegenüberstellung auch nicht, daß Judys Hintern zu groß und ihre Brüste zu klein waren.

»Das ist Melanie, Dustys Mama«, sagte Michael. »Melanie, darf ich dir meine Bekannte Judy Maddox vorstellen?«

Melanie nickte knapp.

Das also ist seine Frau.

Er hat das FBI nicht erwähnt, ging es Judy durch den Kopf. Möchte er, daß Melanie mich für seine Geliebte hält?

»Das ist mein Vater, Bo Maddox«, sagte Judy.

Melanie machte sich gar nicht erst die Mühe, sich auf Smalltalk einzulassen. »Ich wollte gerade gehen«, sagte sie. Sie trug einen kleinen Matchbeutel, der mit einem Donald-Duck-Bild bedruckt war und offenbar Dusty gehörte.

Judy fühlte sich von Michaels hochgewachsener, modisch-eleganter Frau ausgestochen. Und es ärgerte sie, *daß* sie sich darüber ärgerte. *Was rege ich mich eigentlich auf?*

Melanie ließ den Blick durchs Zimmer schweifen und fragte: »Wo ist das Kaninchen, Michael?«

»Hier.« Er nahm ein zerzaustes Plüschtier vom Schreibtisch und reichte es Melanie.

Sie betrachtete den Jungen auf der Couch. »In den Bergen kommt so was nie vor«, sagte sie mit kalter Stimme.

Michael sah gequält aus. »Was soll ich denn tun? Soll ich den Jungen nicht mehr sehen?«

»Wir müssen uns irgendwo außerhalb der Stadt treffen.«

»Ich will, daß er bei mir *bleibt*. Wie soll das gehen, wenn er nicht mal bei mir schlafen kann?«

»Würde er nicht bei dir schlafen, würd's ihm nicht so mies gehen.«

»Ich weiß, ich weiß.«

Judy fühlte mit Michael. Er war so offensichtlich besorgt und verzweifelt, und seine Frau ließ das eiskalt.

Melanie stopfte das Stoffkaninchen in die Donald-Duck-Tasche und zog den Reißverschluß zu. »Wir müssen jetzt los.«

»Ich bringe ihn zu deinem Wagen.« Michael hob Dusty von der Couch. »Komm, Tiger, auf geht's.«

Als die drei das Zimmer verlassen hatten, schaute Bo Judy an und sagte: »Oh, Mann. Unglückliche Familien.«

Judy nickte. Doch sie mochte Michael mehr als zuvor. Am liebsten hätte sie ihn umarmt und gesagt: *Du tust dein Bestes, mehr kann man von keinem erwarten.*

»Trotzdem ist er dein Typ«, sagte Bo.

»Habe ich einen Typ?«

»Du liebst die Herausforderung.«

»Weil ich mit einer aufgewachsen bin.«

»Meinst du mich?« Bo spielte den Empörten. »Ich hab' dich verwöhnt und verzogen.«

Sie kniff ihn in die Wange. »Das auch.«

Als Michael zurückkam, war seine Miene düster, und er wirkte nervös. Er bot Judy und Bo weder einen Drink noch eine Tasse Kaffee an, und das *Cap'n Crunch* schien er ganz vergessen zu haben. Er setzte sich an seinen Computer. »Schauen Sie sich das mal an«, sagte er ohne Vorrede.

Judy und Bo stellten sich hinter ihn und sahen ihm über die Schulter.

Ein Diagramm erschien auf dem Monitor. »Hier sehen Sie das Seismogramm vom Erdbeben im Owens Valley mit den rätselhaften Schockwellen unmittelbar vor dem eigentlichen Beben, für die ich keine Erklärung hatte. Erinnern Sie sich?«

»Ich schon«, sagte Judy.

Michael holte ein anderes Diagramm auf den Bildschirm. »Hier ist ein typisches Erdbeben, das ungefähr die gleiche Stärke hatte. Nur sind in diesem Fall die normalen Vorbeben zu erkennen. Sehen Sie den Unterschied?«

»Ja.« Die normalen Vorbeben waren ungleichmäßig stark und traten unregelmäßig auf, wogegen die Schockwellen beim Beben im Owens Valley einem Muster folgten, das zu regelmäßig aussah, als daß es natürlichen Ursprungs sein konnte.

»Jetzt schauen Sie sich das hier an.« Ein drittes Diagramm erschien auf dem Monitor. Es zeigte die regelmäßigen Muster von Schockwellen gleicher Stärke, genau wie auf dem Diagramm des Bebens im Owens Valley.

»Woher stammen diese Erschütterungen?« fragte Judy.

»Von einem seismischen Vibrator«, verkündete Michael triumphierend.

»Was, zum Teufel, ist das?« wollte Bo wissen.

Judy hätte beinahe gesagt: *Keine Ahnung, aber ich glaube, so ein Ding hätte ich gern.* Sie verkniff sich ein Grinsen.

»Ein seismischer Vibrator ist ein Gerät, das von der Erdölindustrie zur Erkundung tieferer Erdschichten benutzt wird. Vereinfacht ausgedrückt, wird am hinteren Teil des Fahrzeugs eine große Stahlplatte auf den Boden gesenkt, die Schockwellen oder Vibrationen durch die Erdkruste jagt. Die Schockwellen werden zurückgeworfen und von sogenannten Geophonen aufgefangen, die eine genaue Bestimmung der Beschaffenheit des Erdinneren ermöglichen.«

»Und diese Schockwellen haben das Beben ausgelöst?«

»Ich kann mir nicht vorstellen, daß es ein Zufall war.«

Judy nickte ernst. »Dann stimmt es also. Diese Leute können tatsächlich Erdbeben auslösen.« Als ihr die volle Tragweite dieser Worte bewußt wurde, durchlief sie ein kalter Schauder.

Bo sagte: »Großer Gott. Dann hoffe ich nur, die kommen nicht nach San Francisco.«

»Oder Berkeley«, sagte Michael. »Um ehrlich zu sein – auch wenn ich Ihnen gesagt hatte, daß so etwas möglich ist, habe ich eigentlich nie daran geglaubt. Bis jetzt.«

»Das Beben im Owens Valley war relativ schwach.«

Michael schüttelte den Kopf. »Das darf uns nicht in Sicherheit wiegen. Die Heftigkeit eines Erdbebens hat nichts mit der Stärke der Erschütterungen zu tun, die das Beben auslösen, sondern hängt von den seismischen Spannungen in der Spalte ab. Der seismische Vibrator könnte Beben jeder Stärke hervorrufen – von einem kaum wahrnehmbaren Erdstoß bis hin zu einem zweiten Loma Prieta.«

Judy konnte sich so lebhaft an das Beben von Loma Prieta im Jahre 1989 erinnern, als wäre es ein Alptraum aus der vergangenen Nacht. »Mist«, sagte sie. »Und was sollen wir jetzt tun?«

Bo sagte: »Wir? Du bist von dem Fall entbunden.«

Michael runzelte verwirrt die Stirn. »Ja, das haben Sie mir schon erzählt«, sagte er zu Judy. »Aber den Grund dafür haben Sie mir noch nicht genannt.«

»Bürointrigen«, sagte Judy. »Wir haben einen neuen Boß, der mich nicht leiden kann. Er hat den Fall einem Mitarbeiter übertragen, den er mir vorzieht.«

»Das gibt's doch gar nicht!« stieß Michael hervor. »Eine Terroristengruppe löst Erdbeben aus, und das FBI ergeht sich in einem Familienstreit darüber, wer diese Verrückten jagen darf!«

»Was soll ich dazu sagen? Lassen Wissenschaftler zu, daß ihnen auf der Suche nach der Wahrheit persönliche Streitigkeiten in den Weg geraten?«

Michael ließ sein typisches plötzliches Grinsen aufblitzen. »Darauf können Sie Ihren hübschen Hintern verwetten. Aber mal im Ernst. Sie können diese Information doch bestimmt an diesen Marvin Soundso weiterleiten, oder?«

»Als ich meinem Boß von den Los Alamos erzählte, hat er mir befohlen, mich ja nicht noch einmal einzumischen.«

Michael wurde wütend. »Das ist ja unglaublich!« schimpfte er. »Sie können doch nicht *totschweigen*, was ich Ihnen gesagt habe.«

»Keine Bange, tu ich nicht«, sagte Judy knapp. »Bewahren wir erst mal kühlen Kopf und denken nach. Was können wir mit dieser Information anfangen? Wenn es uns gelingt, herauszufinden, woher dieser seismische Vibrator stammt, stoßen wir vielleicht auf eine Spur, die uns zu den Kindern von Eden führt.«

»Genau«, sagte Bo. »Diese Verrückten haben das Ding entweder gekauft oder gestohlen, wobei letzteres wahrscheinlicher ist.«

»Wie viele von diesen Geräten gibt es in den Vereinigten Staaten, Michael?« fragte Judy. »Hundert? Tausend?«

»Irgendwas dazwischen«, erwiderte er.

»Also nicht übermäßig viele. Und die Hersteller haben wahrscheinlich Unterlagen über jedes verkaufte Gerät. Ich könnte heute abend Nachforschungen anstellen, wer seismische Vibratoren baut und von den betreffenden Firmen Listen erstellen lassen. Und falls das Gerät, um das es uns geht, gestohlen wurde, könnte es bei der nationalen Informationsstelle für Verbrechen registriert sein.« Die NCIC, die von der FBI-Zentrale in Washington, D.C., geleitet wurde, stand jeder Polizei- und Justizbehörde für Anfragen zur Verfügung.

Bo sagte: »Die NCIC kann nur so gut arbeiten, wie es auf der Grundlage der Informationen möglich ist, die man ihr übermittelt. Außerdem haben wir im vorliegenden Fall keinen legalen Zugang, und wir können unmöglich wissen, wie der Computer der NCIC unsere Information einstuft. Ich könnte die Polizei von San Francisco einschalten und Erkundigungen über mehrere Bundesstaaten zugleich einholen, indem wir den CLETS-Computer benutzen.« Das CLETS war das Telekommunikationssystem der kalifornischen Polizei- und Justizbehörden. »Außerdem könnte ich dafür sorgen, daß die Zeitungen ein Foto von einem solchen Fahrzeug veröffentlichen, damit die Bevölkerung danach Ausschau hält.«

»Das ist ja alles gut und schön«, sagte Judy, »aber wenn du das tust, wird Kincaid wissen, daß ich dahinterstecke.«

Mit einem Ausdruck der Verzweiflung verdrehte Michael die Augen.

Bo sagte: »Nicht unbedingt. Ich werde den Zeitungsleuten nicht unter die Nase binden, daß die Sache mit den Kindern von Eden zu tun hat. Ich sag' einfach, daß wir nach einem gestohlenen seismischen Vibrator suchen. Ein höchst ausgefallener Autodiebstahl, wenn man so will. Die Presse wird auf diese Story abfahren.«

»Eine prima Idee«, sagte Judy. »Könnte ich einen Ausdruck der drei Diagramme bekommen, Michael?«

»Ja, sicher.« Er drückte eine Taste, und der Drucker surrte los.

Judy legte Michael eine Hand auf die Schulter. Sie spürte seine warme Haut durch den Stoff seines Hemdes. »Ich hoffe sehr, Dusty fühlt sich besser«, sagte sie.

Michael legte eine Hand auf die ihre. »Danke.« Seine Berührung war sanft, seine Handfläche trocken. Judy durchrieselte ein

Schauder der Erregung. Schließlich zog Michael die Hand weg und sagte: »Äh … vielleicht sollten Sie mir Ihre Handynummer geben, damit ich Sie notfalls schnell erreichen kann.«

Judy zog eine Visitenkarte hervor. Sie überlegte einen Augenblick; dann schrieb sie ihre Privatnummer darauf, bevor sie ihm die Karte reichte.

Michael sagte zu Judy und Bo: »Wenn Sie diese Anrufe gemacht haben …« Er zögerte. »Wie wär's, wenn wir uns auf einen Drink treffen? Oder zum Abendessen? Ich würde sehr gern erfahren, welche Fortschritte Sie machen.«

»Ich kann nicht«, sagte Bo. »Ich muß zu 'nem Bowlingmatch.«

»Und wie ist es mit Ihnen, Judy?«

Soll das eine Verabredung zum Rendezvous sein?

»Eigentlich wollte ich noch einen Krankenbesuch machen«, sagte sie.

Michael blickte enttäuscht drein.

Und Judy wurde klar, daß sie nichts lieber tun würde, als mit Michael Quercus zu Abend zu essen.

»Aber ich nehme an, daß ich nicht den ganzen Abend im Krankenhaus verbringe«, sagte sie. »Also gut, gehen wir essen.«

Es war erst eine Woche vergangen, seit die Ärzte den Krebs bei Milton Lestrange diagnostiziert hatten, doch er sah jetzt schon abgemagert und gealtert aus. Vielleicht rief die Krankenhaus-Umgebung diesen Eindruck hervor: die Geräte, das Bett, die weißen Laken. Vielleicht lag es an dem babyblauen Schlafanzug, der ein dreieckiges Stück weiße Brust erkennen ließ. Milton hatte alle seine Machtsymbole verloren: seinen großen Schreibtisch, seinen Montblanc-Füller, seine gestreifte Seidenkrawatte.

Sein Anblick war ein Schock für Judy. »O Gott, Milt, Sie sehen ja schreck… wirklich nicht gut aus«, stieß sie hervor.

Er lächelte. »Ich wußte, daß Sie mich nicht belügen, Judy.«

»Entschuldigen Sie.« Es war ihr peinlich. »Ist mir so rausgerutscht.«

»Sie brauchen nicht rot zu werden. Sie haben ja recht. Ich bin in einer miserablen Verfassung.«

»Was tun die Ärzte?«

»Sie werden mich diese Woche unters Messer nehmen. An welchem Tag, haben sie mir nicht gesagt. Aber es geht nur darum, den Verschluß im Darm operativ zu umgehen. Die Aussichten sind schlecht.«

»Was meinen Sie mit schlecht?«

»Neunzig Prozent dieser Erkrankungen enden tödlich.«

Judy schluckte. »Mein Gott, Milt.«

»Vielleicht habe ich noch ein Jahr.«

»Ich weiß nicht, was ich sagen soll.«

Milt ging nicht weiter auf diese schreckliche Diagnose ein. »Gestern hat Sandy mich besucht, meine erste Frau. Sie sagte mir, Sie hätten sie angerufen.«

»Ja. Ich wußte nicht, ob Sandy Sie besuchen wollte, aber ich habe mir gedacht, sie sollte wenigstens wissen, daß Sie im Krankenhaus liegen.«

Milt nahm Judys Hand, drückte sie. »Danke. Es gibt nicht viele Leute, die daran gedacht hätten. Wie kommt es bloß, daß Sie in so jungen Jahren schon so weise sind?«

»Ich bin froh, daß Sandy Sie besucht hat.«

Milt wechselte das Thema. »Kommen Sie, lenken Sie mich ein bißchen von dem ganzen Mist hier ab. Erzählen Sie mir, was im Office so läuft.«

»Sie sollten sich keine Gedanken darüber machen, was bei uns ...«

»Du liebe Güte, das tue ich doch gar nicht. Wenn man stirbt, interessiert einen die Arbeit nicht besonders. Ich bin bloß neugierig.«

»Nun ja, ich habe meinen Fall gewonnen. Die Fung-Brüder werden wohl den größten Teil des nächsten Jahrzehnts hinter Gittern verbringen.«

»Gut gemacht!«

»Sie haben immer an mich geglaubt.«

»Weil ich weiß, was Sie können.«

»Aber Brian Kincaid hat Marvin Hayes als neuen Supervisor vorgeschlagen.«

»Marvin? Was für ein Schwachsinn! *Sie* hätten diese Stelle bekommen sollen, das weiß Brian doch.«

»Wieso? Erzählen Sie mir davon.«

»Marvin ist ein harter Bursche, aber schludrig. Auf dem Dienstweg nimmt er gern Abkürzungen.«

»Das ist ja seltsam«, sagte Judy. »Weshalb schätzt Brian ihn dann so sehr? Was ist mit den beiden – sind sie Lover oder so was?«

Milt lachte. »Nein, die beiden sind nicht schwul. Marvin hat Brian vor Jahren mal das Leben gerettet.«

»Im Ernst?«

»Es war eine Schießerei. Ich war dabei. Wir hatten einem Boot aufgelauert, von dem Heroin entladen wurde, oben am Strand von Sonoma in der Marin County. Es war an einem frühen Morgen im Februar, und das Meer war bitterkalt. Es gab keinen Landungssteg; deshalb haben die Kerle den Stoff in kiloschweren Päckchen in ein Schlauchboot umgeladen, um ihn an die Küste zu bringen. Wir haben gewartet, bis die Burschen die ganze Ladung herübergeschafft hatten. Dann haben wir zugeschlagen.« Milt seufzte, und ein verträumter Ausdruck trat in seine blauen Augen. Judy erkannte, woran Milt dachte: daß er nie mehr bei einem Hinterhalt des FBI im frühen Morgengrauen dabei sein würde.

Nach einer kurzen Pause fuhr er fort: »Brian machte einen Fehler – er ließ einen der Burschen zu nahe an sich heran. Dieser kleine Italiener packte Brian und richtete die Kanone auf seinen Kopf. Wir alle hatten unsere Waffen gezogen, doch hätten wir den Italiener erschossen, hätte er wahrscheinlich noch den Abzug betätigen können, bevor er den Löffel abgegeben hätte. Brian hatte eine Heidenangst.« Milt senkte die Stimme. »Er hat sich in die Hose gepinkelt. Wir alle konnten den Fleck sehen.

Aber Marvin blieb eiskalt. Er ging mit der Waffe auf Brian und den Italiener zu. ›Du kannst genausogut mich abknallen, Arschloch‹, sagte er. ›Du hast sowieso keine Chance mehr.‹ So was hatte ich noch nie erlebt. Der Italiener fiel auch prompt darauf rein. Er schwenkte den Arm herum und zielte auf Marvin. In diesem Sekundenbruchteil haben fünf von unseren Leuten den Burschen umgepustet.«

Judy nickte. Das war eine der typischen Geschichten, die sich Agenten nach ein paar Bierchen im Everton's erzählten. Allerdings tat Judy Marvins Verhalten nicht einfach als Beispiel für machohaftes Draufgängertum ab. FBI-Agenten wurden nicht oft in Schießereien verwickelt, und wenn, so vergaßen sie diese Erfahrung niemals. Judy konnte sich gut vorstellen, daß Kincaid sich Marvin Hayes nach diesem Vorfall sehr nahe gefühlt hatte. »Nun, das erklärt, weshalb ich so viel Ärger hatte«, meinte Judy. »Brian hat mir irgendeinen kleinen Scheiß-Auftrag gegeben, und als sich dann herausstellte, daß es eine Riesengeschichte ist, nahm er mir den Fall weg und übertrug ihn Marvin.«

Milt seufzte. »Ich nehme an, ich könnte meinen Einfluß geltend machen. Im Prinzip bin ich ja immer noch der Leitende Spezialagent. Aber Kincaid ist mit allen Wassern gewaschen, was bürointerne Dinge angeht, und er weiß, daß ich nicht mehr wiederkomme. Er würde mich bekämpfen. Und ich bin mir nicht sicher, ob ich noch die Kraft hätte, mich mit ihm anzulegen.«

Judy schüttelte den Kopf. »Das möchte ich auch gar nicht. Ich werde schon allein damit fertig.«

»Welchen Fall hat er Marvin denn übertragen?«

»Die Kinder von Eden. Die Leute, die Erdbeben auslösen können.«

»Die Leute, die *behaupten*, sie könnten Erdbeben auslösen.«

»So sieht Marvin die Sache auch. Aber er irrt sich.«

Milt runzelte die Stirn. »Ist das Ihr Ernst?«

»Mein voller Ernst.«

»Was haben Sie jetzt vor?«

»Hinter Brians Rücken an dem Fall zu arbeiten.«

Milton blickte sie besorgt an. »Das ist gefährlich.«

»Ja«, erwiderte Judy. »Aber nicht so gefährlich wie ein richtiges Erdbeben.«

Michael trug einen marineblauen Baumwollanzug über einem schlichten weißen Hemd, am Hals offen und ohne Krawatte. Hat er diese lässige Zusammenstellung gewählt, ohne einen Gedanken daran zu verschwenden? fragte sich Judy. Oder ist ihm bewußt, daß er geradezu zum Vernaschen gut aussieht? Judy selbst trug ein weißes Seidenkleid mit rotem Punktmuster, genau das richtige für einen Maiabend. Und immer, wenn sie dieses Kleid trug, drehten sich Männerköpfe nach ihr um.

Michael führte sie in ein kleines Restaurant in der Innenstadt aus, in dem es vegetarische indische Speisen gab. Judy hatte noch nie indisch gegessen; deshalb bat sie Michael, für sie zu bestellen. Sie legte ihr Mobiltelefon auf den Tisch. »Das gehört sich nicht, ich weiß. Aber Bo hat versprochen, mich anzurufen, sobald er irgend etwas über gestohlene seismische Vibratoren erfährt.«

»Mir soll's recht sein«, sagte Michael. »Haben Sie die Herstellerfirmen angerufen?«

»Ja. Ich habe einen Verkaufsdirektor zu Hause erwischt, als er sich im Fernsehen ein Footballspiel anschaute. Er hat mir bis morgen eine Liste der Käufer versprochen. Ich habe versucht, die Liste noch heute abend zu bekommen, aber der Mann sagte, das sei unmöglich.« Judys Gesicht wurde düster vor Zorn. *Uns bleibt nicht mehr viel Zeit – nur noch fünf Tage.* »Aber er hat mir ein Foto gefaxt.« Sie nahm ein gefaltetes Blatt Papier aus ihrer Handtasche und zeigte es Michael.

Er zuckte die Achseln. »Ja, das ist ein seismischer Vibrator. Im Grund bloß ein großer Lastwagen mit einer Maschinerie zur Erzeugung der Schockwellen.«

»Aber sobald Bo dieses Bild über CLETS verbreiten läßt, wird jeder Cop in Kalifornien nach einem solchen Fahrzeug Ausschau halten. Und wenn die Zeitungen und Fernsehsender morgen das Foto bringen, wird obendrein noch die Hälfte der Bevölkerung auf Beobachtungsposten sein.«

Das Essen wurde serviert. Es war scharf gewürzt, schmeckte aber sehr gut. Judy aß mit Appetit. Nach ein paar Minuten bemerkte sie, daß Michael sie beobachtete, den Anflug eines Lächelns auf den Lippen. Judy hob eine Braue. »Habe ich irgend etwas Witziges gesagt?«

»Es freut mich, daß es Ihnen schmeckt.«

Judy grinste. »Laß ich's mir so deutlich anmerken?«

»Ja.«

»Dann werde ich versuchen, mich zurückzuhalten.«

»Bitte nicht. Es macht mir Freude, Sie zu beobachten. Außerdem ...«

»Ja?«

»Ich mag Ihre Art, wie Sie direkt auf die Dinge zusteuern. Das gefällt mir an Ihnen ... unter anderem. Ich glaube, Sie haben einen gewaltigen Lebenshunger. Sie mögen Dusty, und Sie kommen prächtig mit Ihrem Vater aus, und Sie sind stolz auf das FBI, und Sie stehen offensichtlich auf schicke Kleidung ... Sie mögen sogar *Cap'n Crunch.*«

Judy spürte, wie sie errötete, doch in ihrem Inneren war strahlende Freude. Ihr gefiel das Bild, das Michael von ihr zeichnete. Sie fragte sich, was an *ihm* war, daß *sie* sich so zu ihm hingezogen fühlte. Sie gelangte zu der Ansicht, daß es seine innere Kraft war. Er konnte schrecklich dickköpfig sein, doch in einer Krisensituation war er bestimmt so unerschütterlich wie ein Fels. An diesem Nachmittag, als seine Frau so herzlos zu ihm gewesen war, hätten die meisten Männer einen Streit vom Zaun gebrochen, doch Michael war es nur um Dusty gegangen.

Außerdem würde ich liebend gern die Hände unter deine Jockeyshorts schieben.

Benimm dich, Judith!

Sie nippte an ihrem Wein und wechselte das Thema. »Wir vermuten, daß die Kinder von Eden über Daten verfügen, die den Ihren ähneln. Daten über markante Gesteinsgrenzen entlang der St.-Andreas-Spalte.«

»Bestimmt haben sie die; sonst könnten sie nicht wissen, an welchen Stellen der seismische Vibrator ein Erdbeben auslösen kann.«

»Könnten Sie das auch? Ich meine, könnten Sie sich die Daten vornehmen und den am besten geeigneten Ort bestimmen?«

»Ich nehme es an. Wahrscheinlich käme ich dabei auf fünf oder sechs mögliche Stellen.« Michael erkannte, in welche Richtung Judys Gedanken sich bewegten. »Dann, würde ich sagen, könnte das FBI diese Stellen überwachen und nach einem seismischen Vibrator Ausschau halten.«

»Ja – wenn ich die Verantwortliche für diesen Fall wäre.«

»Ich werde die Liste trotzdem erstellen. Vielleicht faxe ich sie an Gouverneur Robson.«

»Sorgen Sie dafür, daß möglichst wenige Leute die Liste zu sehen bekommen. Andernfalls könnten Sie eine Panik auslösen.«

»Aber wenn sich meine Vorhersage als richtig erweist, verschaffe ich meiner Firma vielleicht eine Finanzspritze.«

»Brauchen Sie denn eine?«

»Das kann man wohl sagen. Ich habe zwar einen festen Vertrag mit einem Auftraggeber, kann von den Einkünften aber gerade mal die Miete und die Rechnungen für das Mobiltelefon meiner Frau bezahlen. Um meine Firma eröffnen zu können, habe ich mir von meinen Eltern Geld geliehen, bis jetzt aber noch keinen Cent zurückgezahlt. Ich hatte die Hoffnung, einen weiteren großen Auftraggeber zu bekommen, die Mutual American.«

»Für die Versicherung habe ich vor Jahren mal gearbeitet. Aber erzählen Sie weiter.«

»Ich dachte, ich hätte den Auftrag in der Tasche, aber sie zögern noch mit der Vertragsunterzeichnung. Sie lassen sich die Sache noch einmal durch den Kopf gehen, nehme ich an. Wenn sie das Geschäft platzen lassen, stecke ich in Schwierigkeiten. Sollte ich aber ein Erdbeben vorhersagen und damit recht behalten, werden sie bestimmt unterschreiben. Dann wäre ich aus dem Schneider.«

»Trotzdem hoffe ich auf Ihre Verschwiegenheit. Wenn alle Einwohner von San Francisco sich gleichzeitig aus der Stadt absetzen wollen, gibt es ein Chaos.«

Michaels unbekümmertes Lächeln war aufreizend attraktiv. »Jetzt habe ich Ihnen ganz schön Angst eingejagt, stimmt's?«

Judy zuckte die Schultern. »Das kann man wohl sagen. Meine derzeitige Lage im Office ist nicht die sicherste. Wenn ich mit dem Ausbruch einer Massenhysterie in Verbindung gebracht werde, dürfte ich meinen Job los sein.«

»Ist er Ihnen denn so wichtig?«

»Ja und nein. Früher oder später möchte ich aussteigen und Kinder haben. Aber den Zeitpunkt dafür will ich selbst bestimmen und mir nicht von anderen diktieren lassen.«

»Gibt es jemanden, mit dem Sie Kinder haben möchten?«

»Nein.« Judy bedachte Michael mit einem offenen Blick. »Der richtige Mann ist schwer zu finden.«

»Ich könnte mir vorstellen, daß es da eine lange Warteliste gibt.«

»Was für ein nettes Kompliment.« *Würdest du dich auf diese Liste setzen lassen? Und möchte ich das überhaupt?*

Michael fragte Judy, ob er ihr Wein nachschenken solle.

»Nein, danke. Ich hätte gern eine Tasse Kaffee.«

Er winkte einem Ober. »Es kann schmerzlich sein, wenn man Vater ist ... oder Mutter, aber man bereut es niemals.«

»Erzählen Sie mir von Dusty.«

Michael seufzte. »Wegen meiner Computer habe ich keine Blumen in meiner Wohnung und keine Haustiere, und ich achte peinlich auf Sauberkeit. Nachts werden sämtliche Fenster geschlossen, und die Wohnung hat eine Klimaanlage. Aber nachdem wir zum Buchladen spaziert waren, hat Dusty auf dem Nachhauseweg eine Katze gestreichelt. Eine Stunde später war der Junge in dem Zustand, in dem Sie ihn gesehen haben.«

»Eine verflixt traurige Sache. Der arme kleine Kerl.«

»Seine Mutter ist vor kurzem an einen Ort in den Bergen gezogen, oben an der Grenze zu Oregon, und seitdem ging es Dusty gut – bis heute. Wenn er mich nicht mehr besuchen kann, ohne einen Allergieschub zu bekommen, weiß ich nicht, was ich tun soll. Ich kann nicht einfach nach Oregon oder sonstwohin ziehen. Dort gibt's nicht genug Erdbeben.«

Er sah dermaßen bekümmert aus, daß Judy über den Tisch faßte und Michaels Hand drückte. »Ihnen wird schon etwas einfallen. Sie lieben den Jungen, das ist nicht zu übersehen.«

Er lächelte. »Ja. Ich liebe ihn sehr.«

Sie tranken ihren Kaffee, und Michael zahlte. Dann schlenderten beide zu Judys Wagen. »Der Abend ist sehr schnell vergangen«, sagte Michael.

Ich glaube, der Bursche mag mich.

Gut.

»Hätten Sie Lust, mit mir mal ins Kino zu gehen?«

Das alte Spiel. Wie kriege ich sie zum Rendezvous? Es ändert sich nie. »Ja, gern.«

»Wie wäre es an einem Abend dieser Woche?«

»Einverstanden.«

»Ich rufe Sie an.«

»In Ordnung.«

»Darf ich Ihnen … dir … einen Gutenachtkuß geben?«

»Ja.« Sie grinste. »Ja, bitte.«

Michael neigte sein Gesicht dem ihren zu. Der Kuß war zärtlich, ja zögernd. Seine Lippen bewegten sich sanft auf den ihren, doch er öffnete dabei nicht den Mund. Judy erwiderte den Kuß ebenso. Ihre Brüste schmerzten wohlig, und unwillkürlich preßte sie ihren Körper gegen den seinen. Michael drückte sie kurz an sich; dann löste er sich von ihr.

»Gute Nacht«, sagte er.

Er beobachtete, wie Judy in den Wagen stieg und winkte, als sie losfuhr.

Sie bog um eine Ecke und hielt vor einer Ampel.

»Oh, *Mann*«, sagte sie.

Am Montagmorgen wurde Judy einem Team zugeteilt, das Nachforschungen über eine militante Moslemgruppe an der Stanford University anstellte. Ihre erste Aufgabe bestand darin, computerisierte Akten nach Waffenscheinen zu durchkämmen und nach arabischen Namen zu suchen, die dann genauer überprüft wurden. Es fiel Judy schwer, sich auf eine vergleichsweise harmlose Gruppe religiöser Fanatiker zu konzentrieren; denn sie konnte sich nicht von dem Gedanken freimachen, daß die Kinder von Eden ein nächstes Erdbeben planten.

Um fünf nach neun rief Michael an. »Wie geht es dir, Agentin Judy?« fragte er.

Schon beim Klang seiner Stimme fühlte sie sich glücklich. »Mir geht's gut, ganz prima.«

»Unsere Verabredung hat mir gefallen.«

»Mir auch.« Judy dachte an den Kuß, und ihre Mundwinkel verzogen sich zu einem kleinen Lächeln. *Ich hole mir noch mehr davon. Irgendwann.*

»Hast du heute abend frei?«

»Ich nehme es an.« *Das hört sich zu kühl an. Sei netter zu ihm.* »Ich wollte sagen, ja – es sei denn, es ergibt sich irgend etwas Neues im Fall ›Kinder von Eden‹.«

»Kennst du das Morton?«

»Ja, sicher.«

»Treffen wir uns um sechs an der Bar. Dann können wir uns gemeinsam einen Film aussuchen.«

»Okay, Michael. Ich freue mich. Bis nachher.«

Aber das blieb an diesem Morgen der einzige Lichtblick für Judy. Gegen Mittag konnte sie sich nicht mehr beherrschen und rief Bo an, doch er hatte immer noch nichts Neues. Judy telefonierte mit den Herstellern von seismischen Vibratoren; die Liste sei bald fertig, wurde ihr gesagt, und würde ihr am Ende des

Arbeitstages per Fax zugeschickt. *Damit sind weitere vierundzwanzig Stunden verloren! Jetzt haben wir nur noch vier Tage, um diese Verrückten zu schnappen.*

Judy war dermaßen nervös, daß es ihr den Appetit verschlug. Sie ging zu Simon Sparrows Büro. Er trug ein schickes Hemd im englischen Stil: blau mit rosa Streifen. Simon hielt sich nicht an die ungeschriebene Kleiderordnung des FBI und kam damit durch – wahrscheinlich, weil er ein solches As in seinem Job war.

Er telefonierte und beobachtete gleichzeitig den Monitor eines Stimmenanalysators. »Die Frage mag sich seltsam anhören, Mrs. Gorki, aber würden Sie mir sagen, was Sie aus Ihrem vorderen Fenster sehen können?« Während Simon der Antwort lauschte, beobachtete er das Stimmspektrum von Mrs. Gorki und verglich es mit einem Computerausdruck, den er mit Klebestreifen an der Seite des Monitors befestigt hatte. Nach wenigen Augenblicken strich er einen Namen auf einer Liste durch. »Danke für Ihre Mithilfe, Mrs. Gorki. Ich werde Sie nicht mehr belästigen. Auf Wiederhören.«

»Die Frage mag sich seltsam anhören, Simon«, sagte Judy, »aber warum müssen Sie wissen, was Mrs. Gorki sieht, wenn sie aus dem Fenster guckt?«

»Muß ich gar nicht wissen«, sagte Simon. »Aber auf diese Frage bekommt man für gewöhnlich eine Antwort, die in etwa die richtige Länge hat, die ich für eine Stimmenanalyse brauche. Sobald die Frau zu Ende gesprochen hat, weiß ich, ob es sich um diejenige handelt, die ich suche.«

»Und wer ist das?«

»Die Frau, die in der John-Truth-Show angerufen hat, natürlich.« Er pochte mit seinem Ringbuch auf die Schreibtischplatte. »Das FBI, die Polizei und sämtliche Radiostationen, die diese Show übertragen, haben bislang insgesamt tausendzweihundertneunundzwanzig Anrufe mit Hinweisen zur Identität dieser Frau bekommen.«

Judy nahm die Akte auf und blätterte sie durch. War der entscheidende Hinweis irgendwo darin versteckt? Simon hatte seine Sekretärin beauftragt, die Anrufe mit wichtigen, unmittelbaren Hinweisen herauszusuchen. In den meisten Fällen handelte es sich um Name, Anschrift und Telefonnummer der Anrufer, die bestimmte Angaben über die gesuchte Frau gemacht hatten. In einigen Fällen war ein Zitat des Informanten vermerkt:

Ich hatte immer schon den Verdacht, daß sie Verbindungen zur Mafia hat.

Sie gehört zu diesen undurchsichtigen Typen. Es überrascht mich nicht, daß sie in so eine Sache verwickelt ist.

Nach außen wirkt sie wie eine ganz normale Frau, aber es ist ihre Stimme – das würde ich auf die Bibel schwören.

Ein besonders nutzloser Tip stammte von einem anonymen Anrufer:

Ich weiß, daß ich die Stimme schon mal im Radio oder so gehört hab'. Ich konnte mich deshalb daran erinnern, weil sie so sexy klingt. Ist aber lange her. Vielleicht hab' ich sie auf 'ner Schallplatte gehört.

Es *war* eine sexy Stimme, wie Judy sich erinnerte. Das war ihr schon gleich zu Anfang aufgefallen. Die Frau könnte im Direktmarketing ein Vermögen verdienen, indem sie Leuten per Telefon Werbeanzeigen aufschwatzte, die eigentlich überflüssig waren.

»Alles in allem habe ich heute hundert Personen von der Liste streichen können«, sagte Simon. »Über kurz oder lang brauche ich Unterstützung.«

Judy blätterte weiter durch die Akte. »Ich würde Ihnen ja helfen, wenn ich könnte. Aber ich darf mich nicht mehr mit dem Fall befassen.«

»Oh, toll. Vielen Dank. Jetzt fühle ich mich schon viel besser.«

»Haben Sie schon gehört, wie es mit den Nachforschungen vorangeht?«

»Marvins Team ruft jeden an, der auf der Anschriftenliste der Bewegung Grünes Kalifornien steht. Marvin selbst ist gerade mit Brian nach Sacramento unterwegs. Was die beiden dem berühmten Mr. Honeymoon erzählen wollen, weiß ich allerdings beim besten Willen nicht.«

»Es sind nicht die Grünen, die dahinterstecken. Das wissen wir alle.«

»Aber für Honeymoon kommt offenbar niemand anders in Frage.«

Judy betrachtete die Akte und runzelte die Stirn. Sie hatte eine weitere Aussage entdeckt, in der von einer Schallplatte die Rede war. Wie beim ersten Tip dieser Art wurde auch hier kein Name der Verdächtigen genannt, doch der Anrufer hatte gesagt:

Ich hab' die Stimme auf 'ner Schallplatte gehört, das ist so sicher wie das Amen in der Kirche. Irgendeine alte Aufnahme. Aus den sechziger Jahren vielleicht.

Judy fragte Simon: »Ist Ihnen aufgefallen, daß zwei der Anrufer ein Plattenalbum erwähnen?«

»Tatsächlich? Ist mir entgangen.«

»Beide haben erklärt, sie hätten die Stimme auf einer alten Schallplatte gehört.«

»Wirklich?« Sofort war Simon Feuer und Flamme. »Dann muß es ein Sprechalbum gewesen sein – Gutenachtgeschichten oder Shakespeare oder irgend so was. Zwischen der Sprechstimme und der Singstimme eines Menschen bestehen ziemliche Unterschiede.«

Raja Khan kam an der Tür vorbei und entdeckte Judy. »Oh, ich dachte, Sie wären zu Mittag, Judy. Ihr Vater hat angerufen.«

Judy wurde von Erregung gepackt. Wortlos stürmte sie aus Simons Büro und eilte zurück an ihren Schreibtisch. Ohne sich zu setzen, riß sie den Hörer von der Gabel und wählte Bos Nummer.

Er nahm sofort ab. »Hier Inspektor Maddox.«

»Was gibt's Neues?«

»Einen Verdächtigen.«

»Mensch, das ist ja phantastisch!«

»Stell dir vor, irgendwo zwischen Shiloh, Texas und Clovis in New Mexiko ist vor zwei Wochen ein seismischer Vibrator verschwunden. Und mit ihm der Fahrer. Sein ausgebrannter Pkw wurde auf der örtlichen Müllkippe gefunden – mit 'ner verkohlten Leiche drin. Wahrscheinlich die von dem Fahrer des Vibrators.«

»Der Mann wurde wegen des verdammten Lastwagens *ermordet*? Diese Leute machen keine Gefangenen, was?«

»Der Hauptverdächtige ist ein gewisser Richard Granger, achtundvierzig Jahre alt. Sie nannten ihn Ricky und hielten ihn für einen Hispano, aber mit einem solchen Namen könnte er auch ein Weißer mit kräftiger Sonnenbräune sein. Außerdem, und jetzt kommt's: Der Kerl hat ein Strafregister.«

»Du bist ein Genie, Bo!«

»Du müßtest jeden Moment eine Fax-Kopie der Akte bekommen. Granger war Ende der sechziger, Anfang der siebziger Jahre eine ziemlich große Nummer in der Unterwelt von Los Angeles. Vorstrafen wegen Körperverletzung, Einbruch und Autodiebstahl in großem Stil. Wurde des Drogenhandels und dreier Morde verdächtigt, aber 1972 verschwand er von der Bildfläche. Die Polizei von Los Angeles vermutete, daß Granger von der Mafia beseitigt wurde – er schuldete der Ehrenwerten Gesellschaft Geld –, doch man hat nie eine Leiche gefunden, deshalb wurde die Akte auch nicht geschlossen.«

»Hab' schon verstanden. Granger ist vor der Mafia geflüchtet, wurde ein frommer Mann und hat eine Sekte gegründet.«

»Leider wissen wir nicht wo.«

»Nur daß es nicht im Silver River Valley ist.«

»Die Polizei in Los Angeles könnte die letzte bekannte Anschrift Grangers ermitteln. Das ist wahrscheinlich Zeitverschwendung, aber ich werde sie trotzdem darum bitten. Ein Bursche aus der Mordkommission ist mir noch einen Gefallen schuldig.«

»Haben wir ein Foto von Granger?«

»In der Akte ist eins, aber darauf ist er neunzehn Jahre alt. Jetzt geht er auf die Fünfzig zu und sieht wahrscheinlich vollkommen anders aus. Zum Glück hat der Sheriff von Shiloh ein E-fit-Bild anfertigen lassen.« E-fit war ein Computerprogramm, das die handgezeichneten Phantombilder der Polizei verdrängt hatte. »Er hat versprochen, mir das Bild zu faxen, aber bis jetzt ist es noch nicht angekommen.«

»Fax es an mich weiter, sobald du es bekommen hast, ja?«

»Klar. Was hast du jetzt vor?«

»Ich fahre nach Sacramento.«

Es war Viertel nach vier, als Judy durch die Tür trat, über der in großen Lettern GOVERNOR eingraviert war.

Die Sekretärin, die Judy schon einmal gesehen hatte, saß an dem großen Schreibtisch. Sie erkannte Judy wieder und zeigte sich erstaunt. »Sie gehören zu den FBI-Leuten, nicht wahr? Die Besprechung mit Mr. Honeymoon hat vor zehn Minuten begonnen.«

»Das ist schon in Ordnung«, sagte Judy. »Ich komme mit einer wichtigen Information, die wir erst im letzten Moment erhalten haben. Aber bevor ich in die Besprechung gehe, hätte ich eine Frage: Ist hier in den letzten Minuten ein Fax für mich eingegangen?« Judy hatte ihr Büro verlassen, bevor das Fax mit dem E-fit Ricky Grangers gekommen war; deshalb hatte sie Bo übers Autotelefon angerufen und ihn gebeten, das Computer-Phantombild zum Büro des Gouverneurs zu faxen.

»Ich werde mal nachsehen.« Die Sekretärin sprach ins Telefon. »Ja, Ihr Fax ist da.« Einen Augenblick später erschien eine junge Frau mit einem Blatt Papier aus einer Seitentür.

Judy starrte auf das Gesicht, das ihr vom Fax entgegenblickte. Das also war der Kerl, der möglicherweise im Begriff stand, Tausende von Menschen zu töten. Ihr Feind.

Sie sah einen gutaussehenden Mann, der sich ziemliche Mühe gegeben hatte, seine wirklichen Gesichtszüge zu verbergen, so als hätte er damit gerechnet, daß auf der Grundlage seines Fotos ein E-fit erstellt wurde. Er trug einen Cowboyhut, was darauf hindeutete, daß die Zeugen, die dem Sheriff beim Entwurf des Computerbildes geholfen hatten, den Verdächtigen niemals ohne Hut gesehen hatten. Folglich gab es keinen Hinweis darauf, wie die Frisur des Mannes aussah. Ob er nun glatzköpfig war oder grauhaarig, ob er lange Locken oder einen Kurzhaarschnitt trug – er würde anders aussehen als auf diesem Bild. Und die untere Hälfte seines Gesichts war durch einen buschigen Bart und einen Schnäuzer nicht minder gut verborgen: Die Form von Kinn und Kiefer war unmöglich zu erkennen. Inzwischen, vermutete Judy, war der Bart abrasiert.

Der Mann hatte tiefliegende Augen, die wie hypnotisierend aus dem Bild starrten. In der Vorstellung der Öffentlichkeit allerdings besaßen alle Verbrecher einen stechenden Blick.

Dennoch verriet das Bild Judy einiges. Ricky Granger war kein Brillenträger, offensichtlich weder Afroamerikaner noch Asiate, und da sein Bart dunkel und üppig war, hatte er vermutlich dunkles Haar. Der angehefteten Beschreibung entnahm Judy, daß er etwa eins fünfundachtzig maß, schlank und sportlich war sowie keinen auffälligen Akzent sprach. Das war nicht viel, aber besser als gar nichts.

Und es waren Informationen, die Marvin und Brian nicht hatten.

Honeymoons Assistent erschien und führte Judy ins Hufeisen, in dem der Gouverneur und sein Stab ihre Büros hatten.

Judy biß sich auf die Lippe. Sie war drauf und dran, gegen die oberste Regel der Bürokratie zu verstoßen und ihren Vorgesetzten wie einen Trottel aussehen zu lassen. Damit war ihre Karriere höchstwahrscheinlich am Ende.

Scheiß drauf!

Um ihre Karriere ging es jetzt nicht. Hauptsache, ihr Boß nahm die Kinder von Eden endlich ernst, bevor diese Fanatiker soweit gingen, daß Menschenleben gefährdet wurden. Hatte sie Kincaid erst einmal davon überzeugt, so war es ihr egal, ob er sie feuerte.

Sie gingen am Eingang zur Privatsuite des Gouverneurs vorbei; dann öffnete der Assistent Judy die Tür zu Honeymoons Büro.

Sie trat ein.

Für einen Moment gönnte sie sich die kleine Freude, den Schock und die Bestürzung auf den Gesichtern von Brian Kincaid und Marvin Hayes zu genießen.

Dann blickte sie Honeymoon an.

Der Kabinettssekretär des Gouverneurs trug einen blaßgrauen Anzug, dazu eine schwarz und weiß gepunktete Krawatte in gedeckter Farbe und dunkelgrau gemusterte Hosenträger. Er schaute Judy mit erhobenen Brauen an und sagte: »Agentin Maddox! Mr. Kincaid hat mir gerade erzählt, er hätte Sie von dem Fall entbunden, weil Sie damit überfordert waren.«

Judy verschlug es die Sprache. Eigentlich hätte *sie* jetzt das Heft in der Hand haben müssen; sie war diejenige, die für Verwirrung sorgte. Doch Honeymoon hatte sie ausgestochen. Dieser Mann ließ sich in seinem eigenen Büro nicht die Schau stehlen.

Judy gewann rasch die Fassung wieder. *Okay, Mr. Honeymoon, wenn du es auf die harte Tour haben willst, kannst du's bekommen.*

»Mr. Kincaid ist ein Idiot«, sagte sie.

Auf Kincaids Gesicht spiegelte sich Fassungslosigkeit, doch Honeymoon hob nur leicht die Brauen.

»Er hat keine bessere Agentin als mich«, fügte Judy hinzu. »Das habe ich gerade bewiesen.«

»Ach, wirklich?« sagte Honeymoon.

»Während Marvin herumgesessen und Däumchen gedreht hat und so getan hat, als gäbe es keinen Grund zur Sorge, habe ich diesen Fall gelöst.«

Kincaid sprang auf. Sein Gesicht war rot angelaufen. Wütend stieß er hervor: »Was glauben Sie eigentlich, was Sie hier tun, Maddox?« stieß er hervor.

Judy beachtete ihn nicht. »Ich weiß, wer Terrordrohungen an Gouverneur Robson geschickt hat«, sagte sie zu Honeymoon.

»Marvin und Brian wissen es nicht. Entscheiden Sie selbst, wer hier überfordert ist.«

Hayes' Gesicht lief knallrot an. »Was reden Sie da?« brach es aus ihm heraus.

»Wir sollten uns alle erst mal setzen«, sagte Honeymoon. »Da Miss Maddox uns nun schon unterbrochen hat, können wir uns ebensogut anhören, was sie zu sagen hat.« Er nickte seinem Assistenten zu. »Schließen Sie die Tür, John. Also, Agentin Maddox. Habe ich richtig gehört? Sie *wissen*, wer die Drohungen ausgestoßen hat?«

»Ganz recht.« Judy legte das Fax mit dem E-fit Grangers auf Honeymoons Schreibtisch. »Das ist Richard Granger, ein Gangster aus Los Angeles. Irrtümlicherweise war man der Ansicht, daß er 1972 von der Mafia ermordet wurde.«

»Und wie kommen Sie darauf, daß dieser Mann der Täter ist?«

»Schauen Sie sich das hier an.« Judy reichte ihm ein weiteres Blatt Papier. »Hier ist das Seismogramm von einem typischen Erdbeben. Achten Sie auf die Schockwellen, die dem eigentlichen Beben vorausgehen. Sie zeigen eine zufällige Aufeinanderfolge verschieden starker Ausschläge. Das sind typische Vorbeben.« Sie zeigte ihm ein zweites Diagramm. »Hier sehen Sie die seismischen Wellen des Bebens im Owens Valley. Und hier ist *nichts* zufällig. Statt unregelmäßiger, unvorhersehbarer Ausschläge, wie bei einem natürlichen Beben, sehen Sie hier eine regelmäßige Aufeinanderfolge von Schockwellen gleicher Stärke ...«

Hayes unterbrach sie. »Niemand kann feststellen, welche Ursache diese Schockwellen haben.«

Judy wandte sich ihm zu. »*Sie* konnten es nicht, aber ich.« Sie legte ein weiteres Blatt auf Honeymoons Schreibtisch. »Schauen Sie sich dieses Diagramm an.«

Honeymoon betrachtete das dritte Diagramm und verglich es mit dem zweiten. »Gleichmäßige Wellen, wie beim Seismogramm des Owens-Valley-Bebens. Was kann derartige Schockwellen hervorrufen?«

»Ein Gerät, das als seismischer Vibrator bezeichnet wird.«

Hayes kicherte, doch Honeymoon verzog keine Miene. »Was ist das?«

»Ein seismischer Vibrator sieht so aus.« Judy reichte ihm das Bild, das ihr von einem der Hersteller geschickt worden war. »Er wird bei der Erkundung von Erdölfeldern eingesetzt und von sogenannten Jug-Teams bedient.«

Honeymoon blickte skeptisch drein. »Wollen Sie damit sagen, das Beben wurde *tatsächlich* von Menschenhand ausgelöst?«

»Ich stelle hier keine Theorien auf, ich lege Ihnen Fakten vor. Unmittelbar vor dem Beben im Owens Valley wurde irgendwo in der Gegend ein seismischer Vibrator eingesetzt. Über Ursache und Wirkung fällen Sie am besten Ihr eigenes Urteil.«

Honeymoon bedachte Judy mit einem festen, abschätzenden Blick. Offenbar fragte er sich, ob sie ihm irgendwelchen Unsinn auftischte oder nicht. Judy hielt seinem Blick unerschütterlich stand. Schließlich sagte Honeymoon: »Also schön. Und wie kommen Sie in diesem Zusammenhang auf diesen bärtigen Kerl?«

»Vor einer Woche wurde in Shiloh, Texas, ein seismischer Vibrator gestohlen.«

Judy hörte, wie Hayes murmelte: »Oh, verflucht!«

»Und der Kerl auf dem Bild …?« sagte Honeymoon.

»Richard Granger. Er ist der Hauptverdächtige bei diesem Diebstahl – wie auch bei der Ermordung des Mannes, der als Fahrer des seismischen Vibrators angestellt war. Granger gehörte zu dem Jug-Team, das den Vibrator bediente. Das Computer-Phantombild stützt sich auf die Personenbeschreibungen seiner ehemaligen Arbeitskollegen.«

Honeymoon nickte. »Und das wär's?«

»Reicht das nicht?« fragte Judy gereizt zurück.

Honeymoon erwiderte nichts. Er wandte sich an Kincaid. »Was haben Sie zu alledem zu sagen?«

Kincaid bedachte den Kabinettssekretär mit einem devoten

Grinsen. »Ich bin der Meinung, wir sollten Sie nicht mit internen disziplinären Angelegenheiten behelligen …«

»Oh, tun Sie sich keinen Zwang an«, erwiderte Honeymoon. In seiner Stimme lag ein bedrohlicher Beiklang, und die Temperatur im Zimmer schien zu sinken. »Betrachten Sie es einmal aus meiner Warte. Sie kommen her und erzählen mir, das Beben sei definitiv nicht von Menschenhand ausgelöst worden.« Seine Stimme wurde lauter. »Aufgrund dieses Materials scheint dies aber sehr wohl der Fall zu sein. Das heißt also, dort draußen gibt es eine Gruppe von Menschen, die jederzeit eine Katastrophe auslösen könnte.« Eine Woge des Triumphs durchflutete Judy, als ihr klar wurde, daß sie Honeymoon überzeugt hatte. Er war sichtlich wütend auf Kincaid, erhob sich und wies mit dem Finger auf ihn. »*Sie* erzählen mir, Sie könnten die Täter nicht finden. Und nun kommt Agentin Maddox mit einem Namen, einer Strafakte und einem verdammten *Bild* hier reinmarschiert!«

»Nun ja, Sie müssen wissen …«

»Ich habe den Eindruck, daß Sie mich verarschen wollen, Special Agent Kincaid«, fuhr Honeymoon ihm über den Mund. Sein Gesicht war vor Zorn rot angelaufen. »Und wenn jemand mich verarscht, reagiere ich verdammt sauer!«

Judy saß schweigend da und schaute zu, wie Honeymoon Kincaid auseinandernahm. *Wenn du jetzt sauer bist, Al, dann möchte ich lieber nicht dabei sein, wenn du richtig* wütend *wirst.*

Kincaid versuchte es noch einmal. »Es tut mir leid, falls ich …«

»Und Leute, die sich entschuldigen, kann ich nicht ausstehen«, sagte Honeymoon. »Eine Entschuldigung dient nur dazu, daß ein Trottel, der Mist gebaut hat, sich berechtigt fühlt, das nächste Mal wieder in die Scheiße zu treten.«

Kincaid versuchte, die Fetzen seiner Würde zusammenzuhalten. »Was wollen Sie eigentlich von mir hören?«

»Daß Sie Agentin Maddox wieder die Verantwortung für diesen Fall übertragen.«

Judy starrte Honeymoon an. Das war ja noch viel besser, als sie es sich erhofft hatte.

Kincaid sah aus, als hätte man ihm befohlen, sich mitten auf dem Union Square nackt auszuziehen. Er schluckte schwer.

»Falls Sie ein Problem damit haben«, fuhr Honeymoon fort, »dann sagen Sie es mir, und ich werde dafür sorgen, daß Gouverneur Robson den FBI-Direktor in Washington anruft. Dann kann der Gouverneur dem Direktor auch gleich die Gründe für die personellen Umstellungen darlegen.«

»Das wird nicht nötig sein«, sagte Kincaid.

»Dann übertragen Sie Maddox die Verantwortung.«

»Also gut.«

»Nein, nicht ›also gut‹. Ich verlange, daß Sie es ihr sagen, hier und jetzt.«

Brian vermied es, Judy anzuschauen, doch er sagte: »Agentin Maddox, Sie tragen ab sofort die Verantwortung für die Ermittlungen im Fall ›Kinder von Eden‹.«

»Danke«, sagte Judy.

Gerettet!

»Und jetzt raus hier, Herrschaften«, sagte Honeymoon.

Seine Besucher erhoben sich.

Honeymoon sagte: »Maddox.«

An der Tür wandte Judy sich um. »Ja?«

»Erstatten Sie mir einmal am Tag telefonisch Bericht.«

Honeymoons Aufforderung bedeutete, daß er Judy auch weiterhin unterstützen würde. Sie konnte mit ihm reden, wann immer sie wollte. Und Kincaid wußte das. »Wird gemacht«, sagte Judy.

Als sie das Hufeisen verließen, bedachte Judy ihren Widersacher mit einem honigsüßen Lächeln und wiederholte in etwa die Worte, die Kincaid vor vier Tagen anläßlich ihres gemeinsamen Besuchs in diesem Gebäude zu ihr gesagt hatte. »Sie haben Ihre Sache da drin großartig gemacht, Brian. Jetzt sind Sie alle Sorgen los.«

KAPITEL 13

D usty war den ganzen Montag krank.
Melanie fuhr nach Silver City, um dort einen Vorrat von dem Anti-Allergikum zu kaufen, das der Junge benötigte. Sie ließ Dusty in der Obhut Flowers, die eine plötzliche mütterliche Phase durchlebte.

Als Melanie zurückkam, war sie voller Panik.

Priest hielt sich mit Dale in der Scheune auf. Dale hatte ihn gebeten, den Verschnitt des Weines aus der Lese des vergangenen Jahres zu probieren. Der Wein hatte einen nussigen Geschmack und reifte langsam, besaß jedoch eine lange Haltbarkeit. Priest schlug vor, dem Verschnitt einen höheren Anteil von der leichteren Rebsorte beizumischen, die an den tieferen, schattigeren Hängen des Tales wuchs, um den Wein auch ohne langen Reifungsprozeß süßer und süffiger zu machen, doch Dale widersprach ihm. »Das ist ein Tropfen für Kenner«, sagte er. »Wir haben es nicht nötig, den Einkäufern der Supermärkte in den Hintern zu kriechen. Unsere Kunden lagern den Wein gern ein paar Jahre in ihren Kellern, bevor sie ihn trinken.«

Priest wußte, daß Dale ihn nicht des Weines wegen, sondern aus einem anderen Grund sprechen wollte, doch er blieb beim Thema. »Du solltest die Einkäufer der Supermärkte nicht vor den Kopf stoßen – in den alten Zeiten haben die uns das Leben gerettet.«

»Tja, jetzt können sie uns nicht mehr das Leben retten«, sagte Dale. »Warum, zum Teufel, tun wir das, Priest? Wir müssen bis nächsten Sonntag von diesem Land runter.«

Priest unterdrückte einen Seufzer der Verzweiflung. *Um Himmels willen, gib mir 'ne Chance! Ich hab's so gut wie geschafft – der Gouverneur kann die Erdbeben nicht ewig ignorieren. Ich brauche nur*

*noch ein kleines bißchen Zeit. Warum kannst du mir nicht einfach ver-
trauen?*

Er wußte, daß er Dale nicht durch Einschüchterungen für sich
gewinnen konnte, auch nicht durch gutes Zureden oder indem er
ihm irgendwelchen Unsinn erzählte. Bei Dale half nur Logik. Priest
zwang sich dazu, in ruhigem, gelassenem Tonfall zu sprechen. »Da
könntest du recht haben«, sagte er mit gespielter Nachgiebigkeit,
konnte sich eine Stichelei aber nicht verkneifen. »Wie es bei Pessi-
misten oft der Fall ist.«

»Ach?«

»Jetzt hör mir mal gut zu. Laß nur noch die paar Tage vergehen.
Gib *jetzt* noch nicht auf. Warte noch, damit ein Wunder geschehen
kann. Vielleicht geschieht es nicht – aber vielleicht doch.«

»Ich weiß nicht …«, sagte Dale.

Da kam Melanie hereingeplatzt, eine Zeitung in der Hand. »Ich
muß mit dir reden«, stieß sie atemlos hervor.

Priests Herz setzte einen Schlag aus. *Was ist passiert? Es muß mit
den Erdbeben zu tun haben – und Dale ist nicht in das Geheimnis eingeweiht.* Priest grinste ihn an. »Sind die Weiber nicht seltsam?«
sagte er und führte Melanie aus der Scheune.

»Dale weiß nicht Bescheid!« fuhr er sie an, kaum daß sie außer
Hörweite waren. »Was, zum Teufel …«

»Sieh dir das an!« sagte Melanie und wedelte mit der Zeitung
vor Priests Augen.

Voller Entsetzen erkannte er die Fotografie eines seismischen
Vibrators.

Wie gehetzt ließ er den Blick über den Hof und die Gebäude in
der Nähe schweifen, doch niemand war zu sehen. Trotzdem wollte
er das Gespräch mit Melanie nicht im Freien führen. »Nicht hier!«
sagte er drängend. »Nimm die verdammte Zeitung unter den Arm,
und laß uns zu meiner Hütte gehen.«

Melanie beruhigte sich ein wenig.

Sie durchquerten die kleine Ansiedlung. Sobald sie in Priests
Blockhütte verschwunden waren, nahm er Melanie die Zeitung ab

und betrachtete noch einmal das Foto. Es gab keinen Zweifel. Zwar konnte Priest weder die Überschrift noch den Text lesen, doch das Foto zeigte einen Laster, der genauso aussah wie der, den er gestohlen hatte.

»Scheiße«, sagte er und warf die Zeitung auf den Tisch.

»Lies es!« verlangte Melanie.

»Hier drin ist es zu schummrig. Sag mir, was in dem Artikel steht.«

»Daß die Polizei nach einem gestohlenen seismischen Vibrator sucht.«

»Das darf doch nicht wahr sein!«

»Es steht *nichts* über Erdbeben in dem Bericht«, fuhr Melanie fort. »Es ist bloß ... na ja, eine verrückte Geschichte. Wer kommt schon auf die Idee und klaut so ein Ding?«

»Die Story kauf' ich denen nicht ab«, sagte Priest. »Das kann kein Zufall sein. In dem Artikel geht es um *uns*, auch wenn sie uns nicht erwähnen. Die Cops wissen, wie wir das Erdbeben ausgelöst haben, aber sie haben's der Presse noch nicht mitgeteilt. Weil sie Schiß haben, daß 'ne Panik ausbrechen könnte.«

»Wieso haben sie dann dieses Foto freigegeben?«

»Um uns die Sache zu erschweren. Das Foto macht es uns unmöglich, den Laster auf offener Straße zu fahren. Jeder Highway-Cop in ganz Kalifornien wird jetzt nach dem Ding Ausschau halten.« Verzweifelt schlug er mit der Faust auf den Tisch. »Verdammt, so einfach darf ich mich von denen nicht aufhalten lassen!«

»Könnten wir nicht nachts fahren?«

Daran hatte Priest auch schon gedacht. Er schüttelte den Kopf. »Ist immer noch zu riskant. Auch nachts sind Cops auf den Straßen.«

»Ich muß jetzt nach Dusty sehen«, sagte Melanie. Sie war den Tränen nahe. »Oh, Priest, er ist so krank – wir müssen doch nicht etwa das Tal verlassen? Ich habe solche Angst. Nie mehr werde ich einen Ort finden, an dem ich glücklich sein kann. Das weiß ich.«

Priest umarmte sie, um ihr Mut zu machen. »Noch bin ich nicht geschlagen. Noch lange nicht. Was steht sonst noch in dem Artikel?«

Melanie nahm die Zeitung auf. »Vor dem Federal Building in San Francisco hat es eine Demonstration gegeben.« Sie lächelte trotz ihrer Tränen. »Eine Gruppe von Leuten, die der Meinung sind, daß die Kinder von Eden recht haben. Das FBI soll uns in Ruhe lassen, verlangen sie, und daß Gouverneur Robson den Bau neuer Kraftwerke einstellen soll.«

Priest grinste zufrieden. »Siehst du? Wer sagt's denn. Es gibt immer noch ein paar vernünftige Kalifornier.« Dann wurde er wieder ernst. »Aber das hilft mir nicht, eine Möglichkeit zu finden, wie wir mit dem seismischen Vibrator über die Straßen fahren können, ohne vom ersten Cop, der uns sieht, rechts rangewinkt zu werden.«

»Ich gehe jetzt zu Dusty«, sagte Melanie.

Priest begleitete sie. Dusty lag in Melanies Hütte auf dem Bett. Seine Augen tränten, sein Gesicht war rot, und er rang keuchend nach Atem. Flower saß neben dem Jungen und las ihm aus einem Buch vor, auf dessen Einband das Bild eines riesigen Pfirsichs zu sehen war. Priest streichelte seiner Tochter übers Haar. Lächelnd schaute sie zu ihm auf, ohne beim Lesen innezuhalten.

Melanie holte ein Glas Wasser und gab dem Jungen eine Tablette. Priest hatte Mitleid mit Dusty, war jedoch wider Willen froh über den Zustand des Jungen, denn seine Krankheit war ein Riesenglück für die Kommune. Melanie saß in der Falle: Auf der einen Seite glaubte sie irgendwo leben zu müssen, wo die Luft rein war, auf der anderen Seite bekam sie außerhalb der Stadt keinen Job. Den einzigen Weg aus dieser Sackgasse boten ihr die Kinder von Eden. Wenn sie von hier fortgehen mußte, fand sie vielleicht eine andere, ähnliche Kommune, die sie aufnahm – vielleicht aber auch nicht. Außerdem war sie viel zu enttäuscht und entmutigt, um noch einmal von vorn anzufangen.

Und da ist noch etwas, sagte sich Priest. Tief in Melanies Innerem tobte ein schrecklicher Zorn. Priest wußte nicht, was diesen Zorn speiste, doch er war heiß und wild genug, um in Melanie den Wunsch zu entfachen, die Erde zum Beben zu bringen, Städte in Schutt und Asche zu legen und dafür zu sorgen, daß die Menschen schreiend aus ihren Häusern flüchteten. Die meiste Zeit über blieb dieser Zorn hinter der Fassade einer äußerst attraktiven, aber verzweifelten und ratlosen jungen Frau verborgen. Nur manchmal, wenn sie ihren Willen nicht bekam und sich niedergeschlagen und machtlos fühlte, kam er zum Ausbruch.

Priest ließ Melanie, Flower und Dusty allein, machte sich auf den Weg zu Stars Hütte und grübelte über das Problem mit dem Laster nach. Vielleicht hatte Star eine Idee. Vielleicht gab es eine Möglichkeit, den seismischen Vibrator so zu tarnen, daß er wie irgendein anderes Fahrzeug aussah, ein Cola-Transporter oder ein Kran oder sonst etwas.

Priest betrat die Blockhütte. Star klebte ein Heftpflaster auf Ringos Knie – eine Aufgabe, die sie mindestens einmal täglich erledigen mußte. Priest lächelte seinen zehnjährigen Sohn an und fragte: »Was hast du denn diesmal angestellt, Cowboy?« Dann bemerkte er Bones.

Er lag auf dem Bett, vollständig bekleidet, doch in tiefem Schlaf – oder eher in tiefer Bewußtlosigkeit. Auf dem groben Holztisch stand eine leere Flasche selbstgekelterter Wein: Chardonnay aus dem Silver River Valley. Bones' Mund stand offen, und er schnarchte leise.

Ringo erzählte Priest eine lange Geschichte darüber, wie er versucht hatte, über den Fluß zu kommen, indem er sich vom Ast eines Baumes schwang, doch Priest hörte ihm kaum zu. Bones' Anblick hatte seine Gedanken beflügelt, und nun arbeitete sein Verstand auf Hochtouren.

Als Ringos aufgeschürftes Knie behandelt war und der Junge aus der Hütte stürmte, wandte Priest sich an Star und erzählte ihr von dem Problem mit dem seismischen Vibrator. Und dann sagte er ihr, wie dieses Problem gelöst werden konnte.

Priest, Star und Oaktree halfen Bones, die schwere Plane vom Kirmeswagen herunterzuziehen, bis das Gefährt in seinen phantastisch-grellen Farben dastand: ein grüner Drache, der seinen gelben und roten Feueratem über drei kreischende Mädchen ausstieß; darunter war ein schreiend bunter Schriftzug aufgemalt, der ›Das Drachenmaul‹ lautete, wie Priest von Bones erfahren hatte.

Priest wandte sich an Oaktree. »Wir fahren das Ding ein Stück den Weg rauf und parken es neben dem Vibrator. Dann montieren wir die bemalten Bretter ab und befestigen sie so an dem Laster, daß die Maschinerie nicht mehr zu sehen ist. Die Cops suchen nach einem seismischen Vibrator, nicht nach einem Kirmeswagen.«

Oaktree, der seinen Werkzeugkasten bei sich hatte, betrachtete die Bretter aus der Nähe und schaute sich an, auf welche Weise sie befestigt waren. »Kein Problem«, sagte er schließlich. »Wenn mir zwei oder drei Leute helfen, kann ich das an einem Tag schaffen.«

»Und kannst du die Bretter hinterher wieder so befestigen, daß Bones' Drachenmaul aussieht wie vorher?«

»Der Karren wird wie neu aussehen«, versprach Oaktree.

Priest schaute Bones an. Der Haken an diesem Plan war, daß Bones darin eingeweiht werden mußte. In den alten Zeiten hätte Priest ihm vorbehaltlos vertraut. Schließlich gehörte Bones zu den Reisessern. Zwar hätte man sich nicht einmal darauf verlassen können, daß er zu seiner eigenen Hochzeit erschien, aber Geheimnisse hatte er wahren können. Seit Bones allerdings zum Junkie geworden war, galt das nicht mehr. Heroin verwandelte das Hirn in Mus und machte die Leute unberechenbar. Ein Süchtiger würde seiner eigenen Mutter den Ehering stehlen.

Aber dieses Risiko muß ich eingehen. Priest saß in der Zwickmühle. Er hatte gedroht, in vier Tagen ein Erdbeben auszulösen, und diese Drohung mußte er wahrmachen. Sonst war alles verloren.

Bones erklärte sich sofort mit dem Plan einverstanden. Priest hatte schon beinahe damit gerechnet, daß Bones eine Bezahlung dafür verlangen würde. Andererseits jedoch lebte er nun seit vier Tagen auf Kosten der Kommune; da war es wohl zu spät für ihn, sein Verhältnis zu Priest auf eine geschäftliche Grundlage zu stellen. Außerdem wußte der alte Kommunarde Bones, daß die schlimmste aller Sünden darin bestand, Dingen einen materiellen Wert beizumessen.

Er würde sich also etwas Raffinierteres einfallen lassen. *In ein, zwei Tagen wird er mich um Bargeld angehen, damit er sich davon Stoff besorgen kann.* Priest beschloß, abzuwarten und dieses Problem auf sich zukommen zu lassen.

»Packen wir's an«, sagte er.

Oaktree und Star kletterten gemeinsam mit Bones in die Fahrerkabine des Drachenmauls. Melanie und Priest nahmen den Barracuda für die eine Meile bis zum Versteck des Vibrators.

Priest fragte sich, was die FBI-Leute sonst noch alles wissen mochten. Sie hatten herausgefunden, daß das Erdbeben von einem seismischen Vibrator ausgelöst worden war. Hatten sie inzwischen weitere Fortschritte gemacht? In der Hoffnung, daß eine aktuelle amtliche Bekanntmachung durchgegeben wurde, schaltete Priest das Autoradio ein. Aus dem Lautsprecher erklang Connie Francis' *Breakin' in a Brand New Broken Heart*, selbst nach Priests Maßstäben ein Oldie.

Holpernd folgte der Barracuda Bones' Drachenmaul über den schlammigen Fahrweg durch den Wald. Priest beobachtete, wie Bones das schwere Gefährt mit sicherer Hand lenkte, wenngleich er gerade erst aus alkoholseligem Schlaf geweckt worden war. Nur einmal glaubte Priest für einen Augenblick, der Kirmeswagen würde in einer schlammigen Pfütze steckenbleiben, doch Bones fuhr ohne Probleme hindurch.

Sie näherten sich gerade dem Versteck des seismischen Vibrators, als im Radio die Nachrichten gebracht wurden. Priest drehte am Lautstärkeknopf.

Was er hörte, ließ ihn vor Schreck erbleichen.

»Die gegen die Terroristengruppe namens ›Kinder von Eden‹ ermittelnden FBI-Agenten haben heute ein Phantombild veröffentlicht, das einen der Verdächtigen zeigt«, sagte der Nachrichtensprecher. »Sein Name wird mit Richard oder Ricky Granger angegeben, Alter achtundvierzig, aus Los Angeles stammend.«

»Ach du große Scheiße!« stieß Priest hervor und trat brutal aufs Bremspedal.

»Granger wird außerdem wegen eines Mordes gesucht, der vor neun Tagen in Shiloh, Texas, begangen wurde.«

»Was?« Niemand wußte, daß er Mario getötet hatte, nicht einmal Star.

Die Reisesser mochten ja geradezu versessen darauf sein, ein Erdbeben auszulösen, das Hunderte von Menschen das Leben kosten mochte, doch sollten sie je erfahren, daß Priest dafür einen Mann mit einer Rohrzange erschlagen hatte, würden sie mit Abscheu reagieren. Die menschliche Natur war voller Widersprüche.

»Das ist nicht wahr«, sagte Priest zu Melanie. »Ich hab' niemand ermordet.«

Melanie starrte ihn an. »Ist das dein richtiger Name?« fragte sie. »Ricky Granger?«

Er hatte ganz vergesen, daß sie gar nicht wußte, wie er wirklich hieß. »Ja«, sagte er und dachte fieberhaft darüber nach, wer außerdem noch über seinen bürgerlichen Namen Bescheid wissen konnte. Priest hatte ihn fünfundzwanzig Jahre lang nicht mehr benutzt – erst wieder in Shiloh. Plötzlich fiel ihm siedendheiß ein, daß er in Silver City im Büro des Sheriffs gewesen war, um Flower aus dem Gefängnis zu holen, und für einen Augenblick stockte ihm das Herz; dann aber erinnerte er sich daran, daß der Deputy davon ausgegangen war, Priest trüge den gleichen Namen wie Star, und daß er ihn mit ›Mr. Higgins‹ angeredet hatte. Gott sei Dank.

»Wie sind die an ein Foto von dir gekommen?« fragte Melanie.

»Die haben kein Foto«, erwiderte er, »sondern ein Phantombild. Wird wohl so was Ähnliches sein wie früher die Bilder vom Polizeizeichner …«

»Ich weiß, was du meinst«, unterbrach Melanie ihn. »Nur daß die Cops heute ein Computerprogramm benutzen.«

»Es gibt für alles und jedes ein blödes Computerprogramm«, murmelte Priest, der jetzt heilfroh war, daß er sein Äußeres verändert hatte, bevor er den Job in Shiloh annahm. Daß er sich einen Bart hatte wachsen lassen, hatte sich offensichtlich gelohnt, und es war auch die Mühe wert gewesen, sich jeden Tag das Haar hochzustecken und das Ärgernis auf sich zu nehmen, die ganze Zeit einen Hut tragen zu müssen. Mit ein bißchen Glück würde das Computer-Phantombild seinem derzeitigen Aussehen nicht im entferntesten gleichkommen.

Doch er mußte sichergehen.

»Ich muß irgendwo 'nen Blick in einen Fernseher werfen«, sagte er.

Er sprang aus dem Wagen. Bones hatte das Drachenmaul nahe an das Versteck des seismischen Vibrators gefahren, und Oaktree und Star stiegen aus der Fahrerkanzel. Mit wenigen Worten erklärte Priest ihnen die Lage. »Ihr fangt hier schon mal an«, sagte er. »Ich muß noch kurz nach Silver City. Melanie nehme ich mit – ich will auch ihre Meinung hören.«

Er stieg wieder ins Auto, fuhr aus dem Waldstück und schlug die Richtung nach Silver City ein.

Am Rande der kleinen Stadt entdeckten sie ein TV- und Videogeschäft. Priest parkte vor dem Laden und stieg mit Melanie aus.

Nervös schaute er sich um. Es war immer noch hell. Wenn er nun jemanden traf, der sein Gesicht im Fernseher gesehen hatte – was dann? Alles hing davon ab, ob dieses Bild ihm ähnlich sah. Das mußte er unbedingt erfahren. Es war ein kalkuliertes Risiko. Priest ging auf den Laden zu.

Im Schaufenster standen mehrere eingeschaltete Fernseher, die alle die gleiche Sendung zeigten, eine Gameshow. Ein silberhaariger Moderator in taubenblauem Anzug blödelte mit einer Frau mittleren Alters herum, die ihren Lidschatten zu dick aufgetragen hatte.

Priest blickte den Gehsteig hinauf und hinunter. In der Nähe war niemand zu sehen. Er schaute auf die Uhr: kurz vor sieben. In wenigen Augenblicken mußten die Nachrichten beginnen.

Der silberhaarige Moderator legte den Arm um die Frau und sprach in die Kamera. Ein kurzer Schwenk über das Publikum, das tosenden Beifall spendete. Dann wurde ins Nachrichtenstudio umgeschaltet. Die Sendung wurde von zwei Moderatoren geleitet, einem Mann und einer Frau. Beide sprachen sekundenlang in die Kamera.

Dann zeigten sämtliche Fernseher im Schaufenster das Schwarzweißfoto eines Mannes mit dichtem Bart und Cowboyhut.

Priest starrte es an.

Der Mann auf dem Bild hatte nicht die geringste Ähnlichkeit mit ihm.

»Was meinst du?« fragte er Melanie.

»Nicht einmal ich käme auf den Gedanken, daß du dieser Mann sein könntest«, erwiderte sie.

Erleichterung spülte wie eine Woge über Priest hinweg. Der Vollbart und der Schnäuzer hatten die Form seines Gesichts verändert, und der Hut hatte sein unverkennbarstes Merkmal verborgen: das lange, dichte, wellige Haar. Nicht einmal er selbst hätte sich darin wiedererkannt, hätte er nicht gewußt, daß er dieser Mann sein sollte.

Die Spannung fiel von ihm ab. »Ich danke dir, Gott der Hippies«, sagte er.

Sämtliche Apparate flimmerten kurz auf; dann erschien ein weiteres Bild. Entsetzt sah Priest, wie auf dem Dutzend Fernseher ein Polizeifoto erschien, das ihn als Neunzehnjährigen zeigte. Sein Gesicht war so hager, daß es fast wie ein Totenschädel aussah. Heute war er ein ansehnlicher Mann; damals jedoch, als er Rauschgift genommen und gesoffen hatte, ohne auch nur eine regelmäßige Mahlzeit zu sich zu nehmen, hatte er wie der wandelnde Tod ausgesehen. Das Gesicht wirkte ausgezehrt, die Miene mürrisch. Das Haar war stumpf und strähnig und zu einem

Beatles-Pilzkopf geschnitten, der selbst damals schon aus der Mode gewesen war.

»Würdest du mich danach erkennen?« fragte er Melanie.

»Ja«, sagte sie. »An der Nase.«

Erneut betrachtete er sein Konterfei. Melanie hatte recht; das Bild zeigte seine unverwechselbare schmale Nase, die wie eine gekrümmte Messerklinge aussah.

Melanie fügte hinzu: »Ich glaube aber nicht, daß dich irgend jemand anders erkennen würde. Ein Fremder ganz bestimmt nicht.«

»Genau das hab' ich auch gerade gedacht.«

Melanie legte ihm den Arm um die Hüfte und drückte ihn liebevoll an sich. »In jungen Jahren hast du wie ein verdammt schlimmer Finger ausgesehen.«

»Ich *war* ein schlimmer Finger.«

»Woher haben die Cops eigentlich das Foto?«

»Aus meiner Strafakte, nehme ich an.«

Melanie schaute zu ihm auf. »Ich wußte gar nicht, daß es eine Strafakte von dir gibt. Was hast du denn angestellt?«

»Willst du 'ne Liste haben?«

Sie schien schockiert und ein bißchen wütend zu sein.

Spiel mir nicht die Tugendhafte vor, Baby – denk bloß mal dran, wer uns verraten hat, wie man ein Erdbeben auslöst. »Ich hab' die Gangsterlaufbahn aufgegeben, als ich in dieses Tal kam«, sagte er. »Die letzten fünfundzwanzig Jahre hab' ich nichts Unrechtes mehr getan – bis ich dich kennengelernt hab'.«

Melanie zog die Brauen zusammen. Priest erkannte, daß sie sich nicht als Kriminelle betrachtete. In ihren Augen war sie eine ganz normale, ehrbare Bürgerin, die zu einer Verzweiflungstat getrieben worden war. Melanie glaubte immer noch, sie gehörte zu einer anderen Sorte von Mensch als gewöhnliche Diebe und Mörder.

Von mir aus kannst du denken, was du willst – solange du dich nur an den Plan hältst.

Die beiden Nachrichtenmoderatoren erschienen wieder; dann wurde das Bild eines Wolkenkratzers gezeigt. Am unteren Teil der

Bildschirme erschien ein Schriftzug. Diesmal spielte es keine Rolle, daß Priest nicht lesen konnte: Er wußte auch so, um welches Gebäude es sich handelte. Es war das Federal Building, in dem auch die FBI-Außenstelle San Francisco untergebracht war. Vor dem Gebäude fand eine Demonstration statt, und Priest erinnerte sich, daß Melanie in der Zeitung darüber gelesen hatte. Die Leute demonstrierten für die Kinder von Eden, hatte sie gesagt. Eine Gruppe von Leuten mit Transparenten und Megaphonen beschimpfte gerade mehrere Personen, die das Gebäude betreten wollten.

Die Kamera nahm eine junge Frau aufs Korn, deren Gesichtszüge einen asiatischen Einschlag verrieten. Priest betrachtete sie aufmerksam. Die Frau war von einer exotischen Schönheit, die eine starke erotische Anziehungskraft auf ihn ausübte. Sie war schlank und trug einen eleganten dunklen Hosenanzug, doch in ihrem Gesicht lag etwas Bedrohliches – ein Ausdruck, der besagte: ›Kommt mir bloß nicht in die Quere!‹ Zielstrebig und entschlossen bahnte sie sich einen Weg durch die Menge.

»Ach du meine Güte, *die* ist das!« sagte Melanie.

»Du kennst die Frau?« fragte Priest verdutzt.

»Ich habe sie am Sonntag getroffen!«

»Wo?«

»In Michaels Wohnung, als ich Dusty abgeholt habe.«

»Wer ist sie?«

»Michael hat sie mir bloß als Judy Maddox vorgestellt. Weiter hat er nichts über sie gesagt.«

»Was tut sie im Federal Building?«

»Das steht doch auf den Bildschirmen: ›FBI-Agentin Judy Maddox, leitende Ermittlerin im Fall »Kinder von Eden«.‹ *Diese Frau* ist hinter uns her!«

Priest war fasziniert. Das war also seine Feindin? Sie sah umwerfend gut aus. Allein ihr Anblick auf den Bildschirmen erweckte in Priest den Wunsch, ihre goldene Haut mit den Fingerspitzen zu berühren.

Ich sollte Schiß vor ihr haben, statt scharf auf sie zu sein. Sie ist
'ne verdammt gute Agentin. Sie ist dahintergekommen, daß wir 'nen
seismischen Vibrator benutzt haben; sie hat herausgefunden, woher er
kommt, und sie hat meinen Namen ermittelt und mein Foto ausgegra-
ben. Die Frau ist clever und arbeitet schnell.

»Die hast du in Michaels Wohnung gesehen?«

»Ja.«

Priest wurde es mulmig zumute. Diese Frau war ihnen zu dicht
auf den Fersen. Sie war sogar Melanie begegnet! Seine Intuition sagte ihm, daß ihm von dieser FBI-Agentin höchste Gefahr
drohte. Und die Tatsache, daß er sich von ihr derart angezogen
fühlte, nachdem er sie nur kurz im Fernsehen gesehen hatte,
machte alles nur noch schlimmer. Es war, als besäße diese Frau
irgendwie Macht über ihn.

»Michael hat mir nicht gesagt, daß sie beim FBI ist. Ich hielt sie
für seine neue Freundin; deshalb habe ich sie ein bißchen von
oben herab behandelt. Ein älterer Mann hat sie begleitet. Sie sagte,
er wäre ihr Vater, aber er hatte überhaupt keinen asiatischen Einschlag.«

»Freundin oder nicht – es gefällt mir nicht, daß diese Pute uns
so dicht auf den Pelz rückt!« Priest wandte sich vom Schaufenster
ab und ging langsam zum Wagen zurück. Seine Gedanken überschlugen sich. Vielleicht war es ja gar nicht so erstaunlich, daß die
für den Fall zuständige Ermittlungsbeamtin einen führenden Seismologen befragt hatte. Agentin Maddox hatte aus den gleichen
Gründen mit Michael Quercus Kontakt aufgenommen wie er
selbst: Der Mann war ein Erdbebenexperte. Priest vermutete, daß
Michael der Frau geholfen hatte, den unmittelbaren Zusammenhang zwischen dem Beben und dem seismischen Vibrator zu erkennen.

Was hatte Michael ihr sonst noch gesagt?

Sie setzten sich in den Wagen, doch Priest ließ den Motor noch
nicht an. »Das ist schlecht für uns«, sagte er. »Sehr schlecht.«

»Was ist schlecht?« fragte Melanie mit leichtem Trotz in der

Stimme. »Wenn Michael mit einer FBI-Agentin vögeln will – von mir aus. Vielleicht steckt sie ihm ihre Waffe in den Arsch. Ist mir egal.«

Es sah Melanie gar nicht ähnlich, so vulgär daherzureden. *Es macht ihr schwer zu schaffen.* »Michael könnte ihr die gleichen Informationen geben, die er uns gegeben hat. Das ist das Schlimme an der Sache.«

Melanie runzelte die Stirn. »Das begreife ich nicht.«

»Denk doch mal nach. Was hat Agentin Maddox vor? Sie fragt: ›Wo werden die Kinder von Eden das nächste Mal zuschlagen?‹ Michael könnte ihr helfen, die Antwort darauf zu finden. Er könnte seine Daten durchgehen, so wie du es getan hast, und die wahrscheinlichsten Stellen für weitere Erdbeben heraussuchen. Dann kann das FBI diese Gegenden überwachen und nach 'nem seismischen Vibrator Ausschau halten.«

»Daran habe ich gar nicht gedacht.« Melanie starrte Priest an. »Mein Mann, dieser Scheißkerl, und dieses FBI-Flittchen wollen uns die Tour vermasseln? Willst du das damit sagen?«

Priest schaute sie an. Sie sah aus, als wollte sie ihm jeden Moment die Kehle durchschneiden. »Reg dich ab, ja?«

»Ach, *Scheiße*!«

»Warte mal …« Priest kam eine Idee. Melanie war das Bindeglied. Möglicherweise konnte sie herausfinden, was Michael der schönen FBI-Agentin erzählt hatte. »Vielleicht gibt es eine Möglichkeit, die Sache wieder hinzubiegen. Sag mal, was empfindest du eigentlich noch für Michael?«

»Nichts. Es ist aus und vorbei, und ich bin froh darüber. Ich hoffe bloß, daß wir unsere Scheidung ohne allzu große Feindseligkeit über die Bühne bekommen. Und das wär's dann gewesen.«

Priest musterte sie. Er glaubte ihr nicht. Was sie für Michael empfand, war Zorn. »Wir müssen herausfinden, ob das FBI bestimmte Stellen oder Gegenden unter Beobachtung hält, an denen wir Erdbeben auslösen könnten – und falls es so ist, um welche Orte es sich handelt. Ich glaube, Michael würde es dir sagen.«

»Warum sollte er?«

»Weil er in gewisser Weise immer noch an dir hängt. Und du bist eine attraktive Frau.«

Melanie starrte ihn an. »Was soll das ganze Gerede, Priest?«

Priest holte tief Atem. »Wenn du mit ihm schläfst, würde er dir alles erzählen.«

»Du hast sie wohl nicht mehr alle, Priest! Ich soll mit ihm vögeln? Du spinnst!«

»Ich frage dich wirklich nicht gern.« Und das stimmte. Er wollte nicht, daß sie mit Michael schlief. Nur wer Sex haben wollte, sollte Sex machen. Das Scheußlichste an der Ehe war, daß sie einem Menschen das Recht gab, mit einem anderen Menschen zu schlafen. Das hatte Priest von Star gelernt. Insofern war sein Plan ein Verrat an seinen eigenen Überzeugungen. »Aber mir bleibt keine andere Wahl.«

»Vergiß es«, erwiderte Melanie.

»Schon gut«, sagte er. »Entschuldige, daß ich gefragt habe.« Er ließ den Wagen an. »Verdammt, ich wünschte, mir würde eine andere Möglichkeit einfallen.«

Minutenlang fuhren sie schweigend durch das Bergland.

»Tut mir leid, Priest«, sagte Melanie schließlich. »Aber ich kann es einfach nicht.«

»Schon in Ordnung.«

Sie bogen von der Straße ab und fuhren über den langen, holperigen Feldweg Richtung Kommune. Der Kirmeswagen war von hier aus nicht mehr zu sehen; Priest vermutete, daß Oaktree und Star ihn die Nacht über irgendwo versteckt hatten.

Er parkte auf der Lichtung am Ende der Rüttelpiste. Als sie im Zwielicht durch das Waldstück zum Dorf gingen, nahm Priest Melanies Hand. Nach einem Augenblick des Zögerns rückte sie näher an ihn heran und erwiderte zärtlich seinen Händedruck.

An diesem Tag war die Arbeit auf dem Weingut vorüber. Des warmen Wetters wegen hatten die anderen den großen Tisch aus dem Küchenhaus auf den Hof getragen; einige der Kinder stellten

Teller darauf und legten Bestecke aus, während Slow einen langen Laib selbstgebackenen Brots aufschnitt. Mehrere Flaschen vom eigenen Wein der Kommune standen auf dem Tisch, und über dem ganzen Hof lag ein würziger, aromatischer Duft.

Priest und Melanie gingen zu der Hütte, in der Dusty lag, um nach dem Jungen zu schauen. Sie sahen auf den ersten Blick, daß es ihm besser ging. Er schlummerte friedlich. Die Schwellungen waren sichtlich zurückgegangen, seine Nase lief nicht mehr, und er atmete regelmäßig. Flower war auf dem Stuhl neben dem Bett eingeschlafen; das Buch lag aufgeschlagen auf ihrem Schoß.

Priest beobachtete, wie Melanie behutsam die Decke bis zum Kinn des schlafenden Jungen zog und ihn auf die Stirn küßte. Dann schaute sie zu Priest auf und flüsterte: »Hier ist der einzige Ort, an dem es ihm jemals gutging.«

»Hier ist der einzige Ort, an dem es *mir* jemals gutging«, sagte Priest leise. »Der einzige Ort, an dem die ganze Welt jemals in Ordnung war. Deshalb müssen wir ihn schützen.«

»Ich weiß«, sagte Melanie. »Ich weiß.«

KAPITEL 14

D as Dezernat für Inlandsterrorismus des FBI in San Francisco war in einem schmalen Raum untergebracht, der sich über eine Seite des Federal Building erstreckte. Mit seinen Schreibtischen und Trennwänden wirkte er wie Millionen andere Büros, sah man davon ab, daß die jungen Männer in ihren kurzärmeligen Hemden und die ebenso jungen Frauen in den schikken Kleidern Waffen in Hüft- oder Schulterholstern trugen.

Am Dienstagmorgen um sieben Uhr waren sie alle in dem Raum versammelt, saßen halb auf den Schreibtischplatten oder lehnten an den Wänden. Einige tranken Kaffee aus Plastikbechern; andere hielten Bleistifte und Schreibblöcke in den Händen, bereit, sich Notizen zu machen. Das gesamte Dezernat, vom Supervisor abgesehen, war Judy unterstellt worden. Der Raum war von gedämpftem Murmeln erfüllt.

Judy wußte, worüber geredet wurde: Sie hatte sich gegen den stellvertretenden SAC gestellt und die Oberhand behalten. So etwas kam nicht oft vor. In einer Stunde würden auf der ganzen Etage Gerüchte kursieren, würden Klatsch und Tratsch die Runde machen. Judy wäre nicht überrascht, würde sie am Ende dieses Tages hören, sie hätte nur deshalb den Sieg davongetragen, weil sie ein Verhältnis mit Al Honeymoon habe.

Die Gespräche verstummten, als Judy sich erhob und sagte: »Wenn ich jetzt um Aufmerksamkeit bitten darf.«

Für einen Moment ließ sie den Blick über die Versammelten schweifen, und das altbekannte Gefühl innerer Spannung erfaßte sie. Ihre Mitarbeiter waren durchweg sportliche, durchtrainierte, hart arbeitende, gut gekleidete, ehrliche und clevere Menschen – die cleversten jungen Leute Amerikas. Judy war stolz, mit ihnen arbeiten zu dürfen.

»Wir werden uns in zwei Teams aufteilen«, begann sie. »Peter, Jack, Sally und Lee – ihr geht den Hinweisen nach, die sich auf die Fotos von Ricky Granger beziehen.« Judy reichte einen Stapel Blätter mit Instruktionen und einer Fragenliste herum, die sie in der Nacht zusammengestellt hatte. Die Liste ermöglichte es den Agenten, die meisten Hinweise rasch als falsch abzuhaken und diejenigen herauszufiltern, die den Besuch des Informanten durch einen FBI-Mann oder einen Polizisten aus dem zuständigen Revier rechtfertigten. Viele Männer, die angeblich Ricky Granger waren, konnten schnell von der Liste gestrichen werden: Afroamerikaner, Männer mit ausländischem Akzent, Männer in den Zwanzigern, kleinwüchsige Männer. Auf der anderen Seite würden die Agenten sofort jeden Verdächtigen aufsuchen, auf den die Beschreibung paßte und der während der zwei Wochen, die Granger in Shiloh, Texas, verbracht hatte, von zu Hause fort gewesen war.

»Dave, Louise, Steve und Ashok bilden das zweite Team. Ihr werdet mit Simon Sparrow zusammenarbeiten und Hinweise überprüfen, die sich auf die Tonbandstimme der Frau stützen, die bei John Truth angerufen hat. Übrigens ist bei einigen Hinweisen, die Simon bekommen hat, von einer Plattenaufnahme die Rede. Popmusik aus den Sechzigern. Wir haben John Truth gebeten, in seiner Show am gestrigen Abend darauf hinzuweisen.« Judy hatte das nicht selbst getan; die FBI-Pressesprecherin hatte sich mit dem Produzenten der Talkshow in Verbindung gesetzt. »Also bekommen wir vielleicht auch hierauf telefonische Hinweise.« Sie reichte einen zweiten Stapel mit Instruktionen und einer weiteren Fragenliste herum.

»Raja.«

Das jüngste Mitglied des Teams zeigte sein großspuriges Grinsen. »Ich dachte schon, Sie hätten mich vergessen.«

»Nur im Traum«, erwiderte Judy, was allgemeines Gelächter auslöste. »Raja, ich möchte, daß Sie ein kurzes Informationsblatt erstellen, das an sämtliche Polizeiabteilungen geht, insbesondere an die California Highway Patrol. Erklären Sie den Kollegen, woran sie einen seismischen Vibrator erkennen.« Sie hielt eine Hand in die Höhe. »Und keine Scherze über Vibratoren, bitte.« Wieder lachten alle.

»Ich selbst werde mich darum kümmern, daß wir personell verstärkt werden und mehr Arbeitsräume bekommen. Ich weiß, daß Sie alle bis dahin Ihr Bestes geben werden. So. Da wäre noch ein letzter Punkt.«

Judy hielt inne, suchte nach den passenden Worten. Sie mußte ihren Mitarbeitern deutlich machen, wie dringlich diese Sache war; zugleich aber hielt sie es für besser, nicht mit der Tür ins Haus zu fallen und lieber zu verschweigen, daß die Kinder von Eden tatsächlich Erdbeben auslösen konnten.

»Diese Leute versuchen, den Gouverneur von Kalifornien zu erpressen. Sie *behaupten*, sie könnten Erdbeben auslösen.« Judy zuckte die Schultern. »Das heißt also nicht, daß sie tatsächlich dazu in der Lage sind. Aber es ist nicht so unwahrscheinlich, wie es sich anhört, und ich will auf gar keinen Fall den Eindruck erwekken, daß es unmöglich wäre. Doch wie dem auch sei – Sie müssen sich darüber im klaren sein, daß diese Sache sehr, sehr ernst zu nehmen ist.« Wieder hielt sie inne, dann schloß sie mit den Worten: »Also, an die Arbeit.«

Alle begaben sich an ihre Plätze.

Judy verließ das Zimmer und ging mit forschen Schritten über den Flur zum Büro des Leitenden Agenten. Offiziell begann der Arbeitstag um Viertel nach acht, doch Judy war sicher, daß Brian Kincaid früher zum Dienst erschienen war. Bestimmt hatte er gehört, daß Judy die Einsatzbesprechung mit ihrem Team für sieben Uhr morgens anberaumt hatte, und mit Sicherheit war er scharf darauf zu erfahren, was sich tat. Judy wollte es ihm persönlich sagen.

Kincaids Sekretärin saß noch nicht an ihrem Schreibtisch. Judy klopfte an die Tür des Büros und trat ein.

Kincaid saß auf dem großen Stuhl. Er trug noch seine Anzugjacke und machte den Eindruck, als hätte er nichts zu tun. Die einzigen Gegenstände auf seinem Schreibtisch waren ein Milchbrötchen, von dem er erst einmal abgebissen hatte, und die Papiertüte, in der das Brötchen verpackt gewesen war. Er rauchte eine Zigarette, obwohl in den Büros des FBI das Rauchen untersagt war. Doch Kincaid war der Boß; deshalb gab es niemanden, der ihm gesagt hätte, er müsse die Zigarette ausdrücken. Er musterte Judy mit einem feindseligen Blick und sagte: »Wenn ich Sie bitten würde, mir eine Tasse Kaffee zu kochen, würden Sie mich vermutlich als sexistischen Drecksack bezeichnen.«

Judy hatte nicht die Absicht, Kaffee für ihn zu kochen, zumal Kincaid dies als Zeichen dafür werten würde, daß er Judy weiterhin unterbuttern konnte. Dennoch wollte sie ihm ein wenig entgegenkommen. »Ich werde Ihnen Kaffee besorgen«, sagte sie, nahm den Hörer seines Telefons ab und wählte die Nummer der Sekretärin des Dezernats für Inlandsterrorismus. »Rosa, würden Sie bitte ins Büro des SAC kommen und eine Kanne Kaffee für Mr. Kincaid bringen? Danke.«

Kincaid sah immer noch wütend aus. Judys Geste hatte ihn nicht einen Deut versöhnlicher gestimmt. Wahrscheinlich – und nicht zu Unrecht – meinte er, Judy hätte ihn in gewisser Weise ausgetrickst, indem sie ihm Kaffee besorgte, ohne ihn selbst zu kochen.

Ich werde nie mit Kincaid zurechtkommen.

Judy kam zur Sache. »Im Zusammenhang mit der Frauenstimme auf dem Band liegen mir mehr als tausend Hinweise vor, denen ich nachgehen muß. Ich vermute, daß wir nach der Veröffentlichung des Fotos von Ricky Granger sogar noch mehr Anrufe bekommen werden. Mit neun Mitarbeitern kann ich diese Hinweise unmöglich bis Freitag auswerten. Ich brauche zwanzig zusätzliche Agenten.«

Kincaid lachte. »Ich werde den Teufel tun, Ihnen zwanzig Leute für diesen Fall abzustellen.«

Judy ignorierte seine Bemerkung. »Ich habe die Zentralstelle für strategische Informationen unterrichtet.« Das SIOC war eine Clearingstelle für Hinweise und Mitteilungen, die in einem bombengeschützten Büro im Hoover Building in Washington, D.C., untergebracht war. »Ich bin sicher, das SIOC schickt mir zusätzliche Leute, sobald die Nachricht sich in der Zentrale verbreitet hat – und sei es nur, damit sie dort für jeden Erfolg, den *wir* erzielen, die Lorbeeren einheimsen können.«

»Ich habe Ihnen nicht gesagt, daß Sie das SIOC verständigen sollen.«

»Ich werde den Krisenstab für Terrorismusbekämpfung einberufen. Wir werden also Besuch von den Vertretern verschiedener Polizeidienststellen, der Zollbehörde und dem Bundesschutzamt bekommen. Wir brauchen einen Versammlungsraum für den Krisenstab. Und ab Donnerstagabend möchte ich die Gegenden überwachen lassen, an denen die Wahrscheinlichkeit am größten ist, daß sich dort das nächste Erdbeben ereignet.«

»Es gibt kein nächstes Erdbeben!«

»Für diese Überwachung brauche ich ebenfalls zusätzliche Leute.«

»Kommt gar nicht in Frage.«

»Hier im Office haben wir keinen Raum, der groß genug für den Krisenstab wäre. Also müssen wir unsere Einsatzzentrale irgendwo anders einrichten. Ich habe gestern abend die Gebäude des Presidio überprüfen lassen, ob sie dafür geeignet sind.« Das Presidio war ein unbemannter Militärstützpunkt in der Nähe der Golden Gate Bridge. Der Offiziersclub war bewohnbar, wenngleich sich dort ein Stinktier häuslich niedergelassen hatte, so daß es in den Räumen übel roch. »Ich werde den Ballsaal des Offiziersclubs benutzen.«

Kincaid sprang auf. »Sie haben ja den Verstand verloren!« brüllte er.

Judy seufzte. Diese Sache war offenkundig nicht durchzuziehen, ohne daß sie sich die lebenslange Feindschaft Brian Kincaids einhandelte. »Ich muß sehr bald Mr. Honeymoon anrufen«, sagte sie. »Soll ich ihm sagen, daß Sie sich weigern, mir die zusätzlichen Leute zur Verfügung zu stellen, die ich dringend benötige?«

Kincaids Gesicht lief rot an vor Wut. Er starrte Judy an, als wolle er jeden Moment seine Waffe ziehen und sie über den Haufen schießen. Nach einer langen Pause sagte er: »Ihre FBI-Karriere ist im Arsch, das ist Ihnen doch klar?«

Vielleicht hatte er recht, dennoch tat seine Bemerkung weh. »Ich habe es nie auf eine Auseinandersetzung mit Ihnen angelegt, Brian«, sagte sie und mühte sich, ihrer Stimme einen gelassenen Klang zu verleihen. »Aber Sie haben versucht, mich auszubooten. Schon als ich die Fung-Brüder hinter Gitter gebracht habe, hätte ich befördert werden müssen. Statt dessen haben Sie Ihren Kumpel die Karriereleiter hinaufgeschubst und mir bloß einen läppischen Auftrag erteilt. Das hätten Sie nicht tun sollen. Das war unprofessionell.«

»Sagen *Sie* mir nicht, wie ich ...«

Judy fuhr ihm über den Mund. »Nachdem der vermeintlich läppische Auftrag sich als spektakulärer Fall erwies, haben Sie ihn mir weggenommen – und dann haben Sie die Sache in den Sand gesetzt. Jeden Nackenschlag, den Sie einstecken mußten, haben Sie sich selbst zuzuschreiben. Und jetzt sitzen Sie da und spielen den Beleidigten. Schon gut, ich weiß, daß Ihr Stolz gekränkt ist, daß Ihre Gefühle verletzt sind, aber ich möchte Ihnen nur eins dazu sagen: Es ist mir scheißegal.«

Kincaid starrte sie mit offenstehendem Mund an.

Judy ging zur Tür.

»Um halb zehn werde ich mit Honeymoon telefonieren«, sagte sie. »Bis dahin wird meinem Team ein erfahrener Logistiker zugewiesen, der die Befugnis hat, die zusätzlichen Leute einzuteilen, die ich bekommen werde. Außerdem wird dieser Logistiker im Offiziersclub die Kommandozentrale für den Krisenstab einrichten. Werden meine Wünsche nicht erfüllt, so werde ich Honeymoon mitteilen, daß er sich mit Washington in Verbindung setzen soll. Jetzt sind Sie am Zug.« Sie verließ das Büro und knallte die Tür hinter sich zu.

Auf dem Flur durchströmte Judy ein Hochgefühl: Sie hatte sich mit deutlichen Worten ihr Recht verschafft. Welche Schritte sie auch unternahm – Kincaid würde ihr Steine in den Weg legen. Da war es am besten, gleich mit harten Bandagen zu kämpfen. *Mit* Kincaid würde sie ohnehin nie mehr arbeiten können. In einer Situation wie dieser würden die hohen Tiere des FBI sich auf die Seite des vorgesetzten Agenten stellen. Es war so gut wie sicher, daß Judy beim FBI ihre Koffer packen konnte. Doch dieser Fall war viel wichtiger als ihre Karriere. Es konnten Hunderte von Menschenleben auf dem Spiel stehen. Falls sie eine Katastrophe verhindern und die Terroristen dingfest machen konnte, würde sie ihren Abschied hocherhobenen Hauptes nehmen – und dann zum Teufel mit dem ganzen Verein!

Die Sekretärin des Dezernats für Inlandsterrorismus, kurz DT, stand in Kincaids Vorzimmer und hantierte an der Kaffeemaschine. »Danke, Rosa«, sagte Judy im Vorübergehen und kehrte ins Büro des DT zurück. Das Telefon auf ihrem Schreibtisch klingelte. Sie nahm den Hörer ab. »Judy Maddox.«

»Hier John Truth.«

»Oh ... hallo.« Es war beinahe gespenstisch, die vertraute Radiostimme am anderen Ende der Leitung zu hören. »Sie sind früh bei der Arbeit.«

»Ich bin zu Hause, aber mein Produzent hat mich eben angerufen. Meine Mailbox beim Sender war bis zum Bersten voller Anrufe, die in der vergangenen Nacht eingegangen sind, wegen dieser Terroristin von den Kindern von Eden, die sich bei mir gemeldet hat.«

Eigentlich stand es Judy gar nicht zu, selbst mit den Medienvertretern zu reden. Sämtliche Gespräche dieser Art liefen normalerweise über die Spezialistin in der Presseabteilung, Madge Kelly, eine junge Agentin mit Hochschulabschluß in Journalistik. Doch Truth bat Judy ja nicht um eine Stellungnahme, er gab ihr Informationen. Und Judy hatte es zu eilig, als daß sie Truth bitten wollte, Madge anzurufen. »War etwas Brauchbares dabei?«

»Kann man wohl sagen. Ich hatte zwei Anrufer, die sich an den Titel der Schallplatte erinnern konnten.«

»Was?« Judy war wie elektrisiert. »Das ist ja phantastisch!«

»Die Frau hat Gedichte auf Platte gesprochen, während im Hintergrund psychedelische Hippie-Musik gespielt wurde.«

»Verrückt.«

»Ja.« Er lachte. »Das Album hieß *Raining Fresh Daisies*. Offenbar hieß auch die Band so ... oder ›Gruppe‹, wie man damals sagte.«

Truth wirkte höflich und freundlich; er machte einen ganz anderen Eindruck als den des boshaften Widerlings, der er im Fernsehen war. Vielleicht war es nur Schauspielerei. Doch Medienvertretern durfte man niemals trauen. »Von der Gruppe habe ich noch nie gehört«, sagte Judy.

»Ich auch nicht. War vor meiner Zeit, nehme ich an. Und die Schallplatte ist bei uns im Sender bestimmt nicht aufzutreiben.«

»Hat einer Ihrer Anrufer Ihnen eine Katalognummer genannt oder vielleicht sogar den Namen der Plattenfirma?«

»Nein. Mein Produzent hat die beiden Anrufer zurückgerufen, aber keiner von ihnen besitzt die Platte. Sie konnten sich bloß daran erinnern.«

»So ein Mist. Dann müssen wir wohl jede Plattenfirma anrufen. Ich frage mich allerdings, ob deren Unterlagen so weit zurückreichen ...«

»Vielleicht wurde die Platte von einer kleinen Firma auf den Markt gebracht, die nicht mehr existiert – der Titel hört sich ziemlich exotisch an und war bestimmt nicht in den Charts. Soll ich Ihnen sagen, was ich an Ihrer Stelle tun würde?«

»Ja, sicher.«

»In Haight-Ashbury gibt es eine Menge Secondhand-Plattenläden. Die Verkäufer dort leben gewissermaßen in der Vergangenheit, was ihre Platten betrifft. An Ihrer Stelle würde ich mich in diesen Läden umhören.«

»Gute Idee. Danke.«

»Keine Ursache. Wie geht es sonst mit den Nachforschungen voran?«

»Wir machen einige Fortschritte. Ich sage unserem Pressesprecher Bescheid, daß er Sie nachher anruft und Ihnen Einzelheiten mitteilt, ja?«

»Na, kommen Sie schon. Ich habe Ihnen gerade einen Gefallen getan, oder?«

»Das haben Sie ganz sicher, und ich würde Ihnen sehr gern ein Interview geben, aber Agenten ist es nicht gestattet, direkt mit Medienvertretern zu sprechen. Tut mir wirklich leid.«

Truth' Stimme wurde aggressiv. »Ist das Ihr Dank an unsere Zuhörer, die angerufen haben, um *Ihnen* Informationen zu geben?«

Judy durchfuhr ein schrecklicher Gedanke. »Schneiden Sie unser Gespräch etwa mit?«

»Das stört Sie doch nicht, oder?«

Judy legte auf. *Verflucht.* Sie war in die Falle getappt. Ohne offizielle Erlaubnis mit den Medien zu sprechen wurde beim FBI als Kompetenzüberschreitung betrachtet und war ein Kündigungsgrund. Falls John Truth das Gespräch senden ließ, würde Judy in Schwierigkeiten geraten. Sie konnte zwar einwenden, daß sie auf die Informationen, die Truth ihr bot, dringend angewiesen war, und ein rücksichtsvoller Chef würde sie wahrscheinlich mit einer Ermahnung davonkommen lassen, doch Kincaid würde Judys Fehltritt begierig ausschlachten.

Ach, was soll's, Judy. Du steckst schon so tief im Dreck, da kommt es darauf nun auch nicht mehr an.

Raja Khan kam an ihren Schreibtisch, ein Blatt Papier in der Hand. »Möchten Sie es sich ansehen, bevor es rausgeht? Das ist die Mitteilung an die Polizeidienststellen, wie man einen Vibrator erkennt.«

Das ging aber schnell. »Weshalb haben Sie so lange gebraucht?« hänselte Judy.

»Ich mußte nachschlagen, wie man ›seismisch‹ buchstabiert.«

Judy lächelte und überflog, was Raja geschrieben hatte. Es war ausgezeichnet. »Super. Schicken Sie's raus.« Sie reichte ihm das Blatt zurück. »Jetzt habe ich eine andere Aufgabe für Sie. Wir suchen nach einer Langspielplatte mit dem Titel *Raining Fresh Daisies*. Wurde in den sechziger Jahren aufgenommen.«

»Echt?«

Judy grinste. »Echt. In der guten alten Hippie-Zeit. Die Stimme auf dieser Platte ist von der Frau, die im Namen der Kinder von Eden bei John Truth angerufen hat. Ich hoffe, daß wir den Namen der Frau erfahren, wenn wir eine der Platten aufstöbern können. Falls die Plattenfirma noch existiert, bekommen wir vielleicht sogar die letzte bekannte Anschrift der Frau. Ich möchte, daß Sie sich mit allen großen Plattenfirmen in Verbindung setzen und dann die Läden anrufen, in denen seltene Schallplatten verkauft werden.«

Raja schaute auf die Uhr. »Es ist noch keine neun, aber ich kann ja mit der Ostküste anfangen.«

»Tun Sie das.«

Raja ging zu seinem Schreibtisch. Judy nahm den Hörer ab und wählte die Nummer der Polizeizentrale San Francisco. »Inspektor Maddox, bitte.« Einen Augenblick später war er am Apparat. »Ich bin's, Bo«, sagte Judy.

»Hi, Judy.«

»Versuch mal, dich an die späten sechziger Jahre zu erinnern, als du noch gewußt hast, welche Musik ›in‹ war.«

»Da muß ich noch weiter zurück. Mein Gebiet sind die frühen Sechziger und die späten Fünfziger.«

»Schade. Könnte sein, daß die Frau, die im Auftrag der Kinder von Eden anrief, mit einer Gruppe namens Raining Fresh Daisies eine Platte aufgenommen hat.«

»Meine Lieblingsgruppen hießen Frankie Rock and the Rockabillies und so ähnlich. Und Titel, in denen Blumen vorkamen, waren nie mein Fall. Tut mir leid, Jude, aber von deiner Band hab' ich noch nie gehört.«

»Na ja, es war einen Versuch wert.«

»Ich bin froh, daß du anrufst. Ich habe über diesen Burschen nachgedacht, diesen Ricky Granger – er ist der Mann, der hinter der Frau steht, nicht wahr?«

»Wir nehmen es jedenfalls an.«

»Weißt du, der Bursche ist dermaßen vorsichtig und plant alles so akribisch, daß er bestimmt für sein Leben gern wissen würde, was du vorhast.«

»Anzunehmen.«

»Das FBI hat vielleicht schon mit ihm gesprochen, ohne es zu wissen.«

»Meinst du wirklich?« Falls Bo recht hatte, war das ein Hoffnungsschimmer. Es gab tatsächlich einen Tätertyp, der sich unbemerkt in die Nachforschungen einschlich, indem er sich der Polizei gegenüber als Zeuge ausgab oder als freundlicher Nachbar, der Kaffee anbot, um dann zu versuchen, sich den Beamten als Verbündeter zu präsentieren, und über die Fortschritte bei den Nachforschungen mit ihnen plauderte. »Aber was wir bislang von Granger wissen, läßt eher darauf schließen, daß der Kerl übervorsichtig ist.«

»Wahrscheinlich tobt in seinem Inneren ein Krieg zwischen der Vorsicht und der Neugier. Aber sieh dir sein Verhalten an – er ist verdammt dreist, scheut kaum ein Risiko. Ich vermute, letztlich behält seine Neugier die Oberhand.«

Judy nickte, den Hörer am Ohr. Es war die Sache wert, sich Bos Vermutungen anzuhören; sie basierten auf dreißig Jahren Berufserfahrung als Polizist. »Ich werde jede Vernehmung in diesem Fall noch einmal überprüfen.«

»Achte auf ungewöhnliche Bemerkungen. Auf Verrücktheiten. Dieser Bursche tut immer das, was man gerade *nicht* erwartet. Er ist verdammt einfallsreich.«

»Okay. Sonst noch was?«

»Was möchtest du zu Abend?«

»Ich komme wahrscheinlich nicht nach Hause.«

»Übertreib's nicht.«

»Bo, mir bleiben noch drei Tage, um diese Hirnverbrannten zu fassen. Wenn ich es nicht schaffe, könnten Hunderte von Menschen sterben! Ich hab', weiß Gott, andere Sorgen als mein Abendessen.«

»Wenn du zu müde wirst, könntest du den entscheidenden Hinweis übersehen. Leg Pausen ein, iß zu Mittag, und sorg dafür, daß du ausreichend Schlaf findest.«

»Wie du selbst es immer getan hast, hm?«

Bo lachte. »Viel Glück.«

»Bis dann.« Judy legte auf und runzelte die Stirn. Sie mußte noch einmal alles durchgehen: jedes Gespräch, jede Vernehmung der Mitglieder der Bewegung Grünes Kalifornien durch Marvins Team und sämtliche Protokolle über die Razzia bei den Los Alamos. Dies alles mußte inzwischen im Zentralcomputer des Office gespeichert sein. Judy suchte das entsprechende Verzeichnis, lud es in ihren Computer und überflog die Dateien. Sie erkannte sofort, daß es zuviel Material war, als daß sie es allein hätte durchsehen können. Das FBI hatte mit jedem Wohnungseigentümer im Silver River Valley gesprochen – mehr als hundert Personen. Judy beschloß, eine kleine Mannschaft mit dieser Aufgabe zu betrauen, sobald sie die zusätzlichen Leute bekommen hatte. Sie machte sich eine Notiz.

Was noch? Sie mußte Observierungsteams an mögliche Erdbebenorte schicken. Michael hatte gesagt, er könnte eine entsprechende Liste erstellen. Judy war froh, einen Grund für einen Anruf bei ihm zu haben. Sie wählte seine Nummer.

Michaels Stimme klang erfreut, als Judy sich meldete. »Ich kann es kaum erwarten, bis wir uns heute abend sehen.«

Verdammt – das habe ich ganz vergessen. »Ich bin wieder mit dem Kinder-von-Eden-Fall betraut worden«, sagte sie.

»Heißt das, du hast heute abend keine Zeit?« fragte Michael enttäuscht.

Im Moment konnte Judy sich beim besten Willen kein gemütliches Abendessen mit anschließendem Kinobesuch vorstellen. »Ich möchte dich gern sehen, aber ich hab' leider nicht viel Zeit. Könnten wir uns vielleicht auf einen Drink treffen?«

»Ja, sicher.«

»Tut mir wirklich leid, aber die Sache weitet sich immer schneller aus. Ich rufe dich wegen der Liste über mögliche Erdbebenorte an, die du mir versprochen hast. Hast du sie fertig?«

»Nein. Du hattest doch die Befürchtung, die Informationen könnten an die Öffentlichkeit gelangen und eine Panik auslösen. Deshalb hielt ich die Sache für zu gefährlich.«

»Jetzt *muß* ich es aber wissen.«

»Okay, ich schaue mir die Daten an.«

»Könntest du die Liste heute abend mitbringen?«

»Klar. Sechs Uhr, bei Morton?«

»In Ordnung. Bis dahin.«

»Hör mal …«

»Ja?«

»Ich bin froh, daß du wieder mit dem Fall betraut bist. Tut mir leid, daß wir heute abend nicht essen gehen können, aber ich fühle mich sicherer – jetzt, wo ich weiß, daß du wieder hinter diesen Verrückten her bist. Das ist mein Ernst.«

»Danke.« Judy legte schnell auf. Sie konnte nur hoffen. daß sie Michaels Vertrauen verdiente.

Noch drei Tage.

Am frühen Nachmittag war die Kommandozentrale des Krisenstabes eingerichtet und arbeitete auf Hochtouren.

Der Offiziersclub sah aus wie ein spanisches Herrenhaus. Im Inneren jedoch war es die triste Nachbildung eines Country Clubs: zweitklassige Holzvertäfelung, stümperhafte Wandgemälde, häßliche Lampen. Und es roch immer noch nach Stinktier.

Der geräumige Ballsaal war als Einsatzzentrale eingerichtet worden. In einer Ecke befand sich die Leitstelle: ein Versammlungstisch mit Stühlen für die Chefs der wichtigsten Dienststellen, aus denen der Krisenstab sich zusammensetzte, darunter die Polizei von San Francisco, die Feuerwehr, medizinisches Personal, die Abteilung Katastrophenschutz des Bürgermeisteramtes sowie ein Beauftragter des Gouverneurs. Auch die Experten aus der FBI-Zentrale, die zur Zeit noch in einem Jet von Washington nach

San Francisco unterwegs waren, würden an diesem Tisch Platz nehmen.

Um die Saalmitte herum waren Tischgruppen für die verschiedenen Stäbe aufgestellt worden, die an dem Fall arbeiteten: der Nachrichten- und Ermittlungsstab – das Herzstück –; Teams aus Unterhändlern und Sondereinsatzkommandos, die zum Zuge kamen, sollten Geiseln genommen werden; ein Stab für Verwaltungsangelegenheiten und technische Versorgung, der personell anwachsen würden, sollte die Krise sich ausweiten; eine Rechtsabteilung, die Durchsuchungsbefehle und Haftbefehle herausgeben und die Genehmigung erteilen konnte, Abhörgeräte anzubringen, sowie ein Team für die Beweismittelsicherung, das nach einem Vorfall jeden Verbrechensschauplatz untersuchen würde, um Beweisstücke zu sichern.

Auf jedem Tisch stand ein Laptop; sämtliche Computer waren zu einem lokalen Netzwerk miteinander verbunden. Das FBI hatte lange Zeit ein Informationskontrollsystem namens Rapid Start benutzt, das sich auf schriftliche Unterlagen stützte; inzwischen aber war eine computerisierte Version eingeführt worden, die sich auf Microsoft Access stützte. Doch gänzlich waren die schriftlichen Akten nicht verschwunden. An zwei Wänden des Saales hingen Schwarze Bretter, die Auskunft gaben über den aktuellen Ermittlungsstand, über Ereignisse, Personen, Forderungen, Geiseln. An diesen Schwarzen Brettern wurden Schlüsselinformationen und Hinweise ausgehängt, damit jeder sie auf einen Blick überschauen konnte. Zur Zeit stand nur ein Name auf dem Schwarzen Brett ›Personen‹: Richard Granger; außerdem waren zwei Fotos angeheftet. An dem Schwarzen Brett für den aktuellen Ermittlungsstand hing lediglich das Foto eines seismischen Vibrators.

Der Raum war groß genug für etwa zweihundert Personen, doch bis jetzt waren es nur ungefähr vierzig. Die meisten waren um die Tische des Nachrichten- und Ermittlungsstabes herum postiert und telefonierten, gaben Daten in ihre Laptops ein oder holten sich Dateien auf die LCD-Bildschirme. Judy hatte die Leute in Arbeitsgruppen eingeteilt und jeder einen Teamleiter zugewiesen, der die Arbeit der anderen Gruppen verfolgte, so daß sämtliche Mitarbeiter sich über die Fortschritte bei den Ermittlungen erkundigen konnten, indem sie mit nur drei Leuten sprachen.

Es herrschte eine Atmosphäre mühsam unterdrückter Spannung im Raum. Wenngleich alle Mitarbeiter nach außen hin ruhig wirkten, arbeitete doch jeder fieberhaft und mit voller Konzentration. Niemand legte eine Kaffeepause ein oder hielt am Kopiergerät ein Schwätzchen oder verließ den Raum, um eine Zigarette zu rauchen. Später, wenn die Situation sich zu einer ausgewachsenen Krise entwickelte, würde die Atmosphäre sich verändern, wie Judy wußte: Die Mitarbeiter würden in die Telefonhörer brüllen, die Anzahl der Kraftausdrücke würde sich vervielfachen, und die Gemüter würden sich erhitzen. Dann war es Judys Aufgabe, dafür zu sorgen, daß der Topf nicht überkochte.

Sie dachte an den Tip, den Bo ihr gegeben hatte, zog sich einen Stuhl heran und setzte sich neben Carl Theobald, einen aufgeweckten jungen FBI-Agenten in einem modischen dunkelblauen Hemd. Er war Leiter des Teams, das die Aufgabe hatte, Marvin Hayes' Akten noch einmal durchzusehen. »Was gefunden?« fragte Judy.

Carl schüttelte den Kopf. »Wir wissen ja nicht einmal, wonach wir eigentlich suchen. Aber was es auch sein mag – bis jetzt haben wir's noch nicht entdeckt.«

Judy nickte. Sie hatte dieses Team mit einer Aufgabe betraut, die nicht klar umrissen war; aber daran ließ sich nichts ändern. Carl und seine Leute sollten nach irgend etwas suchen, das aus der Reihe fiel, nach etwas Ungewöhnlichem. Dabei hing sehr viel von der Intuition des einzelnen Agenten ab. Es gab Leute, die eine Täuschung sogar in einem Computer riechen konnten.

»Können wir sicher sein, daß wir *alles* im Computer haben?« fragte Judy.

Carl zuckte die Achseln. »Müßten wir eigentlich.«

»Überprüfen Sie, ob auch schriftliche Unterlagen geführt wurden.«

»Die dürfen doch nicht …«

»Die tun es aber.«

»Okay.«

Rosa rief Judy in die Leitstelle zurück, weil dort ein Anruf eingegangen war. Michael war am Apparat. Judy lächelte, als sie den Hörer abnahm. »Hi.«

»Hallo. Heute abend wird's nichts. Ich hab' ein Problem und kann nicht kommen.«

Judy war geschockt über seinen schroffen und knappen Tonfall. Dabei war er in den letzten Tagen so freundlich gewesen, voller Wärme. Nun aber war er wieder der alte Michael Quercus, der sie an der Tür abgewiesen und aufgefordert hatte, einen Termin mit ihm zu vereinbaren. »Was ist los?« fragte sie.

»Ist was dazwischengekommen. Tut mir leid, daß ich absagen muß.«

»Da stimmt doch was nicht, Michael. Nun sag schon.«

»Ich hab's sehr eilig. Ich ruf' dich an.«

»Also gut«, sagte Judy.

Michael legte auf.

Judy drückte den Hörer auf die Gabel. Sie fühlte sich verletzt. »Was sollte das denn bedeuten?« murmelte sie vor sich hin. *Gerade jetzt, wo ich den Kerl so langsam etwas mögen gelernt habe. Was hat er bloß? Warum konnte er nicht so bleiben, wie er Sonntagabend gewesen ist? Oder noch heute morgen, als er mich angerufen hat?*

Carl Theobald unterbrach Judys Gedanken. Er sah besorgt aus. »Marvin Hayes macht mir ziemliche Schwierigkeiten«, sagte er. »Die haben einiges an schriftlichen Unterlagen, aber als ich ihm sagte, daß ich sie sehen müßte, pflaumte er mich an, daß ich mir nicht mal den Hintern damit abwischen dürfte.«

»Keine Bange, Carl«, erwiderte Judy. »So etwas wird uns vom Himmel geschickt, um uns Geduld und Nachsicht zu lehren. Ich gehe einfach zu ihm und reiß' ihm die Eier ab.«

Die Agenten in der Nähe hörten sie und lachten.

»Jetzt weiß ich endlich, *wie* man Geduld und Nachsicht übt«, sagte Carl und grinste. »Das muß ich mir merken.«

»Kommen Sie mit, ich werde es Ihnen zeigen«, entgegnete Judy.

Sie verließen das Gebäude und stiegen in Judys Wagen. Nach einer Viertelstunde erreichten sie das Federal Building an der Golden Gate Avenue. Als sie mit dem Lift nach oben fuhren, fragte sich Judy, wie sie sich Marvin gegenüber verhalten sollte. Sollte sie ihn zur Schnecke machen? Oder sollte sie versöhnlich auftreten? Mit der umgänglichen Art klappte es allerdings nur, wenn auch die andere Seite Entgegenkommen zeigte. Und bei Marvin hatte Judy den Punkt, an dem ein verständnisvoller Umgang möglich war, vermutlich ein für allemal überschritten.

Vor der Tür zum Dezernat für Organisiertes Verbrechen zögerte sie. *Okay, ich bin Xena, die Kriegerprinzessin.*

Judy trat ein, gefolgt von Carl.

Marvin telefonierte gerade. Breit grinsend erzählte er einen Witz. »Also sagt der Barkeeper zu dem Kerl, hör mal, im Hinterzimmer ist 'ne Nutte, die bläst dir einen, daß dir die Ohren wegfliegen …«

Judy beugte sich über den Schreibtisch und sagte laut: »Was war das für ein Stuß, den Sie Carl erzählt haben?«

»Da unterbricht mich gerade jemand, Joe«, sagte Marvin. »Ich ruf' gleich zurück.« Er legte auf. »Was kann ich für Sie tun, Judy?«

Sie beugte sich noch weiter vor, bis ihrer beider Augen fast auf gleicher Höhe waren. »Sie könnten zum Beispiel damit aufhören, uns zu verarschen.«

»Was ist los mit Ihnen?« fragte er mit gekränkter Stimme. »Was soll das bedeuten, daß Sie meine verdammten Akten noch mal durchgehen, als hätte ich einen Fehler gemacht?«

Das hatte er nicht einmal unbedingt. Wenn sich ein Täter dem Ermittlungsteam in der Maske eines unbeteiligten Zuschauers oder Zeugen präsentierte, so achtete er natürlich sorgfältig darauf, nicht in Verdacht zu geraten. Der Fehler lag also nicht bei den Ermittlungsbeamten, doch die Folge war, daß sie sich wie Dummköpfe vorkamen.

»Ich glaube, daß Sie möglicherweise mit dem Täter gesprochen haben«, sagte Judy. »Wo sind die schriftlichen Unterlagen?«

Marvin strich seine gelbe Krawatte glatt. »Wir haben lediglich ein paar Notizen von der Pressekonferenz, die nicht im Computer gespeichert wurden.«

»Zeigen Sie mir die Unterlagen.«

Hayes wies auf einen Flachordner, der auf einem Beistelltisch an der Wand stand. »Bedienen Sie sich.«

Judy öffnete den Ordner. Obenauf lag der Lieferschein für eine gemietete kleine Lautsprecheranlage mitsamt Mikrofonen.

»Sie werden nichts finden«, sagte Marvin, »rein gar nichts.«

Vielleicht hatte er recht, doch Judy mußte es versuchen, und es war dumm von Marvin, daß er sie daran zu hindern versuchte. Ein klügerer Mann hätte gesagt: *Na klar, nur zu. Sollte ich etwas übersehen haben, hoffe ich sehr, daß Sie es finden.* Jeder machte mal Fehler. Doch Marvin hatte sich inzwischen zu sehr auf eine Verteidigungsposition zurückgezogen, um noch Großmut zeigen zu können.

Falls sie sich *tatsächlich* irrte, wäre das sehr peinlich. Aber es war ihr egal.

Judy blätterte rasch die Papiere durch. Sie sah mehrere Faxmitteilungen von Zeitungen, die sich nach Einzelheiten der Pressekonferenz erkundigt hatten; eine Notiz darüber, wie viele Stühle gebraucht wurden, und eine Besucherliste – ein Formular, auf dem die Journalisten, die der Pressekonferenz beigewohnt hatten, gebeten wurden, ihre Namen sowie die Namen der Zeitungen oder Radio- und Fernsehsender einzutragen, für die sie arbeiteten. Judy überflog die Liste.

»Was, zum Teufel, ist das hier?« fragte sie plötzlich. »Florence Shoebury, Eisenhower Junior High School?«

»Sie wollte für ihre Schülerzeitung über die Pressekonferenz berichten«, erklärte Marvin. »Was sollten wir denn tun? Ihr sagen, daß sie sich verpissen soll?«

»Haben Sie das Mädchen überprüft?«

»Sie ist ein Kind!«

»War sie allein?«

»Sie war mit ihrem Vater gekommen.«

An das Formular war eine Visitenkarte geheftet. »Peter Shoebury, von Watkins, Colefax und Brown. Haben Sie wenigstens diesen Mann überprüft?«

Marvin zögerte einen Augenblick, ehe er sein Versäumnis eingestand. »Nein«, sagte er schließlich. »Brian hatte beschlossen, diesen Shoebury und seiner Tochter die Teilnahme an der Pressekonferenz zu erlauben. Ich habe die Sache dann nicht mehr weiterverfolgt.«

Judy reichte Carl das Formular mitsamt der angehefteten Visitenkarte. »Rufen Sie diesen Burschen sofort an«, sagte sie.

Carl setzte sich in den nächsten Sessel und nahm den Hörer ab.

»Sagen Sie mal«, fragte Marvin, »was macht Sie eigentlich so sicher, daß wir mit dem Täter gesprochen haben?«

»Mein Vater hält es für möglich.« Kaum hatte Judy die Worte ausgesprochen, erkannte sie, daß sie einen Fehler begangen hatte.

Marvin grinste hämisch. »Oh, Ihr *Daddy* hält es für möglich. Sind wir schon so tief gesunken? Sie schnüffeln mir nach, weil Ihr *Daddy* es Ihnen gesagt hat?«

»Halten Sie die Klappe, Marvin. Mein Vater hat schon schwere Jungs in den Knast befördert, als Sie noch ins Bett gepinkelt haben.«

»Was haben Sie überhaupt mit den Akten vor? Wollen Sie versuchen, mir was anzuhängen? Suchen Sie jemand, dem Sie die Schuld zuschieben können, wenn Sie versagen?«

»Was für ein großartiger Einfall«, erwiderte Judy. »Warum bin ich da nicht bloß selber drauf gekommen?«

Carl legte den Hörer auf. »Judy«, sagte er.

»Ja.«

»Peter Shoebury ist niemals in diesem Gebäude gewesen, und er hat keine Tochter. Aber er wurde am Samstagmorgen überfallen, zwei Querstraßen von hier. Man hat ihm die Brieftasche geraubt, in der seine Visitenkarten steckten.«

Für einen Augenblick trat Stille ein; dann sagte Marvin: »Oh, verflucht!«

Judy ignorierte seine Verlegenheit. Die Neuigkeit war viel zu aufregend. Hier konnte sich eine vollkommen neue Informationsquelle auftun. »Ich nehme an, Ihr Mr. Shoebury sah nicht aus wie der Mann auf dem Computer-Fahndungsbild, das wir aus Texas bekommen haben.«

»Überhaupt nicht«, sagte Marvin. »Kein Bart, kein Hut. Er trug eine Brille mit großem Gestell und hatte sein langes Haar zu einem Pferdeschwanz gebunden.«

»Das ist wahrscheinlich wieder nur eine Maske. Wie steht's mit der Körpergröße des Mannes, seinem Körperbau und so weiter?«

»Groß. Schlank.«

»Dunkles Haar, dunkle Augen, um die Fünfzig?«

»Ja, ja und ja.«

Judy hatte beinahe Mitleid mit Marvin. »Der Mann war Ricky Granger, nicht wahr?«

Marvin starrte auf den Teppich, als wünschte er sich, der Boden würde sich auftun und ihn verschlingen. »Ja, wahrscheinlich.«

»Wären Sie dann wohl so freundlich, ein neues Computer-Fahndungsbild erstellen zu lassen?«

Marvin nickte, wobei er Judy immer noch nicht anschaute. »Ja, sicher.«

»Und was ist mit Florence Shoebury?«

»Nun ja, sie hat uns gewissermaßen entwaffnet. Ich meine, welcher Terrorist schleppt seine eigene kleine Tochter mit?«

»Ein völlig skrupelloser Terrorist. Wie sah das Kind aus?«

»Eine Weiße. Zwölf, dreizehn Jahre alt. Dunkles Haar, dunkle Augen, zierlich und schlank. Hübsch.«

»Lassen Sie auch von der Kleinen ein Fahndungsbild erstellen. Glauben Sie, das Mädchen war wirklich seine Tochter?«

»Oh, sicher. Es hatte jedenfalls ganz den Anschein. Nichts deutete darauf hin, daß das Mädchen unter Zwang stand, falls Sie mir das glauben sollten.«

»Aha. Okay, dann will ich vorerst mal davon ausgehen, daß die beiden Vater und Tochter sind.« Judy wandte sich Carl zu. »Kommen Sie, gehen wir.«

Sie verließen das Büro. Als sie auf dem Flur waren, sagte Carl: »Du meine Güte. Sie haben ihm ja wirklich die Eier abgerissen.«

Judy war in Hochstimmung. »Aber wir haben eine weitere Person – das Kind.«

»Ja. Ich hoffe bloß, daß Sie nie *mich* erwischen, wenn ich mal einen Fehler mache.«

Judy blieb stehen und schaute ihn an. »Es war nicht der Fehler an sich, Carl. Wir alle bauen hin und wieder Mist. Aber Hayes hat versucht, die Nachforschungen zu behindern. Das war sein eigentlicher Fehler. Deshalb steht er jetzt wie ein Esel da. Wenn Sie mal einen Fehler machen, geben Sie ihn lieber gleich zu.«

»Ja«, sagte Carl. »Aber ich glaube, bei Ihnen lasse ich die Beine dabei vorsichtshalber übereinandergeschlagen.«

Am späten Abend bekam Judy die erste Ausgabe des *San Francisco Chronicle* mit den zwei neuen Computer-Fahndungsbildern: dem E-fit von Florence Shoebury und dem neuen von Ricky Granger in der Maske des Peter Shoebury. Zuvor hatte Judy nur einen kurzen Blick auf die Bilder geworfen, bevor sie Madge Kelly gebeten hatte, sie an die Zeitungen und Fernsehstationen durchzugeben. Als Judy nun die Bilder im Licht ihrer Schreibtischlampe betrachtete, war sie erstaunt über die Ähnlichkeit zwischen Granger und Florence. *Die beiden sind unverkennbar Vater und Tochter. Was wohl mit dem Mädchen geschieht, wenn ich ihren Daddy hinter Gitter bringe?*

Judy gähnte und rieb sich die Augen. Bos Ratschlag fiel ihr wieder ein. ›Mach Pausen, iß zu Mittag, und nimm dir den Schlaf, den du brauchst.‹ Es war an der Zeit, nach Hause zu gehen. Die Nachtschicht war bereits eingetroffen.

Auf der Heimfahrt ließ Judy den Tag und ihre Fortschritte bei den Ermittlungen Revue passieren. Als sie an einer Ampel stand und die Doppelreihen der Straßenlaternen betrachtete, die sich entlang des Geary Boulevard bis in die Unendlichkeit erstreckten, fiel ihr ein, daß Michael ihr gar nicht die versprochene Liste mit den möglichen Erdbebenorten gefaxt hatte.

Sie wählte seine Nummer am Autotelefon, doch niemand nahm dem Hörer ab, was Judy aus irgendeinem Grund beunruhigte. An der nächsten roten Ampel versuchte sie es noch einmal; diesmal war besetzt. Sie rief die Telefonzentrale im Office an und bat, bei Pacific Bell nachzufragen, ob unter Michaels Nummer zur Zeit ein Gespräch geführt wurde. Die Telefonzentrale rief Judy zurück und teilte ihr mit, dies sei nicht der Fall. Jemand hätte den Hörer abgenommen.

Also war Michael zu Hause, ging aber nicht an den Apparat.

Seine Stimme hatte seltsam geklungen, als er anrief, um die Verabredung abzusagen. Aber das war nun mal seine Art; er konnte freundlich und charmant sein – doch schon im nächsten Augenblick schlug seine Stimmung abrupt um, und er wurde schwierig und arrogant. Aber weshalb hatte er den Hörer neben das Telefon gelegt? Judy beschlich ein unbehagliches Gefühl.

Sie schaute auf die Uhr am Armaturenbrett. Es war kurz vor elf.

Noch zwei Tage.

Ich habe keine Zeit, lange herumzutändeln.

Sie wendete den Wagen und fuhr in Richtung Berkeley.

Viertel nach elf erreichte sie die Euclid Street. In Michaels Wohnung brannte Licht. Draußen stand ein alter orangefarbener Subaru. Judy hatte diesen Wagen schon einmal gesehen, wußte aber nicht, wem er gehörte. Sie parkte dahinter und klingelte an der Tür zu Michaels Wohnung.

Niemand öffnete.

Sorge keimte in Judy auf. Michael besaß entscheidend wichtige Informationen. Erst heute hatte sie ihm eine Schlüsselfrage gestellt – und wenige Stunden später sagte er ganz plötzlich eine Verabredung ab und unterbrach schließlich jede Verbindung zur Außenwelt.

Das war verdächtig.

Judy fragte sich, was sie tun sollte. Die Polizei anrufen, um Unterstützung bitten und gewaltsam ins Haus eindringen? Es konnte sein, daß Michael gefesselt in seiner Wohnung lag. Oder tot.

Sie ging zum Wagen zurück und nahm das Mikrofon des Funkgeräts aus der Halterung, zögerte dann aber. Wenn jemand um elf Uhr abends den Hörer neben das Telefon legte, konnte er viele Gründe dafür haben. Vielleicht wollte er in Ruhe schlafen. Vielleicht wollte er mit einer Frau ins Bett – wenngleich Michael zu sehr an ihr, Judy, interessiert zu sein schien, als daß er solche Spielchen trieb. Er ist nicht der Typ, überlegte Judy, der jede Nacht mit einer anderen schläft.

Während sie unschlüssig im Wagen saß, näherte sich eine junge Frau mit einem Aktenkoffer dem Gebäude. Sie sah ein bißchen wie eine Assistenzprofessorin aus, die von einem langen Abend im Labor nach Hause kam. An der Tür blieb sie stehen und wühlte in ihrem Aktenkoffer nach dem Schlüssel.

Kurz entschlossen stieg Judy aus dem Wagen und ging mit schnellen Schritten über den Rasen zum Hauseingang. »Guten Abend«, sagte sie und zeigte der Frau ihre Dienstmarke. »FBI-Spezialagentin Judy Maddox. Ich muß in dieses Gebäude.«

»Ist was passiert?« fragte die Frau ängstlich.

»Ich hoffe nicht. Wenn Sie in Ihre Wohnung gehen und die Tür hinter sich schließen, wird Ihnen nichts geschehen.«

Sie betraten gemeinsam den Eingangsflur. Die Frau verschwand in einem Apartment im Erdgeschoß, während Judy die Treppe hinaufstieg. Mit den Knöcheln klopfte sie an die Tür zu Michaels Wohnung.

Niemand öffnete.

Was ging hier vor sich? Michael *mußte* da drinnen sein. Er mußte das Klingeln und Klopfen gehört haben. Er mußte wissen, daß zu dieser späten Abendstunde kein Besucher, der bloß zufällig vorbeikam, so beharrlich sein würde. Irgend etwas stimmte nicht, da war Judy sicher.

Sie klopfte erneut, dreimal, laut und kräftig. Dann drückte sie ein Ohr an die Tür und lauschte.

Sie hörte einen Schrei.

Das reichte. Judy ging einen Schritt zurück und trat so fest gegen das Türblatt, wie sie konnte. Sie trug flache Halbschuhe und prellte sich die Sohle des rechten Fußes, doch das Holz um das Schloß herum splitterte: Gott sei Dank hatte Michael keine Stahltür. Judy trat noch einmal zu. Das Schloß war fast gesprengt. Sie warf sich mit der Schulter gegen die Tür, die krachend auf log.

Judy zog ihren Revolver. »FBI!« rief sie. »Waffe fallen lassen, Hände über den Kopf!« Wieder ertönte ein Schrei. Er hörte sich wie der Schrei einer Frau an, wie Judy verschwommen bewußt wurde, doch sie hatte keine Zeit herauszufinden, was das bedeuten konnte. Sie sprang in den Eingangsflur.

Die Tür zu Michaels Schlafzimmer stand offen. Mit drei raschen Schritten war Judy dort, ließ sich auf ein Knie fallen, streckte die Arme vor und richtete die Waffe ins Zimmer.

Ein fassungsloser Ausdruck legte sich auf ihr Gesicht.

Sie sah Michael auf dem Bett, nackt und schwitzend. Er lag auf einer sehr schlanken rothaarigen Frau, die keuchend atmete. Es war seine Ehefrau, wie Judy erkannte.

Und sie taten das, was Ehepaare tun.

Die beiden starrten Judy an, ängstlich und voller Unglauben.

Dann erkannte Michael sie endlich und sagte: »Judy? Was, zum Teufel ...?«

Judy schloß die Augen. Noch nie im Leben hatte sie sich so idiotisch gefühlt.

»Tut mir leid«, sagte sie. »Es tut mir furchtbar leid.«

KAPITEL 15

A m frühen Mittwochmorgen stand Priest am Silver River. Er beobachtete, wie der Himmel sich flimmernd auf der wogenden Wasseroberfläche spiegelte, und betrachtete staunend die Leuchtkraft von Blau und Weiß im Licht der Morgendämmerung. Alle anderen schliefen noch. Neben Priest saß der Hund, hechelte leise und wartete darauf, daß etwas geschah.

Es war ein stiller und friedlicher Augenblick, doch Priests Seele fand keinen Frieden.

In zwei Tagen lief sein Ultimatum ab, und Gouverneur Robson hatte noch kein Wort von sich hören lassen.

Es war zum Verrücktwerden. Priest wollte kein weiteres Erdbeben auslösen. Denn diesmal mußte es verheerend sein, mußte Straßen und Brücken zerstören und Wolkenkratzer zum Einsturz bringen. Menschen würden sterben.

Priest war anders als Melanie, die versessen darauf war, sich an der ganzen Welt zu rächen. Er wollte bloß in Ruhe gelassen werden. Zum Schutze der Kommune würde er alles tun. Doch er wußte, daß es klüger war, das Töten möglichst zu vermeiden. Wenn alles vorüber war und das Staudamm-Projekt aufgegeben wurde, wollte Priest in Frieden mit der Kommune leben. Nur darum ging es. Und wenn sie siegen konnten, ohne dabei unschuldige kalifornische Bürger zu töten, stieg die Chance, daß sie ungestört in ihrem Tal bleiben konnten. Was bis jetzt geschehen war, war kaum der Rede wert. Es würde rasch wieder aus den Nachrichten verschwinden, und bald würde sich niemand mehr dafür interessieren, was aus den Verrückten geworden war, die behauptet hatten, Erdbeben auslösen zu können.

Während Priest nachdenklich über den Fluß schaute, erschien Star. Sie schlüpfte aus ihrem lila Umhang und ging ein paar

Schritte ins kalte Wasser, um sich zu waschen. Mit hungrigem Blick betrachtete Priest ihren verlockenden Körper – vertraut, doch immer noch begehrenswert. In der vergangenen Nacht hatte er sein Bett mit niemandem geteilt. Star verbrachte die Nächte immer noch mit Bones, und Melanie war bei ihrem Mann in Berkeley. *Also muß der große Zampano alleine schlafen.*

Als Star sich mit einem Handtuch abtrocknete, sagte Priest: »Komm, laß uns 'ne Zeitung besorgen. Ich will wissen, ob Gouverneur Robson gestern abend irgendwas von sich gegeben hat.«

Sie zogen sich an und fuhren zu einer Tankstelle. Während Star ein Exemplar des *San Francisco Chronicle* besorgte, tankte Priest den Barracuda auf.

Mit kreidebleichem Gesicht kam Star zurück. »Guck dir das an«, sagte sie und zeigte ihm die Titelseite.

Priest starrte auf das Foto eines jungen Mädchens, das ihm bekannt vorkam. Nach einem Augenblick erkannte er voller Entsetzen, daß es Flower war.

Fassungslos nahm Priest die Zeitung.

Neben Flowers Bild war eines von ihm.

Beides waren Computer-Phantombilder. Sein Bild, erkannte Priest, stützte sich auf sein Aussehen bei der Pressekonferenz des FBI. Damals hatte er sich als Peter Shoebury getarnt, mit großer Brille, das Haar nach hinten gekämmt. Er glaubte nicht, daß jemand ihn anhand dieses Bildes erkennen würde.

Flower war nicht getarnt gewesen. Doch ihr Computerbild glich einer schlechten Porträtzeichnung – es war nicht *sie*, sondern *wie* sie. Priest schauderte. Ihm war kalt. Er war Angst nicht gewöhnt. Er war ein Draufgänger, der das Risiko liebte. Aber hier ging es nicht um ihn. Er hatte seine Tochter in Gefahr gebracht.

»Warum mußtest du zu dieser Pressekonferenz gehen, verdammt noch mal?« fragte Star wütend.

»Ich wollte wissen, wie weit das FBI mit seinen Ermittlungen war.«

»Eine bescheuerte Idee!«

»Ich war schon immer ein Mann schneller Entschlüsse.«

»Ich weiß.« Stars Stimme wurde weicher, und sie berührte seine Wange. »Wärst du ein Weichei, wärst du auch nicht der Mann, den ich liebe.«

Vor einem Monat hätte die Veröffentlichung der Bilder noch keine Rolle gespielt: Niemand außerhalb der Kommune kannte Flower, und niemand innerhalb der Kommune las die Zeitung. Doch Flower war heimlich in Silver City gewesen, um sich mit Jungen zu treffen; sie hatte ein Poster aus einem Laden gestohlen; man hatte sie verhaftet, und sie hatte eine Nacht in polizeilichem Gewahrsam verbracht. Würden sich die Leute, denen Flower begegnet war, an sie erinnern? Und falls dem so war – würden diese Leute Flower auf dem Computerbild erkennen? Der Bewährungshelfer erinnerte sich *vielleicht* an sie, doch zum Glück war er noch in Urlaub auf den Bahamas, wo er den *San Francisco Chronicle* wohl kaum zu Gesicht bekam. Aber was war mit der Frau, die Flower über Nacht untergebracht hatte? Eine Lehrerin, zugleich die Schwester des Sheriffs, wie Priest sich erinnerte. Dann fiel ihm auch der Name wieder ein: Miss Waterlow. Vermutlich bekam diese Frau Hunderte junger Mädchen zu sehen, doch es konnte sein, daß sie sich an die einzelnen Gesichter erinnerte. Oder sie hatte ein schlechtes Gedächtnis. Oder sie war ebenfalls in Urlaub gefahren. Oder sie hatte die heutige Ausgabe des *Chronicle* nicht gelesen.

Oder ich bin am Ende.

Er konnte nichts dagegen tun. Falls die Lehrerin das Bild sah und Flower erkannte und das FBI anrief, würden sich hundert Agenten auf die Kommune stürzen, und es wäre aus und vorbei.

Priest starrte auf die Zeitung, während Star den Text las. »Würdest du sie nach diesem Bild wiedererkennen, wenn du sie nur flüchtig gesehen hättest?« fragte er dann.

Star schüttelte den Kopf. »Ich glaube nicht.«

»Ich auch nicht. Aber mir wär' wohler, wenn wir sicher sein könnten.«

»Ich hätte nicht gedacht, daß die vom FBI so clever sind«, sagte Star.

»Einige sind's, andere nicht. Diese kleine Asiatin macht mir Sorgen. Diese Judy Maddox.« Priest erinnerte sich an den Anblick Judys im Fernsehen: schlank und anmutig drängte sie sich durch eine feindselige Menge, wobei ein Ausdruck unerschütterlicher Entschlossenheit auf ihrem fein geschnittenen Gesicht lag. »Ich hab' ein ungutes Gefühl, wenn ich an sie denke«, sagte er. »Ein verdammt ungutes Gefühl. Sie findet immer wieder neue Spuren – zuerst den seismischen Vibrator, dann das Bild von mir in Shiloh, jetzt Flower. Vielleicht hat Gouverneur Robson deshalb noch nicht reagiert, weil diese Frau ihm die Hoffnung gibt, daß wir geschnappt werden. Steht in dem Artikel was davon, daß Robson eine Erklärung abgegeben hat?«

»Nein. In dem Bericht steht, daß sehr viele Leute der Meinung sind, Robson soll nachgeben und mit den Kindern von Eden verhandeln. Aber er verweigert jeden Kommentar.«

»So wird das nichts«, sagte Priest. »Ich muß 'ne Möglichkeit finden, mit ihm zu reden.«

Als Judy erwachte, wußte sie nicht mehr, weshalb sie sich so schlecht fühlte. Dann aber stürzte die scheußliche Szene wie ein eiskalter Schwall auf sie ein.

Gestern abend war sie vor Verlegenheit wie gelähmt gewesen. Sie hatte Michael eine Entschuldigung zugemurmelt und war aus dem Haus gerannt, innerlich brennend vor Scham. An diesem Morgen jedoch war das Gefühl der Demütigung einer anderen Empfindung gewichen. Jetzt war sie nur noch traurig. Sie hatte geglaubt, Michael könnte vielleicht ein Teil ihres Lebens werden. Sie hatte sich darauf gefreut, ihn besser kennenzulernen, wachsende Zuneigung zu entwickeln; sie hatte sich vorgestellt, mit ihm zu schlafen, von ihm begehrt zu werden. Doch nun war ihr

Verhältnis binnen eines Augenblicks zerbrochen, zu Asche verbrannt.

Judy setzte sich im Bett auf, um die Sammlung vietnamesischer Wasserpuppen zu betrachten, die sie von ihrer Mutter geerbt hatte. Sie standen auf einem Regal über der Kommode. Judy hatte nie ein Puppenspiel gesehen – sie war nie in Vietnam gewesen –, doch die Mutter hatte ihr erzählt, daß die Puppenspieler bis zur Hüfte in einem Teich stünden, hinter einer kleinen Kulisse, und die Wasseroberfläche als Bühne verwendeten. Seit Hunderten von Jahren wurden solche bemalten Holzpuppen benutzt, um erbauliche und lustige Geschichten zu erzählen. Sie erinnerten Judy immer an die stille Heiterkeit ihrer Mutter. Was würde sie jetzt sagen? Judy konnte ihre Stimme hören, tief und bedächtig. »Ein Fehler ist ein Fehler. Und ein weiterer Fehler kann vorkommen. Nur wer den gleichen Fehler zweimal begeht, macht sich zum Narren.«

Gestern abend – das war bloß ein Fehler gewesen. Michael war ein Fehler gewesen. Sie mußte das alles hinter sich lassen. Ihr blieben nur noch zwei Tage, um ein Erdbeben zu verhindern. Das war *wirklich* wichtig.

Im Fernsehen wurde ein Streitgespräch darüber gezeigt, ob die Kinder von Eden tatsächlich imstande seien, ein Erdbeben auszulösen. Die Gruppe, welche diese Meinung vertrat, hatte eine Interessengemeinschaft gebildet, die Gouverneur Robson zum Nachgeben zwingen sollte. Doch als Judy sich anzog, schweiften ihre Gedanken immer wieder zu Michael. Sie wünschte sich, mit ihrer Mutter darüber sprechen zu können. Sie konnte hören, wie Bo sich bewegte; aber mit ihm darüber zu reden kam nicht in Frage: Es war kein Thema, über das man mit dem Vater sprach. Statt Frühstück zu machen, rief Judy ihre Freundin Virginia an. »Ich brauche jemanden, mit dem ich reden kann«, sagte sie. »Hast du schon gefrühstückt?«

Sie trafen sich in einem Café unweit des Presidio. Ginny war eine zierliche Blondine, humorvoll und aufrichtig. Sie würde Judy immer nur genau das sagen, was sie wirklich dachte. Judy bestellte zwei Schokoladen-Croissants, damit sie sich besser fühlte; dann erzählte sie, was am Abend zuvor geschehen war.

Als Judy schilderte, wie sie mit der Waffe in Händen in Michaels Schlafzimmer geplatzt war und ihn beim Vögeln überrascht hatte, brach Ginny in lautes Gelächter aus. »Tut mir leid«, keuchte sie, als ihr ein Stück Toast im Hals stecken blieb.

»Hört sich unheimlich spaßig an, was?« meinte Judy und lächelte. »Aber mir kam es gestern abend ganz und gar nicht spaßig vor, das kann ich dir sagen.«

Ginny hustete und schluckte. »Ich wollte nicht grausam sein«, sagte sie, als sie wieder Luft bekam. »Ich kann mir vorstellen, daß es für dich überhaupt nicht lustig war. Es war schäbig von dem Burschen, sich mit dir zu verabreden und dann mit seiner Frau zu schlafen.«

»Jedenfalls hat es mir gezeigt, daß er sich noch nicht von ihr gelöst hat«, sagte Judy. »Und deshalb ist er noch nicht bereit für eine neue Partnerschaft.«

Ginny machte ein zweifelndes Gesicht. »So würde ich das nicht unbedingt sehen.«

»Du meinst, es war so etwas wie ein Lebewohl? Eine letzte Umarmung in Erinnerung an alte Zeiten?«

»Vielleicht ist die Erklärung noch einfacher. Weißt du, die Kerle sagen niemals nein, wenn ihnen die Möglichkeit geboten wird, 'ne Nummer zu machen. Für mich hört es sich so an, als hätte der Bursche das Leben eines Mönchs geführt, seit seine Frau ihn verlassen hat. Wahrscheinlich sind ihm die Hormone schon zu den Ohren rausgelaufen. Seine Frau sieht gut aus, sagst du?«

»Sehr sexy.«

»Na, wenn sie dann in 'nem engen Pullover bei ihm reinmarschiert ist und sich an ihn rangemacht hat, konnte er wahrscheinlich gar nichts dagegen tun, daß er 'nen Steifen bekam. Und wenn das erst mal passiert ist, schaltet ein Männerhirn sich selbsttätig ab, und der Autopilot in seinem Schwanz übernimmt das Kommando.«

»Glaubst du wirklich?«

»Hör mal, ich habe Michael zwar nie kennengelernt, aber ich hatte schon so einige Männer im Bett, gute und schlechte, und ich sehe die Sache genau so, wie ich's dir gerade gesagt habe.«

»Was würdest du tun?«

»Mit ihm reden. Ihn fragen, warum er das getan hat. Mir anhören, was er dazu sagt. Überlegen, ob ich ihm glauben kann. Wenn er mir irgendwelchen Quatsch erzählt, würde ich ihm einen Arschtritt verpassen. Aber wenn er mir aufrichtig vorkommt, würde ich versuchen, dem Vorfall irgendeinen Sinn abzugewinnen.«

»Ich muß ihn sowieso anrufen«, sagte Judy. »Er hat mir diese Liste immer noch nicht geschickt.«

»Also ruf ihn an. Besorg dir die Liste. Dann frag ihn, was er sich dabei gedacht hat. Es mag dir ja peinlich sein, aber er hat schließlich auch einen Grund, sich zu entschuldigen.«

»Da hast du wohl recht.«

Es war noch keine acht Uhr, doch beide hatten es eilig, zur Arbeit zu kommen. Judy bezahlte die Rechnung, und sie verließen das Café und gingen zu ihren Wagen. »Junge«, sagte Judy, »so langsam fühle ich mich nicht mehr so bescheuert bei der ganzen Geschichte. Danke, Ginny.«

Ginny zuckte die Achseln. »Wozu hat man Freundinnen? Erzähl mir dann, was der Typ gesagt hat.«

Judy stieg in ihren Wagen und wählte Michaels Nummer. Sie befürchtete, daß er noch schlief, so daß sie ihn wachklingelte und mit ihm sprach, während er neben seiner Frau im Bett lag. Doch seine Stimme klang munter, als wäre er schon längere Zeit auf den Beinen. »Tut mir leid wegen deiner Wohnungstür«, sagte Judy.

»Warum hast du das getan?« Er hörte sich eher neugierig als zornig an.

»Weil ich nicht begreifen konnte, daß du nicht ans Telefon gegangen bist. Dann hörte ich einen Schrei und hatte Angst, daß du in irgendwelchen Schwierigkeiten steckst.«

»Weshalb bist du so spät noch zu mir gekommen?«

»Du hast mir die Liste mit den Erdbebenorten nicht geschickt.«

»Oh, stimmt! Sie liegt auf meinem Schreibtisch. Habe ich ganz vergessen. Ich fax' sie dir sofort.«

»Danke.« Judy nannte ihm die Faxnummer der neuen Kommandozentrale des Krisenstabes. »Michael, da ist etwas, das ich dich fragen möchte.« Sie holte tief Luft. Es war schwieriger, als sie erwartet hatte, diese Frage zu stellen. Judy war kein schüchternes Pflänzchen, doch so naßforsch wie Ginny war sie nicht. Sie schluckte und sagte: »Ich hatte das Gefühl, daß du mich gern hast. Warum hast du mit deiner Frau geschlafen?« So. Jetzt war es heraus.

Am anderen Ende der Leitung trat langes Schweigen ein. Schließlich sagte Michael: »Das ist kein guter Zeitpunkt.«

»Okay.« Judy versuchte, die Enttäuschung aus ihrer Stimme herauszuhalten.

»Ich fax' dir jetzt die Liste zu.«

»Danke.«

Judy hängte ein und ließ den Motor an. Ginnys Einfall war wohl doch nicht so toll gewesen. Zu einer Unterredung brauchte es zwei Menschen, und Michael war nicht dazu bereit.

Als Judy am Offiziersclub eintraf, war Michaels Fax bereits angekommen. Sie zeigte es Carl Theobald. »An jedem dieser Orte müssen wir Beobachtungsteams postieren, die nach einem seismischen Vibrator Ausschau halten«, sagte sie. »Ich hatte gehofft, die Polizei einsetzen zu können, aber ich glaube, das geht nicht. Die Kollegen könnten reden. Und wenn die Einheimischen herausfinden, daß wir sie als mögliche Ziele eines Terroranschlags betrachten, werden sie in Panik geraten. Also müssen wir FBI-Leute einsetzen.«

»Okay.« Stirnrunzelnd betrachtete Carl das Blatt. »Wissen Sie, diese Gebiete sind schrecklich groß. Eine Gegend von einer Quadratmeile kann ein einziges Team gar nicht überwachen. Sollen wir jeweils mehrere Teams einsetzen? Oder kann Ihr Seismologe die Stellen genauer eingrenzen?«

»Ich werde ihn fragen.« Judy nahm den Hörer ab und wählte

wieder Michaels Nummer. »Danke für das Fax«, sagte sie und erklärte Michael dann das Problem.

»Da müßte ich mir die Stellen schon selbst anschauen«, sagte er. »Nach Anzeichen früherer Erdbebenaktivitäten suchen – ausgetrockneten Flußbetten, zum Beispiel, oder Verwerfungen. Erst dann bekäme ich genauere Anhaltspunkte.«

»Hättest du heute Zeit?« fragte Judy sofort. »Ich könnte dich in einem FBI-Hubschrauber in sämtliche Gebiete fliegen lassen, die auf der Liste stehen.«

»Äh ... klar, warum nicht«, sagte er. »Ich meine ... selbstverständlich nehme ich mir die Zeit.«

»Du könntest Leben retten.«

»Stimmt.«

»Findest du den Weg zum Offiziersclub in Presidio?«

»Ja, sicher.«

»Wenn du hier ankommst, wartet der Hubschrauber schon auf dich.«

»In Ordnung.«

»Vielen Dank, Michael.«

»Keine Ursache.«

Aber ich möchte immer noch wissen, warum du mit deiner Frau geschlafen hast.

Sie legte auf.

Es war ein langer Tag. Judy, Michael und Carl Theobald legten um die tausend Meilen im Hubschrauber zurück. Bei Einbruch der Dunkelheit hatten sie an fünf Stellen, die auf Michaels Liste standen, Beobachtungsposten eingerichtet, die rund um die Uhr besetzt waren.

Sie kehrten nach Presidio zurück. Der Hubschrauber landete auf dem verlassenen Paradeplatz. Mit ihren verfallenden Bürogebäuden und den Reihen leerstehender Häuser glich die Militärbasis einer Geisterstadt.

Judy mußte in die Kommandozentrale des Krisenstabes, um

einem hohen Tier aus der FBI-Zentrale in Washington Bericht zu erstatten. Der Mann war am Morgen gegen neun Uhr erschienen und hatte sofort das Kommando übernommen. Zuerst aber führte Judy Michael zu seinem Wagen, der auf dem Parkplatz stand, über den sich nun die Dunkelheit senkte. »Was ist, wenn die Gesuchten den Beobachtungsteams durch die Maschen schlüpfen?« fragte Judy.

»Ich dachte, du hättest gute Leute.«

»Die besten. Aber wenn es nun doch passiert? Gibt es eine Möglichkeit, mich sofort zu verständigen, falls es irgendwo in Kalifornien einen Erdstoß gibt?«

»Natürlich«, erwiderte Michael. »Ich könnte direkt hier, in deiner Kommandostelle, einen Online-Seismographen installieren. Ich brauche bloß einen Computer und einen ISDN-Anschluß.«

»Kein Problem. Könntest du das morgen erledigen?«

»Ja, in Ordnung. Dann weißt du auch sofort Bescheid, wenn diese Leute den seismischen Vibrator an einem Ort einsetzen, der *nicht* auf der Liste steht.«

»Ist damit zu rechnen?«

»Ich glaube nicht. Falls ihr Seismologe seinen Job versteht, wird er die gleichen Stellen auswählen, die meiner Meinung nach in Frage kommen. Und falls er unfähig ist, sind diese Leute wahrscheinlich gar nicht in der Lage, ein Erdbeben auszulösen.«

»Gut«, sagte Judy. »Gut.« Ein Punkt, den sie sich merken mußte. Sie konnte dem hohen Tier aus Washington erklären, daß sie die Lage unter Kontrolle hatte.

Sie blickte zu Michaels schattendunklem Gesicht auf. »Warum hast du mit deiner Frau geschlafen?«

»Darüber habe ich den ganzen Tag nachgedacht.«

»Ich auch.«

»Ich nehme an, ich bin dir so was wie eine Erklärung schuldig.«

»Ich glaub' schon.«

»Bis gestern war ich sicher, daß es mit Melanie und mir aus und vorbei ist. Aber gestern abend ... meine Frau hat mich an die schönen Dinge in unserer Ehe erinnert. Melanie war humorvoll, zärtlich, wunderschön und sexy. Und was noch wichtiger ist, sie hat mich alles Schlechte vergessen lassen.«

»Zum Beispiel?«

Er seufzte. »Ich glaube, Melanie fühlt sich zu Menschen hingezogen, die sie führen ... ihr sagen, wo's langgeht. Das gibt ihr Sicherheit. Ich war ihr Professor. Ich hatte immer gehofft, sie würde sich zu einem gleichwertigen Partner entwickeln, der sich an Entscheidungen beteiligt, der Eigenverantwortung übernimmt. Aber das wollte sie nie.«

»Verstehe.«

»Und da ist noch was. Tief in ihrem Inneren haßt Melanie die ganze Welt, haßt sie von ganzem Herzen. Die meiste Zeit läßt sie es sich nicht anmerken, aber wenn sie schlecht drauf ist, kann sie gewalttätig werden.«

»Wie meinst du das?«

»Na ja, zum Beispiel wirft sie mit Gegenständen nach mir. Einmal war's sogar ein Schmortopf. Sie hat mich nie verletzt, dazu ist sie nicht kräftig genug, aber hätten wir eine Waffe im Haus, hätte ich Schiß.«

»Und gestern abend ...?«

»Habe ich das alles vergessen. Melanie schien es noch einmal mit mir versuchen zu wollen, und auch ich wollte einen neuen Anfang, schon wegen Dusty. Außerdem ...«

Judy hätte gern in Michaels Gesicht gelesen, doch es war zu dunkel. »Was?«

»Ich will dir die Wahrheit sagen, Judy, auch wenn es dir weh tut. Ich muß dir gestehen, es war alles gar nicht so vernünftig, so anständig, wie ich vorgebe. Melanie ist eine sehr schöne Frau, und ich wollte sie vögeln. So, jetzt ist es raus.«

Judy lächelte in der Dunkelheit. Also hatte Ginny doch halbwegs richtig gelegen. »Das habe ich gewußt«, sagte sie. »Aber ich bin froh, daß du es mir gesagt hast. Gute Nacht.« Sie ging davon.

»Gute Nacht«, sagte Michael, und seine Stimme klang verwirrt. Einen Augenblick später rief er Judy zu: »Bist du wütend?«

»Nein«, sagte sie über die Schulter. »Jetzt nicht mehr.«

Priest erwartete Melanie am frühen Nachmittag in der Kommune zurück. Als die Abendessenszeit kam und Melanie immer noch nicht erschienen war, machte er sich Sorgen.

Bei Einbruch der Dunkelheit hatten die Sorgen sich zu Angst und Verzweiflung gewandelt. Was war mit Melanie? Hatte sie beschlossen, zu ihrem Mann zurückzukehren? Hatte sie ihm alles gebeichtet? Oder saß sie vielleicht sogar in einem Vernehmungszimmer im FBI-Gebäude in San Francisco und schüttete Agentin Maddox ihr Herz aus?

Priest brachte es nicht fertig, im Küchenhaus zu sitzen oder auf seinem Bett zu liegen. Er nahm ein Windlicht, ging über das Weingut und durch das Waldstück zum Parkplatz und wartete dort, lauschte auf das Motorengeräusch von Melanies altem Subaru – oder das Knattern des FBI-Hubschraubers, der das Ende ankündigen würde.

Spirit hörte das Geräusch zuerst. Er spitzte die Ohren, spannte die Muskeln und rannte dann kläffend den Feldweg hinauf. Priest erhob sich, lauschte noch angestrengter. Es war der Subaru. Eine Woge der Erleichterung überschwemmte ihn. Während er beobachtete, wie die Lichter zwischen den Bäumen näher kamen, spürte er ein Ziehen in den Schläfen. Er hatte seit Jahren keine Kopfschmerzen gehabt.

Melanie stellte den Wagen schräg und nachlässig ab, stieg aus und knallte die Tür zu.

»Ich hasse dich!« fuhr sie Priest an. »Ich hasse dich, daß du mich dazu getrieben hast.«

»Hatte ich recht?« fragte er. »Stellt Michael diese Liste für das FBI zusammen?«

»Du kannst mich mal!«

Priest erkannte, daß er einen Fehler gemacht hatte. Er hätte mitfühlend und verständnisvoll sein müssen. Für einen Augenblick hatte er der Furcht erlaubt, sein klares Urteilsvermögen zu trüben. Jetzt mußte er Zeit darauf verwenden, Melanie wieder versöhnlich zu stimmen. »Ich habe dich darum gebeten, weil ich dich liebe, verstehst du das nicht?«

»Nein, verstehe ich nicht. Ich verstehe überhaupt nichts mehr.« Sie verschränkte die Arme vor der Brust und wandte sich von ihm ab, starrte in die Dunkelheit des Waldstücks. »Ich weiß nur, daß ich mir wie eine Prostituierte vorkomme.«

Priest platzte vor Neugier auf das, was Melanie herausgefunden hatte, doch er zwang sich, ruhig zu bleiben. »Wo bist du so lange gewesen?«

»Bin herumgefahren. Hab' auf einen Drink an einer Kneipe gehalten.«

Priest schwieg eine Weile. Schließlich sagte er: »'ne Nutte tut's für Geld – und dann gibt sie die Knete für dämliche Klamotten und Drogen aus. Du hast es getan, um dein Kind zu retten. Ich weiß, daß du dich schlecht fühlst, aber du bist nicht schlecht. Du bist ein guter Mensch.«

Endlich drehte sie sich zu ihm um. Sie hatte Tränen in den Augen. »Es geht nicht bloß darum, daß wir Sex hatten«, sagte sie. »Es ist schlimmer. Es hat mir gefallen. Deshalb schäme ich mich so sehr. Ich hatte einen Orgasmus … Ich habe geschrien …«

Priest spürte, wie eine Woge der Eifersucht in ihm aufstieg, und er versuchte, sie einzudämmen. *Dafür wird Quercus eines Tages bluten!* schwor er sich. Aber jetzt war keine Zeit, über solche Dinge zu reden. Zuerst mußte er dafür sorgen, daß sich zwischen ihm und Melanie die Wogen glätteten. »Ist schon in Ordnung«, murmelte er. »Wirklich, ist in Ordnung. So was kommt vor. Die verrücktesten Dinge geschehen.« Er nahm Melanie in die Arme, drückte sie an sich.

Langsam beruhigte sie sich. Priest konnte spüren, wie die Spannung nach und nach von ihr abfiel. »Es macht dir nichts aus?« fragte sie. »Du bist nicht sauer?«

»Kein bißchen«, log er und streichelte ihr langes Haar. *Nun sag schon, sag schon!*

»Du hattest recht mit der Liste«, sagte sie.

Na endlich.

»Diese Frau vom FBI hatte Michael gebeten, die günstigsten Stellen für ein Erdbeben herauszusuchen, genau wie du's erwartet hast.«

Natürlich hat sie ihn danach gefragt. Priest, du bist ein cleverer Hund.

»Als ich zu ihm kam«, fuhr Melanie fort, »saß er an seinem Computer und war gerade mit der Liste fertig.«

»Und wie ging's weiter?«

»Ich habe ihm ein Abendessen gekocht und mit ihm geplaudert.«

Priest konnte sich vorstellen, wie es abgelaufen war. Wenn Melanie verführerisch sein *wollte*, konnte kein Mann ihr widerstehen. Und immer dann, wenn sie irgend etwas wollte, spielte sie ihre Reize aus. Wahrscheinlich hatte sie ein Bad genommen und einen Morgenmantel übergezogen und war dann in der Wohnung herumgeschlendert, den Geruch nach Seife und Blumen verströmend, hatte Wein eingeschenkt oder Kaffee gekocht und dafür gesorgt, daß der Morgenmantel hin und wieder aufklaffte und Michael verlockende Blicke auf ihre langen Beine und ihre weichen Brüste gewährte. Und sie hatte ihm Fragen gestellt und aufmerksam seinen Antworten gelauscht und ihn auf eine Weise angelächelt, die besagte: *Ich will nichts lieber als mit dir bumsen.*

»Als das Telefon klingelte, habe ich ihn gebeten, nicht ranzugehen, und hab' dann den Hörer neben den Apparat gelegt. Aber dieses verdammte Weibsstück ist trotzdem gekommen, und als Michael nicht auf ihr Klopfen reagierte, hat sie die Tür eingetreten. O Mann, war die geschockt.« Priest konnte nachempfinden, daß Melanie sich das alles von der Seele reden mußte; deshalb drängte er sie nicht, von den wirklich wichtigen Dingen zu erzählen. »Die wäre am liebsten im Boden versunken, so peinlich war ihr die Sache.«

»Hat Michael ihr die Liste gegeben?«

»Er hatte ganz andere Sorgen. Und die Frau war viel zu sehr von der Rolle, um danach zu fragen. Aber heute morgen hat sie angerufen, und Michael hat ihr die Liste gefaxt.«

»Hast du sie dir auch besorgt?«

»Als Michael unter der Dusche stand, war ich an seinem Computer und hab' sie mir ausgedruckt.«

Und wo, zum Teufel, bleibt sie?

Melanie griff in die Gesäßtasche ihrer Jeans, zog ein zweimal gefaltetes Blatt Papier hervor und reichte es Priest.

Gott sei Dank.

Priest faltete das Blatt auseinander und betrachtete es im Licht der Lampe. Die gedruckten Buchstaben und Zahlen sagten ihm nichts. »Das sind die Orte, die Michael der Frau genannt hat? Die sie beobachten soll?«

»Ja. Sie wollen jede dieser Stellen überwachen und nach einem seismischen Vibrator Ausschau halten, genau wie du es vorhergesagt hast.«

Judy Maddox war gerissen. Die Observierungen durch das FBI machten es für Priest sehr schwierig, den Vibrator einzusetzen, besonders wenn er es an mehreren Stellen versuchen mußte, wie im Owens Valley.

Aber er war noch gerissener als Judy. Er hatte diesen Schachzug vorhergesehen. Und er hatte sich bereits überlegt, wie er ihm begegnen konnte. »Weißt du auch, wie Michael diese Stellen rausgesucht hat?« fragte er.

»Ja, sicher. Es sind die Stellen, an denen die Spannung in der Verwerfung am stärksten ist.«

»Du könntest also das gleiche tun.«

»Das hab' ich doch schon. Und ich habe dieselben Stellen herausgefunden wie Michael.«

Priest faltete das Blatt zusammen und reichte es Melanie zurück. »Okay, jetzt hör mir genau zu. Es ist wichtig. Könntest du die Daten noch mal durchgehen und die fünf *nächst*besten Stellen ermitteln?«

»Ja.«

»Und könnten wir an einer dieser Stellen ein Erdbeben auslösen?«

»Ich nehme es an«, erwiderte Melanie. »Es ist vielleicht nicht ganz so sicher, aber die Chancen stehen nicht schlecht.«

»Dann werden wir's so machen. Morgen werden wir 'nen Blick auf die neuen Stellen werfen. Gleich nachdem ich mit Mr. Honeymoon gesprochen habe.«

KAPITEL 16

Um fünf Uhr morgens gähnte der Posten am Eingang zum Gelände der Los Alamos.

Er wurde hellwach, als Melanie und Priest im Barracuda herangefahren kamen. Priest stieg aus dem Wagen. »Wie geht's, Kumpel?« fragte er, während er zum Tor ging.

Der Posten hob sein Gewehr, setzte eine boshafte Miene auf und fragte: »Wer biste, und wat willste hier?«

Priest schmetterte ihm die Faust ins Gesicht und zertrümmerte ihm das Nasenbein. Blut spritzte. Der Posten schrie auf; seine Hände zuckten zum Gesicht. »Autsch!« sagte Priest. Die Faust tat ihm weh. Es war lange her, seit er jemandem die Fresse poliert hatte.

Die nächsten Bewegungen Priests erfolgten rein instinktiv. Er trat dem Posten die Beine weg. Der Mann fiel auf den Rücken, und sein Gewehr segelte durch die Luft. Priest trat ihm drei-, viermal in die Rippen, schnell und wuchtig, und versuchte dem Mann die Knochen zu brechen. Dann trat er seinem Opfer gegen den Kopf und ins Gesicht. Der Mann zog die Knie an den Leib, rollte sich zusammen, hilflos vor Angst, und schluchzte vor Schmerz.

Priest hielt inne. Er atmete schwer, und Augenblicke später spülten die Erinnerungen an das Hochgefühl, an die Erregung, die er früher bei solchen brutalen Gewaltausbrüchen verspürt hatte, wie eine Flutwelle über ihn hinweg. Es hatte eine Zeit gegeben, als Priest so etwas jeden Tag getan hatte. Es war so einfach, den Leuten Angst einzujagen, wenn man wußte, wie es gemacht wird.

Priest kniete sich hin und zog die Handfeuerwaffe unter dem Gürtel des Mannes hervor. Deswegen war er gekommen.

Verächtlich betrachtete er die Waffe. Es war die Nachbildung eines langläufigen Remington-Revolvers, Kaliber .44; das Originalmodell war in den Tagen des Wilden Westens hergestellt worden. Es war eine unvernünftige, unpraktische Feuerwaffe von der Art, die Sammler in einer mit Samt ausgeschlagenen Vitrine aufbewahren. Nicht zum Erschießen von Menschen gedacht.

Priest klappte die Trommel heraus. Die Waffe war geladen.

Nur darauf kam es ihm an.

Er ging zurück zum Wagen und stieg ein. Melanie saß am Steuer. Sie war blaß, ihre Augen glänzten, und ihr Atem ging schnell, als hätte sie gerade Kokain genommen. *Wahrscheinlich hat sie noch nie miterlebt, wenn jemand richtig was auf die Schnauze kriegt,* überlegte Priest. »Der wird doch wieder?« fragte Melanie mit aufgeregter Stimme.

Priest warf einen raschen Blick auf den Wachposten. Er lag auf dem Boden, die Hände vors Gesicht geschlagen, und schaukelte leicht mit dem Oberkörper vor und zurück. »Na klar«, sagte Priest.

»*Wow!*«

»Los, ab nach Sacramento.«

Melanie fuhr los.

Nach einiger Zeit fragte sie: »Meinst du wirklich, du kannst diesen Honeymoon überreden?«

»Er wird schon Vernunft annehmen«, erwiderte Priest und klang zuversichtlicher, als er sich fühlte. »Überleg doch mal, welche Wahl er hat. Nummer eins – ein Erdbeben, das Schäden in Millionenhöhe anrichtet. Oder Nummer zwei – ein vernünftiger Vorschlag, die Umweltverschmutzung zu verringern. Außerdem, wenn er sich für Nummer eins entscheidet, wird er zwei Tage später noch einmal vor die gleiche Wahl gestellt. Er *muß* den einfacheren Weg einschlagen.«

»Da hast du wohl recht«, sagte Melanie.

Ein paar Minuten vor sieben Uhr morgens trafen sie in Sacramento ein. Zu dieser Stunde war es noch still in der kalifornischen Hauptstadt. Nur wenige Personenwagen und Laster fuhren in gemächlichem Tempo über die breiten, leeren Boulevards. Melanie parkte unweit des Kapitols. Priest stülpte sich eine Baseballmütze über und stopfte sein langes Haar darunter. Dann setzte er eine Sonnenbrille auf. »Warte hier auf mich«, sagte er. »In ungefähr zwei Stunden bin ich zurück.«

Priest umrundete das Kapitol zu Fuß. Er hatte gehofft, einen Parkplatz neben dem Gebäude zu entdecken, wurde aber enttäuscht: Ringsum gab es nur Gartengelände mit prächtigen Bäumen. Zu beiden Seiten des Gebäudes führte eine Rampe in eine Tiefgarage hinunter. Beide Rampen wurden von Sicherheitsleuten in Wärterhäuschen überwacht.

Priest näherte sich einer der großen, beeindruckenden Türen. Das Gebäude war geöffnet, und am Eingang wurden keine Sicherheitsüberprüfungen vorgenommen. Priest trat in die prunkvolle Halle mit dem Fußbodenmosaik.

Er nahm die Sonnenbrille ab, die im Inneren des Gebäudes verdächtig aussah, und stieg eine Treppe ins Untergeschoß hinunter. Hier gab es ein Café, in dem sich ein paar Frühaufsteher einen Koffeinschub zuführten. Priest schlenderte an ihnen vorüber, wobei er den Eindruck vermittelte, hierher zu gehören; dann ging er einen Flur hinunter, der zu einer der Tiefgaragen führen mußte. Als Priest sich dem Ende des Flurs näherte, ging eine Tür auf, und ein fetter Mann in blauem Blazer trat hindurch. Hinter dem Mann sah Priest geparkte Autos.

Bingo.

Er schlüpfte in die Tiefgarage und schaute sich um. Sie war fast leer. Ein paar Limousinen, ein Geländefahrzeug und ein Wagen des Sheriffs standen auf gekennzeichneten Parkplätzen. Weit und breit war niemand zu sehen.

Priest schlüpfte hinter den Geländewagen, einen Dodge Durango. Als er durch die Wagenfenster spähte, konnte er den Eingang zur Tiefgarage und die Tür sehen, die ins Innere des Gebäudes führte. Weitere Wagen, die zu beiden Seiten des Durango geparkt waren, schirmten ihn vor den Blicken von Neuankömmlingen ab.

Priest richtete sich auf das Warten ein. *Das ist ihre letzte Chance.*

Es ist immer noch Zeit zu verhandeln und eine Katastrophe abzuwenden. Aber wenn es nicht klappt ... bumm!

Priest schätzte Al Honeymoon als Workaholic ein. Er würde früh auftauchen. Aber es konnte eine Menge schiefgehen. Zum Beispiel, daß Honeymoon den heutigen Tag im Amtssitz des Gouverneurs verbrachte. Oder daß er sich krank meldete. Oder er mußte Gespräche in Washington führen. Oder er war auf Europareise. Oder seine Frau bekam ein Kind.

Priest glaubte nicht, daß Honeymoon einen Bodyguard hatte. Er war kein gewählter Politiker, bloß Regierungsangestellter. Ob er einen Chauffeur hatte? Priest wußte es nicht. Falls ja, war der ganze Plan im Eimer.

Alle paar Minuten fuhr ein Wagen in die Tiefgarage. Aus seinem Versteck musterte Priest die Fahrer. Er brauchte nicht lange zu warten. Um halb acht rollte ein eleganter dunkelblauer Lincoln Continental die Rampe herunter. Ein Farbiger in weißem Hemd und Krawatte saß am Steuer. Es war Honeymoon: Priest erkannte ihn von den Fotos in der Zeitung wieder.

Der Wagen glitt in eine Parklücke unweit des Durango. Priest setzte die Sonnenbrille auf, ging mit schnellen Schritten zum Lincoln, öffnete die Beifahrertür und ließ sich in den Sitz fallen, noch bevor Honeymoon seinen Sicherheitsgurt lösen konnte. Priest richtete die Waffe auf ihn. »Fahren Sie aus der Tiefgarage«, sagte er.

Honeymoon starrte ihn an. »Wer, zum Teufel, sind Sie?«

Du überheblicher Hurensohn mit deinem dämlichen Maßanzug und der beschissenen Nadel im Hemdkragen, hier stelle ich die Fragen, verdammt noch mal!

Priest spannte den Hammer des Revolvers. »Ich bin der Irre, der Ihnen 'ne Kugel in die Eingeweide jagt, wenn Sie nicht tun, was ich sage. Fahren Sie jetzt los.«

»Scheiße«, sagte Honeymoon inbrünstig. »Scheiße.« Er ließ den Motor an und fuhr aus der Tiefgarage.

»Lächeln Sie dem Sicherheitsmann freundlich zu, und fahren

Sie langsam an ihm vorbei«, sagte Priest. »Ein falsches Wort zu dem Knilch, und ich puste ihn um.«

Honeymoon erwiderte nichts. Er verlangsamte das Tempo, als er sich dem Wachhäuschen näherte. Für einen Augenblick glaubte Priest, Honeymoon wollte irgendeinen Trick versuchen. Dann sah er den Wachmann, einen Schwarzen mittleren Alters mit weißem Haar. Priest sagte: »Wenn Sie wollen, daß dieser Bruder stirbt – nur zu, tun Sie, was Sie vorhaben.«

Honeymoon fluchte vor sich hin und fuhr weiter.

»Fahren Sie über die Capitol Mall aus der Stadt!« befahl Priest.

Honeymoon fuhr um das Kapitol herum und hielt sich auf der breiten Avenue, die zum Sacramento River führte, in Richtung Westen. »Was wollen Sie?« fragte Honeymoon, der einen eher ungeduldigen als ängstlichen Eindruck machte.

Priest hätte ihn am liebsten abgeknallt. Honeymoon war der Hurensohn, der das Staudammprojekt erst möglich gemacht hatte. Er hatte alles getan, Priests Leben zu zerstören. Und es tat dem Mistkerl kein bißchen leid. Mehr noch – es kümmerte ihn gar nicht. Eine Kugel in die Eingeweide war kaum Strafe genug.

Priest hielt seine Wut im Zaum. »Ich will Menschenleben retten«, sagte er.

»Sie sind dieser Mann von den Kindern von Eden, nicht wahr?«

Priest erwiderte nichts. Honeymoon starrte ihn an. Priest kam der Gedanke, daß Honeymoon sich seine Gesichtszüge einprägen wollte. *Klugscheißer.* »Achten Sie auf die verdammte Straße.«

Honeymoon schaute nach vorn.

Sie fuhren über die Brücke. Priest sagte: »Nehmen Sie die I-80 Richtung San Francisco.«

»Wohin fahren wir?«

»Nirgendwohin.«

Honeymoon bog auf die Schnellstraße ab.

»Fahren Sie auf der rechten Spur. Und schön im Tempolimit bleiben. So. Jetzt sagen Sie mir, warum Sie mir nicht geben, was ich haben will.« Priest hatte gelassen bleiben wollen, doch Honeymoons überhebliche Ruhe brachte ihn zur Weißglut. »*Wollen* Sie ein Erdbeben, Sie Saftsack?«

Honeymoon bewahrte unerschütterliche Ruhe. »Der Gouverneur kann keiner Erpressung nachgeben. Das müßten Sie eigentlich wissen.«

»Dieses Problem können Sie umgehen«, erwiderte Priest. »Geben Sie offiziell bekannt, daß Sie ohnehin einen Baustopp für Kraftwerke geplant hatten.«

»Niemand würde uns glauben. Das wäre für den Gouverneur politischer Selbstmord.«

»Ach ja? Sie können die Öffentlichkeit doch bescheißen, wie Sie wollen. Wozu gibt's Typen wie Sie? Politischer Berater, oder wie Sie sich nennen.«

»Ich bin der beste, den es gibt, aber ich kann keine Wunder wirken. Die Sache ist ein paar Nummern zu groß geworden. Sie hätten John Truth nicht ins Spiel bringen dürfen.«

Priest sagte wütend: »Keiner hat uns zugehört, bis Truth es in seiner Sendung brachte!«

»Nun ja, was immer der Grund dafür sein mag, jetzt ist es eine öffentliche Konfrontation, und der Gouverneur kann nicht klein beigeben, sonst würde er den Staat Kalifornien zu einem potentiellen Erpressungsopfer für jeden Idioten machen, der ein Jagdgewehr in der Hand und ein Jucken am Arsch hat, weil er sich über irgendwas ärgert. Aber noch können *Sie* einen Rückzieher machen.«

Der Kerl versucht mich vollzulabern!

»Nehmen Sie die erste Ausfahrt«, sagte Priest, »und fahren Sie zurück in die Stadt.«

Honeymoon setzte den rechten Blinker und fuhr fort: »Niemand weiß, wer Sie und die anderen sind oder wo man Sie finden kann. Wenn Sie die ganze Sache jetzt fallen lassen, kommen Sie vielleicht davon. Noch wurden keine allzu schweren Schäden verursacht. Aber wenn Sie ein weiteres Erdbeben auslösen, wird jede Polizei- und Justizbehörde der Vereinigten Staaten hinter Ihnen her sein, und die werden erst aufgeben, wenn man Sie gefunden hat. Niemand kann sich für immer verstecken.«

Priest bebte vor Zorn. »Droh du mir nicht, Mann!« brüllte er. »*Ich* hab' den verdammten Revolver!«

»Das habe ich nicht vergessen. Ich versuche nur, uns beide aus dieser Sache herauszubringen, ohne daß noch mehr Schaden angerichtet wird.«

Irgendwie hatte Honeymoon die Gesprächsführung an sich gerissen, was Priest mit heißer Wut erfüllte. »Jetzt hör mir mal gut zu, Mister«, zischte er. »Es führt nur ein Weg aus der Sache. Der Gouverneur muß 'ne Verlautbarung rausgeben. Noch heute. In Kalifornien werden keine neuen Kraftwerke gebaut.«

»Das geht nicht.«

»Fahren Sie rechts ran.«

»Wir sind auf der Schnellstraße.«

»Fahr rechts ran, Arschgesicht!«

Honeymoon verlangsamte die Geschwindigkeit und hielt auf dem Seitenstreifen an.

Die Versuchung zu schießen war groß, doch Priest widerstand ihr. »Raus aus dem Wagen!«

Honeymoon schob den Schalthebel der Automatik auf Parkstellung und stieg aus.

Priest rutschte hinüber auf den Fahrersitz. »Sie haben bis Mitternacht Zeit, zur Vernunft zu kommen«, sagte er und fuhr los.

Im Innenspiegel beobachtete er, wie Honeymoon winkte und einen Wagen anzuhalten versuchte. Das Auto fuhr an ihm vorbei. Honeymoon versuchte es noch einmal. Niemand hielt.

Den großen Mann in seinem teuren Anzug wie einen Anhalter am staubigen Straßenrand stehen zu sehen verschaffte Priest ein klein wenig Genugtuung und half ihm, den bohrenden Verdacht einzudämmen, daß Honeymoon aus dieser Begegnung irgendwie den größeren Nutzen gezogen hatte, obwohl doch Priest derjenige war, der die Waffe in der Hand hielt.

Honeymoon gab seine Bemühungen auf und machte sich zu Fuß auf den Weg.

Priest lächelte und fuhr weiter in Richtung Innenstadt.

Melanie erwartete ihn dort, wo sie sich getrennt hatten. Priest parkte den Lincoln, ließ die Schlüssel stecken und stieg in den Barracuda.

»Was ist passiert?« fragte Melanie.

Unwillig schüttelte Priest den Kopf. »Nichts«, sagte er wütend. »Es war Zeitverschwendung. Hauen wir ab.«

Er ließ den Motor an und fuhr los.

Der erste der möglichen Erdbebenorte gefiel Priest nicht.

Es war eine kleine Küstenstadt fünfzig Meilen nördlich von San Francisco. Melanie parkte am höchsten Punkt der Klippe, wo eine steife Brise den alten Barracuda auf seinen müden Stoßdämpfern schwanken ließ. Priest kurbelte die Seitenscheibe herunter, um das Meer zu riechen. Gern hätte er die Stiefel ausgezogen, um barfuß über den Strand zu spazieren und den feuchten Sand zwischen den Zehen zu spüren, aber die Zeit reichte nicht.

Die Stelle war leicht einzusehen. Der Laster wäre hier viel zu verdächtig. Außerdem war es ein ziemliches Stück bis zur Schnellstraße, so daß eine rasche Flucht unmöglich war. Das Entscheidende aber war, daß es hier kaum etwas gab, das die Zerstörung lohnte – bloß ein paar Häuser, die sich um ein Hafenbecken drängten.

Melanie sagte: »Manchmal richtet ein Erdbeben die größten Schäden mehrere Kilometer vom Epizentrum entfernt an.«

»Man kann sich aber nicht sicher sein«, erwiderte Priest.

»Stimmt. Aber wo kann man sich schon sicher sein?«

»Die beste Methode, 'nen Wolkenkratzer zum Einsturz zu bringen, wäre die, ein Erdbeben genau darunter auszulösen, stimmt's?«

»Wenn die Voraussetzungen stimmen, ja.«

Sie fuhren nach Süden durch die grünen Hügel der Marin

County und über die Golden Gate Bridge. Der zweite Erdbebenort, den Melanie vorschlug, befand sich im Herzen der Stadt. Sie fuhren über die Route 1 durch den Presidio und den Golden Gate Park und bogen am San-Francisco-Campus der California State University von der Schnellstraße ab.

»Hier sieht's schon besser aus«, sagte Priest sofort. Um sie herum standen Wohnhäuser und Büros, Geschäfte und Restaurants.

»Ein Beben, dessen Epizentrum sich hier befindet, würde in der Marin County die größten Schäden verursachen«, erklärte Melanie.

»Wie kommt das? Die Marin County ist Meilen von hier entfernt.«

»Das Land dort ist dem Meer abgewonnen, und die darunterliegenden Sedimente sind mit Wasser gesättigt. Diese Ablagerungen verstärken die seismischen Vibrationen. Dagegen ist der Erdboden in dieser Gegend hier wahrscheinlich fest. Und die Häuser sehen stabil aus. Die meisten Gebäude überstehen ein Erdbeben. Wenn eins einstürzt, ist es meist aus nicht verstärktem Mauerwerk oder nicht armiertem Beton errichtet. Billigbauweise.«

In Priests Ohren war das alles Wortklauberei. Melanie war nervös, das war alles. *Ein Erdbeben ist ein Erdbeben, verdammt noch mal. Niemand kann sagen, was umfällt. Ist mir auch egal, Hauptsache es fällt etwas um.*

»Okay, fahren wir zu 'ner anderen Stelle«, sagte er.

Melanie dirigierte ihn nach Süden auf die Interstate 280. »Genau dort, wo die St.-Andreas-Spalte unter der Route 101 verläuft, gibt es eine kleine Stadt namens Felicitas«, sagte sie.

Sie fuhren zwanzig Minuten lang und hätten beinahe die Ausfahrt nach Felicitas verfehlt. »Hier, hier!« rief Melanie. »Hast du das Schild nicht gesehen?«

Priest schlug das Lenkrad wild nach rechts ein und schaffte es eben noch auf die Ausfahrt. »Verflucht noch mal, ich hab' nicht aufgepaßt«, sagte er.

Die Ausfahrt führte zu einem Aussichtspunkt, der einen Blick über die Stadt gewährte. Priest hielt an und stieg aus dem Wagen. Wie ein Gemälde breitete Felicitas sich unter ihm aus. Die Hauptstraße verlief von links nach rechts, über Priests gesamtes Gesichtsfeld hinweg; sie war von niedrigen Geschäftsgebäuden und Büros mit Schindeldächern gesäumt. Einige schräg geparkte Autos standen vor den Gebäuden. Priest sah eine kleine Kirche mit einem Glockenturm. Im Norden und Süden der Hauptstraße bildeten Alleen säuberliche Gitterwerke. Sämtliche Häuser waren einstöckig. An beiden Ortsausgängen verwandelte die Hauptstraße sich in eine gut ausgebaute Landstraße, die zwischen Feldern verschwand. Der Landstrich im Norden der Stadt wurde von einem gewundenen Fluß und dessen Nebenarmen durchzogen; es sah aus wie ein gezackter Sprung in einer Fensterscheibe. In der Ferne war eine Eisenbahnstrecke zu sehen, die von Ost nach West verlief, schnurgerade wie eine Linie, die ein technischer Zeichner gezogen hatte. Hinter Priest führte die Schnellstraße über ein Viadukt, das auf hohen Betonbögen errichtet war.

Ein Bündel aus sechs großen, leuchtend blauen Rohrleitungen verlief den Hügelhang hinunter, tauchte unter der Hauptstraße hindurch, führte in westlicher Richtung durch die Stadt und verschwand am Horizont; die Konstruktion sah aus wie ein unendliches Xylophon. »Was, zum Henker, ist das?« fragte Priest.

Melanie dachte einen Augenblick nach. »Es müßte eine Erdgas-Pipeline sein.«

Priest stieß einen langen, zufriedenen Seufzer aus. »Die Gegend hier ist super«, sagte er.

An diesem Tag machten sie noch einen weiteren Halt.

Nach dem Erdbeben mußte Priest den Vibrator verstecken, denn seine einzige Waffe war die Androhung weiterer Beben. Er mußte Honeymoon und Gouverneur Robson glauben machen, daß er die Macht besaß, wieder und wieder Erdbeben auszulösen –

so oft, bis sie nachgaben. Also war es von entscheidender Bedeutung, den Laster weiterhin versteckt zu halten.

Es würde immer schwieriger werden, mit dem seismischen Vibrator auf öffentlichen Straßen zu fahren; deshalb mußte er an einem Ort verborgen werden, von dem aus Priest ein drittes Erdbeben auslösen konnte, ohne allzu weit fahren zu müssen.

Melanie dirigierte ihn zur Third Street, die parallel zur Küstenlinie des riesigen natürlichen Hafens verlief, der die Bucht von San Francisco bildete. Zwischen der Third Street und der Hafengegend befand sich ein heruntergekommenes Industrieviertel. Schienen einer stillgelegten Eisenbahnstrecke zogen sich die mit Schlaglöchern übersäten Straßen entlang, die von verfallenden, rostenden Fabrikgebäuden, leeren Lagerhäusern mit eingeschlagenen Fenstern und tristen Höfen voller Paletten, Reifen und Autowracks gesäumt wurden.

»Das ist ja Spitze«, sagte Priest. »Nur eine halbe Stunde von Felicitas entfernt. Außerdem interessiert sich hier kein Aas für seine Nachbarn.«

An einigen Gebäuden hatten optimistische Immobilienmakler ihre Schilder angebracht. Melanie gab sich als Priests Sekretärin aus, rief die Nummer an, die auf einem der Schilder stand, und erkundigte sich, ob ein Lagerhaus zu vermieten sei, möglichst günstig, ungefähr vierhundert Quadratmeter groß.

Ein eilfertiger junger Makler kam ins Industrieviertel gefahren, um sich mit Priest und Melanie zu treffen. Er zeigte ihnen eine heruntergekommene Bruchbude aus Schlackenstein; im Wellblechdach klafften Löcher, und über der Tür hing eine ramponierte Aufschrift, die Melanie als »Perpetua Diaries« entzifferte. Die Halle bot reichlich Platz für den seismischen Vibrator. Angeschlossen waren eine Toilette und ein Waschraum in betriebsfähigem Zustand sowie ein kleines Büro mit Herdplatte und ein großer alter Zenith-Fernseher, den der vorherige Mieter zurückgelassen hatte.

Priest erklärte dem Makler, er brauche einen Platz, wo er etwa einen Monat lang Weinfässer lagern könne. Dem Mann war es vollkommen egal, was Priest mit dem Lagerhaus anfangen wollte. Er war nur froh, die Miete für die baufällige Lagerhalle kassieren zu können, und versprach, bis zum kommenden Tag für den Anschluß von Wasser und Strom zu sorgen. Priest zahlte ihm die Miete für vier Wochen bar im voraus. Das Geld stammte aus dem Geheimversteck in seiner alten Gitarre.

Der Makler strahlte, als hätte er einen Glückstag. Er gab Melanie die Schlüssel, schüttelte den neuen Mietern die Hände und machte, daß er davonkam, bevor Priest es sich anders überlegen konnte.

Priest und Melanie fuhren zurück ins Silver River Valley.

Am Donnerstagabend nahm Judy Maddox ein Bad. Während sie in der Wanne lag, dachte sie an das Erdbeben von Santa Rosa zurück, das ihr so schreckliche Angst eingejagt hatte. Damals war sie noch Schülerin der ersten Klasse gewesen, doch die Erinnerung war so lebendig, als wäre alles erst gestern geschehen. Nichts konnte entsetzlicher sein als die Erfahrung, daß der Boden unter den Füßen plötzlich nicht mehr fest und unverrückbar, sondern trügerisch und tödlich ist. Manchmal, in ruhigen Augenblicken, sah Judy alptraumhafte Bilder von Hunderten Autowracks, einstürzenden Brücken, zusammenbrechenden Gebäuden, Feuer und Flut – doch keines dieser Bilder war für sie so schrecklich wie die Erinnerung an das Entsetzen, das sie im Alter von sechs Jahren durchgemacht hatte.

Sie wusch sich das Haar und verdrängte die Erinnerungen. Dann packte sie eine Reisetasche und fuhr um zehn Uhr abends zurück zum Offiziersclub.

In der Kommandozentrale des Krisenstabes war es ruhig, doch es herrschte eine gespannte Atmosphäre. Noch immer wußte niemand mit Sicherheit, ob die Kinder von Eden tatsächlich ein Erdbeben auslösen konnten. Doch seit Al Honeymoon von Ricky Granger mit vorgehaltener Waffe aus der Tiefgarage des Kapitols entführt und am Straßenrand der I-80 aus dem Wagen geschmissen worden war, herrschte Einmütigkeit darüber, daß hinter den Terroristendrohungen tödlicher Ernst steckte.

Im alten Ballsaal befanden sich mittlerweile mehr als einhundert Personen. Der leitende Beamte vor Ort war Stuart Cleever, das hohe Tier, das am Dienstagabend von Washington aus eingeflogen war. Ungeachtet der Anweisungen Honeymoons kam es für das FBI nicht in Frage, einer niederrangigen Agentin bei einem so bedeutenden Fall die Gesamtverantwortung zu überlassen. Judy wollte sie auch gar nicht; außerdem war nie die Rede davon gewesen. Doch immerhin hatte sie dafür sorgen können, daß weder Brian Kincaid noch Marvin Hayes unmittelbar an der Aufklärung des Falles beteiligt waren.

Judys offizieller Titel lautete ›Koordinatorin für Ermittlungseinsätze‹, was ihr alle Befugnisse verschaffte, die sie brauchte. Außerdem gab es einen ›Koordinator für Kriseneinsätze‹, Charlie Marsh, der das Sondereinsatzkommando befehligte, welches sich im Nebenraum in Bereitschaft hielt. Charlie, ein ehemaliger Armeesoldat, war ein Mann von ungefähr fünfundvierzig Jahren mit ergrautem Bürstenhaarschnitt, ein Fitneß-Fanatiker und Waffensammler – nicht der Typ, den Judy normalerweise mochte –, doch Charlie war geradeheraus und zuverlässig, und sie konnte mit ihm arbeiten.

Zwischen der Leitstelle und dem Tisch des Nachrichten- und Ermittlungsteams saßen Michael Quercus und seine jungen Seismologen vor ihren Computermonitoren und überwachten sie auf Anzeichen seismischer Aktivitäten. Wie Judy war auch Michael für zwei Stunden nach Hause gefahren und in einer sauberen Khakihose sowie einem schwarzen Polohemd zurückgekommen. Sein Matchbeutel deutete darauf hin, daß er sich auf eine lange Wache gefaßt machte.

Im Laufe des Tages, als Michael seine Geräte aufbaute und seine Helfer vorstellte, hatten sie praktische Fragen diskutiert. Zunächst waren Judy und er miteinander ein bißchen befangen umgegangen, doch Judy erkannte bald, daß Michael rasch über seinen

Zorn und die Schuldgefühle hinwegkam, die der Vorfall am Dienstag in ihm wachgerufen hatte. Was Judy betraf, hätte sie Michael gern ein, zwei Tage lang spüren lassen, daß sie wütend auf ihn war. Doch dazu war sie viel zu beschäftigt, so daß sie die ganze Geschichte in einen Winkel ihres Verstandes verdrängte. Statt dessen wurde ihr allmählich klar, wie schön sie es fand, Michael in ihrer Nähe zu wissen.

Sie dachte gerade darüber nach, welcher Vorwand ihr dazu dienen könnte, mit ihm zu reden, als das Telefon auf ihrem Schreibtisch klingelte.

Sie nahm den Hörer ab. »Judy Maddox.«

Der Telefonist sagte: »Ein Anruf für Sie. Ricky Granger ist dran.«

»Zurückverfolgen!« erwiderte Judy scharf. Der Telefonist würde nur Sekunden benötigen, um sich mit der Sicherheitszentrale der Pacific Bell, die rund um die Uhr arbeitete, in Verbindung zu setzen. Judy winkte Cleever und Marsh und bedeutete ihnen, das Gespräch mitzuhören.

»Sie haben ihn jetzt dran«, sagte der Telefonist. »Soll ich ihn durchstellen oder in die Warteschleife lenken?«

»Stellen Sie ihn durch. Schneiden Sie das Gespräch mit.« Ein Klicken ertönte. »Hier Judy Maddox.«

Eine Männerstimme sagte: »Sie sind clever, Agentin Maddox. Aber sind Sie auch clever genug, um den Gouverneur zur Vernunft zu bringen?«

Hilfloser Zorn lag in der Stimme. Judy stellte sich einen Mann um die Fünfzig vor, mager, schlecht gekleidet, aber befehlsgewohnt. Ein Mann, vermutete Judy, dem das Leben aus den Händen glitt und der von Groll zerfressen wurde.

»Spreche ich mit Ricky Granger?« fragte sie.

»Sie wissen genau, mit wem Sie sprechen. Warum zwingen Sie mich, ein weiteres Erdbeben auszulösen?«

»Sie *zwingen*? Machen Sie sich etwa selbst vor, daß die Schuld an dieser ganzen Sache bei jemand *anders* liegt?«

Die Bemerkung schien Granger noch wütender zu machen.

»*Ich* bin es nicht, der Jahr für Jahr mehr Strom verbraucht«, sagte er. »Ich will keine weiteren Kraftwerke. Ich benutze keine Elektrizität.«

»Was Sie nicht sagen.« *Wirklich nicht?* »Wie funktioniert dann Ihr Telefon? Mit Wasserdampf?« *Eine Sekte, die keinen Strom benutzt. Ein Hinweis mehr.* Judy hatte ihre ironische Antwort noch nicht ganz ausgesprochen, da versuchte sie bereits, sich über die Implikationen von Grangers Aussage klarzuwerden. *Wo lebt diese Sekte?*

»Verscheißern Sie mich nicht, Judy. Sie sind diejenige, die in Schwierigkeiten steckt.«

Neben Judy klingelte Charlies Telefon. Er riß den Hörer von der Gabel und schrieb hastig und mit großen Buchstaben auf seinen Notizblock: *Münztelefon – Oakland – I-980/I-580 – Texaco-Tankstelle.*

»Wir alle stecken in Schwierigkeiten, Ricky«, sagte Judy in sachlicherem Tonfall. Charlie ging zur Landkarte an der Wand. Judy hörte, wie er das Wort *Straßensperren* sagte.

»Ihre Stimme klingt plötzlich anders«, sagte Granger mißtrauisch. »Was ist passiert?«

Judy merkte, daß ihr das Gespräch zu entgleiten drohte. Sie hatte keine spezielle psychologische Ausbildung für derartige Fälle. Sie wußte nur, daß sie Granger unbedingt am Telefon halten mußte. »Ich mußte plötzlich daran denken, was für eine Katastrophe es geben wird, falls Sie und ich zu keiner Einigung kommen«, sagte sie.

Sie hörte Charlie mit gedämpfter Stimme Anweisungen erteilen: »Rufen Sie die Polizei in Oakland an … das Sheriffbüro in der Alameda County … und die California Highway Patrol.«

»Sie wollen mich wohl verarschen, Maddox«, sagte Granger. »Haben Sie dieses Gespräch schon zurückverfolgt? Mein lieber Schwan, das ging aber schnell. Haben Sie versucht, mich am Apparat zu halten, während Ihr Sondereinsatzkommando mir auf die Pelle rückt? Das können Sie sich abschminken. Für mich gibt's hundertfünfzig Wege, von hier wegzukommen!«

»Aber nur ein Weg führt aus dem Schlamassel heraus, in dem Sie stecken.«

»Es ist Mitternacht durch«, sagte Granger. »Ihre Zeit ist abgelaufen. Ich werde ein weiteres Erdbeben erzeugen, und Sie können nichts, rein *gar nichts* tun, um mich daran zu hindern.« Er hängte ein.

Judy knallte den Hörer auf die Gabel. »Los, Charlie!« Sie riß das Computer-Phantombild Grangers vom Schwarzen Brett ›Personen‹ und eilte aus dem Gebäude. Der Hubschrauber wartete auf dem Paradeplatz; die Rotorblätter drehten sich bereits. Judy sprang in die Kanzel, gefolgt von Charlie Marsh.

Als der Helikopter abhob, setzte Charlie die Kopfhörer auf und bedeutete Judy, es ihm gleichzutun. »Ich schätze, wir brauchen zwanzig Minuten, um die Straßensperre zu errichten«, sagte er. »Selbst wenn der Bursche sich ans Tempolimit hält, um nicht wegen Geschwindigkeitsübertretung angehalten zu werden, könnte er zwanzig Meilen weit entfernt sein, bis wir an der Tankstelle sind. Deshalb habe ich den Befehl erteilt, die wichtigsten Schnellstraßen im Umkreis von zwanzig Meilen zu sperren.«

»Was ist mit anderen Straßen?«

»Wir müssen hoffen, daß der Kerl eine große Entfernung zurücklegen muß. Biegt er von der Schnellstraße ab, verlieren wir ihn. In der Gegend befindet sich eines der dichtesten und meistbefahrenen Straßennetze in ganz Kalifornien. Wir könnten es nicht einmal dann hundertprozentig abriegeln, wenn uns die ganze US Army zur Verfügung stünde.«

Als Priest auf die I-80 abbog, hörte er das Knattern eines Hubschraubers und schaute zum Himmel. Er sah, wie der Helikopter über den Barracuda hinwegjagte. Die Maschine kam aus San Francisco und überflog die Bucht in Richtung Oakland. »Verdammt«, fluchte Priest. »Die können doch nicht schon hinter uns her sein, oder?«

»Ich hab's dir ja gesagt«, erwiderte Melanie. »Das FBI kann in Null Komma nichts Telefongespräche zurückverfolgen.«

»Aber was haben die vor? Die wissen ja nicht mal, welche Richtung wir eingeschlagen haben, als wir von der Tankstelle losgefahren sind!«

»Ich nehme an, die Cops können die Schnellstraße sperren.«

»Welche? Die Neun-Achtzig, Acht-Achtzig, Fünf-Achtzig oder Achtzig? Richtung Norden oder Süden?«

»Kann sein, daß alle Straßen gesperrt werden. Du kennst doch die Bullen. Die nehmen da keine Rücksicht.«

»Verdammter Mist!« Priest trat aufs Gaspedal.

»Sei bloß vorsichtig, damit du nicht wegen 'ner blöden Geschwindigkeitsüberschreitung angehalten wirst.«

»Ist ja gut, ist ja gut!« Er nahm den Fuß wieder vom Gas.

»Könnten wir nicht von der Schnellstraße runter?«

Priest schüttelte den Kopf. »Es gibt keine andere Strecke nach Hause. Da sind zwar Nebenstraßen, aber die führen nicht übers Wasser. Wir könnten höchstens in Berkeley unterkriechen. Irgendwo parken und im Wagen pennen. Aber dazu reicht die Zeit nicht. Wir müssen ins Tal, um den seismischen Vibrator zu holen.« Wieder schüttelte er den Kopf. »Wir müssen ihn schnellstens hierher schaffen.«

Als sie Oakland und Berkeley hinter sich gelassen hatten, wurde der Verkehr weniger dicht. Priest spähte in die Dunkelheit vor ihm, achtete wachsam auf die blitzenden Lichter von Streifenwagen. Als sie die Carquinez Bridge erreichten, fiel ihm ein Stein vom Herzen. Wenn sie erst das Wasser überquert hatten, konnten sie Landstraßen benutzen. Vielleicht mußten sie die halbe Nacht fahren, um nach Hause zu kommen, aber wenigstens waren sie außer Gefahr.

Langsam näherte Priest sich der Mautstelle und hielt nach Anzeichen polizeilicher Aktivität Ausschau. Nur eines der Mauthäuschen war besetzt, was jetzt, nach Mitternacht, aber nicht weiter verwunderlich war. Keine Blaulichter, keine Streifenwagen, keine Cops. Priest fuhr an das Mauthäuschen heran und kramte in den Taschen seiner Jeans nach Kleingeld.

Als er aufschaute, sah er einen Polizisten der Highway Patrol. Priests Herz setzte einen Schlag aus.

Der Cop befand sich im Mauthäuschen. Er stand hinter dem Kassierer und starrte Priest mit einem nachdenklichen Ausdruck an.

Der Kassierer nahm Priests Münzen entgegen, knipste aber das grüne Licht nicht an.

Rasch trat der Highway-Polizist aus dem Häuschen.

»O Gott! Was jetzt?« raunte Melanie.

Priest überlegte, ob er Gas geben und davonrasen sollte, entschied sich aber dagegen. Bei einer Flucht würde er eine Verfolgungsjagd in Gang setzen, und der alte Barracuda war den Streifenwagen nicht gewachsen.

»Guten Abend, Sir«, sagte der Polizist. Er war ein fetter Mann um die Fünfzig und trug eine kugelsichere Weste über seiner Uniform. »Fahren Sie bitte rechts ran.«

Priest tat wie geheißen. Am Straßenrand war ein Streifenwagen der Highway Patrol geparkt – so, daß er von der anderen Seite der Mautstelle aus nicht gesehen werden konnte.

»Was hast du jetzt vor?« flüsterte Melanie.

»Cool bleiben«, erwiderte Priest.

Ein weiterer Highway-Polizist wartete im geparkten Wagen. Er stieg aus, als Priest heranfuhr. Auch dieser Cop trug eine kugelsichere Weste. Sein Kollege kam vom Mauthäuschen herüber.

Priest öffnete das Handschuhfach und nahm den Revolver heraus, den er am Morgen dem Wachposten der Los Alamos weggenommen hatte.

Dann stieg er aus.

Judy brauchte nur ein paar Minuten bis zur Texaco-Tankstelle, von der aus Ricky Granger angerufen hatte. Die Polizei in Oakland hatte schnell gehandelt. Vier Streifenwagen waren an den Ecken eines Platzes geparkt; die Kühlerschnauzen wiesen zur Platzmitte; die roten und blauen Polizeilichter auf den Wagendächern blinkten, und die Scheinwerfer beleuchteten einen Landeplatz, auf dem nun der Hubschrauber aufsetzte.

Judy sprang aus der Maschine und wurde von einem Polizeisergeanten begrüßt. »Bringen Sie mich zu dem Telefon«, sagte Judy. Der Sergeant führte sie ins Tankstellengebäude. Der Münzfernsprecher befand sich in einer Ecke neben den Toiletten. Hinter dem Kassenschalter standen zwei Angestellte, eine farbige Frau mittleren Alters und ein junger Weißer mit Ohrring. Beide sahen verängstigt aus. Judy fragte den Sergeant: »Haben Sie die zwei schon vernommen?«

»Nein«, antwortete er. »Hab' denen bloß gesagt, es wäre 'ne routinemäßige Suchaktion.«

Judy schüttelte unmerklich den Kopf. Die beiden müßten ganz schön blöd sein, wenn sie das glaubten, zumal draußen vier Streifenwagen und nun auch ein FBI-Hubschrauber standen. Judy stellte sich den beiden Angestellten vor. »Haben Sie jemanden das Telefon benutzen sehen?« fragte sie dann und blickte auf die Uhr. »Vor ungefähr einer Viertelstunde?«

Die Frau sagte: »Was meinen Sie, wie viele Leute das Telefon benutzen?« Judy hatte auf Anhieb das Gefühl, daß diese Frau Polizisten nicht mochte.

Sie schaute den jungen Mann an. »Wir suchen einen hochgewachsenen Mann, einen Weißen. Ungefähr fünfzig Jahre alt.«

»Ja, da war so 'n Kerl«, erwiderte der junge Bursche und wandte sich an die Frau. »Hast du ihn denn nicht auch gesehen? Irgendwie sah der Typ wie 'n alter Hippie aus.«

»Hab' ich nicht gesehen«, erklärte die Frau stur.

Judy zog das Computer-Phantombild aus der Tasche. »Könnte es dieser Mann gewesen sein?«

Der Junge blickte zweifelnd auf das Bild. »Der Bursche hatte keine Brille auf. Und sein Haar war sehr lang. Deshalb hab' ich ihn ja für 'nen Hippie gehalten.« Er schaute genauer hin. »Aber er könnte es sein.«

Die Frau starrte auf das Bild. »Ja, jetzt fällt's mir wieder ein«, sagte sie. »Ich glaube, das ist er. Ein dürrer Kerl in einem Jeans-hemd.«

»Sie waren mir eine große Hilfe«, sagte Judy dankbar. »Aber ich hätte noch eine sehr wichtige Frage. Was für einen Wagen fuhr der Mann?«

»Da hab' ich nicht drauf geachtet«, sagte der Junge. »Wissen Sie, wie viele Autos hier jeden Tag halten? Und inzwischen ist es dunkel.«

Judy schaute die Frau an, die bedauernd den Kopf schüttelte. »Süße, da fragen Sie die Verkehrte – ich kenn' nicht mal den Un-terschied zwischen 'nem Ford und 'nem Cadillac.«

Judy konnte ihre Enttäuschung nicht verbergen. »Verdammt«, sagte sie; dann riß sie sich zusammen. »Trotzdem danke.«

Sie ging nach draußen. »Gibt es weitere Zeugen?« fragte sie den Sergeant.

»Nee. Kann sein, daß zur fraglichen Zeit noch andere Kunden an der Tankstelle waren, aber die sind längst verschwunden. Nur die Frau und der junge Bursche arbeiten hier.«

Charlie Marsh kam mit schnellen Schritten heran. Er hielt ein Handy ans Ohr gedrückt. »Man hat Granger gesehen«, sagte er zu Judy. »Zwei Highway-Polizisten haben ihn am Mautplatz an der Carquinez Bridge angehalten.«

»Das ist ja phantastisch!« stieß Judy hervor. Dann erkannte sie an Charlies Gesichtsausdruck, daß seine Nachricht keineswegs er-freulich war. »Wurde Granger festgenommen?«

»Nein«, sagte Charlie. »Er hat auf die Männer geschossen. Sie trugen kugelsichere Westen, aber er hat jedem eine Kugel in den Kopf gejagt und ist abgehauen.«

»Haben wir eine Beschreibung des Wagens? Welches Fabrikat?«

»Nein. Der Mautkassierer hat nicht darauf geachtet.«

Judy konnte nicht verhindern, daß sich ein verzweifelter Bei-klang in ihre Stimme schlich. »Dann ist Granger entkommen?«

»Ja.«

»Und die Highway-Polizisten?«

»Beide tot.«

Der Sergeant wurde blaß. »Möge Gott sich ihrer Seelen erbarmen«, flüsterte er.

Judy wandte sich ab. Ihr war beinahe übel vor Trauer und hilfloser Wut. »Und möge Gott uns helfen, Ricky Granger zu schnappen«, sagte sie, »bevor er noch mehr Menschen umbringt.«

KAPITEL 17

B ei der Tarnung des seismischen Vibrators als Kirmeswagen hatte Oaktree ausgezeichnete Arbeit geleistet. Die in leuchtenden Farben gestrichenen roten und gelben Bretter des Drachenmauls verbargen den riesigen Vibrationsmechanismus komplett, einschließlich der gewaltigen Stahlplatte und des Gewirrs aus Druckbehältern und Rohrleitungen, mit denen die Maschinerie gesteuert wurde. Als Priest am Freitagnachmittag durch Kalifornien fuhr – von den Ausläufern der Sierra Nevada durch das Tal des Sacramento bis in die Küstengegend –, hupten und lächelten andere Fahrer freundlich, und hinter den Rückfenstern von Kombis winkten ihm Kinder zu.

Die Highway-Polizei beachtete ihn nicht.

Melanie saß neben ihm im Fahrerhaus, Star und Oaktree folgten im alten Barracuda. Am frühen Abend erreichten sie Felicitas. Kurz nach sieben Uhr morgens würde sich das seismische Fenster öffnen. Es war eine günstige Zeit: Das Zwielicht würde Priest bei der Flucht behilflich sein. Hinzu kam, daß FBI und Polizei sich dann seit nunmehr achtzehn Stunden im Alarmzustand befanden – man konnte davon ausgehen, daß sie zunehmend müder wurden und ihre Reaktionsschnelligkeit nachließ. Vielleicht glaubten sie allmählich sogar, daß sich gar kein Erdbeben ereignen würde.

Priest bog von der Schnellstraße ab und hielt an. Am Ende der Ausfahrt standen eine Tankstelle und ein Big-Rips-Restaurant, in dem mehrere Familien zu Mittag aßen. Die Kinder starrten durch die Fenster auf das Drachenmaul. Neben dem Restaurant befand sich eine Weide, auf der fünf oder sechs Pferde grasten; dann kam ein niedriges Bürogebäude mit großen Glasfenstern. An der Straße, die von hier aus in die Stadt führte, standen Wohnhäuser;

außerdem sah Priest eine Schule und ein kleines Holzgebäude, das wie eine Baptistenkirche aussah.

»Die Verwerfung verläuft quer über die Hauptstraße«, sagte Melanie.

»Woher weißt du das?«

»Sieh dir die Bäume am Bürgersteig an.« Die gegenüberliegende Straßenseite war von Kiefern gesäumt. »Die Bäume am westlichen Ende der Straße stehen ungefähr anderthalb Meter weiter vom Fahrbahnrand entfernt als die am östlichen Ende.«

Priest sah deutlich, daß die Baumreihe ungefähr zur Mitte der Straße tatsächlich einen Knick nach hinten aufwies, so daß die Bäume dort mitten auf dem Gehsteig standen, nicht am Straßenrand.

Priest schaltete das Radio in der Fahrerkabine ein. Soeben begann die John-Truth-Show. »Perfekt«, sagte er.

Der Nachrichtensprecher meldete: »Gestern wurde in Sacramento ein leitender Mitarbeiter von Gouverneur Mike Robson unter seltsamen Begleitumständen entführt. Der Kidnapper lauerte Al Honeymoon, dem Kabinettssekretär des Gouverneurs, in der Tiefgarage des Kapitols auf, zwang ihn, aus der Stadt zu fahren, und ließ ihn an der I-80 zurück.«

Priest sagte: »Fällt dir was auf? Die erwähnen die Kinder von Eden gar nicht. Dabei wissen die, daß ich der Bursche in Sacramento war. Aber die Schweinehunde wollen den Eindruck erwecken, als hätte das nichts mit uns zu tun. Die glauben, so könnten sie 'ne Panik verhindern. Aber die verschwenden bloß ihre Zeit. In zwanzig Minuten gibt's die größte Massenpanik, die Kalifornien je erlebt hat.«

»Sehr gut!« sagte Melanie. Sie wirkte ängstlich und aufgeregt zugleich, ihr Gesicht war gerötet, und ihre Augen glänzten vor Hoffnung und Furcht.

Priest jedoch wurde insgeheim von Zweifeln geplagt. *Ob es diesmal klappt?*

Es gibt nur eine Möglichkeit, das herauszufinden.

Er legte den Gang ein und fuhr den Hügel hinunter.

Nach einer langgezogenen Kurve mündete die Ausfahrt der Schnellstraße in die alte Landstraße, die aus östlicher Richtung in die Stadt führte. Hier bog Priest auf die Hauptstraße ab. Genau auf der Verwerfung stand ein Café. Priest lenkte den Vibrator auf den großen Parkplatz vor dem Gebäude. Der Barracuda glitt neben den Laster und hielt. »Besorg ein paar Doughnuts«, sagte Priest zu Melanie. »Und immer schön cool bleiben.«

Melanie stieg aus und ging zum Café.

Priest zog die Handbremse an und betätigte den Schalter, mit dem die Bodenplatte des seismischen Vibrators heruntergefahren wurde.

Ein Highway-Polizist kam aus dem Café.

»Scheiße!« fluchte Priest.

Der Cop hielt eine Papiertüte in der Hand und überquerte zielstrebig den Parkplatz. Priest vermutete, daß der Mann gehalten hatte, um für sich und seinen Partner Frühstück zu besorgen. Aber wo stand der Streifenwagen? Priest schaute sich um und entdeckte schließlich ein weiß-blaues Warnlicht auf dem Dach eines Fahrzeugs, das fast gänzlich von einem Kleintransporter verdeckt wurde. Er hatte den Streifenwagen gar nicht bemerkt, als er auf den Parkplatz eingebogen war. Er fluchte über seine Unachtsamkeit.

Doch nun war es zu spät. Der Polizist sah den getarnten Lastwagen, änderte die Richtung und näherte sich dem Seitenfenster auf der Fahrerseite.

»Hallo«, sagte er in freundlichem Tonfall. »Na, wie geht's uns denn heute?« Er war ein hochgewachsener, dünner junger Bursche Anfang Zwanzig mit kurzem, hellem Haar.

»Mir geht es prächtig«, erwiderte Priest. *Kleinstadtbullen! Führen sich bei jedem so kumpelhaft auf, als würden sie Tür an Tür mit ihm wohnen.* »Und wie geht es Ihnen?«

»Sie wissen, daß Sie dieses Kirmesfahrzeug nicht ohne amtliche Genehmigung betreiben dürfen?«

»Ja, klar, ist doch überall so«, erwiderte Priest. »Aber wir wollen unsere Zelte in Pismo Beach aufschlagen. Wir haben bloß auf 'nen Kaffee gehalten, genau wie Sie.«

»Okay. Dann wünsch' ich noch einen schönen Tag.«

»Danke, ebenso.«

Der Cop ging davon, und Priest schüttelte verwundert den Kopf. *Wenn du gewußt hättest, wen du vor dir hast, Kumpel, wärst du an deinem Schokoladen-Doughnut erstickt.*

Er blickte durchs Rückfenster und überprüfte die Anzeigen des Vibrationsmechanismus. Alle waren im grünen Bereich.

Melanie kam zurück. »Steig zu den anderen ins Auto«, sagte Priest. »Ich komm' sofort nach.«

Er stellte den seismischen Vibrator so ein, daß der Mechanismus sich per Funk betätigen ließ; dann sprang er aus dem Führerhaus. Den Motor ließ er laufen.

Melanie und Star hatten auf der Rückbank des Barracuda Platz genommen; sie saßen so weit voneinander entfernt, wie die Sitze es erlaubten. Zwar waren sie höflich zueinander, konnten ihre beiderseitige Feindseligkeit aber nicht verhehlen. Oaktree saß am Steuer. Priest schwang sich neben ihn auf den Beifahrersitz. »Fahr wieder den Hügel rauf bis zu der Stelle, an der wir vorhin gehalten haben«, sagte er.

Oaktree fuhr los.

Priest schaltete das Radio an, drehte den Senderknopf und stellte die John-Truth-Show ein.

»Es ist Freitagabend, fünf vor halb acht, und die Androhung der Terroristengruppe Kinder von Eden, ein Erdbeben auszulösen, hat sich Gott sei Dank als gegenstandslos erwiesen. Welches Ereignis in Ihrem Leben hat *Ihnen* am meisten angst gemacht? Rufen Sie John Truth an, und erzählen Sie es uns! Es kann ruhig eine verrückte Geschichte sein, zum Beispiel, daß Sie mal eine Maus in Ihrem Kühlschrank entdeckt haben. Oder sind Sie einmal Opfer eines Raubüberfalls gewesen? Erzählen Sie Ihr Erlebnis der großen weiten Welt – heute abend bei mir in der John-Truth-Show!«

Priest schaute über die Schulter auf Melanie. »Ruf ihn über dein Handy an.«

»Und wenn das Gespräch zurückverfolgt wird?«

»Das ist 'n Radiosender, nicht das gottverdammte FBI. Die können keine Anrufe zurückverfolgen. Nun mach schon.«

»Okay.« Melanie tippte die Nummer ein, die John Truth im Radio wiederholte. »Besetzt.«

»Versuch es weiter.«

»Ja, ja. Das Handy hat 'ne automatische Wahlwiederholung.«

Oaktree hielt an der höchsten Stelle des Hügels, und sie alle schauten auf die Stadt hinunter. Angespannt beobachtete Priest die Parkfläche vor dem Café. Die Cops waren immer noch dort. Priest wollte den seismischen Vibrator nicht in Betrieb setzen, solange die beiden Polizisten in der Nähe waren – einer der Cops könnte in die Fahrerkabine springen und den Motor abstellen. »Diese verdammten Arschbacken!« fluchte er. »Warum gehen die nicht auf Verbrecherjagd?«

»Sag so was nicht. Dann könnten die Knilche sich ja gleich auf unsere Fährte setzen«, scherzte Oaktree.

»Wir sind keine Verbrecher«, sagte Star mit Nachdruck. »Wir versuchen, unser Land zu retten.«

»Da hast du verdammt recht.« Priest lächelte und ließ die Faust durch die Luft zischen.

»Und ob ich recht habe«, fuhr Star fort. »Wenn die Menschen in hundert Jahren in die Vergangenheit blicken, werden sie sagen, daß *wir* die Vernünftigen gewesen sind und daß die Regierung verrückt war, weil sie zugelassen hat, daß Amerika durch die Umweltverschmutzung zerstört wurde. Wir sind wie die Fahnenflüchtigen im Ersten Weltkrieg. Zu ihrer Zeit hat man sie gehaßt. Aber heute sagt jeder: ›Die Männer, die damals abgehauen sind, waren die einzig Vernünftigen.‹«

»Stimmt ja auch«, meinte Oaktree.

Der Streifenwagen fuhr vom Parkplatz.

»Ich bin durch!« sagte Melanie. »Ich habe Anschluß bekommen ... Hallo? Ja, ganz recht, wegen der John-Truth-Show. Gut, ich warte ... Er sagt, ich soll das Radio ausmachen, Leute ...« Priest stellte das Autoradio ab. »Ich möchte Ihnen etwas über ein Erdbeben erzählen«, fuhr Melanie fort und beantwortete ein paar Fragen. »Ich heiße Mel ... Melinda. Ja, gut, ich bleib' dran.« Sie hielt die Hand auf die Sprechöffnung. »Verdammt, beinahe hätte ich ihm meinen Namen gesagt.«

»Wäre kein Beinbruch gewesen. Es dürfte eine Million Melanies geben«, sagte Priest. »Gib mir das Handy.«

Melanie reichte es ihm, und Priest drückte es sich ans Ohr. Er hörte den Werbespot eines Lexus-Autohändlers aus San José und beobachtete währenddessen, wie der Streifenwagen den Hügel herauf in ihre Richtung kam. Er fuhr am seismischen Vibrator vorbei, bog in Richtung Schnellstraße ab und verschwand.

Plötzlich hörte Priest: »... und Melinda möchte über ihr Erlebnis mit einem Erdbeben reden. Hallo, Melinda! Sie sind live in der John-Truth-Show!«

Priest sagte: »Hallo, John. Hier ist nicht Melinda, hier sind die Kinder von Eden.«

Schlagartig war Stille in der Leitung. Als Truth sich schließlich wieder meldete, hatte seine Stimme jenen gewichtigen Tonfall angenommen, den sie immer dann besaß, wenn er etwas von Bedeutung zu sagen hatte. »Damit sollten Sie nicht scherzen, mein Freund. Sie könnten nämlich ins Gefängnis wandern, ist Ihnen das klar?«

»Ich könnte ins Gefängnis wandern, weil ich eben *nicht* damit scherze«, erwiderte Priest.

»Warum rufen Sie mich an?« fragte Truth.

»Weil wir diesmal sicher sein wollen, daß jeder weiß, daß *wir* das Erdbeben ausgelöst haben.«

»*Was?* Wann wird es sich ereignen?«

»In den nächsten paar Minuten.«

»Wo?«

»Kann ich Ihnen nicht sagen, weil wir sonst vielleicht das FBI am Arsch hätten. Aber ich werd' Ihnen etwas verraten, was nur meine Freunde und ich wissen können. Das Beben wird sich genau auf der Route 101 ereignen.«

Raja Khan sprang auf einen Tisch inmitten der Einsatzzentrale. »Seid mal alle still und hört zu!« rief er. Alle hörten den schrillen Beiklang der Furcht in Rajas Stimme, und es wurde totenstill im Raum. »Ein Typ hat bei *John Truth Live* angerufen. Der Kerl behauptet, von den Kindern von Eden zu sein.«

Abrupt setzten die Stimmen wieder ein, als Fragen durch den Raum schwirrten und die Agenten sich aufgeregt unterhielten. Judy erhob sich. »Ruhe, Leute!« rief sie. »Was hat der Mann gesagt, Raja?«

Carl Theobald, der an seinem Schreibtisch saß und ein Ohr an den Lautsprecher eines Radios hielt, beantwortete Judys Frage. »Er hat nur gesagt, das nächste Erdbeben wird sich in wenigen Minuten an der Route 101 ereignen.«

»Gut gemacht, Carl. Stellen Sie das Radio bitte lauter.« Judy drehte sich schwungvoll um. »Michael – stimmt die Ortsangabe mit einer der Stellen überein, die wir überwachen lassen?«

»Nein«, sagte er. »Verflucht, ich hab' mich verrechnet.«

»Dann rechne es noch einmal durch! Versuch herauszufinden, wo diese Verrückten sein könnten!«

»In Ordnung«, sagte er. »Aber hör auf zu schreien.« Er setzte sich an seinen Computer und legte die Hand auf die Maus.

Aus Carl Theobalds Radio erklang eine Stimme: »Jetzt geht's los.«

An Michaels Computer schrillte ein Alarmton.

»Was ist?« fragte Judy. »Ein Erdstoß?«

Michael klickte mit der Maus ein Symbol an. »Moment, es kommt sofort auf den Bildschirm ... nein, das ist kein Erdstoß. Es ist ein seismischer Vibrator.«

Judy blickte ihm über die Schulter. Auf dem Monitor sah sie ein Wellenmuster, das jenem ähnelte, welches Michael ihr am

Sonntag gezeigt hatte. »Wo steht er?« fragte sie. »Ich brauche eine Ortsangabe!«

»Ich arbeite daran!« erwiderte er scharf. »Wenn du mich anschreist, arbeitet der Computer auch nicht schneller!«

Wie konnte er in einem solchen Augenblick so empfindlich sein? »Wieso hat das Beben noch nicht angefangen? Vielleicht funktioniert ihre Methode nicht.«

»Im Owens Valley hat's beim erstenmal auch nicht geklappt.«

»Das wußte ich noch gar nicht.«

»Okay, hier sind die Koordinaten.«

Judy und Charlie Marsh gingen zur Karte an der Wand. Michael rief ihnen die Werte zu. »Hier!« sagte Judy triumphierend. »Genau auf der Route 101, südlich von San Francisco. Eine Stadt namens Felicitas. Rufen Sie die örtliche Polizei an, Carl. Sie, Raja, benachrichtigen die Highway Police. Und Sie, Charlie, werden mich im Hubschrauber begleiten.«

»Die Werte sind nicht hundertprozentig genau«, warnte Michael. »Der seismische Vibrator könnte sich im Umkreis von etwa einer Meile um den Koordinatenpunkt befinden.«

»Können wir den genauer anpeilen?«

»Wenn ich mir die Gegend anschaue, könnte ich sehen, wo die Verwerfung verläuft.«

»Dann flieg mit. Schnapp dir eine kugelsichere Weste, und wir machen uns auf die Socken.«

»Es klappt nicht!« sagte Priest und versuchte, sein Erschrecken im Zaum zu halten.

Melanie sagte: »Im Owens Valley hat es beim erstenmal auch nicht funktioniert, weißt du nicht mehr?« Ihre Stimme klang verärgert. »Wir mußten den seismischen Vibrator ein Stück versetzen und es noch einmal versuchen.«

»Verflucht! Ich hoffe, wir haben genug Zeit dafür«, sagte Priest. »Fahr los, Oaktree. Zurück zum Laster!«

Oaktree gab Gas und jagte den Hügel hinunter.

Priest drehte sich um und rief Melanie über das Brüllen des Motors hinweg zu: »Was meinst du, wohin wir den Vibrator fahren sollten?«

»Gegenüber von dem Café ist eine Seitenstraße. Die mußt du ungefähr vierhundert Meter weit fahren, dann triffst du auf die Verwerfung.«

»Okay.«

Oaktree hielt vor dem Café. Priest sprang aus dem Wagen. Eine fette Frau mittleren Alters stand vor ihm. »Haben Sie das Geräusch gehört?« fragte sie. »Hörte sich an, als käm's von dem Lastwagen da drüben. Der Lärm war ohrenbetäubend!«

»Aus dem Weg, du Schlampe, oder ich tret' dir in den dicken Arsch«, sagte Priest grob. Er schwang sich in die Fahrerkanzel des seismischen Vibrators, fuhr die Bodenplatte hoch, schaltete das Getriebe für die Antriebsräder zu und fuhr los. Dicht vor einem großen alten Kombi lenkte er den Laster rücksichtslos auf die Straße. Mit kreischenden Reifen kam der Kombi zum Stehen, und der Fahrer hupte wütend. Priest bog in die Seitenstraße ab.

Er fuhr vierhundert Meter weit und hielt vor einem schmucken, einstöckigen Haus mit umzäuntem Garten. Hinter dem Zaun bellte ein kleiner weißer Hund wie wild. Priest arbeitete nun in fieberhafter Eile. Erneut senkte er die Bodenplatte des Vibrators und überprüfte die Anzeigen. Dann schaltete er auf Funk-Fernbedienung um, sprang aus der Fahrerkabine und schwang sich wieder in den Barracuda.

Mit aufheulendem Motor wendete Oaktree vor dem Haus und schoß davon. Als sie über die Hauptstraße jagten, bemerkte Priest, daß sie allmählich Aufmerksamkeit erregten. Sie wurden von einem Paar beobachtet, das mit Einkaufstaschen unterwegs war, von zwei Jungen auf Mountainbikes und von drei fetten Männern, die aus einer Kneipe traten, um festzustellen, was los war.

Am Ende der Hauptstraße lenkte Oaktree den Barracuda wieder den Hügel hinauf. »Das ist weit genug weg«, sagte Priest. Oaktree hielt an, und Priest setzte die Fernbedienung in Gang.

Er hörte, wie sechs Querstraßen entfernt der seismische Vibrator zu arbeiten begann.

Mit zittriger Stimme fragte Star: »Sind wir hier sicher?«

Die anderen schwiegen. Wie erstarrt vor Anspannung warteten sie auf das Beben.

Der Vibrator arbeitete dreißig Sekunden lang, dann hörte er auf.

»Viel *zu* sicher«, beantwortete Priest Stars Frage.

»Verdammter Mist, Priest, es klappt nicht«, sagte Oaktree.

»Beim letztenmal hat's auch nicht sofort geklappt«, sagte Priest nervös. »Diesmal *muß* es funktionieren!«

Melanie sagte: »Weißt du, was ich glaube? Der Boden hier ist zu weich. Die Stadt liegt zu nahe am Fluß. Weicher, feuchter Boden verschluckt die Vibrationen.«

Mit zornrotem Gesicht wandte Priest sich zu ihr um. »Gestern hast du mir gesagt, daß Erdbeben auf feuchten Böden *größere* Schäden anrichten.«

»Ich sagte, daß bei Gebäuden, die auf feuchten, tieferen Erdschichten stehen, die Wahrscheinlichkeit von Schäden größer ist, weil der Untergrund sich mehr bewegt. Doch um die Schockwellen vom seismischen Vibrator zu dem kritischen Punkt zu leiten, ist felsiger Boden besser geeignet.«

»Spar dir deine verdammten Vorlesungen!« sagte Priest. »Wo sollen wir es als nächstes versuchen?«

Melanie wies den Hügel hinauf. »Wo wir von der Schnellstraße abgebogen sind. Das ist zwar nicht direkt auf der Verwerfung, aber der Untergrund dort müßte Fels sein.«

Oaktree blickte Priest mit hochgezogenen Brauen an. »Los, zurück zum Laster!« sagte Priest.

Wieder jagten sie über die Hauptstraße und wurden diesmal von noch mehr Menschen beobachtet. Mit schlingerndem Heck lenkte Oaktree den Barracuda in die Seitenstraße und bremste mit kreischenden Reifen neben dem seismischen Vibrator. Priest schwang sich in die Führerkabine, hob die Bodenplatte und fuhr los, wobei er das Gaspedal voll durchtrat.

Der Laster bewegte sich quälend langsam durch die Stadt und kroch den Hügel hinauf.

Als Priest die Hälfte der Strecke zurückgelegt hatte, jagte der Streifenwagen, der vor dem Café gestanden hatte, mit flackerndem Blaulicht und heulender Sirene die Ausfahrt der Schnellstraße hinunter. Der Wagen schoß am Vibrator vorbei in Richtung Stadt.

Schließlich erreichte der Laster die Stelle, von der aus Priest zum erstenmal über die Stadt hinweggeschaut und erklärt hatte, sie wäre ideal. Er hielt an der Straße gegenüber dem Big-Rips-Restaurant. Zum drittenmal fuhr er die Bodenplatte des seismischen Vibrators herunter.

Hinter sich konnte er den Barracuda sehen. Der Streifenwagen erschien wieder aus Richtung Stadt und kam den Hügel herauf. Als Priest einen raschen Blick zum Himmel warf, sah er in der Ferne einen Hubschrauber.

Er hatte keine Zeit, sich vom Vibrator zu entfernen und die Fernbedienung zu benutzen. Er mußte die gewaltige Apparatur betätigen, während er in der Fahrerkabine saß.

Er legte die Hand auf die Kontrollen, zögerte und zog den Hebel.

Aus dem Helikopter sah Felicitas wie eine schlafende Stadt aus.

Es war ein heller, klarer Abend. Judy konnte die Hauptstraße und das Netz aus Nebenstraßen zu beiden Seiten erkennen; sie konnte die Bäume in den Gärten und die Autos auf den Auffahrten ausmachen, doch nichts schien sich zu bewegen. Ein Mann, der Blumen goß, war so vollkommen regungslos, daß er wie eine Statue aussah; eine Frau mit großem Strohhut stand unbeweglich auf dem Bürgersteig; drei Mädchen im Teenageralter schienen an einer Straßenecke wie festgefroren, und zwei Jungen waren mit ihren Fahrrädern mitten auf der Straße stehen geblieben.

Nur auf der Schnellstraße, welche über die elegant geschwungenen Bögen eines Viadukts an der Stadt vorüberführte, gab es Bewegung: Judy sah den üblichen Strom von Personenwagen und

Lastern und entdeckte überdies in ungefähr einer Meile Entfernung zwei Streifenwagen, die sich mit hoher Geschwindigkeit der Stadt näherten. Judy vermutete, daß die Wagen auf ihren Notruf reagiert hatten.

In der Stadt selbst aber rührte sich niemand.

Einen Augenblick später erkannte Judy, was los war.

Die Leute lauschten.

Das Dröhnen des Hubschraubers verhinderte, daß auch Judy das Geräusch vernehmen konnte, das die Einwohner der Stadt hörten. Doch sie konnte sich denken, um was es sich handelte. Es mußte der seismische Vibrator sein.

Aber wo stand er?

Der Helikopter flog jetzt tief genug, daß Judy die meisten Autos erkennen konnte, die an der Hauptstraße parkten, doch sie sah kein Fahrzeug, das groß genug war, daß es der seismische Vibrator hätte sein können. Und auch keiner der Bäume, die den Blick auf einen Teil der Straße verwehrten, hätte einen ausgewachsenen Lastwagen verdecken können.

»Kannst du die Verwerfung sehen, Michael?« fragte Judy über das Kopfhörermikrofon.

»Ja.« Er studierte die Karte und verglich sie mit der Landschaft unter ihnen. »Sie verläuft unter der Eisenbahnstrecke, dem Fluß, der Schnellstraße und der Erdgaspipeline. Großer Gott, das hat schreckliche Zerstörungen zur Folge!«

»Aber wo ist der seismische Vibrator?«

»Was ist das da auf dem Hügelhang?«

Judy blickte in die Richtung, in die Michaels Finger wies. Oberhalb der Stadt, nahe der Schnellstraße, sah sie eine kleine, dichte Gruppe von Gebäuden: irgendein Fast-Food-Restaurant, ein Bürogebäude mit großen Glasflächen und ein kleines Bauwerk aus Holz, wahrscheinlich eine Kapelle. In der Nähe des Restaurants standen ein Streifenwagen, ein schmutzigbraunes Coupé, das wie ein alter, hubraumstarker Sportwagen aus den frühen siebziger Jahren aussah, und ein großer Laster, rundum mit Brettern verkleidet, die mit Drachen in leuchtend roter und giftgelber Farbe bemalt waren. Judy konnte die Worte ›Das Drachenmaul‹ entziffern. »Es ist ein Kirmeswagen … ein Laster mit einem Karussell oder so was«, sagte sie.

»Oder eine Tarnung«, meinte Michael. »Der Laster hat in etwa die richtige Größe für einen seismischen Vibrator.«

»Mein Gott, du hast recht!« sagte Judy. »Charlie, hören Sie zu?«

Charlie Marsh saß neben dem Piloten. Sechs Mitglieder seines Sondereinsatzkommandos saßen hinter Judy und Michael, mit kurzen, gedrungenen Maschinenpistolen bewaffnet. Der Rest des Teams jagte gerade in einem gepanzerten Mannschaftswagen – einer mobilen Einsatzzentrale – über die Schnellstraße. »Ja, ich höre zu«, sagte Charlie und wandte sich an den Piloten. »Können Sie uns näher an diesen Rummelplatz-Laster dort auf dem Hügel ranbringen?«

»Verdammt schwierig«, erwiderte der Pilot. »Der Hang ist steil, und die Straße bildet nur eine schmale Kante. Ich würde lieber auf dem Parkplatz des Restaurants da landen.«

»Tun Sie das«, sagte Charlie.

»Wir müssen doch nicht mit einem Erdbeben rechnen, oder?« fragte der Pilot.

Niemand gab ihm Antwort.

Als der Helikopter zur Landung ansetzte, sprang eine Gestalt aus dem Laster. Judy spähte angestrengt hinüber. Sie sah einen hochgewachsenen, dünnen Mann mit langem dunklem Haar, und sie spürte sofort, daß dieser Mann ihr langgesuchter Feind sein mußte. Er starrte zum Hubschrauber herauf, und Judy hatte das Gefühl, die Blicke des Mannes wären genau auf sie gerichtet. Sie war zu weit weg, um seine Gesichtszüge deutlich zu erkennen, doch sie war überzeugt, daß es sich um Granger handelte.

Du kannst gleich hier bleiben, du Schweinehund. Jetzt kriege ich dich.

Der Helikopter schwebte über dem Parkplatz und ging in den Sinkflug.

Judy wurde klar, daß sie und alle anderen in der Maschine in den nächsten paar Sekunden sterben konnten.

Als der Helikopter aufsetzte, ertönte ein Geräusch, als würden die Pforten der Hölle sich öffnen.

Es war ein dermaßen lauter Donnerschlag, daß er das Getöse des seismischen Vibrators und das Knattern und Pochen der Hubschrauberrotoren übertönte.

Die Erde schien sich aufzutun, und die Wucht der Erschütterung traf Priest wie eine unsichtbare Faust. Er beobachtete, wie der Hubschrauber auf dem Parkplatz des Big Ribs landete. *Oh, verflucht, es klappt nicht. Der Plan hat nicht funktioniert. Jetzt kassiert das FBI mich ein, und ich kann den Rest meines Lebens im Knast verbringen.* Im nächsten Augenblick lag er mit dem Gesicht nach unten am Boden und hatte das Gefühl, sich einen Haken von Mike Tyson eingefangen zu haben.

Er drehte sich auf den Rücken, rang keuchend nach Atem und sah, wie die Bäume um ihn herum tanzten und sich zu ihm herunterbeugten, als würde ein Hurrikan darüber hinwegfegen.

Einen Augenblick später wurde er wieder klar im Kopf und erkannte – es hatte geklappt! Er hatte ein gottverdammtes Erdbeben ausgelöst!

Ja!

Und er befand sich mittendrin.

Priest bekam Angst um sein Leben.

Die Luft war erfüllt von einem schrecklichen Krachen und Donnern, als würden Felsbrocken in einem riesigen Eimer geschüttelt. Priest rappelte sich auf die Knie, doch die Erde unter ihm schaukelte und schwankte, und als er sich auf die Beine zu kämpfen versuchte, wurde er wieder zu Boden geschleudert.

Oh, verflucht, jetzt krieg' ich die Quittung.

Noch einmal drehte er sich um, setzte sich aufrecht hin.

Dann hörte er ein Geräusch, als würden hundert Fenster zersplittern. Ein Blick nach rechts verriet ihm, was geschah: Sämtliche Glaswände des Bürogebäudes explodierten gleichzeitig, und Millionen Splitter stürzten wie ein Wasserfall in die Tiefe.

Ja!

Die Baptistenkirche ein Stück die Straße hinunter kippte zur Seite. Sie war unsolide gebaut, so daß ihre dünnen Wände in einer Wolke aus Staub und zerborstenen Brettern zu Boden schlugen und flach liegen blieben. Inmitten der Trümmer war ein schweres geschnitztes Chorpult aus Eiche wie durch ein Wunder stehen geblieben und ragte in absurder Anklage in die Höhe.

Ich hab's geschafft! Ich hab's geschafft!

Die Fensterscheiben des Big Ribs zerplatzten, und die schrillen Schreie verängstigter Kinder schnitten durch die Luft. Eine Ecke des Daches sackte ab; dann stürzte es auf eine Gruppe von fünf oder sechs Teenagern, begrub sie und ihren Tisch und ihre Teller mit Rippchen. Die anderen Gäste sprangen auf und stürzten zu den nun glaslosen Fenstern, als die gesamte Dachkonstruktion ächzte und knarrte und sich zu senken begann.

Die Luft war von durchdringendem Benzingeruch erfüllt. *Das Beben hat Tanksäulen umgeworfen!* schoß es Priest durch den Kopf. Er blickte zur Tankstelle hinüber und sah einen See aus Benzin, der den Vorhof überflutete. Ein außer Kontrolle geratenes Motorrad kam von der Fahrbahn ab, torkelte von einer Straßenseite zur anderen, bis der Fahrer herunterfiel, und schlitterte dann Funken schlagend über den Beton. Mit einem dumpfen Laut – *wuuump* – fing das ausströmende Benzin Feuer. Augenblicke später stand der gesamte Platz in Flammen.

Großer Gott!

Die Flammen loderten in bedrohlicher Nähe des Barracuda. Priest sah, wie der Wagen durchgerüttelt würde, sah das entsetzte Gesicht von Oaktree, der hinter dem Steuer saß.

Noch nie hatte er Oaktree so bleich und zittrig gesehen.

Die Pferde auf der Koppel neben dem Restaurant brachen durch den eingestürzten Zaun und jagten in wildem Galopp die Straße hinunter auf Priest zu – völlig verängstigt, mit starren Augen und offenstehenden Mäulern. Priest blieb keine Zeit, den Tieren auszuweichen. Schützend warf er beide Hände über den Kopf. Die Pferde preschten rechts und links an ihm vorbei.

Unten in der Stadt läutete die Kirchenglocke Sturm.

Eine Sekunde nachdem der Helikopter aufgesetzt hatte, hob er wieder ab. Judy sah den Erdboden unter der Maschine schimmern und zittern wie Wackelpudding. Dann entfernte sich der Boden, als der Hubschrauber an Höhe gewann. Beim Anblick der Glaswände, die das kleine Bürogebäude in eine funkelnde Kaskade aus Splittern verwandelten, stieß Judy keuchend den Atem aus. Sie sah einen Motorradfahrer, der mit seiner Maschine stürzte und in die Tankstelle geschleudert wurde, und sie schrie auf, als das Benzin Feuer fing und die Flammen den gestürzten Fahrer umhüllten.

Der Hubschrauber schwenkte herum, und Judys Blick ging nun über die Ebene hinweg. In der Ferne fuhr ein Güterzug durch die Felder. Zuerst glaubte Judy, der Zug sei ohne Schaden davongekommen, dann aber sah sie, wie seine Geschwindigkeit abrupt abnahm: Der Zug war entgleist, und Judy beobachtete entsetzt, wie die Lok das Feld entlang der Schienen durchpflügte. Die beladenen Waggons schoben sich zusammen, wurden nach links und rechts gedrückt, als der eigene Schwung sie gegen die Lokomotive preßte. Dann schwenkte der Helikopter erneut herum, wobei er immer noch stieg.

Nun konnte Judy die Stadt sehen. Der Anblick war schockierend. Verzweifelte, von Panik erfüllte Menschen rannten auf die Straßen, die Münder zu Schreien des Entsetzens geöffnet, die Judy nicht hören konnte. Die Leute versuchten, aus ihren einstürzenden Häusern zu entkommen. Mauern rissen, Fensterscheiben explodierten, ganze Dächer rutschten zur Seite, stürzten in gepflegte Gärten und zermalmten Autos auf den Auffahrten. Die Hauptstraße schien gleichzeitig überflutet und ein Flammenmeer zu sein. Auf den Straßen hatte es zahllose Zusammenstöße gegeben. Blitzartig zuckte ein grelles Licht auf, dann ein zweites Mal. Judy vermutete, daß die Hochspannungsleitungen rissen.

Als der Helikopter weiter an Höhe gewann, kam auch die

Schnellstraße in Sicht. Judys Hände zuckten hoch, legten sich auf ihren Mund, als sie voller Erschrecken erkannte, daß einer der riesigen Betonbögen, die das Viadukt stützten, sich verbogen hatte und geborsten war. Dabei war der Straßenbelag regelrecht auseinandergerissen, und ein Stück davon ragte nun senkrecht in die Luft. Zu beiden Seiten der breiten Spalte waren jeweils mindestens zehn Wagen aufeinandergeknallt; mehrere Fahrzeuge hatten Feuer gefangen.

Und der Schrecken nahm und nahm kein Ende. Voller Grauen beobachtete Judy, wie ein großer alter Chevrolet mit Heckflossen in Richtung Abgrund schleuderte und der Fahrer vergeblich versuchte, ihn zum Stehen zu bringen. Statt dessen rutschte der Wagen seitwärts weg, und Judy hörte sich selbst laut aufschreien, als der Chevy über die Kante flog. Sie sah, wie das Gesicht des Fahrers, eines jungen Mannes, vor Schrecken erstarrte, als er erkannte, daß er sterben mußte. Wieder und wieder überschlug sich der Wagen in der Luft, in gräßlich langsamem Zeitlupentempo, bis er schließlich auf dem Dach eines Hauses aufschlug, in Flammen aufging und dabei das Gebäude in Brand setzte.

Judy barg das Gesicht in den Händen. Dann aber ermahnte sie sich: *Du bist FBI-Agentin.* Sie zwang sich, wieder hinzuschauen. Sie sah, daß die Autos auf der Schnellstraße nun so langsam fuhren, daß den Fahrern genug Zeit zum Bremsen blieb. Doch weder der Mannschaftswagen mit dem Sondereinsatzkommando, der sich auf dem Weg hierher befand, noch die Fahrzeuge der Highway Patrol konnten Felicitas jetzt über die Schnellstraße erreichen.

Eine plötzliche Windbö fegte die Wolke schwarzen Rauchs davon, die über der Tankstelle lag, und Judy erblickte den Mann, den sie für Ricky Granger hielt.

Das hast du getan. Du hast all diese Menschen auf dem Gewissen. Dafür werde ich dich in den Knast bringen, und wenn es das letzte ich, was ich tue.

Granger rappelte sich auf und rannte auf das braune Coupé zu. Dabei schrie er ununterbrochen und verständigte sich gestikulierend mit den Insassen des Fahrzeugs.

Direkt hinter dem Coupé stand der Streifenwagen, doch die Cops schienen sich Zeit zu lassen.

Judy erkannte, daß die Terroristen fliehen wollten.

Charlie gelangte zu dem gleichen Schluß. »Gehen Sie runter!« brüllte er dem Piloten über das Kopfhörermikro zu.

»Haben Sie den Verstand verloren?« rief der Pilot zurück.

»Die Leute da unten sind die Täter!« schrie Judy und wies über die Schulter des Piloten. »Diese Schweinehunde haben dieses Blutbad angerichtet, und jetzt wollen sie sich davonmachen!«

»Ich versuch's«, sagte der Pilot, und der Helikopter schwenkte herum und ging in den Sinkflug.

Priest brüllte Oaktree durch das geöffnete Seitenfenster des Barracuda an. »Nichts wie weg hier!«

»Okay – wohin?«

Priest wies die Straße hinunter, die zur Stadt führte. »Da lang. Aber bieg nicht auf die Hauptstraße ab, sondern nimm die alte Landstraße – die führt zurück nach San Francisco.«

»In Ordnung.«

Priest sah die beiden Streifenpolizisten aus ihrem Wagen steigen. Er schwang sich ins Führerhaus des seismischen Vibrators, fuhr die Bodenplatte hoch, legte den ersten Gang ein und startete, wobei er wild am Lenkrad kurbelte. Oaktree riß den Barracuda mit durchdrehenden Reifen um hundertachtzig Grad herum und jagte den Hügel hinunter. Priest in seinem schweren Laster konnte nur sehr viel langsamer wenden.

Einer der Cops stand mitten auf der Straße und richtete seine Waffe auf den Truck. Es war der magere junge Bursche, der Priest einen angenehmen Tag gewünscht hatte. Jetzt rief er: »Polizei! Stehenbleiben!«

Priest fuhr direkt auf ihn zu.

Der Cop feuerte hastig einen Schuß ab; dann warf er sich zur Seite.

Die Straße vor Priest führte am östlichen Stadtrand vorbei, so daß er das Zentrum, wo es die schlimmsten Schäden gegeben hatte, meiden konnte. Er mußte den Laster um zwei ineinander verkeilte Wagen herumlenken, die vor dem Bürogebäude mit den zerstörten riesigen Glasfassaden standen; dahinter aber schien die Straße frei zu sein. Der Truck nahm Geschwindigkeit auf.

Wir schaffen es!

Plötzlich landete der FBI-Hubschrauber vier-, fünfhundert Meter voraus mitten auf der Straße.

Verflucht!

Priest sah, wie Oaktree den Barracuda schleudernd zum Stehen brachte.

Okay, ihr Arschlöcher, ihr habt's nicht anders gewollt.

Priest trat das Gaspedal durch.

Mitglieder eines FBI-Sondereinsatzkommandos, bis an die Zähne bewaffnet, sprangen einer nach dem anderen aus dem Helikopter und gingen zu beiden Seiten der Straße in Stellung.

Priest raste mit dem Laster den Hügel hinunter, beschleunigte immer noch und donnerte am Barracuda vorüber.

»Mir nach!« murmelte Priest. Er hoffte, daß Oaktree schnell erkannte, welche Chance sich ihm bot.

Er sah, wie Judy Maddox aus dem Hubschrauber sprang. Eine kugelsichere Weste verbarg ihren zierlichen Oberkörper, und sie hielt eine Schrotflinte in den Händen. Neben einem Telegrafenmast kniete sie nieder. Ein Mann folgte ihr mit taumelnden Schritten, und Priest erkannte Melanies Ehemann, Michael.

Priest warf einen Blick in die Außenspiegel. Oaktree hatte sich mit dem Barracuda direkt hinter den Laster gesetzt, so daß er ein schwierig zu treffendes Ziel bot. Er hatte offenbar doch nicht alles vergessen, was er einst bei den Marines gelernt hatte.

Hinter dem Barracuda, in allenfalls hundert Metern Entfernung, beschleunigte ein Streifenwagen mit qualmenden Reifen und holte rasch auf.

Priest war mit dem Laster noch zwanzig Meter von den FBI-Leuten entfernt und hielt genau auf den Hubschrauber zu.

Neben der Straße erhob sich ein Mann des Sondereinsatzkommandos aus seiner Deckung und richtete eine stummelige Maschinenpistole auf den Lastwagen.

Großer Gott, hoffentlich haben die Mistkerle keine Granatwerfer.

Der Helikopter hob vom Boden ab.

Judy fluchte. Der widerstrebende Hubschrauberpilot war zu nahe bei den heranjagenden Fahrzeugen gelandet. Es blieb kaum Zeit für das Sondereinsatzkommando und die anderen Insassen, aus der Maschine zu springen und ihre Stellungen einzunehmen, da raste der als Kirmesfahrzeug getarnte Vibrator auch schon auf sie zu.

Michael taumelte zum Straßenrand. »Flach auf den Boden!« rief Judy ihm zu. Sie sah, wie der Fahrer des Lasters sich hinter der Frontscheibe duckte, als ein Mitglied des Einsatzkommandos das Feuer aus seiner Maschinenpistole eröffnete. Die Windschutzscheibe wurde trüb, und die Kugeln stanzten Löcher in die Kotflügel und die Motorhaube, doch der Truck blieb nicht stehen. Zorn und Enttäuschung ließen Judy aufschreien.

Hastig richtete sie ihr fünfschüssiges M-870-Schrotgewehr auf die Reifen und feuerte, doch sie war aus dem Gleichgewicht geraten, und der Schuß ging fehl.

Dann war der Truck auf gleicher Höhe mit ihr. Das Knattern und Dröhnen der Waffen verstummte; die FBI-Agenten mußten befürchten, sich gegenseitig zu treffen.

Noch immer stieg der Hubschrauber – dann aber erkannte Judy voller Entsetzen, daß der Pilot einen Sekundenbruchteil zu langsam reagiert hatte, so daß die Maschine nicht schnell genug an Höhe gewann. Der Laster streifte die Landekufen des Hubschraubers mit dem Dach der Fahrerkanzel, und die Maschine kippte unvermittelt zur Seite.

Der Lastwagen raste weiter, schien keinen Schaden genommen zu haben. Dichtauf folgte der braune Barracuda.

Judy feuerte blindlings auf die davonjagenden Fahrzeuge.

Wir dürfen sie nicht entkommen lassen!

Der Hubschrauber, schräg über dem Boden hängend, schien in der Luft zu schwanken, als der Pilot versuchte, die Maschine wieder aufzurichten. Dann kam ein Rotorblatt mit dem Boden in Berührung.

»Oh, nein!« schrie Judy. »Bitte nicht!«

Das Heck der Maschine schwang herum und erhob sich steil in die Höhe. Judy konnte den entsetzensstarren Ausdruck auf dem Gesicht des Piloten erkennen, als er verzweifelt darum kämpfte, den Helikopter unter seine Kontrolle zu bringen. Dann, urplötzlich, tauchte die Maschine mit der Nase voran mitten auf die Straße hinunter. Ein lautes Kreischen und Krachen ertönte, als Metall und Blech sich verbogen; Augenblicke später erklang das helle Klirren von splitterndem Glas. Einen Moment lang schien der Hubschrauber auf der Nase stillzustehen. Dann kippte er langsam zur Seite.

Der Streifenwagen, der mit gut hundertsechzig Stundenkilometern den Laster und den Barracuda verfolgte, bremste mit aufjaulenden Reifen, schleuderte herum und krachte in das Wrack des Helikopters.

Ein ohrenbetäubender Knall ertönte. Hubschrauber und Streifenwagen gingen in Flammen auf.

Priest sah den Zusammenstoß im Außenspiegel und stieß ein triumphierendes Geheul aus. Vorerst saßen die Verfolger fest: kein Hubschrauber, keine Fahrzeuge. Die nächsten paar Minuten würden sie verzweifelt versuchen, die Cops und den Piloten aus den Wracks zu retten, falls die Männer noch am Leben waren. Priest würde meilenweit weg sein, bis jemand auf die Idee kam, einen Privatwagen aus einem der Häuser in der Nähe zu beschlagnahmen.

Priest stieß mit dem Ellbogen das trübe Glas der Windschutzscheibe aus dem Rahmen, ohne die Geschwindigkeit des Lasters zu verringern.

Mann Gottes, ich glaube, wir haben's geschafft!

Der Barracuda hinter ihm schlingerte bedrohlich. Priest stutzte einen Augenblick; dann wurde ihm klar, daß ein Reifen geplatzt sein mußte. Noch ließ der Wagen sich einigermaßen lenken; also mußte es einen der Hinterreifen erwischt haben. Oaktree konnte vielleicht noch ein, zwei Meilen weiterfahren.

Sie erreichten die Kreuzung, an der drei Autos aufeinandergefahren waren: ein Toyota-Kleinbus mit einem Babysitz auf der Rückbank, ein verbeulter Dodge-Lieferwagen und ein alter weißer Cadillac Coupe de Ville. Priest betrachtete die Wagen eingehend. Keiner war schwer beschädigt; der Motor des Kleinbusses lief noch. Die Fahrer waren nirgends zu sehen. Wahrscheinlich hatten sie sich auf die Suche nach einem Telefon gemacht.

Priest lenkte den Vibrator um die drei Fahrzeuge herum und bog nach rechts ab, fort von der Stadt, und fuhr um die erste Kurve. Sie waren jetzt gut eine Meile von den FBI-Leuten entfernt und längst außer Sicht. Priest stoppte. Für ein, zwei Minuten war er in Sicherheit. Er sprang aus der Fahrerkabine.

Der Barracuda hielt hinter dem Laster. Oaktree stieg aus. Er grinste breit. »Einsatz erfolgreich abgeschlossen, General!« sagte er. »So was hab' ich nicht mal bei der Armee erlebt!«

Oaktree hielt die geöffnete Hand in die Höhe, und Priest schlug mit der Handfläche dagegen. »Aber wir müssen vom Schlachtfeld runter«, sagte er. »Und zwar schnell.«

Star und Melanie stiegen aus. Melanies Wangen waren vor Aufregung gerötet; beinahe, als wäre sie sexuell erregt. »Mein Gott, wir haben es geschafft«, jubelte sie. »Wir haben es geschafft!«

Star beugte sich nach vorn und übergab sich am Straßenrand.

Charlie Marsh sprach in ein Mobiltelefon. »Der Pilot und zwei Polizisten von der hiesigen Dienststelle sind tot. Auf der Route 101 gab es jede Menge Massenkarambolagen. Die Straße muß gesperrt werden. Hier in Felicitas haben wir Autowracks, Feuersbrünste, Überschwemmungen, eine geplatzte Erdgaspipeline und einen schrottreifen Güterzug. Sie müssen unbedingt den Katastrophenschutz beim Gouverneursamt verständigen.«

Judy bedeutete Marsh, ihr das Telefon zu reichen.

Er nickte ihr zu und sagte zu seinem Gesprächspartner: »Holen Sie einen von Judys Leuten an die Strippe.« Dann reichte er ihr das Handy.

»Hier Judy Maddox«, sagte sie rasch. »Wer ist dran?«

»Carl. Ist Ihnen was passiert?«

»Nein. Ich bin nur sauer auf mich selber, weil wir die Verdächtigen verloren haben. Lassen Sie eine Fahndungsmeldung nach zwei Fahrzeugen herausgeben. Das erste ist ein Laster, der mit roten und gelben Drachen bemalt ist. Sieht aus wie ein Kirmeswagen. Das andere Fahrzeug ist ein brauner Plymouth Barracuda – zwanzig, fünfundzwanzig Jahre alt. Und schicken Sie einen weiteren Hubschrauber los. Er soll auf den Straßen in der Umgebung von Felicitas nach diesen beiden Fahrzeugen Ausschau halten.« Judy blickte zum Himmel auf. »Es ist schon fast zu dunkel, aber lassen Sie die Maschine trotzdem starten. Jedes verdächtige Fahrzeug wird sofort angehalten, und die Insassen sollen befragt werden.«

»Und wenn auf einen von ihnen die Beschreibung Grangers paßt …?«

»Schaffen Sie ihn zu uns und nageln ihn fest, bis ich zurück bin.«

»Was haben Sie jetzt vor?«

»Wir beschlagnahmen ein paar Autos, nehme ich an, und kommen zum Office zurück. Irgendwie …« Judy hielt inne, als eine Woge aus Erschöpfung und Verzweiflung sie überkommen wollte, doch sie rang das Gefühl nieder. »Wir müssen verhindern, daß so etwas *noch einmal* passiert.«

»Es ist noch nicht vorbei«, sagte Priest. »In einer Stunde etwa wird jeder Cop in ganz Kalifornien nach unserem guten alten Drachenmaul Ausschau halten.« Er wandte sich an Oaktree. »Wie lange dauert es, die Bretter abzumontieren?«

»Ein paar Minuten, wenn wir vernünftiges Werkzeug haben.«

»Im Laster ist 'ne Werkzeugkiste.«

Priest und Oaktree arbeiteten rasch, montierten die Bretter des Kirmeswagens vom Vibrator und warfen sie über einen Drahtzaun auf ein Feld. Mit ein wenig Glück würden in dem allgemeinen Durcheinander nach dem Erdbeben ein, zwei Tage vergehen, bis jemand einen näheren Blick darauf warf.

»Was, zum Henker, wirst du Bones erzählen?« fragte Oaktree, während sie die Bretter entfernten.

»Ich lass' mir was einfallen.«

Melanie half den Männern, doch Star lehnte sich an den Kofferraum des Barracuda und wandte ihnen den Rücken zu. Sie weinte. Star würde Schwierigkeiten machen, das wußte Priest, aber jetzt hatte er keine Zeit, sich um sie zu kümmern.

Als Priest und Oaktree mit dem Laster fertig waren, traten sie, keuchend vor Anstrengung, zurück. Oaktree meinte besorgt: »Jetzt sieht das Ding wieder wie ein seismischer Vibrator aus.«

»Ich weiß«, sagte Priest. »Wir können nichts dagegen tun. Aber es wird dunkel, und ich brauch' nicht weit zu fahren, und jeder Cop im Umkreis von fünfzig Meilen wird bei den Rettungsarbeiten helfen müssen. Ich vertrau' einfach auf mein Glück. Und du sieh zu, daß du Land gewinnst. Nimm Star mit.«

»Erst muß ich einen Reifen wechseln. Ich hab' 'nen Platten.«

»Laß es bleiben«, sagte Priest. »Wir müssen den Barracuda sowieso loswerden. Das FBI hat die Kiste gesehen und wird jetzt danach suchen.« Er wies in Richtung der Kreuzung. »Da hinten hab' ich drei Autos gesehen. Schnapp dir eins davon.«

Oaktree eilte fort.

Star bedachte Priest mit anklagenden Blicken. »Ich kann's nicht glauben, was wir getan haben«, sagte sie. »Was meinst du, wie viele Menschen wir getötet haben?«

»Wir hatten keine Wahl«, erwiderte Priest wütend. »Du hast mir gesagt, du würdest *alles* tun, um die Kommune zu retten – weißt du das nicht mehr?«

»Aber dich läßt das alles so kalt! So viele Menschen sind

umgekommen, und noch mehr wurden verletzt ... ganze Familien haben ihr Heim verloren ... tut dir das denn *kein bißchen* leid?«

»Doch. Sicher.«

»Und sie.« Star wies mit einem Kopfnicken auf Melanie. »Schau dir ihr Gesicht an. Sie ist ganz aufgedreht. Mein Gott, ich glaube, sie *freut* sich über diese ganze Scheiße.«

»Wir unterhalten uns später, Star, okay?«

Sie schüttelte den Kopf, als wäre sie verwundert. »Da habe ich fünfundzwanzig Jahre mit dir verbracht und kenne dich immer noch nicht richtig.«

Oaktree kam zurück. Er saß hinter dem Steuer des Toyota. »Bis auf ein paar Beulen ist der Wagen in Ordnung«, erklärte er.

Priest sagte zu Star: »Fahr mit ihm.«

Sie zögerte einen langen Augenblick; dann stieg sie ein.

Oaktree fuhr los und war Sekunden später verschwunden.

»Steig in den Laster«, sagte Priest zu Melanie. Er setzte sich hinters Steuer und fuhr den seismischen Vibrator zur Kreuzung zurück. Dort stiegen beide aus und schauten sich die verbliebenen beiden Autos an. Priest gefiel der Cadillac. Zwar war der Kofferraum eingedrückt, doch die Frontpartie war unversehrt, und die Schlüssel steckten im Zündschloß. »Los, wir nehmen den Caddy«, sagte er zu Melanie.

Sie stieg ein und drehte den Zündschlüssel. Der Motor sprang sofort an. »Wohin soll's gehen?« fragte sie.

»Zum Lagerhaus.«

»Okay.«

»Gib mir dein Handy.«

»Wen willst du anrufen? Doch nicht das FBI?«

»Nein, bloß den Radiosender.«

Melanie reichte ihm den Apparat.

Sie wollten gerade losfahren, als es in der Ferne eine gewaltige Explosion gab. Priest drehte sich in Richtung Felicitas um und sah, wie eine grelle Flammensäule hoch in den Himmel schoß.

»Oh, Mann«, sagte Melanie. »Was ist *das* denn?«

Die Flamme fächerte auseinander und wurde zu einem hellen Leuchten am Abendhimmel.

»Ich schätze, die Erdgaspipeline ist in die Luft geflogen«, sagte Priest. »Mann, das nenn' ich ein Feuerwerk.«

Michael Quercus saß neben der Straße auf einem Grasfleck. Er machte einen schockierten und hilflosen Eindruck.

Judy ging zu ihm. »Steh auf«, sagte sie. »Reiß dich zusammen. Jeden Tag sterben Menschen.«

»Ich weiß«, erwiderte er. »Es sind auch nicht die Todesopfer … wenngleich es mehr als genug sind. Es ist etwas anderes.«

»Und was?«

»Hast du gesehen, wer in dem Wagen saß?«

»Im Barracuda? Ja, ein Schwarzer saß am Steuer.«

»Und auf der Rückbank?«

»Mir ist sonst niemand aufgefallen.«

»Aber mir. Eine Frau.«

»Hast du sie erkannt?«

»O ja«, sagte er. »Es war Melanie.«

Zwanzig Minuten lang mußte Priest immer wieder die Nummer des Senders wählen, bis er zur John-Truth-Show durchkam. Als er das Freizeichen hörte, befanden sie sich bereits in den Außenbezirken von San Francisco.

Die Show lief noch immer. Priest erklärte, er sei von den Kindern von Eden, und wurde sofort verbunden.

»Sie haben etwas Schreckliches getan«, sagte Truth mit seiner düstersten, unheilverkündendsten Stimme, doch Priest erkannte, daß Truth unter der ernsten Oberfläche von beinahe freudiger Erregung gepackt war. Das Erdbeben hatte sich praktisch während seiner Sendung ereignet. Das würde ihn zum berühmtesten Radiomoderator Amerikas machen.

»Sie irren sich«, erklärte Priest. »Die Leute, die Kalifornien in ein vergiftetes Ödland verwandeln, haben etwas Schreckliches getan. Ich versuche bloß, diese Verrückten aufzuhalten.«

»Indem Sie unschuldige Menschen töten?«

»Die Umweltverschmutzung tötet unschuldige Menschen. Autos töten unschuldige Menschen. Rufen Sie diesen Lexus-Händler an, der in Ihrer Sendung Werbespots macht, und sagen Sie *ihm*, daß er etwas Schreckliches tut, indem er täglich fünf Autos verkauft.«

Für einen Moment trat Stille ein. Priest grinste. Truth wußte nicht recht, was er darauf antworten sollte. Auf eine Diskussion über die Moral seiner Sponsoren durfte er sich nicht einlassen.

Rasch wechselte Truth das Thema: »Ich appelliere an Sie, stellen Sie sich der Polizei. Sofort.«

»Ich habe Ihnen und den Bewohnern Kaliforniens noch etwas zu sagen«, erwiderte Priest. »Ich fordere eine Erklärung von Gouverneur Robson, daß im ganzen Staat der Bau von Kraftwerken eingestellt wird. Anderenfalls gibt's noch 'n Erdbeben.«

»Sie würden das tatsächlich *noch einmal* tun?« Truth' Stimme klang ehrlich schockiert.

»Verlassen Sie sich darauf. Und …«

Truth versuchte ihn zu unterbrechen: »Wie können Sie behaupten …«

Priest fuhr unbeirrt fort: »… das nächste Erdbeben wird noch schlimmer als dieses.«

»Wo wird es sich ereignen?«

»Das wüßten Sie wohl gern.«

»Können Sie denn sagen, wann es stattfindet?«

»O ja. Falls der Gouverneur nicht auf unsere Forderungen eingeht, wird sich das nächste Beben in zwei Tagen ereignen.« Er hielt inne, um seiner Drohung einen dramatischen Anstrich zu geben. »In genau achtundvierzig Stunden.«

Er unterbrach die Verbindung.

»So, Mr. Gouverneur«, sagte er laut. »Jetzt sag den Leuten mal, sie sollen nicht in Panik ausbrechen.«

Dritter Teil

ACHTUNDVIERZIG STUNDEN

KAPITEL 18

W enige Minuten vor Mitternacht fuhren Judy und Michael
zur Kommandozentrale des Krisenstabs zurück.

Judy hatte seit vierzig Stunden nicht geschlafen,
fühlte sich aber nicht müde. Noch immer war sie vom Grauen des
Erdbebens erfüllt. Alle paar Sekunden sah sie eines der alptraum-
haften Bilder vor dem geistigen Auge: das Wrack des Güterzuges,
die schreienden Menschen, den in Flammen aufgehenden Helikopter, den alten Chevy, der sich immer wieder in der Luft überschlug. Als sie den ehemaligen Offiziersclub betrat, fühlte sie sich
zittrig und innerlich aufgewühlt.

Michaels Enthüllung jedoch hatte ihr neue Hoffnung gegeben.
Daß seine Frau zu den Terroristen gehörte, war ein Schock, zugleich aber eine der bisher vielversprechendsten Spuren. Judy
mußte nur Melanie finden, dann fand sie auch die Kinder von
Eden.

Und wenn sie das binnen zwei Tagen schaffte, dann konnte sie
ein weiteres Erdbeben verhindern.

Sie betrat den alten Ballsaal, der zur Einsatzzentrale umfunktio-
niert worden war. Stuart Cleever, der FBI-Agent aus Washington,
der das Kommando übernommen hatte, stand an der Leitstelle. Er
war ein gepflegter, adretter Mann in einem makellosen grauen Anzug mit weißem Hemd und gestreifter Krawatte.

Neben ihm stand Brian Kincaid.

*Der Mistkerl hat sich wieder in den Fall eingeschlichen. Er will bei
diesem Burschen aus Washington Eindruck schinden.*

Kincaid schien nur auf Judy gewartet zu haben. »Was ist schiefgegangen?« fragte er, kaum daß er sie erblickt hatte.

»Wir sind ein paar Sekunden zu spät gekommen«, antwortete
sie müde.

»Sie haben uns doch gesagt, Sie ließen alle Erdbebenorte unter Beobachtung halten«, sagte Kincaid mit scharfer Stimme.

»Das ist bei den wahrscheinlichsten Erdbebenorten auch geschehen. Aber diese Terroristen wußten davon; deshalb haben sie sich für einen Erdbebenort zweiter Wahl entschieden. Es war riskant für sie – die Wahrscheinlichkeit eines Fehlschlags war größer –, aber ihr Vabanquespiel ist ihnen geglückt.«

Mit einem Schulterzucken wandte Kincaid sich Cleever zu, als wollte er sagen: *Glauben Sie ihr, und Sie werden einfach alles glauben.*

Cleever sagte zu Judy: »Sobald Sie einen vollständigen Bericht geschrieben haben, möchte ich, daß Sie nach Hause gehen und sich ein wenig ausruhen. Brian wird die Verantwortung für Ihr Team übernehmen.«

Ich hab's gewußt. Kincaid hat Cleever gegen mich aufgehetzt.

Es wird Zeit, daß ich alles auf eine Karte setze.

»Ich würde ja gern eine Pause machen«, sagte Judy, »aber jetzt noch nicht. Ich werde dafür sorgen, daß die Terroristen im Laufe der nächsten zwölf Stunden verhaftet werden.«

Brian ließ einen erstaunten Ausruf hören.

Cleever fragte: »Und wie?«

»Ich habe gerade eine neue Spur entdeckt. Ich weiß jetzt, wer der Seismologe dieser Terroristenbande ist.«

»Wer?«

»Eine Frau. Melanie Quercus. Sie ist die Ehefrau von Michael Quercus, lebt aber getrennt von ihm. Wie Sie sicher wissen, hilft Michael dem FBI. Die Informationen, an welchen Stellen die St.-Andreas-Spalte unter seismischer Spannung steht, hat Melanie von ihm. Sie hat die entsprechenden Daten aus Michaels Computer gestohlen. Ich habe den starken Verdacht, daß sie Michael außerdem die Liste mit den möglichen Erdbebenorten gestohlen hat – die Stellen, die wir ständig beobachten lassen.«

»Quercus ist ebenfalls verdächtig!« sagte Kincaid. »Er könnte mit seiner Frau unter einer Decke stecken!«

Judy hatte diesen Vorwurf erwartet. »Ganz bestimmt nicht«, sagte sie. »Aber um jeden Zweifel auszuräumen, unterzieht er sich gerade einem Lügendetektortest.«

»In Ordnung«, sagte Cleever. »Können Sie seine Frau finden?«

»Sie hat Michael gesagt, daß sie in einer Kommune in der Del Norte County lebt. Mein Team überprüft bereits unser Datenmaterial über dort ansässige Kommunen. Außerdem hat das FBI dort eine kleine Außenstelle mit zwei Mitarbeitern, in einer Stadt namens Eureka. Ich habe die Agenten gebeten, sich mit der örtlichen Polizei in Verbindung zu setzen.«

Cleever nickte und bedachte Judy mit einem anerkennenden Blick. »Wie sehen Ihre weiteren Pläne aus?«

»Ich möchte umgehend hinfahren. Unterwegs kann ich ja ein wenig schlafen. Bis ich ankomme, werden die dortigen Beamten die Anschriften sämtlicher Kommunen in der Gegend ermittelt haben. Ich möchte bei allen eine Razzia vornehmen.«

Brian sagte: »Ihr Beweismaterial reicht nicht aus für Durchsuchungsbefehle.«

Damit hatte er recht. Die bloße Tatsache, daß Melanie erklärt hatte, sie lebe in einer Kommune in der Del Norte County, begründete keinen hinreichenden Tatverdacht. Doch Judy kannte die Gesetze besser als Brian. »Ich bin der Ansicht, daß nach zwei Erdbeben zwingende Umstände vorliegen, meinen Sie nicht auch?« Mit anderen Worten: Menschenleben waren in Gefahr.

Brian sah verdutzt drein, doch Cleever hatte begriffen. »Dieses Problem kann unser Juristenstab lösen. Dazu haben wir hier schließlich eine Rechtsabteilung eingerichtet.« Er hielt kurz inne. »Ihr Plan gefällt mir«, fuhr er dann fort. »Ich glaube, wir sollten danach verfahren. Was meinen Sie dazu, Brian?«

Kincaid zog ein mürrisches Gesicht. »Ich hoffe in Agentin Maddox' Interesse, daß sie recht hat.«

Judy wurde in einem Wagen nach Norden gefahren, hinter dessen Lenkrad eine FBI-Agentin saß, die sie nicht kannte. Die Frau gehörte zu den mehreren Dutzend Mitarbeitern, die zur Bewältigung der Krise von den FBI-Dienststellen Sacramento und Los Angeles hinzugezogen worden waren.

Michael saß neben Judy auf der Rückbank. Er hatte darum gebeten, mitfahren zu dürfen, denn er machte sich schreckliche Sorgen um Dusty. Falls Melanie zu einer Terroristengruppe gehörte, die Erdbeben auslöste – in welcher Gefahr mochte dann ihr Sohn schweben? Judy hatte Cleevers Einverständnis für Michaels Teilnahme an dem Einsatz mit dem Argument erwirkt, nach Melanies Verhaftung müsse sich jemand um den Jungen kümmern.

Kurz nachdem sie die Golden Gate Bridge überquert hatten, kam ein Anruf von Carl Theobald für Judy. Michael hatte den FBI-Leuten gesagt, bei welcher der ungefähr fünfhundert amerikanischen Mobilfunkunternehmen Melanie Kundin war, so daß Carl die Unterlagen über ihre Anrufe hatte anfordern können. Mit Hilfe komplizierter elektronischer Meßverfahren hatte das Unternehmen die ungefähren Gegenden bestimmen können, aus denen Melanies Anrufe gekommen waren.

Judy hatte gehofft, Melanie hätte die meisten Anrufe von der Del Norte County aus geführt, doch sie erlebte eine Enttäuschung.

»Es gibt keinerlei Muster«, erklärte Carl mit müder Stimme. »Sie hat Anrufe aus dem Gebiet des Owens Valley geführt, aus San Francisco, aus Felicitas und von verschiedenen Orten in diesem Großraum. Aber das alles sagt uns nur, daß sie im gesamten Staat unterwegs ist – und das wußten wir ja schon. Aus dem Gebiet, in das Sie unterwegs sind, hat es keine Anrufe gegeben.«

»Das läßt darauf schließen, daß sie dort ein normales Telefon benutzt.«

»Oder sie ist einfach zu vorsichtig dazu.«

»Danke, Carl. Es war einen Versuch wert. Und jetzt sehen Sie zu, daß Sie ein bißchen Schlaf bekommen.«

»Was? Dann ist das alles gar kein wunderschöner Traum? So 'n Pech aber auch.«

Judy lachte und unterbrach die Verbindung.

Die Fahrerin stellte das Autoradio auf einen Sender ein, der Oldies spielte. Während sie durch die Nacht fuhren, sang Nat King Cole *Let There Be Love*. Judy und Michael konnten also ungehört miteinander reden.

»Das Schrecklichste an der Sache ist, daß ich nicht einmal überrascht bin«, sagte Michael nach einer Weile nachdenklichen Schweigens. »Ich glaube, irgendwie hab' ich immer gewußt, daß Melanie spinnt. Ich hätte nie zulassen dürfen, daß sie mir Dusty wegnimmt – aber sie ist nun mal seine Mutter.«

Judy tastete im Dunkeln nach seiner Hand. »Du hast getan, was du konntest«, sagte sie und spürte, wie Michael dankbar den Druck ihrer Finger erwiderte.

»Ich hoffe bloß, daß mit dem Jungen alles in Ordnung ist«, sagte er.

»Ja ...«

Judy glitt in den Schlaf hinüber, ohne Michaels Hand loszulassen.

Die Einsatzbesprechung fand um fünf Uhr morgens in der FBI-Außenstelle in Eureka statt. Die Agenten vor Ort hatten sich ebenso eingefunden wie Angehörige der Polizei von Eureka und Vertreter aus dem Büro des County Sheriffs. Bei einer Razzia zieht das FBI stets gern örtliche Polizeikräfte hinzu, weil es dazu beiträgt, ein gutes Verhältnis zu den Ortsansässigen zu schaffen, deren Hilfe die lokale Polizei häufig benötigt.

In der Del Norte County waren vier Kommunen ansässig, die in *Kommunen und Gemeinschaften: Ein Führer zu genossenschaftlichem Leben* verzeichnet waren. Das Datenmaterial des FBI hatte eine fünfte Kommune erbracht; auf weitere zwei hatten Einheimische die Beamten aufmerksam gemacht.

Einer der örtlichen FBI-Agenten wies darauf hin, daß eine der Kommunen, Phoenix Village, nur acht Meilen vom Bauplatz eines geplanten Atomkraftwerks lag. *Sind sie das?* Judys Herz schlug schneller, und sie führte die Gruppe an, die die Razzia in Phoenix Village vornahm.

Als sie sich dem Dorf näherten – der Streifenwagen des Sheriffs aus der Del Norte County führte die kleine Kolonne aus vier Fahrzeugen an –, fiel die Müdigkeit von Judy ab. Sie fühlte sich wieder hellwach und voller Energie. Es war ihr nicht gelungen, das Erdbeben in Felicitas zu verhindern, nun aber konnte sie wenigstens dafür sorgen, daß es kein weiteres Beben gab.

Eine Abzweigung von der Landstraße bildete die Zufahrt nach Phoenix Village; sie war mit einem säuberlich gemalten Schild gekennzeichnet, auf dem sich ein Vogel aus Flammen erhob. Es gab weder ein Tor noch einen Wachposten. Auf einer gut befestigten Straße fuhren die Wagen ins Dorf, umrundeten einen Kreisverkehr und hielten. Die FBI-Agenten sprangen aus den Fahrzeugen, fächerten aus, verteilten sich zwischen den Häusern. Jeder hatte eine Kopie des Fotos von Melanie und Dusty dabei, das bei Michael auf dem Schreibtisch gestanden hatte.

Sie ist hier irgendwo, liegt wahrscheinlich mit Ricky Granger im Bett, schläft sich nach den Anstrengungen des gestrigen Tages aus. Hoffentlich haben die beiden Alpträume.

Im Licht des frühen Morgens sah das Dorf friedlich aus. Es gab mehrere scheunenähnliche Gebäude sowie eine Traglufthalle. Die FBI-Agenten bezogen an den Vorder- und Hintereingängen Stellung, bevor sie an die Türen klopften. In der Nähe des Kreisverkehrs entdeckte Judy auf einer Holztafel eine gemalte Karte der Ansiedlung, auf der die einzelnen Häuser und andere Gebäude eingezeichnet waren. Es gab einen Laden, einen Massagesalon, eine Poststelle und eine Autowerkstatt. Außer fünfzehn Häusern waren auch Wiesen, Obstgärten, Spielplätze und ein Sportplatz zu sehen.

So hoch im Norden war es kühl am Morgen, und Judy schauderte und wünschte sich, sie hätte etwas Wärmeres als ihren Hosenanzug aus Leinen angezogen.

Sie wartete auf den Triumphschrei, der verkünden würde, daß

einer der Agenten Melanie entdeckt hatte. Michael umrundete voller Nervosität den Kreisverkehr; sein Körper war steif vor Anspannung. *Was für ein Schock, wenn man erfährt, daß die eigene Frau zur Terroristin geworden ist, zu einem Menschen, dessen Tod bejubelt wird, wenn ein Polizist ihn erschießt. Kein Wunder, daß Michael mit den Nerven fertig ist. Er hat sich sogar verdammt gut in der Gewalt.*

Neben der Tafel befand sich das Schwarze Brett des Dorfes. Judy las von einem Volkstanz-Kurs, der organisiert wurde, um Gelder für den Expanding Light Fireplace Fond zu beschaffen. Diese Leute hier besaßen eine bemerkenswert glaubwürdige Aura der Harmlosigkeit.

Die FBI-Agenten waren in jedes Haus eingedrungen, hatten sich in jedem Zimmer umgeschaut und bewegten sich nun blitzschnell von Gebäude zu Gebäude. Nach wenigen Minuten trat ein Mann aus einem der größeren Häuser und kam zum Kreisverkehr herüber. Er war um die Fünfzig, mit unordentlichem Haar und zerzaustem Bart. Er trug selbstgeschusterte Ledersandalen und hatte sich eine grobwollene Decke um die Schultern geschlungen. »Sind Sie hier der Verantwortliche?« fragte er Michael.

Judy sagte: »Nein, das bin ich.«

Der Mann wandte sich ihr zu. »Würden Sie mir bitte sagen, was hier vor sich geht?«

»Mit Vergnügen«, erwiderte Judy leicht zynisch. »Wir suchen nach dieser Frau.« Sie hielt dem Mann das Foto hin.

Der Mann nahm es ihr nicht aus der Hand, warf nur einen Blick darauf. »Das Bild habe ich schon mal gesehen«, sagte er. »Die Frau ist keine von uns.«

Judy hatte das bedrückende Gefühl, daß der Mann die Wahrheit sagte.

»Wir sind eine religiöse Gemeinschaft«, fuhr der Mann mit wachsendem Unwillen fort. »Und wir sind gesetzestreue Bürger. Wir nehmen keine Drogen. Wir bezahlen unsere Steuern und halten uns an die Anordnungen der örtlichen Behörden. Wir haben es nicht verdient, wie Verbrecher behandelt zu werden.«

»Wir müssen bloß sichergehen, daß diese Frau sich nicht hier draußen versteckt.«

»Wer ist die Frau? Und wie kommen Sie darauf, daß sie sich bei uns aufhält? Oder gehen Sie einfach von der Vermutung aus, daß alle Menschen, die in einer Kommune leben, Verdächtige sind?«

»Nein, das tun wir nicht«, sagte Judy, die in Versuchung geriet, dem Burschen ein paar deutliche Worte zu sagen; dann aber sagte sie sich, daß *sie* es gewesen war, die *ihn* um sechs Uhr früh geweckt hatte. »Diese Frau gehört zu einer Terroristengruppe. Sie lebt getrennt von ihrem Mann. Sie hat ihm gesagt, sie lebt in einer Kommune in der Del Norte County. Es tut uns leid, wenn wir sämtliche Bewohner jeder Kommune und Genossenschaft in dieser Gegend zu dieser frühen Stunde wecken müssen, aber ich hoffe, Sie werden verstehen, daß die Sache sehr wichtig ist. Wäre das nicht der Fall, hätten wir Sie nicht gestört. Und offen gesagt, hätten wir selbst uns auch nicht diese Mühe gemacht.«

Der Mann blickte Judy scharf an; dann nickte er, und seine Haltung änderte sich. »Also gut«, sagte er. »Ich glaube Ihnen. Kann ich irgend etwas tun, Ihnen diese Aufgabe zu erleichtern?«

Judy überlegte einen Moment. »Ist jedes Gebäude in Ihrer Kommune auf dieser Karte verzeichnet?«

»Nein«, sagte der Mann. »Es gibt drei neue Häuser auf der Westseite, gleich hinter dem Obstgarten. Aber versuchen Sie bitte, leise zu sein – in einem der Häuser schläft ein neugeborenes Baby.«

»In Ordnung.«

Sally Dobro, eine FBI-Agentin mittleren Alters, kam zu Judy. »Ich glaube, wir haben hier jedes Gebäude überprüft«, sagte sie. »Kein Anzeichen dafür, daß sich einer unserer Verdächtigen hier aufhält.«

Judy sagte: »Da sind drei Häuser westlich vom Obstgarten – habt ihr die gefunden?«

»Nein«, erwiderte Sally. »Tut mir leid. Ich werde sie sofort überprüfen.«

»Aber seid leise«, sagte Judy. »In einem der Häuser schläft ein Säugling.«

»Alles klar.«

Sally machte sich auf den Weg, und der Mann mit der Decke um die Schultern nickte beifällig.

Judys Mobiltelefon meldete sich. Sie stellte auf Empfang und hörte die Stimme von FBI-Agent Frederick Tan. »Wir haben gerade jedes Gebäude in der Kommune Magic Hill überprüft. Fehlanzeige.«

»Danke, Freddie.«

Im Laufe der nächsten zehn Minuten riefen die Einsatzleiter der anderen Razzien an.

Alle meldeten das gleiche.

Melanie Quercus war nirgends zu finden.

Judy versank in einem Sumpf schwarzer Verzweiflung. »Verdammt noch mal«, sagte sie. »Ich hab's vermasselt.«

Michael war nicht minder bestürzt. Besorgt fragte er: »Ob wir eine Kommune übersehen haben? Was meinst du?«

»Entweder das, oder Melanie hat gelogen, was die Gegend betrifft.«

Michael machte ein nachdenkliches Gesicht. »Ich muß gerade an mein Gespräch mit Melanie denken«, sagte er. »Ich habe *sie* gefragt, wo sie wohnt, aber *der Mann* hat die Frage beantwortet.«

Judy nickte. »Ich glaube, er hat gelogen. Er ist ein gerissener Mistkerl.«

»Mir ist vorhin sein Name eingefallen«, sagte Michael. »Melanie hat ihn Priest genannt.«

KAPITEL 19

A m Samstagmorgen, beim Frühstück im Küchenhaus, erhoben sich Dale und Poem, baten um Ruhe und richteten das Wort an alle anderen. »Wir müssen euch etwas mitteilen«, sagte Poem.

Priest vermutete, daß Poem wieder schwanger war. Er machte sich bereit, Beifall zu spenden, in Jubel auszubrechen und eine kleine Glückwunschrede zu halten, wie man es von ihm erwartete. Er war ohnehin von beinahe überschwenglicher Freude erfüllt. Noch hatte er die Kommune nicht gerettet, doch er stand kurz davor. Sein Gegner mochte noch nicht völlig k.o. sein, lag aber schon am Boden und mühte sich verzweifelt, wieder auf die Beine zu kommen und den Kampf fortzuführen.

Poem zögerte; dann schaute sie Dale an. Dessen Gesicht war ernst. »Wir verlassen heute die Kommune«, sagte er.

Betroffenes Schweigen breitete sich aus. Priest war wie vor den Kopf gestoßen, wütend, fassungslos. Niemand ging einfach von ihm fort – es sei denn, *er* wollte es so. Diese Leute standen unter seinem Bann. Und Dale war Önologe, der wichtigste Mann der Weinkelterei. Sie konnten es sich nicht leisten, ihn zu verlieren.

Und ausgerechnet heute! Wenn Dale die Nachrichten verfolgt hätte – so wie Priest vor einer Stunde, als er in einem geparkten Auto gesessen und Radio gehört hatte –, dann hätte er auch gewußt, daß eine Massenpanik in Kalifornien ausgebrochen war. Die Flughäfen wurden regelrecht belagert, und die Schnellstraßen waren hoffnungslos überfüllt mit Menschen, die aus den Städten und sämtlichen Gebieten in der Nähe der St.-Andreas-Spalte flüchteten. Gouverneur Robson hatte die Nationalgarde in Alarmbereitschaft versetzt. Der Vizepräsident war mit dem Flugzeug nach Felicitas unterwegs, um sich vor Ort ein Bild von den Schäden zu machen. Immer mehr Menschen – Senatoren und Kongreßabge-ordnete, Bürgermeister, Gemeindedirektoren und Journalisten – bedrängten den Gouverneur, der Forderung der Kinder von Eden nachzugeben. Dale aber wußte nichts von alledem.

Priest war nicht der einzige, den Dales Ankündigung schok-kierte. Apple brach in Tränen aus, worauf auch Poem zu weinen anfing. Als erste ergriff Melanie das Wort. »Aber, Dale ... war-um?« fragte sie.

»Du weißt, warum«, erwiderte er. »Dieses Tal wird überflutet.«

»Und wo willst du hin?«

»Nach Rutherford im Napa Valley.«

»Hast du einen geregelten Job?«

Dale nickte. »In einer Weinkellerei.«

Kein Wunder, daß er sich einen Job besorgen konnte. Priest wußte, daß Dales Fachkenntnisse unbezahlbar waren. Gut möglich, daß er jetzt das große Geld verdiente. Das eigentlich Erstaunliche aber war, daß Dale zurück in die Welt außerhalb der Kommune wollte.

Inzwischen weinten mehrere Frauen. »Könnt ihr denn nicht hoffen und abwarten, so wie wir anderen?« fragte Song.

Poem antwortete ihr unter Tränen: »Wir haben drei Kinder. Wir haben nicht das Recht, ihr Leben zu gefährden. Wir können nicht hierbleiben und auf ein Wunder hoffen ... so lange, bis das Wasser schon um unsere Häuser schwappt.«

Zum erstenmal meldete Priest sich zu Wort. »Dieses Tal wird nicht überflutet.«

»Das weißt du doch gar nicht«, sagte Dale.

Im Küchenhaus wurde es still. Es war ungewöhnlich, daß je-mand Priest so unverblümt widersprach.

»Dieses Tal wird nicht überflutet«, wiederholte Priest.

Dale sagte: »Wir alle wissen, daß irgendwas im Gange ist, Priest. In den letzten sechs Wochen warst du mehr unterwegs als zu Hause. Gestern wart ihr zu viert bis Mitternacht fort, und heute morgen steht ein zerbeulter Cadillac auf dem Parkplatz. Aber was du auch vorhast – uns anderen hast du nichts davon gesagt. Und ich kann die Zukunft meiner Kinder nicht deiner Hoffnungen wegen aufs Spiel setzen. Shirley denkt genauso.«

Poems richtiger Name war Shirley, wie Priest sich erinnerte. Daß Dale diesen Namen benutzte, ließ erkennen, daß er sich bereits von der Kommune gelöst hatte.

»Ich werde dir sagen, was dieses Tal retten wird«, erklärte Priest. *Weshalb sollte ich ihnen nichts von dem Erdbeben erzählen? Sie müßten sich freuen, müßten stolz sein!* »Die Macht des Gebets. Das Gebet wird uns erretten.«

»Ich werde für euch beten«, sagte Dale. »Und Shirley auch. Wir werden für euch alle beten. Aber wir bleiben nicht hier.«

Poem wischte sich mit dem Ärmel die Tränen ab. »Ich glaube, damit wäre alles gesagt. Es tut uns leid. Wir haben gestern abend schon gepackt ... nicht, daß es viel zu packen gab. Ich hoffe, Slow wird uns zur nächsten Bushaltestelle in Silver City fahren ...«

Priest erhob sich und ging zu den beiden. Einen Arm legte er Dale um die Schultern, den anderen Poem. Dann drückte er beide an sich und sagte mit leiser, zwingender Stimme: »Ich kann euren Schmerz verstehen. Laßt uns alle zum Tempel gehen und gemeinsam meditieren. Anschließend entscheidet ihr euch, was ihr tun wollt – und dann wird es die richtige Entscheidung sein.«

Dale wich zurück, entzog sich Priests Umarmung. »Nein«, sagte er. »Diese Zeiten sind vorbei.«

Seine ganze bezwingende Kraft hatte Priest in diese Worte und Gesten gelegt, und doch hatte es nichts an Dales Entschluß geändert. Heißer, gefährlicher, unkontrollierbarer Zorn loderte in ihm auf. Am liebsten hätte er Dale angeschrien und ihm vorgehalten, wie treulos und undankbar er sei. Hätte er die Möglichkeit gehabt, er hätte die beiden getötet. Doch er wußte, daß es ein Fehler gewesen wäre, seinen Zorn offen zu zeigen. Er mußte die Fassade der Gelassenheit wahren.

Allerdings brachte er es nicht fertig, Dale und Poem ein aufrichtiges Lebewohl zu sagen. Hin- und hergerissen zwischen seiner Wut und der Notwendigkeit, sich beherrschen zu müssen, verließ

Priest schweigend und mit so viel Würde, wie er nur aufbringen konnte, das Küchenhaus.

Er kehrte zu seiner Hütte zurück.

Nur noch zwei Tage, und alles wäre in Ordnung gewesen. Einen Tag nur!

Er setzte sich aufs Bett und zündete sich eine Zigarette an. Spirit lag auf dem Boden und beäugte Priest mit traurigen Augen. Beide blieben stumm, rührten sich nicht. Priest erwartete, daß Melanie ihm jeden Moment in die Hütte folgte.

Doch es war Star, die durch den Eingang trat.

Sie hatte nicht mit Priest gesprochen, seit sie und Oaktree am vergangenen Abend mit dem Toyota-Kleinbus aus Felicitas hierher gefahren waren. Priest wußte, daß Star verärgert und erschüttert zugleich über das Erdbeben war. Bis jetzt hatte er nicht die Zeit gehabt, sie von der Notwendigkeit ihres Tuns zu überzeugen.

»Ich gehe zur Polizei«, sagte sie.

Was? Priest glaubte, sich verhört zu haben. Star verachtete die Bullen aus tiefster Seele. Star und ein Polizeirevier betreten? Das wäre ja, als würde Billy Graham in einen Schwulenclub gehen.

»Du hast sie wohl nicht mehr alle«, sagte Priest.

»Wir haben gestern Menschen getötet«, erwiderte Star. »Auf der Fahrt hierher habe ich die Nachrichten gehört. Mindestens zwölf Personen sind ums Leben gekommen, und mehr als einhundert mußten ins Krankenhaus. Kinder und Babys wurden verletzt. Menschen haben ihr Heim verloren, alles was sie besaßen – arme Leute, nicht bloß reiche. Und *wir* haben ihnen das angetan.«

Alles bricht auseinander – gerade jetzt, wo ich kurz vor dem Sieg stehe!

Priest griff nach Stars Hand. »Glaubst du vielleicht, ich *wollte* Menschen töten?«

Sie wich zurück, weigerte sich, seine Hand zu ergreifen. »Du hast, weiß Gott, nicht traurig ausgesehen, als es passiert ist.«

Ich muß den Zusammenhalt wahren! Nur noch ganz kurze Zeit, bis wir unser Ziel erreicht haben. Ich muß!

Priest setzte eine schuldbewußte Miene auf. »Ja, ich war glücklich, daß der seismische Vibrator funktioniert hat. Ich war froh darüber, daß wir unsere Drohung wahrmachen konnten. Aber ich hatte nicht vor, jemanden zu verletzen. Ich wußte, daß es riskant ist, aber ich bin das Wagnis nur deshalb eingegangen, weil etwas so Wichtiges auf dem Spiel stand. Ich dachte, du hättest die gleiche Entscheidung getroffen.«

»Das habe ich auch, und es war eine schlechte Entscheidung, eine gottlose Entscheidung.« Tränen traten ihr in die Augen. »Um Himmels willen, siehst du denn nicht, was mit uns geschehen ist? Wir waren mal junge Leute, die an die Liebe glaubten und an den Frieden – und jetzt bringen wir Menschen um! Du bist genau wie Lyndon Johnson. Er hat Vietnam bombardiert und das auch noch gerechtfertigt! Damals waren wir der Meinung, daß der Mann ein Schwein ist – und wir hatten recht damit. Mein ganzes Leben hatte ich dem Ziel verschrieben, genau so *nicht* zu werden!«

»Du meinst also, du hast einen Fehler gemacht«, sagte Priest. »Das kann ich verstehen. Aber ich kann beim besten Willen nicht begreifen, daß du dich reinwaschen willst, indem du mich und die ganze Kommune bestrafst. Du willst uns an die Bullen verraten.«

Star blickte ihn fassungslos an. »So habe ich das nicht gesehen«, sagte sie. »Ich will niemanden bestrafen.«

Jetzt hatte er sie in die Ecke gedrängt. »Was willst du dann wirklich?« Priest ließ ihr keine Zeit zu antworten. »Du willst sicher sein, daß es vorbei ist, nicht wahr?«

»Ich nehm's an, ja.«

Priest streckte den Arm nach ihr aus, und diesmal ließ sie zu, daß er ihre Hände ergriff. »Es ist vorbei«, sagte er leise.

»Ich weiß nicht …«

»Es gibt keine weiteren Erdbeben. Der Gouverneur wird nachgeben. Du wirst schon sehen.«

Als Judy zurück nach San Francisco fuhr, wurde sie telefonisch nach Sacramento umgeleitet, um an einem Treffen im Büro des

Gouverneurs teilzunehmen. Es gelang ihr, drei oder vier Stunden im Auto zu schlafen, und als sie schließlich vor dem Kapitol hielt, fühlte sie sich wieder so fit und ausgeruht, daß sie es mit der ganzen Welt hätte aufnehmen können.

Stuart Cleever und Charlie Marsh waren von San Francisco eingeflogen. Der Chef der FBI-Außenstelle Sacramento war ebenfalls zugegen. Sie trafen sich am Mittag im Konferenzzimmer im Hufeisen, der Gouverneurssuite. Im Sessel saß Al Honeymoon.

»Auf der I-80 ist ein zwölf Meilen langer Stau. Alles Leute, die versuchen, von der St.-Andreas-Spalte wegzukommen«, sagte Honeymoon. »Auf den anderen großen Fernstraßen sieht es fast genauso schlimm aus.«

Cleever sagte: »Der Präsident hat den FBI-Direktor angerufen und sich erkundigt, wie es um die öffentliche Sicherheit steht.« Er schaute Judy an, als trüge sie die Schuld an dem Chaos.

»Er hat auch Gouverneur Robson angerufen«, sagte Honeymoon.

»Bis jetzt haben wir keine ernsthaften Probleme, was die öffentliche Sicherheit angeht«, sagte Cleever. »Es gibt Berichte von Plünderungen in drei Stadtteilen von San Francisco und einem in Oakland, aber das sind Einzelfälle. Der Gouverneur hat die Nationalgarde in Alarmbereitschaft versetzt und sie auf ihren Stützpunkten zusammengezogen, wenngleich wir sie noch nicht einsetzen müssen. Sollte sich jedoch ein weiteres Erdbeben ereignen ...«

Der bloße Gedanke ließ Übelkeit in Judy aufsteigen. »Es gibt kein weiteres Beben mehr«, sagte sie.

Die Männer blickten sie an. Honeymoons Gesicht zeigte einen spöttischen Ausdruck. »Haben Sie eine Idee, wie Sie's verhindern könnten?«

Die hatte Judy allerdings. Es war ein verzweifelter Plan, doch sie waren in einer verzweifelten Lage. »Ich kann mir nur eine Lösung vorstellen«, erklärte sie. »Wir stellen Granger eine Falle.«

»Und wie?«

»Wir teilen ihm mit, daß Gouverneur Robson mit ihm persönlich verhandeln will.«

»Ich kann mir nicht vorstellen, daß Granger darauf hereinfällt«, meinte Cleever.

»Ich weiß nicht.« Judy runzelte die Stirn. »Er ist gerissen, und jeder gerissene Mensch würde eine Falle vermuten. Aber Granger ist ein Psychopath; deshalb liebt er es, andere Menschen zu beherrschen, Aufmerksamkeit auf sich und seine Taten zu lenken, Umstände und Personen zu manipulieren. Der Gedanke, persönlich mit dem Gouverneur von Kalifornien zu verhandeln, wird ein großer Anreiz für ihn sein.«

»Ich nehme an«, sagte Honeymoon, »ich bin der einzige hier, der schon mal mit Granger zusammengetroffen ist.«

»Das stimmt«, erwiderte Judy. »Ich habe ihn nur aus der Ferne gesehen, und ich habe am Telefon mit ihm gesprochen, aber Sie haben mehrere Minuten in Ihrem Wagen mit ihm verbracht. Welchen Eindruck hatten Sie?«

»Sie haben ihn ziemlich gut charakterisiert – ein gerissener Psychopath. Ich glaube, er war wütend auf mich, weil er keinen allzu großen Eindruck auf mich machte. Wäre es nach ihm gegangen, hätte ich vermutlich … ich weiß nicht … respektvoller sein müssen.«

Judy verkniff sich ein Grinsen. Es gab nur wenige Menschen, denen Al Honeymoon Respekt entgegenbrachte.

Er fuhr fort: »Der Mann wußte um die politischen Schwierigkeiten, die seine Forderung mit sich bringt. Ich sagte ihm, daß der Gouverneur keiner Erpressung nachgeben könne. Granger hatte bereits daran gedacht und eine Antwort parat.«

»Und wie lautete die?«

»Er sagte, wir könnten leugnen, was wirklich geschehen sei. Wir könnten offiziell einen Baustopp für Kraftwerke verkünden und erklären, diese Entscheidung hätte nichts mit der Androhung von Erdbeben zu tun.«

»Wäre das möglich?« fragte Judy.

»Ja. Ich würde es zwar nicht empfehlen, doch sollte der Gouverneur mich fragen, ob wir etwas Entsprechendes ausarbeiten könnten, würde ich mit ja antworten. Aber diese Frage ist rein akademisch. Ich kenne Mike Robson. Er wäre nie damit einverstanden.«

»Aber er könnte so tun als ob«, sagte Judy.

»Wie meinen Sie das?«

»Wir könnten Granger mitteilen, daß der Gouverneur bereit ist, den Baustopp zu verfügen, allerdings nur unter bestimmten Bedingungen, da er seine politische Zukunft schützen müsse. Und über diese Bedingungen möchte er persönlich mit Granger reden.«

Stuart Cleever warf ein: »Das Oberste Bundesgericht hat verfügt, daß Mitarbeiter von Polizei- und Justizbehörden auch zu Täuschungen und Tricks greifen dürfen, um einen Straftäter zu ergreifen. Es ist uns lediglich untersagt, Verdächtigen damit zu drohen, ihnen die Kinder wegzunehmen. Und wenn wir ihnen Immunität vor Strafverfolgung versprechen, ist das bindend – dann *gibt* es keine Strafverfolgung. Aber Judys Vorschlag ist sicherlich durchführbar, ohne daß wir dabei gegen irgendein Gesetz verstoßen.«

»Also gut«, sagte Honeymoon. »Ich weiß zwar nicht, ob es funktioniert, aber ich nehme an, uns bleibt keine andere Wahl. Also versuchen wir's.«

Priest und Melanie fuhren in dem zerbeulten Cadillac nach Sacramento. Es war ein sonniger Samstagnachmittag, und in der Stadt wimmelte es von Menschen.

Kurz nach Mittag hatte Priest das Autoradio eingeschaltet und die Stimme von John Truth gehört, obgleich es gar nicht die übliche Zeit für seine Show war. »Hier ist eine Sondermitteilung an Peter Shoebury von der Eisenhower High School«, hatte Truth gesagt. Shoebury war die Identität des Mannes, in die Priest bei der Pressekonferenz des FBI geschlüpft war, und die Eisenhower High war die fiktive Schule, die Flower besuchte. Priest hatte erkannt, daß die Mitteilung an ihn gerichtet war. Truth war fortgefahren:

»Ich möchte Peter Shoebury bitten, mich unter der folgenden Nummer anzurufen ...«

»Die wollen einen Deal machen«, hatte Priest zu Melanie gesagt. »Hey, Mädel – wir haben sie am Arsch! Wir haben gesiegt!«

Während Melanie sich durch die Innenstadt quälte, umgeben von Hunderten von Autos und Tausenden von Menschen, rief Priest über das Autotelefon John Truth' Sender an. Selbst wenn die FBI-Leute den Anruf zurückverfolgten, würde es ihnen nicht gelingen, in dem Verkehrsgewühl ein bestimmtes Fahrzeug zu ermitteln.

Das Herz schlug ihm bis zum Hals, als er dem Freizeichen lauschte. *Ich hab' in der Lotterie gewonnen – und hier bin ich und will meinen Scheck holen.*

Der Anruf wurde von einer Frau entgegengenommen. »Hallo?« Ihre Stimme klang argwöhnisch. Vielleicht hatten sich nach der Aufforderung im Radio schon eine ganze Menge Spinner bei ihr gemeldet.

»Hier Peter Shoebury von der Eisenhower High School.«

Die Antwort erfolgte augenblicklich. »Ich werde Sie mit Al Honeymoon verbinden, dem Kabinettssekretär des Gouverneurs.«

Ja!

»Zuvor muß ich allerdings Ihre Identität überprüfen.«

Das ist ein Trick. »Und wie wollen Sie das anstellen?«

»Sind Sie so freundlich, und sagen Sie mir den Namen der Redakteurin der Schülerzeitschrift, mit der Sie vor einer Woche die Pressekonferenz besucht haben?«

Priest erinnerte sich, daß Flower gesagt hatte: *Ich werd' dir nie verzeihen, daß du mich Florence genannt hast.*

»Sie hieß Florence«, sagte Priest wachsam.

»Danke. Ich verbinde Sie jetzt weiter.«

Kein Trick – nur eine Vorsichtsmaßnahme.

Nervös ließ Priest den Blick über die Straßen schweifen, achtete angespannt auf Polizeifahrzeuge oder eine Gruppe von FBI-Leuten, die auf seinen Wagen losstürmten. Doch er sah bloß Kauflustige und Touristen. Einen Augenblick später fragte die tiefe Stimme von Al Honeymoon: »Mr. Granger?«

Priest kam sofort zur Sache: »Sind Sie bereit, die vernünftige Lösung zu wählen?«

»Wir sind bereit, mit Ihnen zu reden.«

»Was soll das heißen?«

»Der Gouverneur möchte sich heute mit Ihnen treffen und darüber verhandeln, wie wir einen Weg aus dieser Krise finden können.«

»Ist der Gouverneur bereit, den Baustopp anzuordnen, wie wir's verlangen?« fragte Priest.

Honeymoon zögerte. »Ja«, sagte er widerstrebend. »Aber unter bestimmten Bedingungen.«

»Wie sehen die aus?«

»Als wir uns in meinem Wagen unterhalten haben, Sie und ich, und ich Ihnen sagte, der Gouverneur dürfe keiner Erpressung nachgeben, da erwähnten Sie politische Ratgeber.«

»Ja.«

»Sie sind ein kluger Mann. Sie wissen, daß bei dieser Sache die politische Zukunft des Gouverneurs auf dem Spiel steht. Die offizielle Verkündung des Baustopps muß äußerst behutsam gehandhabt werden.«

Honeymoon hat seine Einstellung geändert, dachte Priest voller Genugtuung. Die Arroganz war verschwunden. Nun brachte er seinem Widersacher Respekt entgegen. *Na also.* »Mit anderen Worten, der Gouverneur muß sich aus der Schußlinie halten, und er will sicher gehen, daß *ich* ihm nicht den Arsch wegpuste.«

»So könnte man es sehen.«

»Wo soll das Treffen stattfinden?«

»Im Büro des Gouverneurs, hier im Kapitol.«

Du hast wohl nicht alle Latten im Zaun.

Honeymoon fuhr fort: »Keine Polizei, kein FBI. Wir garantieren Ihnen, daß Sie das Treffen ungehindert verlassen können, unabhängig vom Ergebnis des Gesprächs.«

Na klar doch.

»Glauben Sie an Feen?« fragte Priest.

»Bitte?«

»Sie wissen schon – kleine fliegende Weiber, die Zauber wirken können. Glauben Sie, die gibt's wirklich?«

»Nein, das glaube ich nicht.«

»Ich auch nicht. Deshalb werde ich Ihnen nicht in die Falle gehen.«

»Ich gebe Ihnen mein Wort …«

»Vergessen Sie's. Vergessen Sie's einfach. Okay?«

Schweigen am andere Ende der Leitung.

Melanie bog um eine Ecke, und sie fuhren an der altehrwürdigen klassischen Fassade des Kapitols vorbei. Irgendwo da drinnen war Honeymoon und stand am Telefon, umgeben von FBI-Männern. Priest betrachtete die weißen Säulen und die Kuppel und sprach in den Hörer: »*Ich* werde Ihnen sagen, wo ich und der Gouverneur uns treffen. Sie sollten sich lieber Notizen machen. Sind Sie startklar?«

»Ja, legen Sie los. Ich schreib's auf.«

»Stellen Sie einen kleinen runden Tisch und zwei Gartenstühle auf den Rasen vor dem Kapitol, genau in der Mitte. Wie für einen Fototermin. Um drei Uhr soll der Gouverneur sich an den Tisch setzen.«

»Draußen, im Freien?«

»Hey, Mister, wenn ich ihn erschießen wollte, könnte ich's einfacher haben.«

»Wahrscheinlich.«

»Der Gouverneur wird eine unterschriebene Erklärung in der Tasche haben, die mir Schutz vor Strafverfolgung garantiert.«

»Ich kann Ihnen das alles nicht versprechen, weil …«

»Reden Sie mit Ihrem Boß. Er wird einverstanden sein.«

»Gut, ich rede mit ihm.«

»Sorgen Sie dafür, daß ein Fotograf mit einer Sofortbildkamera dabei ist. Ich möchte ein Foto, wie der Gouverneur mir das Immunitätsschreiben überreicht. Als Beweis. Kapiert?«

»Kapiert.«

»Und keine Tricks, ich warne Sie. Der seismische Vibrator steht schon an Ort und Stelle. Alles ist vorbereitet, um ein weiteres Beben auszulösen. Und diesmal wird's 'ne Großstadt treffen. Welche, verrate ich Ihnen nicht, aber Sie können mit Tausenden von Toten rechnen.«

»Ich verstehe.«

»Falls der Gouverneur heute nicht um drei Uhr erscheint … *bumm*.«

Priest unterbrach die Verbindung.

»O Mann«, sagte Melanie beeindruckt. »Ein Treffen mit dem Gouverneur. Meinst du, es ist eine Falle?«

Priest runzelte die Stirn. »Könnte sein«, sagte er. »Ich weiß es nicht. Ich kann es nicht sagen.«

Judy hatte nichts an dem Plan auszusetzen, den Charlie Marsh mit der FBI-Außenstelle Sacramento ausgearbeitet und in die Tat umgesetzt hatte. Mindestens dreißig Agenten hatten den weißen Tisch mit dem Sonnenschirm im Sichtfeld, der schmuck auf dem Rasen stand, doch Judy selbst konnte keinen der FBI-Leute sehen. Einige hatten hinter den Fenstern der umstehenden Regierungsgebäude Stellung bezogen; andere kauerten in Autos oder Lieferwagen, die in den Straßen und auf dem Parkplatz standen; wieder andere waren in der säulengestützten Kuppel des Kapitols postiert. Alle waren schwer bewaffnet.

Judy selbst spielte die Rolle der Fotografin; sie trug Kameras und Objektive an Lederriemen um den Hals. Ihre Waffe steckte in einer Fototasche, die sie über die Schulter geschlungen hatte. Während sie auf das Erscheinen des Gouverneurs wartete, blickte sie durch den Sucher der Kamera auf den Tisch und die Stühle und gab vor, die günstigste Kameraeinstellung zu suchen.

Damit Granger sie nicht auf Anhieb erkannte, trug Judy eine blonde Perücke, die sie ständig in ihrem Auto aufbewahrte und häufig bei Observationen trug, besonders wenn sie über mehrere

Tage hinweg die gleichen Objekte oder Zielpersonen unter Beobachtung hielt. Wenn sie diese Verkleidung trug, mußte sie sich mit einem gewissen Maß an Hänseleien seitens der Kollegen abfinden. *He, Maddox, du kannst ja bleiben, wo du bist, aber schick mir mal das blonde Schnuckelchen zum Wagen rüber.*

Judy wußte, daß Granger den Schauplatz beobachtete. Es hatte ihn zwar niemand entdeckt, doch er hatte vor einer Stunde angerufen und dagegen protestiert, daß Absperrungen um das Kapitol herum errichtet wurden. Granger wollte, daß die Öffentlichkeit wie üblich die Straße benutzen und das Gebäude besichtigen konnte.

Die Sperren waren entfernt worden.

Eine andere Absperrung um das Kapitol herum gab es nicht, so daß die Touristen ungehindert über den Rasen spazieren konnten, und Reisegruppen folgten den vorgeschriebenen Wegen um das Kapitol, durch seine Gärten und die eleganten Regierungsgebäude an den angrenzenden Straßen. Verstohlen beobachtete Judy sämtliche Personen durch den Sucher der Kamera, wobei sie die äußere Erscheinung weitgehend außer acht ließ und sich auf Merkmale konzentrierte, die nicht so leicht getarnt werden konnten. Jeden hochgewachsenen, dünnen Mann mittleren Alters musterte sie genau, ungeachtet seiner Kleidung, seines Gesichts, seiner Haartracht.

Die Zeit verrann.

Eine Minute vor drei, und noch immer hatte Judy keine Spur von Ricky Granger entdeckt.

Michael Quercus, der Granger von Angesicht zu Angesicht gegenübergestanden hatte, war ebenfalls auf Beobachtungsposten. Er saß in einem Überwachungsfahrzeug, einem Lieferwagen mit geschwärzten Fenstern, der um eine Straßenecke geparkt war. Michael durfte nicht zu sehen sein, damit Granger nicht gewarnt wurde, falls er ihn zu Gesicht bekam.

Judy sprach in ein kleines Mikrofon, das unter ihrer Bluse am BH befestigt war. »Ich vermute, daß Granger sich erst blicken läßt, wenn der Gouverneur erschienen ist.«

Ein winziger Lautsprecher hinter Judys Ohr knackte, und sie hörte Charlie Marshs Erwiderung: »Wir haben hier gerade die gleiche Vermutung angestellt. Ich wünschte, wir könnten die Sache durchziehen, ohne daß der Gouverneur sich ungeschützt auf die verdammte Wiese setzen muß.«

Sie hatten über die Möglichkeit diskutiert, einen Doppelgänger einzusetzen, doch Gouverneur Robson hatte persönlich sein Veto eingelegt und erklärt, er würde es nicht zulassen, daß jemand anders sein Leben für ihn riskierte.

»Aber wenn wir es nicht schaffen ...«, sagte Judy.

»Dann sollte es eben so sein«, erwiderte Charlie.

Einen Augenblick später erschien der Gouverneur im prunkvollen Vordereingang des Kapitols.

Judy war erstaunt, daß Robson nicht einmal durchschnittlich groß war. Nach ihrem Eindruck im Fernsehen hatte sie einen hochgewachsenen Mann zu sehen erwartet. Robson sah massiger aus als üblich, da er unter der Anzugjacke eine kugelsichere Weste trug. Mit lockeren, zuversichtlichen Schritten ging er über den Rasen und setzte sich unter den Sonnenschirm an den kleinen Tisch.

Judy schoß ein paar Fotos von Robson. Die Kameratasche ließ sie über die Schulter geschlungen, um im Notfall schnellstens an ihre Waffe heranzukommen.

Dann sah sie im Augenwinkel eine Bewegung.

Auf der 10th Street näherte sich langsam ein alter Chevrolet Impala.

Der Wagen besaß eine stumpf gewordene Zweifarbenlackierung, himmelblau und creme, und rostete um die Radkästen herum. Das Gesicht des Fahrers lag im Schatten.

Judy ließ den Blick in die Runde huschen. Kein einziger FBI-Agent war zu sehen, doch sie alle hielten den Wagen garantiert scharf im Auge.

Der Chevy hielt am Bordstein, genau gegenüber von Gouverneur Robson.

Judy schlug das Herz bis zum Hals.

»Ich glaube, das ist er«, sagte der Gouverneur mit erstaunlich ruhiger Stimme.

Die Tür des Wagens wurde geöffnet.

Die Person, die auf den Gehsteig trat, trug Jeans, ein weit aufgeknöpftes, kariertes Arbeitshemd über einem weißen T-Shirt und Sandalen. Als der Mann neben dem Wagen stand, sah Judy, daß er dünn war, mit langem dunklem Haar, und ungefähr eins fünfundachtzig groß, vielleicht größer.

Er trug eine Sonnenbrille mit großem Gestell und ein buntes Kopftuch aus Baumwolle als Stirnband.

Judy starrte ihn an. Zu gern hätte sie seine Augen gesehen.

In ihrem Ohrhörer knackte es. »Judy? Ist er das?«

»Ich kann's nicht sagen!« erwiderte sie. »Er *könnte* es sein.«

Der Mann schaute sich um. Die Rasenfläche vor ihm war groß; der Tisch stand ungefähr dreißig Meter vom Straßenrand entfernt. Dann ging der Mann auf den Gouverneur zu.

Judy konnte spüren, wie aller Augen auf sie gerichtet waren, als die anderen auf ihr Zeichen warteten.

Sie setzte sich in Bewegung, bezog zwischen dem Mann und Gouverneur Robson Stellung. Der Mann bemerkte sie, zögerte und ging dann weiter.

Wieder meldete sich Charlie. »Und?«

»Ich weiß es nicht!« flüsterte Judy und versuchte zu sprechen, ohne dabei die Lippen zu bewegen. »Gebt mir noch ein paar Sekunden!«

»Warten Sie nicht zu lange.«

»Ich glaube nicht, daß er es ist«, sagte Judy. Auf sämtlichen Bildern hatte die Nase des Mannes einen ausgeprägt schmalen Rücken besessen. Dieser Mann aber hatte eine breite, flache Nase.

»Sind Sie sicher?«

»Er ist es nicht.«

Der Mann war nun so nahe bei Judy, daß sie nur den Arm hätte ausstrecken müssen, um ihn zu berühren. Er ging um sie herum und näherte sich dem Gouverneur. Ohne stehen zu bleiben, schob er die Hand unter sein Hemd.

Im Ohrhörer hörte Judy Charlies Aufschrei: »Er greift nach irgendwas!«

Judy ließ sich auf ein Knie fallen und packte mit fliegenden Fingern nach ihrer Waffe in der Kameratasche.

Der Mann zog irgendeinen Gegenstand unter dem Hemd hervor. Judy sah ein dünnes, dunkles Etwas, das wie der Lauf einer Waffe aussah. »Keine Bewegung! FBI!« rief sie.

Blitzschnell sprangen Agenten aus Wagen und Kleinbussen und stürmten in Richtung Kapitol.

Der Mann erstarrte.

Judy richtete die Waffe auf seinen Kopf. »Ziehen Sie's ganz langsam raus«, sagte sie, »und geben Sie's mir.«

»Okay, okay, erschießen Sie mich nicht!« Der Mann zog den Gegenstand unter dem Hemd hervor. Es war eine Illustrierte, zu einem Papierrohr zusammengerollt, das von einem Gummiband gehalten wurde.

Judy nahm ihm die Zeitschrift ab. Ohne die Waffe von dem Mann zu nehmen, warf sie einen Blick darauf. Es war die aktuelle Ausgabe der *Time*. Im Inneren der Papierröhre befand sich nichts.

Mit verängstigter Stimme sagte der Mann: »Irgendein Typ hat mir hundert Dollar gegeben, wenn ich dem Gouverneur die Zeitschrift bringe!«

FBI-Agenten umringten Mike Robson und führten ihn inmitten eines Schutzwalles aus Leibern zurück ins Kapitol.

Judy schaute sich um, ließ den Blick über die Rasenflächen und Straßen gleiten. Granger schaute sich dieses Spielchen mit Sicherheit an. Er *mußte* sehen, was geschah. Wo, zum Teufel, steckte er? Leute waren stehen geblieben und beobachteten die hektische Betriebsamkeit der FBI-Agenten. Hinter einem Fremdenführer kam eine Reisegruppe die Stufen vor dem Eingang des Kapitols herunter. Noch während Judy sie beobachtete, löste sich ein Mann in einem Hawaiihemd aus der Gruppe und schlenderte davon. Irgend etwas an diesem Mann erregte Judys Aufmerksamkeit.

Sie runzelte die Stirn. Der Mann war hochgewachsen. Da sein Hemd sehr weit war und locker um seine Hüften hing, konnte Judy nicht erkennen, ob er dünn oder dick war. Und sein Haar war unter einer Baseballmütze verborgen.

Mit raschen Schritten folgte Judy dem Fremden.

Er schien es nicht eilig zu haben, und Judy gab keine Alarmmeldung durch. Falls sie die FBI-Agenten dazu veranlaßte, hinter einem harmlosen Touristen herzujagen, konnte dies zur Folge haben, daß der richtige Granger die Chance bekam, sich abzusetzen. Doch irgendeine unbestimmte Ahnung ließ Judy schneller ausschreiten. Sie mußte das Gesicht des Mannes sehen.

Er bog um eine Gebäudeecke. Judy rannte los.

»Judy?« hörte sie Charlies Stimme im Ohrhörer. »Was ist?«

»Ich überprüfe jemanden«, sagte sie und keuchte leicht. »Ist wahrscheinlich bloß ein Tourist, aber schicken Sie mir ein paar Jungs nach, falls ich doch Unterstützung brauche.«

»Wird gemacht.«

Judy erreichte die Gebäudeecke und sah den Mann im Hawaiihemd durch zwei hohe Holztüren im Inneren des Kapitols verschwinden. Es kam ihr vor, als wäre der Fremde schneller ausgeschritten. Sie warf einen Blick über die Schulter. Charlie redete auf ein paar junge Männer ein und wies auf Judy.

In einer Seitenstraße sprang Michael aus dem Observationsfahrzeug und kam durch das Gartengelände zu Judy gerannt. Sie zeigte auf den Eingang. »Hast du den Burschen gesehen?« rief sie ihm zu.

»Ja!« rief Michael zurück. »Das war der Kerl!«

»Du bleibst hier«, rief sie. Michael war Zivilist; Judy wollte nicht, daß er in die Verfolgungsjagd verwickelt wurde. »Und halt dich aus der Sache raus!« Judy rannte los und verschwand im Kapitol.

Sie gelangte in eine altehrwürdige Eingangshalle mit kunstvollem Mosaikfußboden. Hier war es kühl und still. Ein Stück vor ihr befand sich eine breite Treppe, mit Teppich ausgelegt und mit prunkvoll geschnitzter Balustrade. Hatte der Mann sich nach rechts oder links gewandt? War er nach oben oder nach unten gegangen? Judy entschied sich für die linke Seite. Nach wenigen Metern machte der Gang einen scharfen Knick und führte nach rechts. Judy rannte an einer Reihe von Aufzügen vorüber und gelangte in die Rotunde, einen kreisförmigen Saal, in dessen Mitte eine Art Skulptur stand. Der Saal erstreckte sich über zwei Stockwerke in die Höhe, bis hinauf zu einer reich verzierten Kuppel. Wieder mußte Judy sich zwischen zwei Möglichkeiten entscheiden: War der Mann direkt weitergegangen und nach rechts zum Hufeisen abgebogen, oder war er die Treppe zur Linken hinaufgestiegen? Judy schaute sich um. Die Mitglieder einer Reisegruppe starrten ängstlich auf ihre Waffe. Judy schaute rasch zur rundum verlaufenden Galerie im ersten Stock hinauf und erhaschte einen kurzen Blick auf ein leuchtend buntes Hemd.

Sie stürmte die prunkvolle Treppe hinauf.

Oben angelangt, ließ sie den Blick über die kreisförmige Galerie schweifen. Auf der gegenüberliegenden Seite befand sich ein Türeingang, der in eine andere Welt führte: einen modernen Flur mit Neonbeleuchtung und Fußbodenfliesen aus Plastik. In diesem Flur sah Judy den Mann mit dem Hawaiihemd.

Jetzt rannte er.

Judy stürmte ihm nach. Im Laufen sprach sie keuchend in ihr Mikrofon. »Er ist es, Charlie! Wo bleibt meine Unterstützung, verdammt?«

»Die Jungs haben Sie verloren! Wo sind Sie?«

»Im zweiten Stock, Bürokomplex.«

»Okay.«

Die Türen der Büros waren geschlossen, und auf den Fluren war niemand zu sehen: Es war Samstag. Judy folgte dem Mann um eine Ecke, um eine zweite, eine dritte. Sie verlor ihn zwar nicht aus den Augen, holte aber auch nicht auf.

Der Kerl ist topfit.

Nachdem sie einen vollständigen Kreis beschrieben hatten, gelangte der Mann wieder auf die Galerie. Für einen Moment verschwand er aus Judys Blickfeld. Sie vermutete, daß er zur nächsten Etage hinaufgerannt war.

Schwer atmend stürmte auch Judy eine weitere, reich verzierte Treppe empor in den dritten Stock.

Schilder zeigten ihr an, daß der Gang, der zum Senat führte, sich zu ihrer Rechten befand, der Gang zum Unterhaus zu ihrer Linken. Dorthin wandte sie sich, gelangte an die Tür, die zur Galerie führte, und stellte fest, daß sie verschlossen war – was zweifellos auch für die andere Tür galt. Judy rannte zurück zum oberen Treppenabsatz. Wohin war der Kerl verschwunden?

In einer Ecke entdeckte sie ein Schild an einer Tür. Die Aufschrift lautete *Nordtreppe – kein Zugang zum Dach.* Judy öffnete die Tür und fand sich in einem schmalen, schmucklosen Treppenhaus mit schlichten Bodenfliesen und eisernem Geländer wieder. Plötzlich hörte sie, wie der Verfolgte mit schnellen, klackenden Schritten die Stufen hinunterrannte, doch sie konnte ihn nicht sehen.

Judy stürmte den Schrittgeräuschen hinterher.

Und kam in der Rotunde im Erdgeschoß wieder zum Vorschein. Von Granger war nichts zu sehen, doch sie entdeckte Michael, der sich beunruhigt umschaute. Dann sah er Judy. »Hast du den Kerl gesehen?« rief sie ihm zu.

»Nein.«

»Bleib zurück!«

Von der Rotunde aus führte ein marmorverkleideter Flur zu den Büroräumen des Gouverneurs. Judys Blickfeld wurde von einer Reisegruppe eingeschränkt, deren Teilnehmern gerade die Eingangstür zum Hufeisen gezeigt wurde. War da nicht ein Bursche im Hawaiihemd inmitten der Touristen? Judy war nicht sicher. Über den Marmorflur rannte sie auf den Mann zu, an gerahmten Schaubildern vorüber, die jeden Bezirk des Bundesstaates zeigten. Zu ihrer Linken zweigte ein weiterer Flur ab, der zu einem Ausgang mit automatischer Spiegelglastür führte. Judy sah, wie der Mann im Hawaiihemd hindurcheilte.

Sie bog nach links ab, hetzte ihm nach. Granger rannte bereits über die L-Street, schlängelte sich haarscharf zwischen bremsenden, schleudernden und hupenden Autos hindurch, federte über die Motorhaube eines gelben Coupés und verbeulte dabei das Blech. Der Fahrer riß die Tür auf und sprang zornentbrannt vom Sitz – dann sah er Judy mit ihrer Waffe und verschwand genauso rasch, wie er zum Vorschein gekommen war, wieder im Wagen.

Judy flitzte über die Straße und ging in dem dichten Verkehr die gleichen verrückten Risiken ein wie zuvor Granger. Mit knapper Not sprang sie vor einem Bus zur Seite, der mit quietschenden Bremsen hielt; dann rannte auch sie mit dröhnenden Schritten über die Motorhaube des gelben Coupés und zwang eine schwere Limousine, ein Ausweichmanöver über drei Fahrspuren hinweg zu vollführen. Judy hatte fast den gegenüberliegenden Bürgersteig erreicht, als auf der äußeren Spur ein Motorrad auf sie zu gejagt kam. Sie trat zurück, und die Maschine schoß nur Zentimeter an ihr vorüber.

Granger stürmte die 11th Street entlang; dann warf er sich in einen Gebäudeeingang. Judy blieb ihm auf den Fersen. Sie erkannte, daß Granger in einer Tiefgarage verschwunden war. So schnell sie konnte, rannte auch Judy in die Garage hinunter, als irgend etwas sie mit schrecklicher Wucht im Gesicht traf.

Schmerz explodierte in Judys Nase und der Stirn. Geblendet taumelte sie zurück, prallte hart auf den Betonboden. Dann lag sie regungslos da, gelähmt von Schock und Schmerz und nicht imstande, einen klaren Gedanken zu fassen. Sekunden später spürte sie eine starke Hand, die ihren Hinterkopf anhob, und hörte wie aus weiter Ferne die Stimme von Michael. »Judy, um Himmels willen, was ist mit dir?«

Allmählich wurde ihr Kopf wieder klar, und ihr Sehvermögen kehrte zurück. Verschwommen konnte sie Michaels Gesicht erkennen.

»So sag doch was!« drängte Michael. »Sprich mit mir!«

Judy öffnete den Mund. »Es tut weh«, brachte sie mühsam hervor, »aber ich glaube, es ist nicht schlimm.«

»Gott sei Dank!« Michael zog ein Taschentuch aus der Tasche seiner Khakihose und wischte ihr mit erstaunlicher Zärtlichkeit den Mund ab. »Deine Nase blutet.«

Judy setzte sich auf. »Was ist passiert?«

»Ich hab' gesehen, daß du wie ein geölter Blitz hier reingejagt bist, und im nächsten Moment lagst du flach am Boden. Ich glaube, der Kerl hat dir aufgelauert und dir eins verpaßt, als du um die Ecke gebogen bist. Wenn ich das Schwein in die Hände kriege ...«

Judy bemerkte, daß sie ihre Waffe hatte fallen lassen. »Mein Revolver ...«

Michael blickte sich um, entdeckte die Waffe und reichte sie Judy.

»Hilf mir auf.«

Er zog sie auf die Füße.

Judys Gesicht schmerzte höllisch, doch sie konnte wieder deutlich sehen, stand wieder fest auf den Beinen. Angestrengt versuchte sie, klar zu denken.

Vielleicht habe ich ihn noch nicht verloren.

Es gab einen Aufzug in der Tiefgarage, doch Granger konnte nicht die Zeit gehabt haben, ihn zu benutzen. Er mußte die Rampe hinaufgerannt sein. Judy kannte die Tiefgarage – als sie Honeymoon besuchte, hatte sie ihren Wagen hier geparkt –, und sie erinnerte sich, daß die Stellplätze sich über die gesamte Breite des Häuserblocks erstreckten und daß sich an der 10th und 11th Street Einfahrten zu der Tiefgarage befanden. Vielleicht wußte Granger das auch und flüchtete in diesem Augenblick durch die Tür zur 10th Street.

Es gab nur eins: ihn weiter zu verfolgen.

»Ich muß ihm nach«, sagte Judy.

Sie rannte die Rampe hinauf. Michael folgte ihr, und Judy erhob keine Einwände. Sie hatte ihn schon zweimal angewiesen, zurückzubleiben, und nun fehlte ihr der Atem, es ihm ein drittes Mal zu sagen.

Sie gelangten auf die erste Parkebene. Judy dröhnte der Schädel, und ihre Beine waren plötzlich schwach und wackelig. Sie wußte, daß sie nicht mehr viel weiter konnte. Gemeinsam mit Michael eilte sie über das Parkdeck.

Plötzlich jagte ein schwarzer Wagen aus einer Parknische direkt auf sie zu.

Judy sprang zur Seite, warf sich zu Boden und rollte sich in panischer Hast über den Beton, bis sie unter einem geparkten Auto verschwand.

Sie sah weißen Rauch und roch verbranntes Gummi, als der schwarze Wagen mit kreischenden, qualmenden Reifen auf engstem Raum drehte und wie ein Geschoß die Rampe hinunter beschleunigte.

Judy erhob sich, suchte voller Panik nach Michael. Sie hatte ihn vor Angst und Erschrecken aufschreien hören. Hatte der schwarze Wagen ihn angefahren?

Dann sah sie ihn, ein paar Meter entfernt, auf Händen und Knien am Boden. Sein Gesicht war weiß vom Schock.

»Alles in Ordnung?« fragte sie.

Michael rappelte sich auf. »Nichts passiert. Hätte mich nur fast zu Tode erschreckt.«

Judy warf einen Blick zur Rampe, doch der schwarze Wagen war längst verschwunden.

»Verdammt«, sagte sie. »Er ist mir entkommen.«

KAPITEL 20

A ls Judy um sieben Uhr abends den Offiziersclub betreten wollte, kam Raja Khan ihr entgegengerannt.

Er blieb stehen, als er sie sah. »Was ist denn mit Ihnen passiert?«

Was mir passiert ist? Ich habe das Erdbeben nicht verhindern können. Ich hab' eine falsche Vermutung angestellt, was das Versteck von Melanie Quercus betrifft. Und Ricky Granger ist mir durch die Lappen gegangen. Ich hab' alles vermasselt, und morgen gibt's ein weiteres Erdbeben, und noch mehr Menschen werden sterben, und alles ist meine Schuld.

»Ricky Granger hat mir eins auf die Nase gegeben«, sagte Judy, die einen Verband über Wange und Nase trug. Die Tabletten, die man ihr im Krankenhaus in Sacramento gegeben hatte, linderten zwar den Schmerz, doch sie fühlte sich zerschunden und mutlos. »Warum haben Sie's so eilig?«

»Wir haben nach 'ner Langspielplatte mit dem Titel *Raining Fresh Daisies* gesucht, wissen Sie noch?«

»Klar. Weil wir gehofft hatten, daß diese Platte uns auf die Spur der Frau bringt, die bei der John-Truth-Show angerufen hat.«

»Ich hab' eine Platte aufgestöbert – gleich hier in der Stadt, in einem Laden namens Vinyl Vic's.«

»Verleiht diesem Agenten einen Orden!« Judy spürte, wie ihre Energie wiederkehrte. Das konnte die Spur sein, die sie brauchte. Es war nicht viel, doch es gab ihr wieder Hoffnung. Vielleicht bestand doch noch eine Chance, daß sie ein weiteres Erdbeben verhindern konnte. »Ich fahr' mit Ihnen.«

Sie sprangen in Rajas schmutzigen Dodge Colt. Der Wagenboden war mit Bonbon- und Schokoladenpapier übersät. Raja fuhr vom Parkplatz und in Richtung Haight-Ashbury. »Der Bursche, dem der Laden gehört, heißt Vic Plumstead«, sagte er während der Fahrt. »Als ich vor ein paar Tagen angerufen hatte, war er nicht da. Ich hatte 'nen jungen Teilzeitverkäufer an der Strippe. Sie hätten die Platte wahrscheinlich nicht, sagte er mir, aber er wollte den Boß fragen. Ich hab' ihm die Nummer hinterlassen, und vor fünf Minuten hat Vic mich angerufen.«

»Endlich haben wir mal Glück!«

»Die LP wurde 1969 von einer Plattenfirma aus San Francisco auf den Markt gebracht, der Transcendental Tracks. Die Firma hat im Gebiet der Bay ziemlich viel Werbung gemacht und dort auch einige Platten verkauft, hatte aber nie mehr einen weiteren Hit und verschwand nach ein paar Monaten von der Bildfläche.«

Judys Hochstimmung erhielt einen Dämpfer. »Also gibt es keine Unterlagen, die wir nach Hinweisen auf den jetzigen Aufenthaltsort der Frau durchsehen könnten.«

»Vielleicht gibt die Platte selbst uns irgendeinen Hinweis.«

Vinyl Vic's war ein kleiner Laden, der bis in den letzten Winkel mit alten Schallplatten gefüllt war. Ein paar Regale standen mitten im Verkaufsraum und waren bis unter die Decke mit Pappkartons und Sperrholzkisten vollgestellt. Es roch wie in einer staubigen alten Bibliothek. Nur ein Kunde hielt sich im Laden auf, ein tätowierter Mann in ledernen Shorts, der eine alte Platte von David Bowie betrachtete. Im hinteren Teil des Verkaufsraumes stand ein kleiner, dünner Mann in engen Bluejeans und einem batikgefärbten T-Shirt neben einer Registrierkasse und nippte Kaffee aus einem Becher mit dem Aufdruck: *Legalisiert das Koffein!*

Raja stellte sich vor. »Sie müssen Vic sein. Wir haben vor ein paar Minuten telefoniert.«

Vic starrte die beiden an. Er schien überrascht. »Jetzt nimmt das FBI sich nach so langer Zeit auch mal meinen Laden vor«, sagte er, »und wer taucht auf? Zwei Asiaten. Was ist denn mit uns Amis passiert?«

Raja sagte: »Ich bin der Alibi-Nichtweiße, und sie ist die fernöstliche Quotenfrau. In jeder FBI-Dienststelle muß es mindestens einen von unserer Sorte geben. Das ist Vorschrift. Alle anderen FBI-Leute sind weiße Männer mit kurzgeschorenem Haar.«

»Oh ... verstehe.« Vic schien verwirrt. Offenbar wußte er nicht, ob Raja sich bloß einen Scherz erlaubte.

»Was ist mit der Schallplatte?« fragte Judy ungeduldig.

»Hier haben wir das gute Stück.« Vic beugte sich zur Seite, und Judy sah, daß hinter der Registrierkasse ein Plattenspieler stand. Vic führte den Tonarm über die Platte und ließ behutsam die Nadel sinken. Ein grelles, wildes Gitarrensolo leitete in eine erstaunlich ruhige Jazz-Funk-Melodie über, bei der Pianoakkorde einen komplizierten Schlagzeugrhythmus begleiteten. Dann fiel eine Frauenstimme ein:

»I am melting,
Feel me melting,
Liquefaction,
Turning softer ...«

»Das hat echt Tiefe, was?« sagte Vic.

Judy hielt es für Schwachsinn; aber das war ihr völlig egal. Es war ohne jeden Zweifel die Stimme der Frau auf der Bandaufnahme. Jünger, klarer, weicher, aber mit dem gleichen unverwechselbaren, tiefen, sinnlichen Tonfall. »Haben Sie die Plattenhülle?« fragte sie drängend.

»Klar.« Vic reichte sie ihr.

Die Hülle rollte sich an den Ecken auf, und der dünne, durchsichtige Plastiküberzug schälte sich vom Glanzpapier. Auf der Vorderseite war ein spiraliges, wirbelndes vielfarbiges Muster zu sehen, das die Augen rasch ermüden ließ. Die Worte *Raining Fresh Daisies* waren kaum zu erkennen. Judy drehte die Plattenhülle um. Die Rückseite war schmuddelig, und in der rechten oberen Ecke war ein brauner Ring zu sehen, den eine Kaffeetasse hinterlassen hatte.

Der Text auf der Hülle begann mit den Worten: »Musik öffnet Türen, die zu parallelen Universen führen ...«

Judy las den Text gar nicht erst zu Ende. Auf der unteren Hälfte der Hülle waren nebeneinander fünf Schwarzweißfotos abgedruckt, nur die Köpfe und Schultern, vier Männer und eine Frau. Judy las die Bildunterschriften:

Dave Rolands, Keyboards
Ian Kerry, Rhythmusgitarre
Ross Muller, Baßgitarre
Jerry Jones, Schlagzeug
Stella Higgins, Sprechgesang

Judy runzelte die Stirn. »Stella Higgins«, sagte sie aufgeregt. »Ich glaube, den Namen hab' ich schon mal gehört!« Sie war ziemlich sicher, konnte sich aber nicht erinnern, wo ihr der Name begegnet war. Vielleicht war es auch nur Wunschdenken. Sie starrte auf das kleine Schwarzweißfoto und sah eine junge Frau um die Zwanzig mit einem sinnlichen, lächelnden Gesicht, umrahmt von welligem dunklem Haar, und mit einem breiten, üppigen Mund, wie Simon Sparrow vorhergesagt hatte. »Sie war wunderschön«, murmelte Judy vor sich hin und forschte in dem Gesicht nach irgendeinem Ausdruck von Verrücktheit, die einen Menschen dazu bringen mochte, mit einem Erdbeben zu drohen, konnte jedoch keinerlei Anzeichen dafür erkennen. Sie sah bloß eine junge Frau voller Hoffnung und Vitalität. *Was ist in ihrem Leben schiefgegangen?*

»Könnten wir uns die Platte ausleihen?« fragte Judy.

Vic blickte sie verdrossen an. »Ich will Platten verkaufen, nicht verleihen«, sagte er.

Judy wollte sich nicht auf Diskussionen einlassen. »Wieviel?«

»Fünfzig Mäuse.«

»In Ordnung.«

Vic stellte den Plattenspieler ab, nahm die Scheibe vom Drehteller und ließ sie in die Papierhülle gleiten. Judy bezahlte. »Danke, Vic. Wir wissen Ihre Hilfe zu schätzen.«

Auf der Rückfahrt in Rajas Wagen sagte sie: »Stella Higgins ... Wo hab' ich diesen Namen bloß schon mal gelesen?«

Raja schüttelte den Kopf. »Bei mir läutet's da nirgends.«

Als sie ausstiegen, reichte Judy ihm die Platte. »Lassen Sie von dem Foto der Frau Vergrößerungen machen, und schicken Sie sie an sämtliche Polizeireviere. Und geben Sie Simon Sparrow die Platte. Man kann nie wissen, was er vielleicht noch herausfindet.«

Sie betraten die Einsatzzentrale. Der große Ballsaal war jetzt voller Menschen, und man hatte die Leitstelle um einen zusätzlichen Tisch erweitert. Unter den Personen, die sich um die Zentrale drängten, befanden sich nun einige weitere hohe Beamte aus dem FBI-Hauptquartier in Washington; außerdem Vertreter der Stadt, des Staates und verschiedener Bundesbehörden zur Katastrophenbekämpfung.

Judy ging zum Tisch des Nachrichten- und Ermittlungsteams. Die meisten ihrer Leute telefonierten, gingen Hinweisen nach, verfolgten Spuren. Judy wandte sich an Carl Theobald. »An welcher Sache sind Sie dran?«

»Ich checke die Anrufe, in denen behauptet wird, daß ein brauner Plymouth Barracuda gesehen wurde.«

»Ich hab' was Besseres für Sie. Holen Sie sich die CD-ROM mit sämtlichen Telefonnummern in Kalifornien, und suchen Sie nach dem Namen Stella Higgins.«

»Und wenn ich ihn finde?«

»Rufen Sie ihre Nummer an, und stellen Sie fest, ob die Stimme der Frau sich wie die auf der Bandaufnahme von John Truth anhört.«

Judy setzte sich an den Computer, gab den Namen Stella Higgins ein und führte einen Suchlauf nach Vorstrafen durch. Tatsächlich war eine Frau dieses Namens verurteilt worden: einmal wegen Besitzes von Marihuana zu einer Geldstrafe, ein andermal wegen tätlichen Angriffs auf einen Polizeibeamten bei einer Demonstration zu einer Freiheitsstrafe auf Bewährung. Dem Geburtsdatum nach konnte es die Gesuchte sein. Die Frau wohnte an der Haight

Street. Es gab kein Foto in der Datenbank, doch es schien sich um *die* Stella Higgins zu handeln.

Beide Strafen waren im Jahre 1968 verhängt worden; von da an war Stella Higgins nicht mehr straffällig geworden.

Genauso wie Ricky Granger, der Anfang der siebziger Jahre in der Versenkung verschwunden war. Judy druckte die Datei aus und heftete sie an das Schwarze Brett ›Verdächtige‹. Sie schickte einen Agenten los, der die Adresse in der Haight Street überprüfen sollte, obwohl Judy sicher war, daß Stella Higgins nach nunmehr dreißig Jahren längst nicht mehr dort wohnte.

Judy spürte eine Hand auf der Schulter. Es war Bo. In seinen Augen lag Besorgnis. »Was ist mit dir passiert, mein Kleines?« Sanft tippte er mit den Fingerspitzen gegen den Verband auf ihrer Nase.

»Ich war unvorsichtig, fürchte ich.«

Bo küßte sie auf den Scheitel. »Ich hab' heute Nachtdienst, aber ich mußte einfach vorbeikommen und sehen, wie es dir geht.«

»Wer hat dir erzählt, daß ich verletzt wurde?«

»Dieser verheiratete Kerl, Michael.«

Dieser verheiratete Kerl. Judy grinste. *Er will mich daran erinnern, daß Michael einer anderen Frau gehört.* »Es ist nicht weiter schlimm, aber ich werde wohl eine Zeitlang mit zwei prächtigen Veilchen herumlaufen.«

»Du brauchst Ruhe. Wann kommst du nach Hause?«

»Kann ich nicht sagen. Mir ist gerade ein großer Wurf gelungen. Komm, setz dich.« Judy erzählte ihm von *Raining Fresh Daisies.* »So wie ich es sehe, ist Stella Higgins ein sehr schönes Mädchen, das im San Francisco der sechziger Jahre lebt, auf Demos geht, Hasch raucht und mit Rockbands herumhängt. Aus den Sechzigern werden die Siebziger, und die Träume des Mädchens platzen, oder sie langweilt sich einfach nur. Sie tut sich mit einem charismatischen Burschen zusammen, der auf der Flucht vor der Mafia ist. Die beiden gründen eine Sekte, die drei Jahrzehnte überlebt, indem die Mitglieder Modeschmuck verkaufen oder was weiß ich. Dann aber geht irgendwas schief. Die Existenz der Sekte wird vom geplanten Bau eines Kraftwerks bedroht. Nun, da die Sekte befürchten muß, daß alles zerstört wird, was sie über die Jahre hinweg aufgebaut hat, sucht sie nach einer Möglichkeit, den Bau des Kraftwerks auf irgendeine Weise, auf jede erdenkliche Weise zu verhindern. Dann schließt sich eine Seismologin der Sekte an und verfällt auf einen verrückten Plan.«

Bo nickte. »Da könnte was dran sein … jedenfalls insoweit, als ein Irrer irgendeinen Sinn in diesem Plan sehen würde, einen *verrückten* Sinn.«

»Granger hat die kriminelle Erfahrung, den seismischen Vibrator zu stehlen. Außerdem besitzt er das Charisma, die anderen Sektenmitglieder dazu zu bringen, bei der Verwirklichung des Plans mitzumachen.«

Bos Ausdruck wurde nachdenklich. »Der Grund und Boden, auf dem diese Leute wohnen … vielleicht gehört er ihnen gar nicht«, sagte er.

»Wie kommst du darauf?«

»Na ja, stell dir vor, sie wohnen ganz in der Nähe des vorgesehenen Bauplatzes von diesem Atomkraftwerk. Dann müssen sie fortziehen. Falls ihr Haus oder die Farm oder wo auch immer sie gewohnt haben ihr Eigentum wäre, bekämen sie eine Entschädigung und könnten woanders von vorn anfangen. Deshalb vermute ich, daß sie einen Miet- oder Pachtvertrag mit kurzer Laufzeit abgeschlossen haben. Oder sie sind illegale Siedler.«

»Da könntest du recht haben, aber das hilft uns nicht weiter. Es gibt keine Datenbank, in der sämtliche Land- und Grundstücks-Pachtverträge in Kalifornien erfaßt sind.«

Carl Theobald kam zu ihnen, ein Notebook in den Händen. »Drei Treffer im Telefonverzeichnis. Stella Higgins in Los Angeles ist eine Frau von ungefähr siebzig Jahren mit zittriger Stimme. Mrs. Higgins in Stockton hat einen starken Akzent aus irgendeinem afrikanischen Land, wahrscheinlich Nigeria. Und S. J. Higgins in Diamond Heights ist ein Mann namens Sidney.«

»Verdammt«, fluchte Judy und erklärte Bo, um was es ging: »Die Stimme auf der Bandaufnahme von John Truth gehört einer Stella Higgins – und ich bin mir sicher, daß ich den Namen schon mal irgendwo gesehen habe.«

»Versuch's mal in deinen eigenen Akten«, sagte Bo.

»Was?«

»Wenn der Name dir bekannt vorkommt, könnte es daran liegen, daß er im Zuge der Nachforschungen irgendwann mal aufgetaucht ist. Durchsuch die Akten zu diesem Fall.«

»Gute Idee.«

»Ich muß jetzt los«, sagte Bo. »Es flüchten so viele Menschen aus der Stadt und lassen ihre Häuser unbewacht zurück, daß der Polizei von San Francisco 'ne heiße Nacht bevorsteht. Viel Glück, Judy – und nimm dir die Zeit, dich ein bißchen auszuruhen.«

»Danke, Bo.« Judy wandte sich dem Computer zu, rief die Textsuche auf, nahm sich das Verzeichnis mit den gesamten Dateien über die Kinder von Eden vor und gab als Inhalt ›Stella Higgins‹ ein.

Carl schaute Judy über die Schulter. Es war ein großes Verzeichnis, und der Suchlauf nahm ziemlich viel Zeit in Anspruch.

Schließlich flimmerte der Monitor, und die Meldung erschien:

1 Datei(en) gefunden

Judy hätte laut jubeln können.

Carl rief: »Das gibt's doch nicht! Der Name ist bereits im Computer!«

Oh, mein Gott, ich glaube, ich hab' sie.

Als Judy die Datei öffnete, schauten ihr zwei weitere Agenten über die Schulter.

Es war ein umfangreiches Dokument, das sämtliche Notizen enthielt, die sich die FBI-Agenten im Zuge der ergebnislosen Razzia bei den Los Alamos vor sechs Tagen gemacht hatten.

»Was hat das denn zu bedeuten?« Judy stand vor einem Rätsel. »War die Frau bei den Los Alamos, und wir haben sie übersehen?«

Stuart Cleever erschien an ihrer Seite. »Was hat die Aufregung hier zu bedeuten?«

»Wir haben die Frau gefunden, die bei John Truth angerufen hat!« sagte Judy.

»Wo?«

»Im Silver River Valley.«

»Wie konnte sie Ihnen durch die Finger schlüpfen?«

Marvin Hayes hat die Razzia organisiert, nicht ich. »Weiß ich nicht. Ich arbeite daran. Geben Sie mir einen Augenblick Zeit.« Judy benutzte die Suchfunktion, um zu ermitteln, wo der Name in den Akten auftauchte.

Stella Higgins war nicht bei den Los Alamos gewesen. *Deshalb* war sie dem FBI durch die Maschen gegangen.

Zwei Agenten hatten sich auf einem Weingut umgeschaut, ein paar Meilen das Tal hinauf. Das Grundstück war von der Bundesregierung gepachtet; der Name der Pächterin lautete Stella Higgins.

»Verdammt noch mal, wir waren so nahe dran!« rief Judy verzweifelt aus. »Vor einer Woche hätten wir sie fast gehabt!«

»Drucken Sie's aus, damit es jeder lesen kann«, sagte Cleever.

Judy schaltete den Drucker ein und las weiter.

Die FBI-Agenten hatten sich gewissenhaft Namen und Alter jedes Erwachsenen auf dem Weingut notiert. Es waren einige Paare mit Kindern darunter, wie Judy feststellte; die meisten hatten das Weingut als ständigen Wohnsitz angegeben. Also waren sie dort zu Hause.

Vielleicht waren die ›Arbeiter‹ auf dem Weingut eine Sekte – was die beiden Agenten schlichtweg übersehen hatten.

Oder die Leute waren sorgfältig darauf bedacht gewesen, die wahre Natur ihrer Gemeinschaft vor den FBI-Leuten zu verschleiern.

»Wir haben sie!« sagte Judy. »Beim erstenmal wurden wir in die Irre geleitet, zumal diese Rechtsradikalen geradezu perfekte Verdächtige abgaben. Als sich dann herausstellte, daß sie mit dieser Sache nichts zu tun haben, haben wir natürlich gedacht, wir lägen hier völlig falsch. Und das wiederum führte dazu, daß wir nachlässig waren, was die *anderen* Kommunen im Tal angeht. Deshalb haben wir die wirklichen Täter übersehen. Aber jetzt haben wir sie.«

»Ich glaube, Sie haben recht«, meinte Stewart Cleever und wandte sich zum Tisch des Sondereinsatzkommandos. »Rufen Sie die Dienststelle in Sacramento an, Charlie, und leiten Sie alles für eine gemeinsame Razzia in die Wege. Judy kennt den Ort. Wir schnappen sie uns im ersten Tageslicht.«

Judy meinte: »Wir sollten die Razzia sofort vornehmen. Wenn wir bis morgen warten, könnten diese Leute verschwunden sein.«

»Warum sollten sie verschwinden?« Cleever schüttelte den Kopf. »Außerdem ist es in der Nacht zu riskant. Die Verdächtigen könnten uns in der Dunkelheit durch die Maschen schlüpfen, besonders in einer so ländlichen Gegend.«

Wo er recht hatte, hatte er recht. Dennoch drängte eine innere Stimme Judy, die Razzia nicht aufzuschieben. »Dieses Risiko würde ich eingehen«, sagte sie. »Jetzt, wo wir wissen, wo dieser Verein steckt, sollten wir sofort zuschlagen.«

»Nein«, erwiderte Cleever kategorisch. »Bitte keine weiteren Diskussionen, Judy. Wir schnappen sie uns im Morgengrauen.«

Judy zögerte. Sie war überzeugt davon, daß Cleever die falsche Entscheidung getroffen hatte. Doch sie war zu müde, sich auf weitere Diskussionen einzulassen. »Also gut«, sagte sie. »Um wieviel Uhr sollen wir abrücken, Charlie?«

Marsh blickte auf die Uhr. »Wir brechen um zwei Uhr früh von hier auf.«

»Dann lege ich mich ein paar Stunden aufs Ohr.«

Judy stand auf, um zu ihrem Wagen zu gehen, den sie auf dem Paradeplatz geparkt hatte – vor Monaten, wie es ihr vorkam, doch in Wahrheit hatte sie den Wagen am Donnerstagabend dort abgestellt, erst achtundvierzig Stunden zuvor.

Auf dem Weg nach draußen begegnete sie Michael. »Du siehst todmüde aus«, sagte er. »Komm, ich fahre dich nach Hause.«

»Und wie soll ich dann wieder hierher kommen?«

»Ich mach' ein Nickerchen auf deinem Sofa, und dann fahren wir zusammen wieder zurück.«

Judy blieb stehen, schaute ihn an. »Nur damit du's weißt – mein Gesicht tut mir so verdammt weh, daß ich dir nicht mal 'nen Kuß geben kann, geschweige denn was anderes.«

»Ich gebe mich damit zufrieden, deine Hand zu halten«, erwiderte er mit einem Lächeln.

So langsam glaube ich, er hat wirklich was für mich übrig.

Fragend hob Michael eine Braue. »Und? Was hältst du davon?«

»Steckst du mich ins Bett und bringst mir heiße Milch und ein Aspirin?«

»Ja. Und erlaubst du mir, daß ich dich anschaue, während du schläfst?«

Oh, Junge, das würde mir besser gefallen als alles andere auf der Welt.

»Ich glaube, ich sehe ein Ja in deinen Augen«, sagte Michael, der ihre Miene richtig deutete. »Stimmt's?«

Judy lächelte. »Stimmt.«

Priest war stinkwütend, als er aus Sacramento zurückkehrte. Er war überzeugt davon gewesen, daß der Gouverneur sich auf einen Handel einließe. Er hatte sich schon wie der sichere Sieger gefühlt, hatte sich bereits selber beglückwünscht. Doch alles war nur Heuchelei gewesen. Gouverneur Robson hatte gar nicht daran gedacht, irgendeinen Deal zu machen. Das Ganze war eine Falle gewesen. Die FBI-Leute hatten sich vorgestellt, er, Priest, würde ihnen leicht und locker ins Netz gehen wie ein bescheuerter Schmalspur-Ganove. Dieser Mangel an Respekt hatte ihn am meisten geärgert: Sie hielten ihn für einen ausgemachten Trottel.

Aber sie werden schon noch auf den Trichter kommen! Und diese Lektion werden sie so schnell nicht vergessen.

Ein weiteres Erdbeben.

Sämtliche Kommunarden waren noch immer unglücklich darüber, daß Dale und Poem sie verlassen hatten – zumal es sie an das erinnerte, was sie verdrängt hatten: daß sie *alle* am morgigen Tag das Tal verlassen mußten.

Priest berichtete den Reisessern, unter welchem Druck die Staatsregierung inzwischen stand. Die Fernstraßen waren immer noch verstopft mit Kombis und Kleinbussen voller Kinder und Koffer, die vor dem drohenden Erdbeben flüchteten. In den zur Hälfte verlassenen Wohngegenden hatten die Einwohner fast alles zurückgelassen, so daß Plünderer in den Vororten reihenweise Mikrowellenherde, CD-Player und Computer abräumten.

Aber sie alle wußten auch, daß der Gouverneur kein Zeichen des Einlenkens hatte erkennen lassen.

Obwohl es Samstagabend war, wurde in der Kommune nicht gefeiert. Nach dem Abendessen und dem abendlichen Gebet hatten die meisten sich in ihre Hütten zurückgezogen. Melanie begab sich zur Schlafbaracke, um den Kindern vorzulesen. Priest saß vor seiner Hütte. Er schaute zu, wie der Mond im Tal unterging, und wurde allmählich ruhiger. Er öffnete eine fünf Jahre alte Flasche seines eigenen Weines, ein Jahrgang, dessen rauchiges Bukett er liebte.

Es ist eine Nervenschlacht, sagte er sich, als er wieder ruhiger denken konnte. Wer hatte das größere Durchhaltevermögen – er oder der Gouverneur? Wer von beiden konnte seine Leute besser unter Kontrolle halten? Würde das Erdbeben die Regierung Kaliforniens in die Knie zwingen, bevor das FBI Priest in seinem Bau in den Bergen aufstöbern konnte?

Er sah Star näherkommen, deren Gestalt sich gegen das Mondlicht abzeichnete. Sie war barfuß und rauchte einen Joint, nahm einen tiefen Zug, beugte sich herunter und küßte Priest mit offenem Mund. Er inhalierte den berauschenden Rauch aus Stars Lungen, atmete ihn aus, lächelte und sagte: »Ich weiß noch, wie du das zum erstenmal getan hast. Es war die geilste Sache, die ich je erlebt hatte.«

»Wirklich?« erwiderte Star. »Geiler, als einen geblasen zu bekommen?«

»Viel geiler. Du weißt doch, ich war sieben Jahre alt, als ich zum erstenmal gesehen hab', wie meine Mutter 'nem Freier einen geblasen hat. Sie hat die Kerle aber nie geküßt. Ich war der einzige, der 'nen Kuß von ihr bekam. Das hat sie mir selbst gesagt.«

»Mann, Priest, was für ein beschissenes Leben du hattest.«

Er runzelte die Stirn. »Du redest so, als wär's zu Ende.«

»Na ja, *dieser* Teil deines Lebens, hier im Tal, ist zu Ende, nicht?«

»Nein!«

»Es ist fast Mitternacht. Dein Ultimatum läuft gleich ab. Und der Gouverneur wird nicht nachgeben.«

»Er *muß*«, sagte Priest. »Ist bloß 'ne Frage der Zeit.« Er stand auf. »Ich werd' mir jetzt die Nachrichten im Radio anhören.«

Star begleitete Priest, als dieser im Mondlicht das Weingut überquerte und den Pfad zu den geparkten Fahrzeugen hinaufstieg. »Laß uns von hier verschwinden«, sagte Star plötzlich. »Nur du und ich und Flower. Wir steigen in den Wagen, jetzt gleich, und hauen ab. Wir sagen nicht auf Wiedersehen, wir packen keine Taschen, wir nehmen nicht mal Sachen zum Wechseln mit. Wir machen einfach die Mücke, genau so, wie ich '69 aus San Francisco verschwunden bin. Wir fahren dorthin, wohin der Wind uns treibt – nach Oregon oder Las Vegas, vielleicht sogar nach New York. Oder wie wär's mit Charleston? Ich wollte schon immer mal den Süden sehen.«

Ohne zu antworten, stieg Priest in den Cadillac und schaltete das Radio ein. Star setzte sich neben ihn. Aus dem Radio erklang Brenda Lees *Let's Jump the Broomstick*.

»Sag schon, Priest, was hältst du von meinem Vorschlag?«

Die Nachrichtensendung begann, und Priest drehte die Lautstärke höher.

»Der vermutliche Anführer der Terroristengruppe Kinder von Eden, Richard Granger, ist dem FBI heute in Sacramento durch die Finger geschlüpft. Währenddessen haben Tausende, die aus den Gegenden in der Nähe der St.-Andreas-Spalte flüchten, den

Verkehr auf vielen Autobahnen und Fernstraßen im Gebiet der Bucht von San Francisco zum Erliegen gebracht. Meilenlange Autoschlangen versperren große Abschnitte der Interstates 280, 580, 680 und 880. Von Vic Plumstead, einem Ladenbesitzer in Haight-Ashbury, der seltene Schallplatten verkauft, wird behauptet, FBI-Agenten hätten bei ihm ein Album erworben, auf dem das Foto eines weiteren verdächtigen Terroristen zu sehen sei.«

»Album?« sagte Star. »Was, zum Teufel …?«

»Plumstead erklärte, die FBI-Agenten hätten ihn um Hilfe gebeten, eine Langspielplatte aus den sechziger Jahren zu suchen. Nach Plumsteads Aussage vermutet das FBI, daß auf dieser Platte die Stimme eines weiteren Verdächtigen der Terrorgruppe Kinder von Eden zu hören sei. Nach tagelangen Bemühungen, erklärte Plumstead, sei es ihm gelungen, das Album ausfindig zu machen, das Ende der sechziger Jahre von einer weitgehend unbekannten Rockband namens Raining Fresh Daisies aufgenommen worden sei.«

»Mein Gott! Das hätte ich beinahe selbst schon vergessen!«

»… seitens des FBI liegt weder eine Bestätigung noch ein Dementi vor, daß es sich bei der gesuchten Person um Stella Higgins handelt, die Sängerin der Gruppe.«

»Scheiße!« stieß Star hervor. »Die kennen meinen Namen!«

Priests Gedanken rasten. Wie gefährlich war diese neue Situation? Stars Name allein konnte dem FBI kaum weiterhelfen; sie hatte ihn seit fast dreißig Jahren nicht mehr benutzt. Niemand wußte, wo Stella Higgins lebte.

Doch, sie wissen es.

Priest unterdrückte ein verzweifeltes Aufstöhnen. Das Stück Land im Tal war auf den Namen Stella Higgins gepachtet. Und er selbst hatte diesen Namen den beiden Agenten genannt, die an dem Tag in der Kommune gewesen waren, als das FBI die Razzia bei den Los Alamos vorgenommen hatte.

Das änderte alles. Früher oder später würde jemand vom FBI diese Verbindung erkennen.

Und falls das FBI durch einen glücklichen Zufall doch nicht dahinterkam, gab es noch einen Deputy Sheriff in Silver City, derzeit in Urlaub auf den Bahamas, der den Namen Stella Higgins auf eine Akte geschrieben hatte, die in einigen Wochen einem Gericht vorgelegt wurde.

Das Silver River Valley war kein Geheimnis mehr.

Der Gedanke erfüllte Priest mit unsäglicher Trauer.

Was konnte er tun?

Vielleicht sollten er und Star tatsächlich verschwinden. Die Schlüssel steckten im Wagen. In wenigen Stunden konnten sie in Nevada sein. Morgen gegen Mittag wären sie schon Hunderte von Meilen weit fort.

Teufel, nein. Noch geb' ich mich nicht geschlagen.

Noch kann ich alles im Griff behalten.

Priests ursprünglicher Plan hatte sich darauf gestützt, daß die Behörden niemals herausfanden, wo die Kinder von Eden sich befanden und weshalb sie den Baustopp neuer Kraftwerke forderten. Nun standen die FBI-Agenten kurz davor, dies alles aufzudecken – aber vielleicht konnte man sie dazu zwingen, ihre Erkenntnisse geheimzuhalten. Das konnte zu einem Teil von Priests Forderung werden. Falls das FBI soweit nachgab, daß es sich mit dem Baustopp neuer Kraftwerke einverstanden erklärte, konnte es *das* auch noch schlucken.

Es war ein riskanter, ungeheuerlicher Plan – aber schließlich war die ganze Sache ungeheuerlich. Er konnte es schaffen.

Aber er durfte nicht in die Fänge des FBI geraten.

Priest öffnete die Fahrertür und stieg aus. »Gehen wir«, sagte er. »Ich hab' 'ne Menge zu tun.«

Star stieg langsam aus dem Wagen. »Du haust also nicht mit mir ab?« fragte sie bedrückt.

»Teufel, nein.« Er schlug die Tür zu und stapfte los.

Sie folgte ihm durch das Weingut und zurück in die Ansiedlung. Ohne Priest eine gute Nacht zu wünschen, verschwand sie in ihrer Hütte.

Priest ging zu einer anderen Blockhütte – der von Melanie. Sie schlief. Grob schüttelte er sie wach. »Steh auf«, sagte er. »Wir müssen los. Mach schnell!«

Judy beobachtete und wartete, während Stella Higgins sich die Augen ausweinte.

Sie war eine großgewachsene Frau, die unter anderen Umständen attraktiv ausgesehen hätte, nun aber wirkte sie völlig am Boden zerstört. Ihr Gesicht war vor Kummer verzerrt, ihr altmodischer Lidschatten war zerlaufen und bildete dünne schwarze Rinnsale auf ihren Wangen, und sie schluchzte, daß ihre massigen Schultern zuckten.

Die beiden Frauen saßen in der winzigen Hütte, die Stars Zuhause war. Um sie herum lagen Medikamente und medizinisches Zubehör: Kisten mit Verbandmaterial und Pflastern, Schachteln mit Aspirin und Tylenol, Troygewichte für eine Apothekerwaage, Fläschchen mit Kolikmitteln, Hustensaft und Jod. Die Wände waren mit Zeichnungen von Kinderhand geschmückt, die Star zeigten, wie sie sich um kranke Jungen und Mädchen kümmerte. Es war eine primitive Behausung, ohne elektrischen Strom und fließendes Wasser, doch sie besaß eine freundliche Aura.

Judy ging zur Tür, schaute hinaus und verschaffte Star auf diese Weise ein bißchen Zeit, ihre Fassung wiederzugewinnen. Im fahlen Licht des frühen Morgens wirkte die Ansiedlung wunderschön. Die letzten Streifen dünnen Nebels verschwanden aus den Baumkronen an den steilen Hügelhängen, und der Fluß funkelte und glitzerte in der Gabelung des Tales. An den unteren Hängen sah man säuberlich angepflanzte Reihen von Weinstöcken; die sprießenden Schößlinge der Reben waren an hölzernen Spalieren festgebunden. Für einen Augenblick wurde Judy von innerem Frieden erfüllt – ein Gefühl, daß an diesem Ort die Dinge genau so waren, wie sie sein sollten, und daß der Rest der Welt schmutzig und verderbt war. Sie schüttelte sich, um sich von dieser gespenstischen Empfindung zu befreien.

Michael erschien. Er hatte erneut darauf bestanden, Judy zu begleiten, da er sich um Dusty kümmern wollte; Judy hatte Stuart Cleever erklärt, daß Michael unmittelbar an den Nachforschungen vor Ort beteiligt werden sollte, da sein Fachwissen unverzichtbar für die Ermittlungsarbeit sei. Michael führte Dusty an der Hand.

»Wie geht es ihm?« fragte Judy.

»Er fühlt sich prächtig«, sagte Michael.

»Hast du Melanie gefunden?«

»Sie ist nicht hier. Dusty sagt, daß ein großes Mädchen namens Flower sich um ihn kümmert.«

»Hast du eine Ahnung, wohin Melanie gegangen sein könnte?«

»Nein.« Mit einem Kopfnicken wies Michael auf Star. »Was hat sie gesagt?«

»Bis jetzt noch nichts.« Judy ging wieder in die Blockhütte und setzte sich auf die Bettkante. »Erzählen Sie mir von Ricky Granger«, sagte sie.

»Er hat Gutes wie Schlechtes in sich«, erwiderte Star, als ihre Tränen allmählich versiegten. »Früher war er ein Schläger, ein Verbrecher. Ich weiß, daß er sogar Menschen getötet hat. Aber die ganze Zeit, die wir zusammen waren, fünfundzwanzig Jahre lang, hat er keinem was angetan ... bis jetzt. Bis jemand auf die Idee kam, diesen beschissenen Staudamm zu bauen.«

»Ich will nur eins«, sagte Judy sanft. »Ich will Ricky Granger finden, bevor er noch mehr Menschen Leid zufügt.«

Star nickte. »Ich weiß.«

»Schauen Sie mich an«, sagte Judy, und Star gehorchte. »Wohin ist Granger verschwunden?«

»Wenn ich's wüßte, würd' ich's Ihnen sagen«, antwortete Star. »Aber ich weiß es nicht.«

Priest und Melanie fuhren mit dem Lieferwagen der Kommune nach San Francisco. Der zerbeulte Cadillac war Priest zu verdächtig, und nach Melanies orangefarbenem Subaru hielten möglicherweise die Cops Ausschau.

Sämtlicher Verkehr strömte in die Gegenrichtung, so daß die beiden nahezu ungehindert vorankamen. Kurz nach fünf Uhr früh am Sonntagmorgen erreichten sie die Stadt. Nur wenige Menschen waren auf den Straßen: ein Teenagerpärchen, das in inniger Umarmung an einer Bushaltestelle stand; zwei zittrige Junkies, die bei einem Dealer in langem Mantel Koks kauften; ein hilfloser Betrunkener, der im Zickzack über die Straße taumelte. Die Hafengegend jedoch war menschenleer. Das heruntergekommene Industrieviertel sah im frühen Morgenlicht bedrückend trist und gespenstisch aus. Priest schloß das Tor auf, nachdem er und Melanie zum Lagerhaus der Perpetua Diaries gelangt waren. Der Angestellte der Maklerfirma hatte Wort gehalten: Das Gebäude war wieder ans Stromnetz angeschlossen, und im Waschraum lief das Wasser.

Melanie fuhr den Lieferwagen in die Lagerhalle, und Priest überprüfte den seismischen Vibrator. Er ließ den Motor an; dann hob und senkte er die stählerne Bodenplatte. Alles funktionierte.

Auf der Couch in dem kleinen Büro legten sie sich zum Schlafen nieder, kuschelten sich aneinander. Doch Priest blieb wach, überdachte immer wieder seine Lage. Wie er es auch betrachtete – nachzugeben war der einzig vernünftige Schritt, den Gouverneur Robson tun konnte. Priest malte sich aus, wie er in der John-Truth-Show auftrat und erklärte, was für ein dummer Hund Robson doch war. *Nur ein Wort von ihm, und er hätte das Erdbeben verhindern können!* Doch nach einer Stunde ging Priest die Sinnlosigkeit seiner Träumereien auf. Auf dem Rücken liegend, vollführte er jene Entspannungsübungen, die er bei der Meditation benutzte. Sein Körper wurde ruhig, sein Herzschlag verlangsamte sich, sein Verstand wurde leer, und er schlief ein.

Als Priest erwachte, war es zehn Uhr morgens.

Er stellte einen Topf Wasser auf die Heizplatte. Aus der Kommune hatte er eine Dose gemahlenen Kaffee und ein paar Tassen mitgenommen.

Melanie schaltete den Fernseher ein. »In der Kommune habe ich die Nachrichten vermißt«, sagte sie. »Sonst hab' ich sie mir immer angeschaut.«

»Normalerweise kann ich Nachrichten nicht ausstehen«, erwiderte Priest. »Es kotzt einen an, von einer Million Dingen zu hören, gegen die man nichts unternehmen kann.« Doch er setzte sich zu Melanie vor den Fernseher. Vielleicht wurde ja etwas über ihn berichtet.

Es wurde *nur* über ihn berichtet.

»Die kalifornischen Behörden nehmen die Drohung ernst, daß sich heute ein Erdbeben ereignen wird. Die von den Terroristen gesetzte Frist läuft in Kürze ab«, sagte der Nachrichtensprecher; dann wurde ein Film darüber gezeigt, wie städtische Angestellte im Golden Gate Park eine Zeltstadt zur medizinischen Versorgung errichteten.

Der Anblick erfüllte Priest mit Wut. »Warum gebt ihr uns nicht einfach, was wir wollen?« brüllte er den Fernseher an.

Die nächste Einblendung zeigte FBI-Agenten, die in einer Blockhüttensiedlung in den Bergen eine Razzia vornahmen. Nach einem Moment stieß Melanie hervor: »Mein Gott, das ist unsere Kommune!«

Sie sahen Star, die sich in ihren alten purpurnen Umhang aus Seide gewickelt hatte. Auf ihrem Gesicht lagen Schmerz und Kummer, als sie von zwei Männern mit kugelsicheren Westen aus ihrer Hütte geführt wurde.

Priest fluchte. Er war nicht überrascht; die Gefahr, daß eine

Razzia vorgenommen wurde, hatte ihn dazu getrieben, die Kommune so eilig zu verlassen. Dennoch wurde er angesichts der Bilder von Verzweiflung und greller Wut erfaßt. Diese selbstherrlichen Schweinehunde hatten *seiner* Kommune Gewalt angetan.

Ihr hättet uns in Ruhe lassen sollen. Jetzt ist es zu spät.

Er sah Judy Maddox. Auf ihrem Gesicht lag ein finsterer, entschlossener Ausdruck. *Du hast gehofft, mich in deinem Netz zu fangen, stimmt's?* Heute sah sie gar nicht so hübsch aus. *Das Pflaster auf der Nase steht dir nicht, und die Veilchen, die ich dir verpaßt habe, machen dich auch nicht schöner*, dachte Priest mit einem Anflug von Genugtuung. *Du hast mich belogen und versucht, mich in die Falle zu locken, und hast dir dabei 'ne blutige Nase geholt.*

Tief innerlich jedoch war ihm desolat zumute. Er hatte das FBI unterschätzt, von Anfang an. Als er seinen Feldzug begann, hätte er sich niemals träumen lassen, daß er irgendwann mit ansehen müßte, wie FBI-Leute in das Heiligtum des Tales eindrangen, das über so viele Jahre hinweg ein geheimer Ort gewesen war. Judy Maddox war schlauer, als Priest erwartet hatte.

Melanie stieß scharf die Luft aus. Eine kurze Einblendung von ihrem Mann wurde gezeigt: Michael, wie er Dusty auf den Armen trug. »O nein!« rief sie.

»Die werden den Kleinen schon nicht in den Knast stecken«, sagte Priest ungeduldig.

»Aber wohin wird Michael ihn bringen?«

»Ist doch scheißegal.«

»Das ist es ganz und gar nicht, wenn's ein Erdbeben gibt!«

»Dein Mann weiß besser als jeder andere, wo die gefährlichen Stellen an der Spalte sind. Er wird schon drauf achten, daß er nicht in die Nähe kommt.«

»O Gott, das will ich doch hoffen. Besonders jetzt, wo er Dusty bei sich hat.«

Fluchend schaltete Priest den Fernseher aus. »Wir müssen erst mal raus hier und einiges erledigen«, sagte er. »Nimm dein Handy mit.«

Melanie fuhr den Lieferwagen aus dem Lagerhaus, und Priest schloß hinter ihnen das Tor ab. »Fahr Richtung Flughafen«, wies er Melanie an, als er einstieg.

Indem sie die Schnellstraßen mieden, gelangten sie nahe an den Flughafen, ohne im Stau steckenzubleiben. Priest vermutete, daß Tausende von Menschen die öffentlichen Telefonzellen in der Gegend belagerten; daß sie versuchten, einen Linienflug zu bekommen, oder ihre Familien anriefen und sich erkundigten, auf welchen Strecken es Verkehrsstaus gab und wie lang sie waren. Übers Handy rief Priest John Truth beim Sender an.

Truth persönlich nahm das Gespräch entgegen. *Wahrscheinlich hat er auf diesen Anruf gehofft*, ging es Priest durch den Kopf. »Ich hab' 'ne neue Forderung, also hören Sie genau zu«, sagte er.

»Keine Bange, ich schneide den Anruf auf Band mit«, erwiderte Truth.

Priest lächelte. »Und dann senden Sie ihn in Ihrer Show heute abend, stimmt's, John?«

»Bis dahin schmoren Sie hoffentlich im Knast«, sagte Truth gehässig.

»Ja, ja, du mich auch.« *Das Arschloch hat keinen Grund, pampig zu werden.* »Meine neue Forderung ist ein Straferlaß des Präsidenten für sämtliche Mitglieder der Kinder von Eden.«

»Ich werde es den Präsidenten wissen lassen.«

Jetzt hörte der Kerl sich unverkennbar zynisch an. Hatte er überhaupt eine Ahnung, wie wichtig diese Sache war? »Gleiches gilt für unsere Forderung, daß der Bau neuer Kraftwerke eingestellt wird.«

»Moment mal«, sagte Truth. »Inzwischen weiß alle Welt, wo Ihre Kommune sich befindet. Die Forderung, den Bau von Kraftwerken in *ganz* Kalifornien einzustellen, ist nicht mehr nötig. Sie wollen doch bloß, daß Ihr Tal nicht überflutet wird, nicht wahr?«

Priest überlegte. Daran hatte er noch gar nicht gedacht, aber Truth hatte recht. Dennoch beschloß Priest, bei seiner ursprünglichen Forderung zu bleiben. »So läuft das nicht, Mann«, sagte er. »Ich hab' meine Grundsätze. Kalifornien braucht nicht mehr Strom, sondern weniger, wenn's ein Land bleiben soll, in dem es sich auch noch für meine Enkel zu leben lohnt. Unsere ursprüngliche Forderung bleibt bestehen. Wenn der Gouverneur nicht einverstanden ist, gibt's ein neues Erdbeben.«

»Wie können Sie so etwas tun?«

Die Frage kam für Priest völlig unerwartet. »Was?«

»Wie können Sie so etwas tun? Wie können Sie soviel Leid und Not über so viele Menschen bringen – töten, verletzen, zerstören? Dafür sorgen, daß Tausende voller Angst aus ihren Häusern fliehen ... Wie können Sie da jemals wieder ruhig schlafen?«

Die Frage ließ Wut in Priest auflodern. »Stellen Sie die Sache nicht so hin, als wären *Sie* derjenige, der auf der Seite der Vernunft und der Moral steht«, sagte er. »*Ich* bin es, der Kalifornien retten will.«

»Indem Sie Menschen töten.«

Priest riß der Geduldsfaden. »Jetzt halt endlich mal die Schnauze, und hör zu!« rief er. »Ich werde dir jetzt was über das nächste Erdbeben erzählen.« Falls Melanie recht hatte, würde das seismische Fenster sich um zwanzig vor sieben am frühen Abend öffnen. »Sieben Uhr«, sagte Priest. »Heute abend um sieben Uhr kracht's.«

»Können Sie mir sagen ...«

Priest unterbrach die Verbindung.

Er schwieg eine Zeitlang. Das Gespräch hatte ein unbehagliches Gefühl bei ihm hinterlassen. Eigentlich hätte Truth zu Tode verängstigt reagieren müssen; statt dessen hatte er Priest Vorwürfe gemacht, beinahe mit ihm herumgeplänkelt. *Er hat mich wie einen Verlierer behandelt,* dachte Priest. *Das ist es.*

Sie gelangten an eine Kreuzung. »Hier könnten wir drehen und zurückfahren«, sagte Melanie. »Auf der Gegenfahrbahn ist kein Verkehr.«

»Okay.«

Melanie wendete. Sie war nachdenklich. »Ob wir jemals ins Tal zurück können?« sagte sie leise. »Jetzt, wo das FBI und alle Welt weiß, wo es ist?«

»Ja!« brüllte Priest.

»Schrei nicht!«

»Ja, ja, irgendwann können wir zurück«, sagte Priest mit leiserer Stimme. »Ich weiß, es sieht schlecht aus, und vielleicht müssen wir 'ne Zeitlang woanders verbringen. Die Weinlese von diesem Jahr ist futsch, das steht fest. Die Pressefritzen und Fernsehleute werden wochenlang im Tal herumkriechen. Aber irgendwann werden sie uns vergessen. Irgendwann wird's 'nen Krieg geben oder 'ne Wahl oder 'nen Sexskandal, und dann sind wir Schnee von gestern. Dann können wir heimlich, still und leise ins Tal zurück, in unsere Hütten, können die Weinstöcke wieder in Schuß bringen und 'ne neue Lese wachsen lassen.«

Melanie lächelte. »O ja«, sagte sie.

Sie glaubt ganz fest daran. Ich bin mir da nicht so sicher. Aber ich werd' nicht mehr drüber nachdenken. Wenn ich mir Sorgen mache, bringt das nur meine Entschlossenheit ins Wanken. Jetzt gibt's kein Wenn und Aber mehr. Jetzt wird gehandelt.

»Möchtest du zurück zum Lagerhaus?« fragte Melanie.

»Nein. Ich krieg' 'nen Koller, wenn ich den ganzen Tag in dem Loch rumhänge. Fahr in Richtung Stadt, und sieh zu, daß wir 'ne Freßkneipe finden, in der man ein spätes Frühstück kriegt. Ich sterbe vor Hunger.«

Judy und Michael brachten Dusty nach Stockton, wo Michaels Eltern wohnten. Sie flogen mit einem Helikopter, und Dusty war hellauf begeistert. Der Hubschrauber landete auf dem Footballfeld einer High School in einem Außenbezirk.

Michaels Vater war ein pensionierter Buchhalter und bewohnte mit seiner Frau ein schmuckes Haus am Stadtrand, das an einen Golfplatz grenzte. Judy trank in der Küche Kaffee, während Michael sich darum kümmerte, daß sein Sohn sich eingewöhnte. Mrs. Quercus sagte bekümmert: »Vielleicht wird diese schreckliche Sache wenigstens Michaels Firma in Schwung bringen – dann hätte das ganze Elend wenigstens *ein* Gutes.« Judy fiel wieder ein, daß Michaels Eltern Geld in seine Beraterfirma gesteckt hatten und daß Michael sich Sorgen darüber machte, ob er das Geld überhaupt würde zurückzahlen können. Doch Mrs. Quercus hatte recht – daß Michael als Erdbebenexperte für das FBI arbeitete, konnte sich als hilfreich für ihn erweisen.

Das Erdbeben. Judy mußte an den seismischen Vibrator denken. Im Silver River Valley hatten sie ihn nicht gefunden, und seit Freitagabend war er nicht mehr gesehen worden. Allerdings waren die Bretter aufgetaucht, mit denen er als Kirmesfahrzeug getarnt worden war: Einer der ungezählten Katastrophenhelfer, die in Felicitas noch immer mit Aufräumungsarbeiten beschäftigt waren, hatte sie am Rand einer Straße entdeckt.

Judy wußte, mit welchem Fahrzeug Granger jetzt unterwegs war. Bei den Vernehmungen der Kommunebewohner hatte sie erfahren, welche Autos sie fuhren, und dann überprüft, ob Fahrzeuge fehlten. Priest war mit dem Lieferwagen der Kommune unterwegs, worauf Judy eine Fahndungsmeldung mit der Beschreibung des Fahrzeugs herausgegeben hatte. Theoretisch müßte jeder Cop in Kalifornien nach dem Lieferwagen Ausschau halten, doch die meisten Beamten waren viel zu sehr damit beschäftigt, sich um die Notfälle zu kümmern.

Vielleicht, überlegte Judy – und der Gedanke war beinahe unerträglich für sie –, hätte sie Granger in der Kommune erwischt, wenn sie noch entschlossener durchgegriffen und Cleever davon überzeugt hätte, bereits am vergangenen Abend eine Razzia in der Siedlung vornehmen zu lassen, nicht erst am heutigen Morgen. Aber sie war einfach zu müde gewesen. Inzwischen fühlte sie sich besser – die Razzia hatte einen Adrenalinstoß ausgelöst und Judy mit einem letzten Rest von Energie erfüllt. Doch sie fühlte sich körperlich und seelisch ausgelaugt und mit ihren Kräften fast am Ende.

Auf der Küchenanrichte stand ein kleiner Fernseher. Das Gerät war eingeschaltet, der Ton jedoch abgestellt. Als die Nachrichten gesendet wurden, bat Judy Mrs. Quercus, die Lautstärke aufzudrehen. Ein Interview mit John Truth wurde gezeigt, der am Telefon mit Granger gesprochen hatte. Truth spielte Ausschnitte dieses Gesprächs vor, das er auf Band mitgeschnitten hatte. »Sieben Uhr«, erklang Grangers Stimme. »Heute abend um sieben Uhr kracht's.«

Judy schauderte. Er meinte es ernst. In seiner Stimme lagen kein Bedauern, keine Reue, kein Anzeichen dafür, daß er zögern würde, das Leben unzähliger Menschen aufs Spiel zu setzen. Er klang sachlich und vernünftig, was jedoch darüber hinwegtäuschte, daß dieser Mann nicht voll zurechnungsfähig war. Der Tod und das Leid anderer Menschen machten Granger nichts aus – eines der Merkmale eines Psychopathen.

Judy fragte sich, was Simon Sparrow aus Grangers Stimme heraushören würde. Aber nun war es zu spät für psycholinguistische Analysen. Judy ging zur Küchentür. »Michael!« rief sie. »Wir müssen los!«

Sie hätte ihn gern hier gelassen, bei Dusty. Hier waren beide in Sicherheit. Aber sie brauchte Michael in der Einsatzzentrale. Seine Fachkenntnisse konnten von entscheidender Bedeutung sein.

Er kam mit Dusty in die Küche. »Ich bin gleich soweit«, sagte er. Das Telefon klingelte, und Mrs. Quercus nahm ab. Nach ein paar Sekunden hielt sie Dusty den Hörer hin. »Ist für dich«, sagte sie.

Dusty nahm den Hörer und sagte zaghaft: »Hallo?« Dann erstrahlte sein Gesicht. »Hi, Mom!«

Judy erstarrte.

Es war Melanie.

»Ich bin heute morgen aufgewacht, und du warst weg!« sagte Dusty. »Dann ist Daddy mich holen gekommen.«

Melanie war bei Priest, und der wiederum befand sich mit größter Wahrscheinlichkeit im Versteck des seismischen Vibrators. Eilig nahm Judy ihr Handy hervor und wählte die Nummer der

Einsatzzentrale. Raja meldete sich. »Verfolgen Sie ein Gespräch zurück«, sagte Judy leise. »Melanie Quercus ruft gerade einen Teilnehmer in Stockton an.« Sie las Raja die Nummer vom Telefon der Quercus' vor. »Der Anruf kam vor etwa einer Minute. Das Gespräch ist noch im Gange.«

»Ich mach' mich dran«, sagte Raja.

Judy unterbrach die Verbindung.

Dusty lauschte in den Hörer, nickte und schüttelte gelegentlich den Kopf. Vor Aufregung kam ihm gar nicht in den Sinn, daß Melanie seine Bewegungen gar nicht sehen konnte.

Dann, von einem Moment zum anderen, reichte er seinem Vater den Hörer. »Mom will mit dir sprechen.«

Judy flüsterte Michael zu: »Versuch herauszufinden, wo sie ist!«

Michael nahm von Dusty den Hörer entgegen und drückte ihn an die Brust, um jedes Geräusch zu ersticken. »Du kannst mithören. Im Schlafzimmer ist ein Nebenanschluß.«

»Wo?«

Mrs. Quercus sagte: »Die Tür am anderen Ende des Flurs.«

Judy stürmte ins Schlafzimmer, warf sich auf die geblümte Tagesdecke, riß den Hörer vom Apparat auf dem Nachttisch und bedeckte die Sprechmuschel mit der Hand.

Sie hörte Michael fragen: »Melanie – wo, zum Teufel, steckst du?«

»Das tut nichts zur Sache«, erwiderte sie. »Ich habe dich und Dusty im Fernseher gesehen. Geht es ihm gut?«

Also hat sie ferngesehen, wo immer sie auch sein mag.

»Dusty geht's prima«, sagte Michael. »Wir sind gerade erst hier angekommen.«

»Ich hatte gehofft, daß ihr zu deinen Eltern fahrt.«

Ihre Stimme war leise. Michael sagte: »Ich kann dich kaum verstehen. Könntest du etwas lauter sprechen?«

»Nein, kann ich nicht. Streng deine Ohren an, ja?«

Sie will nicht, daß Granger sie hört. Gut so! Das könnte bedeuten, daß die beiden Meinungsverschiedenheiten bekommen.

»Okay, okay«, sagte Michael.

»Du wirst mit Dusty dort bleiben, ja?«

»Nein«, antwortete Michael. »Ich gehe zurück in die Stadt.«

»Was? Um Himmels willen, Michael, das ist gefährlich!«

»Wieso? Weil sich das Erdbeben in der Stadt ereignen soll – in San Francisco?«

»Das kann ich dir nicht sagen.«

»Wird es auf der Halbinsel stattfinden?«

»Ja, auf der Halbinsel. Deshalb darf Dusty nicht dorthin!«

Judys Handy piepte. Sie preßte die eine Hand fest auf die Sprechmuschel des Hörers, den sie am rechten Ohr hielt, nahm mit der anderen ihr Handy und drückte es ans linke Ohr. »Ja?« sagte sie.

Es war Raja. »Sie benutzt ihr Mobiltelefon und ruft aus der Innenstadt von San Francisco an. Genauer können wir den Bereich bei einem Digitaltelefon nicht eingrenzen.«

»Schicken Sie ein paar Leute los. Sie sollen in den Straßen der Innenstadt nach dem Lieferwagen Ausschau halten.«

»Wird gemacht.«

Judy unterbrach die Verbindung.

Michael sagte soeben: »Wenn du dir so große Sorgen machst, warum sagst du mir dann nicht, wo der seismische Vibrator steht?«

»Das kann ich nicht tun!« zischte Melanie. »Du hast sie wohl nicht alle!«

»Was? *Ich* hab' sie nicht alle? *Du* bist diejenige, die ein Erdbeben auslösen will!«

»Ich muß jetzt Schluß machen.« Ein Klicken ertönte, und die Leitung war tot.

Judy legte den Hörer auf den Apparat neben dem Bett und drehte sich auf den Rücken. Ihre Gedanken rasten. Melanie hatte viele wichtige Informationen preisgegeben. Sie befand sich irgendwo in der Innenstadt von San Francisco. Das machte es zwar nicht leicht, sie zu finden; nun aber konnte man sich auf die Stadt konzentrieren und brauchte Melanie und Granger nicht in ganz Kalifornien zu suchen wie eine Nadel im Heuhaufen. Außerdem hatte Melanie erklärt, das Beben würde sich irgendwo auf der Halbinsel von San Francisco ereignen, dem breiten Landrücken zwischen dem Pazifik und der Bucht. Folglich mußte der seismische Vibrator sich irgendwo in dieser Gegend befinden. Die für Judy faszinierendste Erkenntnis jedoch waren die Hinweise darauf, daß es zwischen Melanie und Granger Spannungen gab. Melanie hatte offenbar ohne Wissen Grangers angerufen; außerdem hatte es ganz den Anschein gehabt, als hätte sie Angst, Granger könne das Gespräch mithören. Das war ein Hoffnungsschimmer. Vielleicht gab es eine Möglichkeit, sich die Spannungen zwischen den beiden zunutze zu machen.

Judy schloß die Augen und dachte angestrengt nach. Melanie machte sich Sorgen um Dusty. Das war ihre Schwachstelle. Wie ließ sich das verwerten?

Judy hörte Schritte und schlug die Augen auf. Michael kam ins Zimmer. Er bedachte sie mit einem seltsamen Blick.

»Was ist?« fragte Judy.

»Vielleicht ist die Bemerkung nicht angebracht, aber du siehst phantastisch aus, wenn du auf einem Bett liegst.«

Jetzt erst wurde Judy wieder bewußt, daß sie sich im Haus seiner Eltern befand. Sie stand auf.

Michael umarmte sie. Es war ein wundervolles Gefühl. »Was macht dein Gesicht?« fragte er.

Sie schaute zu ihm auf. »Wenn du ganz behutsam bist …«

Sanft küßte er ihre Lippen.

Wenn er den Wunsch hat, mich jetzt zu küssen, wo ich wie Frankensteins Braut aussehe, muß er mich wirklich gern haben.

»Hm«, machte sie. »Wenn das alles vorbei ist …«

»Ja.«

Für einen Moment schloß sie die Augen.

Dann dachte sie wieder an Melanie.

»Michael …«

»Ja.«

Sie löste sich aus seiner Umarmung. »Melanie macht sich Sorgen, Dusty könnte sich in der Erdbebenzone aufhalten.«

»Er bleibt hier, keine Bange.«

»Aber Melanie hast du das nicht gesagt. Sie hat dich danach gefragt, aber du hast geantwortet, daß sie dir sagen soll, wo sich der seismische Vibrator befindet, wenn sie sich Sorgen um Dusty macht. Du hast ihre Frage nie richtig beantwortet.«

»Na ja, allein der Gedanke, ich könnte mit Dusty in die Erdbebenzone fahren, ist verrückt. Wie kommt sie bloß darauf, ich könnte den Jungen in Gefahr bringen?«

»Ich meine ja auch nur, daß sie vielleicht Zweifel hat, was Dustys Aufenthaltsort angeht ... Zweifel, die ihr schwer zu schaffen machen. Und wo immer sie sein mag, es gibt dort einen Fernseher.«

»Manchmal sieht sie sich den ganzen Tag die Nachrichten an. Das ist Entspannung für sie.«

Judy verspürte einen Stich der Eifersucht. *Er kennt sie so gut ...* »Wie wär's, wenn wir dich von einem Reporter interviewen ließen – in der Kommandozentrale des Krisenstabes in San Francisco? Er könnte dich fragen, wie du dem FBI hilfst, und Dusty wäre ... na ja, irgendwo im Hintergrund zu sehen?«

»Dann wüßte Melanie, daß ich in San Francisco bin.«

»Genau. Und was würde sie dann tun?«

»Mich anrufen und mir fürchterlich die Leviten lesen, könnte ich mir vorstellen.«

»Und wenn sie dich nicht erreichen könnte ...«

»Hätte sie eine Heidenangst.«

»Aber würde sie Granger daran hindern, den seismischen Vibrator einzusetzen?«

»Vielleicht. Wenn es ihr möglich wäre.«

»Ist es einen Versuch wert?«

»Haben wir eine andere Wahl?«

Priest war jetzt zu allem entschlossen. Vielleicht gaben der Gouverneur und der Präsident seinen Forderungen doch nicht nach, nicht einmal nach der Katastrophe in Felicitas. Doch heute abend würde sich ein drittes Erdbeben ereignen. Und dann würde er John Truth anrufen und erklären: *Ich werde es noch einmal tun! Und das nächste Mal könnte es Los Angeles treffen oder San Bernadino oder San José. Ich kann es so oft machen, wie ich will. Ich mach' euch Feuer unterm Arsch, bis ihr nachgebt. Es liegt ganz bei euch!*

Die Innenstadt von Los Angeles war eine riesige Geisterstadt. Nur wenige Leute waren einkaufen oder auf einem Spaziergang, wenngleich viele in die Kirchen gingen. Die Tische des Restaurants waren nur zur Hälfte besetzt. Priest bestellte Eier und trank drei Bloody Marys. Melanie war bedrückt; sie machte sich Sorgen wegen Dusty. Priest glaubte, daß es dem Jungen gutginge; schließlich war er bei seinem Vater.

»Hab' ich dir jemals gesagt, weshalb ich Granger genannt werde?« fragte er Melanie.

»Ist das nicht der Name deiner Eltern?«

»Meine Mutter nannte sich Veronica Nightingale. Sie sagte mir, mein Vater hätte Stewart Granger geheißen. Er wär' auf 'ne lange Reise gegangen, hat sie mir erzählt, würde aber eines Tages zurückkommen, in 'ner großen Limousine, die mit Geschenken beladen wäre – Parfüm und Schokolade für meine Alte und 'n Fahrrad für mich. An Regentagen, wenn ich nicht auf den Straßen spielen konnte, hab' ich immer stundenlang am Fenster gesessen und auf meinen Vater gewartet.«

Für einen Moment schien Melanie ihre eigenen Probleme zu vergessen. »Dann warst du ein armer Junge«, sagte sie.

»Ich muß so zwölf Jahre alt gewesen sein, als ich erfuhr, daß Stewart Granger 'n großer Filmstar war. Ungefähr zu der Zeit, als ich geboren wurde, hat er in *King Solomon's Mines* den Allan Quatermain gespielt. Ich glaube, für meine Mutter war er so was wie 'n Traumbild. Hat mir's Herz gebrochen, das kann ich dir sagen. Die vielen Stunden aus dem verdammten Fenster zu gaffen.« Priest lächelte, doch die Erinnerung schmerzte.

»Wer weiß?« sagte Melanie. »Vielleicht war er *wirklich* dein Vater. Auch Filmstars gehen zu Prostituierten.«

»Ich sollte ihn wohl mal fragen.«

»Er ist tot.«

»Ach? Das wußte ich gar nicht.«

»Ja. Ich hab's vor ein paar Jahren in *People* gelesen.«

Priest verspürte einen Anflug von Trauer. Er hatte niemals einen richtigen Vater gehabt, und Stewart Granger war dem Bild eines Vaters wenigstens nahe gekommen. »Tja, dann werden wir's jetzt nie mehr erfahren.« Er zuckte die Achseln und rief nach der Rechnung.

Als sie das Eßlokal verließen, wollte Priest nicht zum Lagerhaus zurück. In der Kommune hatte er stundenlang untätig herumsitzen können, doch in einem schmuddeligen Zimmer in einem industriellen Ödland würde er Platzangst bekommen. Nach den fünfundzwanzig Jahren, die er im Silver River Valley verbracht hatte, könnte er nie wieder ein Leben in der Stadt führen. Deshalb spazierte er mit Melanie durch Fisherman's Wharf, wobei sich beide wie Touristen verhielten. Priest genoß die salzige Seeluft, die von der Bucht herüberwehte.

Als Vorsichtsmaßnahme hatten sie ihr Äußeres verändert: Melanie hatte ihr auffälliges langes rotes Haar hochgesteckt und unter einem Hut verborgen; dazu trug sie eine Sonnenbrille. Priest hatte sich Pomade ins dunkle Haar geschmiert, so daß es flach am Kopf anlag, und der ebenso dunkle Dreitagebart auf den Wangen verlieh ihm das Flair eines Latin Lovers, was einen ziemlichen Unterschied zu seinem üblichen Erscheinungsbild des alternden Hippies darstellte. Die beiden wurden kaum beachtet.

Priest lauschte den Gesprächen der wenigen Passanten. Jeder hatte irgendeinen Grund, in der Stadt zu bleiben.

»Ich mache mir keine Sorgen. Unser Haus ist erdbebensicher ...«

»Meins auch, aber vorsichtshalber werde ich mich um sieben Uhr mitten im Stadtpark aufhalten, fern von allen Gebäuden ...«

»Ich bin Fatalist. Ob ich nun bei diesem Erdbeben dran glauben muß oder nicht ...«

»Finde ich auch. Ebensogut könntest du nach Las Vegas fahren und bei einem Autounfall sterben ...«

»Ich habe mein Haus nachträglich verstärken lassen ...«

»Niemand kann Erdbeben machen, das war bloß ein Zufall ...«

Wenige Minuten nach vier kehrten Priest und Melanie zum Lieferwagen zurück.

Priest sah den Polizisten erst, als es schon fast zu spät war.

Die Bloody Marys hatten ihn mit einer seltsamen Gelassenheit erfüllt. Er fühlte sich beinahe unverwundbar; deshalb hatte er gar nicht auf die Polizei geachtet. Priest war nur noch acht oder neun Schritte vom Lieferwagen entfernt, als ihm auffiel, daß sich ein uniformierter Cop der San Francisco Police die Nummernschilder anschaute und dabei in ein Walkie-Talkie sprach.

Priest blieb wie angewurzelt stehen und packte Melanie am Arm.

Einen Augenblick später wurde ihm klar, daß es das Klügste gewesen wäre, einfach weiterzugehen; aber dazu war es nun zu spät.

Der Cop sah von dem Nummernschild auf und registrierte Priests Blick.

Rasch wandte sich Priest Melanie zu. Sie hatte den Bullen gar nicht bemerkt. Beinahe hätte Priest zu ihr gesagt: *Nicht zum Wagen hinsehen!*, doch gerade noch rechtzeitig wurde ihm klar, daß sie dann erst recht hingeschaut hätte. Statt dessen sagte er, was ihm als erstes durch den Kopf ging. »Guck dir mal meine Hand an.« Er streckte den Arm aus, drehte die Handfläche nach oben.

Melanie starrte darauf; dann blickte sie ihm fragend ins Gesicht. »Was gibt's da Besonderes zu sehen?«

»Sieh genau hin, während ich's dir erkläre.«

Melanie tat wie geheißen.

»Wir gehen jetzt einfach am Pickup vorbei. Da steht 'n Bulle und notiert sich die Nummer. Der Typ hat uns bemerkt, ich kann's aus den Augenwinkeln sehen.«

Melanie nahm den Blick von Priests Hand, sah ihm ins Gesicht – und verpaßte ihm urplötzlich eine schallende Ohrfeige.

Vor Schmerz und Verblüffung stieß Priest scharf den Atem aus.

»Und jetzt verpiß dich, und geh zu deiner dämlichen Blondine zurück!« schrie Melanie ihn an.

»Was?« rief er wütend.

Mit schnellen Schritten eilte Melanie davon.

Verdutzt beobachtete Priest, wie sie am Lieferwagen vorüberging.

Der Cop bedachte Priest mit einem schwachen Grinsen.

Priest rannte Melanie hinterher. »He!« rief er. »Jetzt warte doch mal!«

Der Cop wandte seine Aufmerksamkeit wieder dem Nummernschild zu.

Priest holte Melanie ein, und sie bogen um eine Hausecke.

»Das war klasse«, sagte er. »Aber mußtest du mir so fest in die Fresse hauen?«

Ein leistungsstarker tragbarer Scheinwerfer beleuchtete Michael, und an der Brusttasche seines dunkelgrünen Polohemds war ein winziges Mikrofon festgeklemmt. Eine kleine Fernsehkamera, auf ein Dreibein montiert, war auf ihn gerichtet. Hinter Michael waren die jungen Seismologen seines Teams vor den Monitoren ihrer Computer zu sehen, und vor ihm saß Alex Day, ein Fernsehreporter in den Zwanzigern mit modischem kurzem Haarschnitt. Er trug eine Army-Tarnjacke, was Judy für allzu effekthascherisch hielt.

Neben ihr stand Dusty, hielt vertrauensvoll ihre Hand und schaute zu, wie sein Daddy interviewt wurde.

Michael sagte soeben: »Ja, wir können die Bereiche lokalisieren, an denen Erdbeben am ehesten ausgelöst werden könnten – aber leider können wir nicht sagen, welche Gegend die Terroristen gewählt haben, bis sie den seismischen Vibrator in Betrieb setzen.«

»Und welchen Rat geben Sie den Bürgern?« fragte Alex Day. »Wie können sie sich schützen, falls es ein Erdbeben gibt?«

»Das Motto lautet ›Ducken, Decken und Warten‹. Das ist der beste Ratschlag«, erwiderte Michael. »Zum Beispiel, sich unter einen Tisch oder einen Schreibtisch zu ducken, das Gesicht zum Schutz vor umherfliegenden Glassplittern zu bedecken und in dieser Haltung zu bleiben, bis die Erschütterungen aufhören.«

Judy flüsterte Dusty zu: »Okay, geh jetzt zu Daddy.«

Dusty erschien im Bild. Michael hob den Jungen auf ein Knie. Wie aufs Stichwort fragte Alex Day: »Gibt es besondere Maßnahmen zum Schutz von Kindern und Jugendlichen?«

»Nun ja, man sollte die eben geschilderten Notfallmaßnahmen, das ›Ducken, Decken und Warten‹, am besten sofort mit ihnen üben, damit die Kinder von allein wissen, wie sie sich verhalten müssen, wenn sie einen Erdstoß spüren. Und man sollte dafür sorgen, daß sie festes Schuhwerk tragen, keine Riemchenschuhe oder Sandalen, denn nach einem Beben ist der Boden mit Glassplittern übersät. Außerdem sollte man darauf achten, daß die Kinder immer in der Nähe bleiben, damit man sie nicht suchen muß, wenn alles vorbei ist.«

»Gibt es weitere Verhaltensregeln?«

»Ja. Nicht aus dem Haus rennen. Bei Erdbeben werden die meisten Verletzungen durch herunterfallende Ziegelsteine und andere Trümmerstücke von zerstörten Gebäuden verursacht.«

»Vielen Dank, daß Sie heute bei uns waren, Professor Quercus.«

Alex Day lächelte Michael und Dusty für einen langen, erstarrten Augenblick an; dann sagte der Kameramann: »Prima.«

Alle entspannten sich. Das Fernsehteam beeilte sich, seine Ausrüstung zu verstauen.

»Wann darf ich im Hubschrauber zu Grandma fliegen?« fragte Dusty.

»Jetzt sofort«, erwiderte Michael.

»Wann wird das Gespräch gesendet, Alex?« erkundigte sich Judy.

»Wir brauchen es kaum zu schneiden, deshalb kann es gleich rausgehen. In der nächsten halben Stunde, würde ich sagen.«

Judy schaute auf die Uhr. Es war Viertel nach fünf.

Priest und Melanie gingen eine halbe Stunde zu Fuß, ohne ein Taxi zu sehen. Schließlich rief Melanie über ihr Handy ein Taxiunternehmen an. Sie und Priest warteten, doch es kam kein Taxi.

Priest war nahe daran, durchzudrehen. Da hatte er *alles* unternommen, was in seiner Macht stand – und nun war sein großer Plan in Gefahr, bloß weil er kein gottverdammtes Taxi auftreiben konnte!

Schließlich aber kam ein staubiger Chevrolet zu Pier 39 gefahren. Der Fahrer hatte einen unleserlichen mitteleuropäischen Namen, und er schien von einem Joint angeturnt zu sein. Er verstand kein Englisch, bis auf ›links‹ und ›rechts‹, und er war vermutlich der einzige Mensch in San Francisco, der noch nicht von dem drohenden Erdbeben gehört hatte.

Zwanzig nach sechs waren Priest und Melanie wieder am Lagerhaus.

In der Kommandozentrale des Krisenstabes ließ Judy sich in ihren Bürosessel fallen und starrte das Telefon an.

Es war fünf vor halb sieben. In fünfundzwanzig Minuten würde Granger den seismischen Vibrator in Betrieb setzen. Falls er so gut funktionierte wie bei den letzten beiden Malen, gab es ein weiteres Erdbeben, und diesmal würde es das verheerendste sein. Vorausgesetzt, Melanie hatte die Wahrheit gesagt und der Vibrator befand sich irgendwo auf der Halbinsel von San Francisco, würde das Beben mit an Sicherheit grenzender Wahrscheinlichkeit auch die Stadt treffen.

Etwa zwei Millionen Menschen waren seit Freitagabend – als Granger in der John-Truth-Show angekündigt hatte, das nächste Beben würde San Francisco heimsuchen – aus dem Gebiet der Metropole geflüchtet. Blieben aber immer noch mehr als eine Million Männer, Frauen und Kinder, die nicht in der Lage oder nicht dazu bereit waren, ihre Häuser zu verlassen: die Armen, die Alten und die Kranken; dazu die Polizisten, Feuerwehrleute, Krankenschwestern und andere städtische Bedienstete, die in Bereitschaft standen, mit den Rettungsarbeiten zu beginnen. Zu den Polizisten zählte auch Bo.

Auf dem Fernsehschirm sprach Alex Day aus einem behelfsmäßig eingerichteten Studio in der Notfallzentrale des Bürgermeisteramtes an der Turk Street, ein paar Querstraßen entfernt, mit dem Bürgermeister, der einen Schutzhelm und eine leuchtend rote Schutzweste trug und den Einwohnern riet, sich zu ›ducken, decken und warten‹.

Das Interview mit Michael wurde alle paar Minuten auf sämtlichen Kanälen gezeigt; die Verantwortlichen in den Sendern hatte man über den wahren Zweck informiert.

Doch es sah ganz so aus, als würde Melanie sich diesmal nicht die Nachrichten anschauen.

Um sechzehn Uhr hatte man Priests Lieferwagen in der Nähe von Fisherman's Wharf entdeckt. Das Fahrzeug stand immer noch unter Beobachtung, doch Priest war nicht dorthin zurückgekehrt. Im Augenblick wurden jedes Parkhaus, jeder Parkplatz in der Gegend nach einem seismischen Vibrator abgesucht.

Im Ballsaal des Offiziersclubs wimmelte es von Menschen. Mindestens vierzig Beamte in Zivil drängten sich um die Leitstelle. Michael und seine Helfer scharten sich um ihre Computer und warteten auf den unpassend fröhlichen musikalischen Warnton, der das erste Zeichen für die seismischen Erschütterungen war, die sie alle fürchteten. Judys Team saß immer noch an den Telefonen und nahm Meldungen von Anrufern auf, die Personen gesehen haben wollten, auf welche die Beschreibung von Melanie und Granger paßte, doch es lag ein zunehmend verzweifelter Beiklang in den Stimmen der FBI-Agenten. Dusty beim Fernsehinterview mit Michael zu zeigen war ihre letzte große Hoffnung gewesen, und sie schien sich zu zerschlagen.

Die meisten Agenten, die in der Kommandozentrale des Krisenstabes arbeiteten, wohnten in der Gegend der Bucht. Die Abteilung für Verwaltung und technische Versorgung hatte die Evakuierung ihrer Familien organisiert. Das Gebäude, in dem die Agenten arbeiteten, wurde als relativ sicher betrachtet; die Wände waren vom Militär erdbebensicher verstärkt worden. Doch die FBI-Leute konnten nicht fliehen. Wie Soldaten, Feuerwehrleute und Polizisten mußten sie sich an den Ort der Gefahr begeben. Draußen, auf dem Paradeplatz, stand eine Hubschrauberflotte mit wirbelnden Rotorblättern bereit, Judy und ihre Kollegen in die Erdbebenzone zu fliegen.

Priest ging ins Bad. Als er sich die Hände wusch, hörte er Melanie schreien.

Mit nassen Händen stürmte er ins Büro. Melanie starrte auf den Fernseher. »Was ist los?« fragte er.

Sie hatte die Hände vor den Mund geschlagen, und ihr Gesicht war weiß. »Dusty!« sagte sie und wies auf den Bildschirm.

Priest sah, wie Michael Quercus interviewt wurde, seinen Sohn auf den Knien. Einen Augenblick später wechselte das Bild, und eine Nachrichtensprecherin sagte: »Das war Alex Day im Gespräch mit einem der weltweit führenden Seismologen, Professor Michael Quercus. Das Interview wurde in der Einsatzzentrale des FBI-Krisenstabes geführt.«

»Dusty ist in San Francisco!« rief Melanie hysterisch.

»Nein, ist er nicht«, sagte Priest. »Vielleicht *war* er dort, als das Interview aufgenommen wurde. Inzwischen ist er meilenweit weg.«

»Das weißt du doch gar nicht!«

»Natürlich weiß ich's. Und du auch. Michael wird schon auf den Jungen aufpassen.«

»Ich wünschte, ich könnte sicher sein.« Ihre Stimme war zittrig.

»Mach uns 'ne Tasse Kaffee«, sagte Priest, nur damit Melanie etwas zu tun hatte.

»Ist gut.« Sie nahm den Topf von der Heizplatte und ging in den Waschraum, um Wasser zu holen.

Judy blickte auf die Uhr. Es war halb sieben.

Ihr Telefon klingelte.

Es wurde still im Saal.

Sie riß den Hörer von der Gabel, ließ ihn fallen, fluchte, hob ihn auf und drückte ihn sich ans Ohr. »Ja?«

Die Telefonzentrale meldete sich: »Melanie Quercus möchte ihren Mann sprechen.«

Gott sei Dank! Judy wies auf Raja. »Den Anruf zurückverfolgen.«

Raja sprach bereits in den Hörer.

»Stellen Sie zu mir durch«, wies Judy den Telefonisten an.

Sämtliche hohen Beamten aus der Leitstelle versammelten sich um Judys Stuhl. Schweigend standen sie da und versuchten, mitzuhören.

Das könnte der wichtigste Anruf meines Lebens sein.

In der Leitung ertönte ein Klicken. Judy versuchte, ihre Stimme ruhig zu halten. »Hier Agentin Maddox«, sagte sie.

»Wo ist Michael?«

Melanie klang dermaßen verängstigt und verloren, daß Judy einen Anflug von Mitleid verspürte. Jetzt schien sie bloß noch eine Mutter zu sein, die eine Dummheit begangen und Angst um ihr Kind hatte.

Red dir nichts ein, Judy. Diese Frau ist ein Killer.

Judy schob alles Mitgefühl von sich. »Wo sind *Sie*, Melanie?«

»Bitte«, flüsterte Melanie. »Sagen Sie mir nur, wohin er Dusty gebracht hat.«

»Machen wir einen Handel«, erwiderte Judy. »Ich werde dafür sorgen, daß es Dusty gutgeht – wenn Sie mir sagen, wo der seismische Vibrator steht.«

»Könnte ich mit meinem Mann sprechen?«

»Sind Sie bei Ricky Granger? Ich meine, bei Priest?«

»Ja.«

»Und Sie haben den seismischen Vibrator, wo immer Sie jetzt sein mögen?«

»Ja.«

Dann haben wir euch fast am Wickel.

»Melanie ... wollen Sie wirklich so viele Menschen töten?«

»Nein, aber wir müssen ...«

»Sie können sich nicht um Dusty kümmern, wenn Sie im Gefängnis sind. Dann werden Sie niemals erleben, wie er aufwächst.« Judy hörte ein Schluchzen am anderen Ende der Leitung. »Sie werden ihn nur hin und wieder durch eine Trennwand aus Panzerglas sehen. Und wenn Sie Ihre Strafe abgesessen haben, wird Dusty ein erwachsener Mann sein, der Sie gar nicht mehr kennt.«

Melanie weinte.

»Sagen Sie mir, wo Sie sind, Melanie.«

Im großen Ballsaal war es totenstill. Niemand rührte sich.

Melanie flüsterte irgend etwas, das Judy nicht verstehen konnte.

»Reden Sie lauter!«

Am Ende der Leitung rief im Hintergrund ein Mann: »Wen rufst du an, du Saustück?«

»Schnell!« drängte Judy. »*Schnell!* Sagen Sie mir, wo Sie sind!«

»Gib mir das verdammte Handy!« brüllte der Mann.

Melanie sagte: »Perpetua ...« Dann schrie sie.

Einen Augenblick später war die Leitung tot.

Raja sagte: »Sie ist irgendwo in der Gegend der Bay Shore, südlich der Stadt.«

»Das reicht nicht!« rief Judy.

»Genauer können sie's nicht bestimmen!«

»Mist!«

»Alle mal ruhig!« rief Stuart Cleever. »Wir spielen gleich den Mitschnitt noch mal ab. Aber erst eine Frage an Sie, Judy: Hat die Frau irgendwelche Hinweise gegeben?«

»Zum Schluß hat sie irgend etwas Seltsames gesagt. Es hörte

sich an wie ›Perpetual‹. Carl, stellen Sie fest, ob es eine Straße mit diesem Namen gibt.«

Raja meinte: »Wir sollten auch nach einer Firma dieses Namens suchen. Die beiden könnten in der Tiefgarage eines Bürogebäudes sein.«

»Gut. Überprüfen Sie's.«

Vor Wut und Enttäuschung hämmerte Cleever die Faust auf den Tisch. »Weshalb hat sie das Gespräch unterbrochen?«

»Ich glaube, Granger hat sie beim Anrufen erwischt und ihr das Telefon weggenommen.«

»Was wollen Sie jetzt tun?«

»Ich möchte den Helikopter benutzen«, sagte Judy. »Wir könnten die Küstenlinie entlangfliegen. Michael kann mitkommen und mir zeigen, wo die Verwerfung verläuft. Vielleicht entdecken wir irgendwo den seismischen Vibrator.«

»In Ordnung«, sagte Cleever.

Priest starrte Melanie wütend an, während diese bis zum schmutzigen Waschbecken zurückwich. Das Miststück hatte versucht, ihn zu verraten. Hätte Priest eine Waffe dabei gehabt, hätte er Melanie auf der Stelle erschossen. Doch der Revolver, den er dem Posten der Los Alamos weggenommen hatte, lag im Vibrator unter dem Fahrersitz.

Er knipste Melanies Handy aus und ließ es in die Brusttasche seines Hemdes gleiten. Dann versuchte er sich zur Ruhe zu zwingen, wie Star es ihn gelehrt hatte. Als junger Mann hatte er sich häufig zu Wutanfällen hinreißen lassen, da er wußte, daß er andere damit einschüchterte und verängstigte – und man konnte leichter mit den Menschen umgehen, wenn sie sich fürchteten. Star jedoch hatte ihn gelehrt, richtig zu atmen und sich zu entspannen und zu *denken* – was auf lange Sicht besser war, als sich von seinem Zorn hinreißen zu lassen.

Nun überdachte Priest den Schaden, den Melanie angerichtet hatte. Hatte das FBI das Gespräch zurückverfolgen können?

Konnte es ermitteln, woher ein Anruf über Handy kam? *Vermutlich ja – und wenn diese Vermutung zutrifft, wird das FBI in Kürze die Gegend durchstreifen und nach einem seismischen Vibrator Ausschau halten.*

Priest war die Zeit davongelaufen. Das seismische Fenster öffnete sich um zwanzig vor sieben. Er schaute auf die Uhr: Es war halb sieben. Zum Teufel mit dieser Sieben-Uhr-Frist – er mußte das Erdbeben jetzt sofort auslösen.

Priest stürmte aus dem Waschraum. Der seismische Vibrator stand in der Mitte des leeren Lagerhauses, mit der Schnauze zu den hohen Flügeln des Eingangstores. Priest schwang sich in die Fahrerkabine und ließ den Motor an.

Es dauerte ein, zwei Minuten, bis sich im Vibrationsaggregat ein ausreichend hoher Druck aufgebaut hatte. Ungeduldig beobachtete Priest die Anzeigeinstrumente. *Mach schon, mach schon!* Dann, endlich, sprangen die Anzeigen auf Grün um.

Die Beifahrertür des Lasters ging auf, und Melanie stieg in die Fahrerkabine. »Tu's nicht!« rief sie. »Ich weiß nicht, wo Dusty ist!«

Priest streckte die Hand nach dem Hebel aus, mit dem die Stahlplatte des Vibrators zu Boden gefahren wurde.

Melanie stieß seine Hand zur Seite. »Bitte, tu's nicht!«

Priest schlug ihr mit dem Handrücken ins Gesicht. Sie schrie, und Blut lief aus ihrer aufgeplatzten Lippe. »Bleib mir aus dem Weg, verflucht!« brüllte Priest. Er legte den Hebel um, und die Bodenplatte senkte sich.

Melanie streckte die Hand aus und drückte den Hebel wieder nach vorn in die Ausgangsstellung.

Priest sah rot. Wieder schlug er sie.

Melanie schrie auf und bedeckte das Gesicht mit den Händen, machte aber keine Anstalten wegzulaufen.

Erneut legte Priest den Hebel um.

»Bitte«, sagte Melanie, »tu's nicht.«

Was soll ich bloß machen mit diesem dämlichen Weibsstück?

Priest fiel die Waffe ein, die unter dem Fahrersitz lag. Er streckte die Hand aus, ergriff den Revolver und hob ihn auf. In der beengten Fahrerkabine war es eine zu große, viel zu klobige Waffe. Priest richtete den Lauf auf Melanie. »Steig aus!« befahl er.

Zu seiner Verblüffung streckte sie wieder den Arm über ihn hinweg, wobei sie ihren Körper gegen den Waffenlauf preßte, und schob den Hebel ein zweites Mal in die Ausgangsstellung zurück.

Priest drückte ab.

In der kleinen Fahrerkabine des Lasters war der Knall ohrenbetäubend.

Für einen Sekundenbruchteil durchzuckten der Schock und der Schmerz darüber, daß er Melanies wunderschönen Körper zerstört hatte, einen kleinen Teil seines Hirns, doch er kämpfte diese Empfindungen nieder.

Melanie wurde rücklings durch die Fahrerkabine geschleudert. Da die Tür immer noch offenstand, stürzte sie hinaus und prallte mit einem widerlichen Geräusch auf den Betonboden des Lagerhauses.

Priest schaute gar nicht erst nach, ob sie tot war.

Zum drittenmal zog er den Hebel.

Langsam senkte sich die Stahlplatte.

Als sie auf den Boden traf, betätigte Priest den Vibrationsmechanismus.

Der Helikopter war viersitzig. Judy saß neben dem Piloten; hinter ihr hatte Michael Platz genommen. Während sie die Küste entlang nach Süden flogen, vernahm Judy im Kopfhörer die Stimme einer der studentischen Assistentinnen Michaels, die aus der Leitstelle anrief. »Michael! Hier Paula! Es hat angefangen … ein seismischer Vibrator!«

Vor Angst durchfuhr es Judy eiskalt. *Ich dachte, es wäre noch Zeit!* Sie schaute auf die Uhr: Es war Viertel vor sieben. Grangers Frist lief erst in fünfzehn Minuten ab. Bestimmt hatte Melanies Anruf ihn dazu getrieben, früher zu handeln.

»Sind Erdstöße auf dem Seismogramm?« fragte Michael.

»Nein ... bis jetzt nur die Schwingungen des seismischen Vibrators.«

Noch kein Erdbeben. Gott sei Dank.

Judy rief ins Mikrofon: »Sagen Sie uns, wo der Vibrator steht, schnell!«

»Kleinen Moment, die Koordinaten müssen jeden Augenblick erscheinen.«

Judy schnappte sich eine Landkarte.

Beeilung, Beeilung!

Ein paar Sekunden später las Paula die Zahlen von ihrem Monitor ab. Judy entdeckte die Stelle auf der Karte. »Zwei Meilen genau südlich«, rief sie dem Piloten zu. »Dann etwa fünfhundert Meter ins Binnenland.«

Der Magen drehte sich ihr um, als der Helikopter in steilen Sinkflug ging und beschleunigte.

Sie flogen über die alte Hafengegend: verfallende Fabrikgebäude, Schrott und Autowracks. An einem normalen Sonntag wären hier zumindest einige Fahrzeuge und Passanten unterwegs gewesen; doch jetzt war das Viertel still und verlassen. Judy ließ den Blick über den Horizont schweifen und suchte nach einem Laster, bei dem es sich um den seismischen Vibrator handeln könnte.

Im Süden sah sie zwei Streifenwagen der Polizei, die sich mit hoher Geschwindigkeit ebenfalls zu der Stelle bewegten, die Paula genannt hatte. Aus westlicher Richtung näherte sich der Mannschaftswagen mit dem FBI-Sondereinsatzkommando. Im Presidio stiegen in diesem Augenblick die anderen Helikopter auf, bemannt mit bewaffneten FBI-Agenten. Und bald würde die Hälfte aller Polizeifahrzeuge Nordkaliforniens in Richtung der Stelle unterwegs sein, deren Koordinaten Paula angegeben hatte.

»Paula!« sagte Michael ins Mikrofon. »Was tut sich auf Ihren Monitoren?«

»Nichts ... der Vibrator ist in Betrieb, erzielt aber keine Wirkung.«

»Gott sei Dank!« rief Judy aus.

»Wenn der Kerl sich verhält wie gehabt«, sagte Michael, »wird er den Vibrator eine Viertelmeile weiter fahren und es noch mal versuchen.«

Der Pilot meldete: »Hier ist es. Wir sind jetzt über dem angegebenen Koordinatenpunkt.« Der Hubschrauber ging in den Kreisflug.

Judy und Michael starrten in die Tiefe, suchten verzweifelt nach dem seismischen Vibrator.

Doch unter ihnen rührte sich nichts.

Priest fluchte.

Das Vibrationsaggregat arbeitete zwar, doch von einem Erdbeben war nichts zu spüren.

Aber das gleiche war beide Male zuvor schon geschehen. Und Melanie hatte gesagt, sie würde nicht richtig verstehen, weshalb es an manchen Stellen funktionierte und an anderen nicht. Vielleicht hatte es mit den verschiedenen Arten der oberen Erdschichten zu tun. Beide Male zuvor hatte der seismische Vibrator beim dritten Versuch ein Beben ausgelöst. Heute jedoch *mußte* Priest gleich beim erstenmal Glück haben.

Er hatte es nicht.

Innerlich kochend vor Wut und Enttäuschung, stellte er den Mechanismus ab und fuhr die Bodenplatte hoch.

Er mußte den Vibrator an eine andere Stelle bringen.

Priest sprang aus der Fahrerkabine. Er stieg über Melanie hinweg, die in verkrümmter Haltung mit dem Rücken an der Wand lehnte und deren Blut den Betonboden rot färbte. Dann rannte er zum Ausgang, einem altmodischen Tor, dessen beide Flügel nach innen geklappt werden mußten, wenn große Fahrzeuge hindurchfahren sollten. In einem der Torflügel befand sich eine normale, mannshohe Tür. Priest stieß sie auf.

Über dem Eingangstor eines kleinen Lagerhauses entdeckte Judy ein Schild mit der Aufschrift *Perpetua Diaries*.

Sie erinnerte sich, daß sie bei ihrem Telefongespräch mit Melanie das Wort ›Perpetual‹ verstanden hatte.

»Da ist es!« rief sie. »Gehen Sie runter!«

Der Pilot ging rasch in den Sinkflug und wich dabei einer Starkstromleitung aus, die an der einen Straßenseite von Mast zu Mast verlief; dann landete er in der Mitte der verlassenen Straße.

Kaum spürte Judy die leichte Erschütterung beim Aufsetzen, riß sie auch schon die Tür des Helikopters auf.

Priest schaute aus dem Lagerhaus.

Ein Hubschrauber war auf der Straße gelandet. Priest sah, wie jemand aus der Maschine sprang: eine junge Frau mit einem Wundverband über Nase und Wange. Judy Maddox.

Priest brüllte einen Fluch, der vom Dröhnen des Hubschraubers übertönt wurde.

Es war zu spät, um die Flügeltüren zu öffnen.

Priest stürmte zurück zum seismischen Vibrator, schwang sich in die Fahrerkabine und legte so brutal den Rückwärtsgang ein, daß das Getriebe krachte. Er setzte den Laster so weit zurück, wie er konnte, und bremste erst, als die Heckstoßstange gegen die Wand des Lagerhauses prallte. Dann legte er den ersten Gang ein, gab Gas, daß der Motor aufheulte, und ließ mit einem Ruck die Kupplung kommen. Der Laster schoß nach vorn.

Priest trat das Gaspedal voll durch. Mit dröhnendem Motor gewann der Achtzehntonner an Geschwindigkeit, beschleunigte über die gesamte Länge des Lagerhauses und krachte gegen die alten Holzflügel des Eingangstores.

Judy Maddox stand genau vor dem Tor, die Waffe in der Hand. Erschrecken und Angst huschten über ihr Gesicht, als der Laster das Tor durchbrach. Priest grinste irre, als er weiter beschleunigte und genau auf Judy zuhielt. Sie warf sich zur Seite, und der Laster donnerte nur eine Handbreit an ihr vorüber.

Der Helikopter stand noch immer mitten auf der Straße. Ein Mann stieg aus. Priest erkannte Michael Quercus.

Er lenkte den Laster auf den Helikopter zu, legte den zweiten Gang ein und beschleunigte weiter.

Judy rollte sich über die Schulter ab, zielte auf die Fahrertür und feuerte zweimal. Sie hörte den metallenen Einschlag der Kugeln, konnte den Laster aber nicht zum Stehen bringen.

Der Motor des Helikopters brüllte auf, und die Maschine hob ab.

Michael rannte zur Straßenseite.

Judy vermutete, daß Granger versuchen wollte, die Landekufen des Hubschraubers mit dem Aufbau des Vibrators zu rammen, wie er es in Felicitas getan hatte; diesmal aber war der Pilot zu schnell für ihn. Die Maschine schoß gerade noch rechtzeitig in die Höhe, als der Laster unter ihr entlangdonnerte.

Doch in seiner Panik hatte der Pilot nicht mehr an die Starkstromleitung gedacht.

Zwischen den hohen Masten spannten sich fünf oder sechs Kabel. Die Rotorblätter verfingen sich darin, wobei einige Kabel durchtrennt wurden. Der Motor des Hubschraubers begann zu stottern. Einer der Masten bog sich unter der Zugkraft zur Seite und stürzte um. Die Rotorblätter kamen frei und drehten wieder ungehindert, doch der Helikopter hatte an Aufstiegsschwung und Höhe verloren und schlug mit einem ohrenbetäubenden Krachen auf dem Boden auf.

Priest blieb nur noch eine Hoffnung.

Wenn es ihm gelang, eine Viertelmeile weit zu fahren, die Bodenplatte abzusenken und den Vibrationsmechanismus in Betrieb zu setzen, konnte er es vielleicht doch noch schaffen, ein Erdbeben zu erzeugen, ehe das FBI ihn erwischte. Und im Chaos des Bebens gelang ihm möglicherweise die Flucht, wie schon zuvor.

Er schlug das Lenkrad ein und fuhr die Straße hinunter.

Judy feuerte noch einmal, als der Vibrator den zerstörten Helikopter umfuhr. Sie hoffte, Granger zu treffen oder irgendeinen wichtigen Teil des Vibrationsaggregats, doch sie hatte kein Glück. Der Laster rumpelte die mit Schlaglöchern übersäte Straße hinunter.

Judy schaute zum Wrack des Hubschraubers. Der Pilot rührte sich nicht. Fluchend blickte Judy dem seismischen Vibrator hinterher, der träge beschleunigte.

Wenn ich doch nur ein Gewehr hätte!

Michael kam zu Judy gerannt. »Alles in Ordnung mit dir?«

»Ja«, erwiderte sie und traf eine Entscheidung. »Schau nach, ob du dem Piloten helfen kannst – ich werde Granger verfolgen.«

Er zögerte; dann sagte er: »Okay.«

Judy schob ihre Waffe ins Holster und rannte dem Laster hinterher. Das schwerfällige Fahrzeug gewann nur langsam an Geschwindigkeit. Zuerst verringerte Judy rasch den Abstand. Dann aber legte Granger den nächsten Gang ein, und der Achtzehntonner beschleunigte rascher. Judy rannte, so schnell sie konnte. Ihr Herz hämmerte schmerzhaft, ihre Lungen brannten. Am Heck des Lasters war ein großer Reservereifen befestigt. Noch immer verringerte Judy den Abstand, jedoch nicht mehr so rapide wie zu Anfang. In dem Moment, als sie die Hoffnung aufgab, den Vibrator noch einholen zu können, schaltete Granger einen weiteren Gang hoch, so daß das Fahrzeug für einen Augenblick an Geschwindigkeit verlor. Entschlossen und mit letzter Kraft stürmte Judy los, sprang mit vorgestreckten Armen auf die Stoßstange zu und bekam sie zu fassen.

Sie schwang einen Fuß hinauf, griff nach oben und packte den Reservereifen. Einen schrecklichen Augenblick lang glaubte sie, sie würde abrutschen und stürzen: Sie schaute hinunter und sah, wie die Straße unter ihr wegraste. Doch sie konnte sich festklammern. Sie kletterte auf die kleine ebene Fläche neben den Druckbehältern, Röhren und Ventilen der Vibrationsmaschinerie. Sie taumelte, hielt mühsam das Gleichgewicht, stürzte um ein Haar, fand dann aber sicheren Stand.

Judy wußte nicht, ob Granger sie gesehen hatte.

Solange der Laster fuhr, konnte er den Vibrator natürlich nicht in Betrieb setzen; deshalb blieb Judy, wo sie war, keuchend und mit wild klopfendem Herzen, und wartete darauf, daß Granger anhielt.

Doch er hatte sie gesehen.

Judy hörte das Klirren von Glas und sah, wie der Lauf einer Waffe durch das Loch in der Heckscheibe der Fahrerkabine geschoben wurde. Instinktiv duckte sie sich und hörte im nächsten Moment, wie eine Kugel dröhnend einen Druckbehälter neben ihr traf und als Querschläger davonsirrte. Judy beugte sich nach links, so daß sie sich direkt hinter Granger befand, und kauerte sich tief nieder. Das Herz schlug ihr bis zum Hals. Sie hörte einen weiteren Schuß und zuckte zusammen, doch auch die zweite Kugel verfehlte sie. Dann schien Granger es aufzugeben.

Doch er dachte gar nicht daran.

Er trat voll auf die Bremse, so daß Judy nach vorn geschleudert wurde und mit dem Kopf schmerzhaft gegen eine Rohrleitung prallte. Dann schlug Granger das Lenkrad scharf nach rechts ein. Judy rutschte zur Seite und glaubte für einen schrecklichen Augenblick, vom Laster auf die Straße und in den Tod geschleudert zu werden. Doch es gelang ihr, sich festzuhalten. Dann aber sah sie, daß Granger in einem selbstmörderischen Manöver geradewegs auf die gemauerte Außenwand eines verlassenen Fabrikgebäudes zuhielt. Judy klammerte sich an einen Druckbehälter.

Im letzten Moment machte Granger eine Vollbremsung und kurbelte wild am Lenkrad, um den Truck herumzureißen, hatte jedoch einen Sekundenbruchteil zu spät reagiert. Zwar konnte er einen Frontalaufprall vermeiden, doch der Kotflügel auf der Fahrerseite fraß sich in die Gebäudefassade. Das Knirschen von Mauerwerk, das Kreischen sich verbiegenden Metalls und das Klirren von splitterndem Glas erfüllten die Luft. Ein lähmender Schmerz durchfuhr Judys Brustkorb, als sie gegen den Druckbehälter gepreßt wurde, an dem sie sich festgeklammert hatte. Dann wurde sie durch die Luft geschleudert.

Einen schwindelerregenden Augenblick lang war Judy völlig orientierungslos. Dann prallte sie mit der linken Seite auf den Boden. Der harte Aufschlag raubte ihr den Atem, so daß sie ihren Schmerz nicht einmal hinausschreien konnte. Ihr Kopf schlug auf den Straßenbelag, ihr linker Arm wurde taub, und Panik überfiel sie wie ein wildes Tier.

Wenige Sekunden später wurde ihr Kopf wieder klarer. Sie spürte den Schmerz, konnte sich aber nicht bewegen. Ihre kugelsichere Weste hatte den Aufprall ein wenig gemildert. Ihre schwarze Kordhose war aufgerissen, ein Knie war aufgeschürft, und ihre Nase blutete: Bei dem Sturz war die Wunde, die Granger ihr tags zuvor zugefügt hatte, wieder aufgeplatzt.

Judy war hinter dem Laster zu Boden gefallen und lag dicht vor den gewaltigen Doppelreifen. Falls Granger auch nur einen Meter zurücksetzte, wäre das der sichere Tod für sie. Sie rollte sich zur Seite, blieb hinter dem Vibrator, vergrößerte aber den Abstand zu den riesigen Reifen. Die Bewegungen jagten feurige Lohen des Schmerzes durch ihren Brustkorb, und sie fluchte.

Der Laster rührte sich nicht vom Fleck. Granger versuchte nicht, Judy zu überfahren. Vielleicht hatte er nicht gesehen, wo sie zu Boden gefallen war.

Judy schaute auf, blickte die Straße hinunter. Sie sah, wie Michael – etwa vierhundert Meter entfernt – sich bemühte, den Piloten aus dem abgestürzten Helikopter zu befreien. In der anderen Richtung war keine Spur vom Mannschaftswagen des Sondereinsatzkommandos oder von den Streifenwagen zu entdecken, die Judy aus der Luft beobachtet hatte; auch keiner der FBI-Hubschrauber war am Himmel. Vielleicht dauerte es nur noch Sekunden bis zu ihrem Eintreffen – doch Judy konnte keine einzige davon entbehren.

Sie stemmte sich auf die Knie und zog ihre Waffe. Sie rechnete jederzeit damit, daß Granger aus der Fahrerkabine sprang und auf sie feuerte. Doch nichts rührte sich.

Mühsam und unter Schmerzen rappelte Judy sich auf.

Wenn sie sich der Fahrertür des Lasters näherte, würde Granger sie auf jeden Fall im Außenspiegel sehen. Judy ging zur anderen Seite des Vibrators und riskierte einen raschen Blick um das Heck herum nach vorn. Auch auf der Beifahrerseite war ein großer Außenspiegel angebracht.

Judy ließ sich auf die Knie nieder, legte sich flach auf den Boden und kroch unter den Laster.

Sie schlängelte sich nach vorn, bis sie sich beinahe unter der Fahrerkabine befand.

Plötzlich hörte sie über sich ein neues, verändertes Geräusch. *Was ist das?* fragte sie sich verwirrt. Als sie nach oben schaute, sah sie die große Stahlplatte genau über sich. Und die Platte senkte sich auf sie herunter.

In panischem Entsetzen wälzte Judy sich zur Seite, doch ihr rechter Fuß blieb an einem der Hinterräder hängen. Ein paar schreckliche Sekunden lang versuchte sie verzweifelt, sich zu befreien, während die Stahlplatte sich unerbittlich auf sie heruntersenkte. Die Platte würde ihr Bein zu Brei zerquetschen. Buchstäblich im letzten Moment riß Judy ihren Fuß aus dem Schuh und rollte sich zur Seite weg.

Jetzt lag sie neben dem Laster, im Sichtbereich des Außenspiegels. Granger würde sie jeden Augenblick entdecken. Wenn er sich jetzt aus der Beifahrertür beugte, eine Waffe in der Hand, konnte er sie mit Leichtigkeit erschießen.

Plötzlich dröhnte es in Judys Ohren wie bei einem Bombeneinschlag, und der Boden unter ihr erzitterte heftig. Granger hatte den Vibrator in Betrieb gesetzt.

Du mußt ihn aufhalten! schrie es in Judy. Für einen Augenblick dachte sie an Bos Haus und sah vor ihrem geistigen Auge, wie es einstürzte und in sich zusammenfiel; so wie sämtliche Häuser an der Straße dem Erdboden gleichgemacht wurden.

Judy preßte die linke Hand an die Seite ihres Brustkorbs, um den Schmerz zu lindern, und zwang sich auf die Beine.

Zwei Schritte, und sie war an der Beifahrertür, die sie mit der freien rechten Hand öffnen mußte; deshalb nahm sie die Waffe in die Linke – sie konnte mit beiden Händen treffsicher schießen – und richtete den Lauf gen Himmel.

Jetzt.

Sie sprang aufs Trittbrett, packte den Handgriff und riß die Tür auf.

Und sah sich Auge in Auge Richard Granger gegenüber.

Er sah ebenso verängstigt aus, wie Judy sich fühlte.

Mit der linken Hand richtete sie die Waffe auf ihn. »Stell das Ding ab!« rief sie. »Stell's ab!«

»Okay«, sagte Granger. Er grinste und griff unter den Sitz.

Sein Grinsen alarmierte Judy. Sie wußte, daß Granger den Vibrator nicht abstellen würde. Judy wappnete sich, den Mann erschießen zu müssen.

Sie hatte noch nie einen Menschen erschossen.

Grangers Hand zuckte mit einer Waffe in die Höhe, die wie ein Revolver in einem Western aussah.

Der lange Lauf schwenkte zu Judy herum. Sie richtete ihre Waffe auf Grangers Kopf und drückte ab.

Die Kugel traf ihn neben der Nase ins Gesicht.

Granger feuerte einen Sekundenbruchteil später. Der Mündungsblitz und die Schußdetonation waren fürchterlich. Judy spürte einen brennenden Schmerz an der rechten Schläfe.

Jetzt zahlte sich ihr jahrelanges Training aus. Man hatte Judy gelehrt, stets zweimal zu feuern, und ihre Muskeln reagierten ganz von selbst. Ohne daß ihr Hirn den Befehl erteilte, drückte sie ein zweites Mal ab.

Diesmal traf sie Granger in die Schulter. Blut spritzte durch die Fahrerkabine. Grangers Körper wurde zurückgeschleudert. Er prallte mit dem Kopf gegen die Fahrertür, und die Waffe rutschte ihm aus den schlaffen Fingern.

Großer Gott! Ich hatte keine Ahnung, daß es so gräßlich ist, wenn man jemanden tötet.

Judy spürte, wie ihr eigenes Blut über ihre rechte Wange rann.

Sie kämpfte gegen eine Woge von Schwäche und Übelkeit an. Noch immer hielt sie die Waffe auf Granger gerichtet.

Der seismische Vibrator war noch immer in Betrieb.

Judy starrte auf das Gewirr aus Hebeln und Knöpfen und Anzeigen. Soeben hatte sie den einzigen Menschen weit und breit erschossen, der wußte, wie man den Vibrator abstellte. Panik stieg in ihr auf, und Judy wehrte sich verzweifelt dagegen. *Irgendwo muß es einen Schlüssel geben!*

Es gab einen.

Sie beugte sich über Ricky Grangers regungslosen Körper und drehte den Schlüssel.

Augenblicklich trat Stille ein.

Judy ließ den Blick über die Straße schweifen. Vor dem Lagerhaus der Perpetua Diaries war der Hubschrauber in Flammen aufgegangen.

Michael!

Judy stieß die Tür des Lasters auf und kämpfte gegen eine drohende Bewußtlosigkeit an. Sie wußte, daß sie noch irgend etwas hätte tun müssen, etwas Wichtiges, bevor sie Michael zu Hilfe kam, doch ihr wollte einfach nicht einfallen, *was* es war. Sie schüttelte den Gedanken ab und stieg aus dem Laster.

In der Ferne erklang eine Polizeisirene, die rasch lauter wurde. Kurz darauf sah Judy einen Streifenwagen heranjagen. Sie winkte dem Fahrer, anzuhalten. »FBI«, sagte sie keuchend. »Bringen Sie mich zu dem Helikopter.« Sie öffnete die Wagentür und ließ sich in den Sitz fallen.

Der Polizeibeamte fuhr Judy die knapp vierhundert Meter bis zum Lagerhaus und hielt in sicherer Entfernung vor dem brennenden Hubschrauber. Judy stieg aus. In der Pilotenkanzel war niemand zu sehen. »Michael!« rief sie. »Wo bist du?«

»Hier drüben!« Er stand hinter den zertrümmerten Flügeltüren des Lagerhauses und beugte sich über den Piloten. Judy eilte zu ihm. »Der Mann braucht Hilfe«, sagte Michael. Er schaute Judy ins Gesicht. »Großer Gott! Und du nicht minder!«

»Es geht schon«, sagte sie. »Und Hilfe ist unterwegs.« Sie zog ihr Handy hervor und rief die Einsatzzentrale an. Raja meldete sich. »Was ist passiert, Judy?« fragte er.

»Das sollten *Sie* mir sagen, verflixt noch mal!«

»Der seismische Vibrator arbeitet nicht mehr.«

»Ich weiß. Ich hab' das Ding zum Stillstand gebracht. Hat es Erdstöße gegeben?«

»Nein. Es ist überhaupt nichts passiert.«

Vor Erleichterung wurden Judy die Knie weich. Sie hatte den Vibrator rechtzeitig abgestellt. Die Gefahr eines Erdbebens war gebannt.

Judy fühlte sich plötzlich so schwach, daß sie sich an die Wand des Lagerhauses lehnte. Sie hatte Mühe, auf den Beinen zu bleiben.

Sie fühlte sich nicht als Siegerin, verspürte kein Gefühl des Triumphs. Später vielleicht, wenn sie mit Raja und Carl und den anderen zusammen war, in Everton's Bar. Doch im Augenblick war sie nur zu Tode erschöpft.

Ein weiterer Streifenwagen fuhr heran, und ein Polizist stieg aus. »Lieutenant Forbes«, stellte er sich vor. »Großer Gott, was ist denn hier passiert? Wo ist der Täter?«

Judy wies die Straße hinunter auf den seismischen Vibrator. »Er ist im Fahrerhaus des Lasters da hinten«, sagte sie. »Tot.«

»Dann wollen wir's uns mal anschauen.« Der Lieutenant stieg wieder in den Streifenwagen und fuhr die Straße hinunter.

Michael war verschwunden. Judy ging ins Innere des Lagerhauses, um Ausschau nach ihm zu halten.

Sie sah ihn in einer Blutlache auf dem Betonboden sitzen. Doch er war unverletzt. Er hielt Melanie in den Armen. Ihr Gesicht war noch bleicher als üblich, und ihr eng sitzendes T-Shirt war von Blut durchtränkt, das aus einer Schußwunde in der Brust stammte.

Michaels Gesicht war vor Schmerz und Trauer verzerrt.

Judy ging zu ihm, kniete sich neben ihm nieder. Sie fühlte an Melanies Halsschlagader nach dem Puls. Ihr Herz schlug nicht mehr.

»Tut mir leid, Michael«, sagte sie. »Es tut mir schrecklich leid.«
Er schluckte. »Dusty ... der arme kleine Kerl.«

Judy legte ihm die Hand auf die Wange. »Es wird alles wieder gut«, sagte sie.

Augenblicke später tauchte Lieutenant Forbes wieder auf. »Entschuldigung, Ma'am«, sagte er höflich. »Sagten Sie nicht vorhin, in dem Laster sei ein toter Mann?«

»Ja«, erwiderte Judy. »Ich habe ihn in der Fahrerkabine erschossen.«

»Tja«, sagte der Cop, »jetzt ist er nicht mehr drin.«

KAPITEL 22

S tar wurde zu zehn Jahren Haft verurteilt.

Zu Anfang war das Gefängnis eine Tortur. Der reglementierte Tagesablauf war die Hölle für einen Menschen, der sein bisheriges Leben in völliger Freiheit verbracht hatte. Dann verliebte sich eine hübsche Aufseherin namens Jane in Star; sie brachte ihr Make-up und Bücher und Marihuana, und für Star ging es allmählich bergauf.

Flower wurde in die Obhut von Pflegeeltern gegeben – ein Methodistenpfarrer und dessen Frau. Sie waren warmherzige Menschen, die nicht verstehen konnten, woher Flower kam. Flower vermißte ihre Eltern; ihre schulischen Leistungen waren jämmerlich, und sie bekam noch mehr Schwierigkeiten mit der Polizei. Dann, ein paar Jahre später, fand sie ihre Großmutter. Veronica Nightingale war erst dreizehn gewesen, als sie Priest zur Welt gebracht hatte; deshalb war sie erst Mitte Sechzig, als sie und Flower sich kennenlernten. Veronica besaß in Los Angeles einen Laden, in dem Sexspielzeuge, Reizwäsche und Pornovideos verkauft wurden. Sie hatte ein Apartment in Beverly Hills und fuhr einen roten Sportwagen, und sie erzählte Flower Geschichten über ihren Daddy, als dieser noch ein kleiner Junge gewesen war. Flower türmte aus dem Haus des Pfarrers und zog zu ihrer Großmutter.

Oaktree verschwand von der Bildfläche. Judy wußte, daß bei der Katastrophe in Felicitas eine vierte Person, ein Mann, im Barracuda gesessen hatte, und nach und nach hatte sie sich ein Bild davon machen können, welche Rolle dieser Mann bei der ganzen Sache gespielt hatte. Judy hatte sogar seine Fingerabdrücke – sämtliche Fingerabdrücke: Das FBI hatte sie in seiner Tischlerei in der Kommune genommen. Doch niemand wußte, wohin der Mann verschwunden war. Einige Jahre später jedoch wurden seine Fingerabdrücke in einem gestohlenen Wagen entdeckt, der bei einem bewaffneten Banküberfall in Seattle benutzt worden war. Die Polizei hatte Oaktree nicht in Verdacht, da er ein wasserdichtes Alibi vorweisen konnte, doch Judy wurde automatisch informiert, wie es den Vorschriften entsprach. Als sie die Akte gemeinsam mit dem Staatsanwalt – ihrem alten Freund Don Riley, der inzwischen eine Versicherungsvertreterin geheiratet hatte – noch einmal durchging, erkannten beide, daß das Beweismaterial für eine Anklage wegen Beteiligung an den Erpressungen und Terroranschlägen der Kinder von Eden zu dürftig war. Sie beschlossen, Oaktree in Ruhe zu lassen.

Milton Lestrange starb an Krebs. Brian Kincaid trat in den Ruhestand. Marvin Hayes kündigte seinen Dienst auf und wurde Sicherheitschef einer Supermarktkette.

Michael Quercus erlangte bescheidene Berühmtheit. Da er ein gutaussehender Mann war und die Seismologie allgemeinverständlich erklären konnte, wurde er immer dann von Fernsehsendern verpflichtet, wenn diese Erläuterungen in Sachen Erdbeben wünschten.

Judy wurde zum Supervisor befördert. Sie zog zu Michael und Dusty. Als Michaels Beraterfirma in Schwung kam und ihm ordentlich Geld einbrachte, kauften sie gemeinsam ein Haus und beschlossen, für Nachwuchs zu sorgen: Einen Monat später war Judy schwanger, und die beiden heirateten. Bo weinte bei der Hochzeit.

Judy fand heraus, wie Granger entkommen war.

Die Schußwunde in seinem Gesicht war gräßlich, aber keine schwere Verletzung. Die Kugel in der Schulter hatte eine Arterie gestreift; durch den plötzlichen Blutverlust und den Schlag gegen den Kopf hatte Granger das Bewußtsein verloren. Judy hätte seinen Puls fühlen sollen, bevor sie Michael zu Hilfe geeilt war, doch sie war von ihren Verwundungen geschwächt und durch den Blutverlust benommen gewesen und hatte es daher versäumt, die üblichen Schritte zu unternehmen.

Da Granger verkrümmt an der Fahrertür gelehnt hatte, war

sein Blutdruck rasch wieder gestiegen. Wenige Sekunden nachdem Judy die Fahrerkabine verlassen hatte, erlangte er das Bewußtsein wieder. Er wankte um die Straßenecke auf die Third Street, wo er das Glück hatte, einen Wagen zu finden, der an einer roten Ampel wartete. Granger stieg ein, richtete die Waffe auf den Fahrer und zwang den Mann, ihn in die Stadt zu bringen. Unterwegs rief er über Melanies Handy Paul Beale an, den Weinabfüller, einer von Grangers Verbrecherkumpanen aus alten Zeiten. Beale nannte ihm die Adresse eines Arztes, der sein Honorar kassieren und den Mund halten konnte.

Granger ließ den Fahrer an einer Straßenecke in einem heruntergekommenen Viertel halten. Der unter Schock stehende Mann fuhr nach Hause und rief beim örtlichen Polizeirevier an. Die Leitung war besetzt, und der gute Mann brachte es erst am darauffolgenden Tag fertig, jemanden zu erreichen und den Vorfall zu melden. Der Arzt, ein heroinsüchtiger Chirurg, dem man die Approbation entzogen hatte, flickte Granger zusammen. Granger blieb über Nacht in der Wohnung des Arztes; dann setzte er sich ab.

Judy fand nie heraus, wohin er verschwunden war.

Das Wasser steigt schnell. Es hat schon alle kleinen Holzhäuser überflutet. Hinter den geschlossenen Türen dümpeln die selbstgezimmerten Betten und Tische im Wasser. Auch das Küchenhaus und der Tempel sind versunken.

Er hat wochenlang gewartet, bis das Wasser auch die Weinstöcke erreicht. Nun ist es soweit, und die kostbaren Pflanzen ertrinken.

Er hatte gehofft, Spirit hier anzutreffen, doch der Hund ist längst verschwunden.

Er hat eine Flasche von seinem Lieblingswein getrunken. Es bereitet ihm Schwierigkeiten, etwas zu essen oder zu trinken – wegen der Wunde in seinem Gesicht, die ein mit Heroin vollgepumpter Arzt stümperhaft genäht hat. Doch es ist ihm gelungen, genug Wein durch seine Kehle laufen zu lassen, um betrunken zu werden.

Er wirft die Flasche fort und nimmt einen dicken Marihuana-Joint aus der Tasche, der mit soviel Heroin versetzt ist, daß er ihn bewußtlos machen wird. Er zündet den Joint an, nimmt einen Zug und steigt den Hügel hinunter.

Als ihm das Wasser bis zu den Knien reicht, setzt er sich.

Ein letztes Mal läßt er den Blick über sein Tal schweifen. Es ist kaum noch zu erkennen. Den glitzernden Fluß gibt es nicht mehr. Nur noch die Dächer der Gebäude sind zu sehen; sie erinnern an Schiffswracks, die kieloben auf einer Lagune treiben. Auch die Weinstöcke, die er in fünfundzwanzig Jahren hier angepflanzt hat, sind nun unter Wasser verschwunden.

Das Tal ist kein Tal mehr. Es ist zu einem See geworden. Alles, was hier einst gelebt hat, stirbt ab.

Er tut einen langen Zug an dem Joint, den er sich zwischen die Finger geklemmt hat. Er atmet ein, inhaliert den tödlichen Rauch tief in die Lungen. Er verspürt den Ansturm des Glücksgefühls, als die Droge in

seine Blutbahn gelangt und sein Hirn umnebelt. Der kleine Ricky,
denkt er verschwommen, endlich ist er glücklich.

Er kippt zur Seite, ins Wasser, treibt mit dem Gesicht nach unten,
hilflos, von der Droge seines Verstandes beraubt. Langsam schwindet
sein Bewußtsein, so wie das Licht einer Lampe in der Ferne schwächer
wird, bis es schließlich erlischt.

DANKSAGUNG

Folgenden Personen möchte ich für ihre Hilfe bei der Entstehung
dieses Romans danken:

Pete Wilson, Gouverneur von Kalifornien; Jonathan R. Wilcox, Deputy Director, Office of Public Affairs, Office of Governor
Pete Wilson; Andrew Poat, Chief Deputy Director, Department
of Transportation.

Mark D. Zoback, Professor für Geophysik, Chairman, Dept. of
Geophysics, Stanford University.

Von der Außenstelle San Francisco des FBI: Special Agent
George E. Grotz, Director of Press Relations & Public Affairs, der mir
viele Türen geöffnet hat; Special Agent Candice DeLong, Profiling
Coordinator, die so freundlich war und viel Zeit damit verbrachte,
mir Einzelheiten über das Leben und die Arbeit eines FBI-Agenten
zu erklären; Bob Walsh, Special Agent in Charge; George Vinson,
Assistant Special Agent in Charge; Charles W. Matthews, III, Associate Special Agent in Charge; Supervising Special Agent John Gray,
Crisis Management Coordinator; Supervising Special Agent Don
Whaley, Chief Division Counsel; Supervising Special Agent Larry
Long, Tech. Squad; Special Agent Tony Maxwell, Evidence Response
Team Coordinator; Dominic Gizzi, Administrative Officer.

Von der Außenstelle Sacramento des FBI: Special Agent Carole
Micozzi; Special Agent Mike Ernst.

Sowie: Pearle Greaves, Computerspezialist, Information Resources Division, FBI-Zentrale;

Sierra County Sheriff Lee Adams;

Lucien G. Canton, Director, Mayor's Office of Emergency Services, San Francisco;

James F. Davis, PhD, California State Geologist; Sherry Reser, Information Officer, Dept. of Conservation;

Charles Yanez, Manager, South Texas, Western Geophysical; Janet Loveday, Western Geophysical; Donnie McLendon, Western Geophysical, Freer, Texas; Mr. Jesse Rosas, Bulldozerfahrer;

Seth Rosing DeLong;

Dr. Keith J. Rosing, Director of Emergency Services, Irvine Medical Center;

Brian Butterworth, Professor für kognitive Neuropsychologie, University College, London.

Die meisten der genannten Personen hat Dan Starer von der Research for Writers, New York City, für mich ausfindig gemacht.

Wie stets wurden meine Skizzen und Entwürfe gelesen und einer konstruktiven Kritik unterzogen, und zwar von meinem Agenten Al Zuckerman, meinen Lektorinnen Ann Patty in New York und Suzanne Baboneau in London sowie von zahlreichen Freunden und Verwandten, darunter George Brennan, Barbara Follett, Angus James, Jann Turner und Kim Turner.

**»Italiens neues Erzählwunder –
ein großer Fabulierer und begnadeter Erzähler
vor dem Herrn.«** (Fokus)

ANDREA CAMILLERI
Der Dieb der süßen Dinge

In Vigàta, einem malerischen Städtchen an der sizilianischen Küste, geschehen nicht nur zwei Morde, die scheinbar nichts miteinander zu tun haben – ein Dieb versetzt den Ort und Commissario Montalbano in Aufregung. Denn der Dieb der süßen Dinge führt ihn auf die Spur der geheimnisvollen, schönen Tunesierin Karima, beansprucht all seine kriminalistischen Fähigkeiten und verführt ihn zu einem folgenschweren Versprechen ...

Der Dieb der süßen Dinge ist nach *Die Form des Wassers* und *Der Hund aus Terracotta* der dritte Fall des berühmten Commissario, der in Italien eine wahre »Camillerimania« (DIE WELT) auslöste.

»Fazit: *Der Dieb der süßen Dinge* ist kein Buch für stille Genießer. Dauernd muss man kichern oder lachen und seinen Partner nerven: Hör dir mal das an, ist das nicht klasse?« WDR 2

Bei Bastei-Lübbe sind folgende Titel lieferbar:

ISBN 3-404-92065-1   ISBN 3-404-92048-1   ISBN 3-404-92076-7